L'État de la Planète

L'État de la Planète 1991

Traduit de l'américain par **Ph. de Lavergne, Traduclair et G. Sudrie**

Lester R. Brown

Alan DURNING

Christopher FLAVIN

Hilàry FRENCH

Jodi JACOBSON

Nicholas LENSSEN

Marcia LOWE

Sandra POSTEL

Michael RENNER

John RYAN

Linda STARKE

John YOUNG

ECONOMICA

49, rue Héricart, 75015 Paris

Traduction de State of the World, 1991

Remerciements

L'Etat de la Planète est à première vue une entreprise bien présomptueuse dans la mesure où sa rédaction repose sur une poignée de chercheurs qui, depuis leurs bureaux de Washington D.C., s'efforcent dans un premier temps de décrire le réseau complexe de courants et contre-courants qui relie étroitement activités humaines et environnement mondial, avant d'émettre des recommandations sur la façon dont il faudrait redresser la barre.

Quels que soient les succès de cette entreprise, ils sont dus pour une large part aux efforts d'une pléiade de collaborateurs anonymes à qui nous ne ménagerons jamais suffisamment de remerciements. Il convient en tout premier lieu de souligner la chance insigne qu'a l'Institut Worldwatch de disposer d'un conseil d'administration qui, sous la houlette éclairée de son président Orville Freeman, sait toujours faire preuve de pénétration et de perspicacité. La talentueuse équipe de professionnels qui a en charge les problèmes administratifs et la communication allie, pour le plus grand bien des relations personnelles au sein de l'Institut, un dévouement et un savoir-faire peu communs à un esprit, une bonne humeur et une gentillesse qui sont rares. Ce sont, par ordre alphabétique : Mark Cheater, Carole Douglis, Guy Gorman, James Gorman, Gloria Grant, Barbara Granzen, Blondeen Gravely, Joseph Gravely, Geni Hamilton, Heather Hanford, Millicent Johnson, Reah Janise Kauffman, Steven Kaufman, Denise Byers Thomma et Howard Youth. Bien que de nouvelles activités l'aient appelé vers d'autres cieux, Stephen Dujack mérite une part particulière de nos remerciements pour sa contribution à Worldwatch.

L'assemblage du puzzle que représente *L'Etat de la Planète* nécessite de longues heures de travail de la part des assistants de recherche. Outre ses apports remarquables au Chapitre 9, Holly

Brough a également participé au Chapitre 8, tandis qu'Erik Hagerman doublait la mise avec les Chapitres 5 et 6. Ann Misch, de son côté, a relayé Meri McCoy Thomson pour les Chapitres 7 et 8 après le départ de cette dernière. Non contente de participer au Chapitre 2, Marnie Stetson a apporté son concours aux deux auteurs du Chapitre 10. Quant à Peter Weber, il a sué sang et eau sur le Chapitre 1.

Worldwatch doit son existence aux largesses d'un certain nombre d'organismes dont le soutien ne s'est pas démenti au fil des années. Pour l'essentiel, le financement des éditions successives de L'Etat de la Planète provient du Rockefeller Brothers Fund et du Winthrop Rockefeller Trust. Les recherches, elles, sont financées par les Fondations Geraldine R. Dodge, George Gund, William et Flora Hewlett, W. Alton Jones, William D. et Catherine T. MacArthur, Andrew W. Mellon, Curtis et Edith Munson, Edward John Noble, Public Welfare, Surdna et Rockefeller, ainsi que par l'United Nations Population Fund.

De retour de son congé sabbatique, notre collaboratrice de longue date Lori Heise est intervenue à une étape critique pour passer en revue la totalité du manuscrit tandis qu'une armée de spécialistes extérieurs à l'Institut procédait, en disposant parfois de très peu de temps, à la relecture des divers chapitres pour contrôler une dernière fois l'exactitude des faits rapportés et des analyses effectuées. Les remerciements des auteurs vont donc, pour cet aspect particulier, à Frederik van Bolhuis, Robert Buschbacher, Martin Calhoun, Carroll Carter, Herman Cesar, William U. Chandler, Scott Chaplin, W.W. Charters, Karen Christensen, Maheshwar Dayal, Elizabeth Deakin, Jean Durning, Duncan Fisher, Adrienne Germaine, David Goldstein, Robert Groodland, Robert Gough, Michael Grubb, Stanley Henshaw, H.M. Hubbard, Nada Johanisova, Ron Kilcoyne, Eliza Klose, Stanislav Kolar, Skip Laitner, David Lewis, Richard Liroff, Arjun Makhijani, Norman Myers, Sigismund Niebel, R.K. Pachauri, David Perry, D.J. Peterson, Steven Polasky, Michael Replogle, Bruce M. Rich, Elliott Sclar, Roger Sedjo, Kristen Suokko, Thomas H. Tietenberg, Janos Vargha, Philip Warburg, Carl Weinberg, Carl-Jochen Winter et Edward Wolf. Il va de soi que toute erreur qui aurait pu échapper à leur crible demeure de la seule responsabilité des auteurs.

En l'espace d'un mois, notre éditeur Linda Starke, qui n'en est plus à un miracle près, a réussi à transformer 10 chapitres encore plus ou moins à l'état d'ébauche et disparates en un tout cohérent, veillant tout aussi bien aux détails qu'à la structure de l'ensemble. Il en va de même de Bart Brown qui a fait diligence pour élaborer

l'index et en faire un outil de référence irremplaçable. Derniers
porteurs du témoin dans cette course de relais, Iva Ashner et Andy
Marasia ont couru le sprint final au terme duquel les éditions
W.W. Norton & Company de New York nous ont gratifiés de
volumes impeccablement imprimés sur papier recyclé.

Chaque édition de *L'Etat de la Planète* bénéficie du concours de
nombreux chercheurs, analystes et penseurs extérieurs au Worldwatch mais cette année tout particulièrement une mention
spéciale doit être accordée à Herman Daly, économiste chevronné
de la World Bank, dont l'autorité intellectuelle nous a aidés à
aborder le problème le plus crucial de notre époque, à savoir
comment concilier les activités économiques et la nécessité absolue
de préserver l'environnement. Aussi bien comme économiste que
comme philosophe et auteur, Herman Daly a repoussé plus loin
encore les frontières de la réflexion économique et du développement international. Ses travaux sont pour nous une source
permanente d'inspiration. Mais, cette année plus encore que
d'habitude, sa marque est profondément inscrite dans plusieurs
chapitres de la présente édition. Qu'il en soit ici respectueusement
et chaleureusement remercié.

Lester R. Brown,
Christopher Flavin et Sandra L. Postel.

Avant-propos

Ce huitième panorama annuel paraît au moment où le monde prend douloureusement conscience de l'étendue de la pollution qui affecte l'atmosphère, les eaux et le sol de l'Europe de l'Est et de l'Union Soviétique. Maintenant que le rideau politique qui protégeait ces régions des regards extérieurs s'est levé, l'épouvantable réalité se dessine peu à peu. La dégradation de l'environnement de la région est sans précédent. Dans certaines villes la pollution a atteint un niveau tel que l'espérance de vie y est réduite de plusieurs années par rapport aux régions avoisinantes. Maladies respiratoires, cas de cancers en croissance exponentielle, allergies, affections du système nerveux et malformations congénitales constituent le lugubre cortège des plaies qui frappent les populations locales.

Bien que *L'Etat de la Planète* s'attache habituellement à traiter les problèmes de façon globale, nous avons cette année dérogé à cette règle en consacrant un chapitre entier à une zone géographique particulière, à savoir l'Europe de l'Est et l'Union Soviétique. Nous reprenons en cela la démarche qui fut la nôtre il y a six ans lorsque nous avons publié, dans l'édition 1985 de *L'Etat de la Planète*, un chapitre préconisant un certain nombre de mesures pour enrayer le déclin de l'Afrique et la remettre sur la voie du progrès.

Le dernier chapitre de la présente édition fait logiquement suite à son pendant de *L'Etat de la Planète 1990* dans lequel nous esquissions les bases d'une économie mondiale débouchant sur un environnement viable. Cette année, le Chapitre 10 met en relief les moyens permettant d'atteindre ce but, moyens qui vont d'une réforme de la Banque Mondiale à la restructuration des systèmes de taxation. L'économie mondiale ne pourra perdre son caractère auto-destructeur actuel et devenir enfin viable que si l'on modifie profondément les incitations qui déterminent les décisions des individus et les priorités qui orientent le développement international.

L'*Etat de la Planète* a fait l'objet l'année dernière d'un nombre croissant de traductions dans différentes langues. Fort de 20 éditions différentes, L'*Etat de la Planète 1990* touche aujourd'hui un plus large public que le *Reader's Digest*. Outre les langues principales que sont l'anglais, l'espagnol, le portugais, l'arabe, le chinois, le japonais, l'indonésien, l'allemand, l'italien, le français et le russe, L'*Etat de la planète* s'est maintenant enrichi du norvégien, du hollandais, du thaï, du malais et du coréen. Nous sommes particulièrement heureux de voir que L'*Etat de la Planète* paraît aujourd'hui en Europe de l'Est non seulement en tchèque et en bulgare mais aussi en polonais et en roumain. L'édition allemande se vend dans la totalité de l'Allemagne réunifiée. Cette année, nous espérons pouvoir ajouter à notre panoplie le danois, le finlandais, le turc et peut-être même le grec.

Les ventes de L'*Etat de la Planète* continuent à croître sans désemparer. Alors qu'en 1984 la première édition en langue anglaise représentait 16 000 exemplaires, le premier tirage de L'*Etat de la Planète 1991* atteint le nombre de 102 000. Outre l'édition nord-américaine, il existe aujourd'hui des éditions séparées en langue anglaise pour l'Inde, l'Australie et le Royaume-Uni, y compris les autres pays du Commonwealth.

L'une des causes de cette croissance spectaculaire est le caractère semi-officiel dont bénéficie aujourd'hui L'*Etat de la Planète* et qui tient surtout au fait que cet ouvrage n'a pas d'équivalent. Différents organismes spécialisés des Nations Unies publient divers rapports traitant de l'agriculture, de la démographie, de l'environnement et de l'économie mondiale par exemple, mais les Nations Unies en tant que telles ne sont à l'origine d'aucune étude qui soit une synthèse mondiale. C'est la raison pour laquelle les gouvernements de divers pays, les agences de l'ONU elles-mêmes ainsi que la communauté internationale en charge des problèmes de développement font une large utilisation des analyses et des informations parues dans L'*Etat de la Planète*.

L'intérêt croissant porté à la littérature écologique dans le milieu académique constitue également une évolution encourageante. Les autorités universitaires sont de plus en plus convaincues de la nécessité de dispenser à leurs étudiants des bases solides sur les problèmes d'environnement afin qu'ils soient à même d'affronter la fin de ce siècle et les premières années de l'autre.

Le Président de l'Université Tufts, Jean Mayer, a joué dans ce domaine un rôle de pointe. Il est allé jusqu'à réunir sur ce sujet une convention internationale de présidents d'universités au centre de conférences Tufts, à Talloires, en France. Au Massachusetts, les responsables du Western New England College ont décidé que leurs 2 100 étudiants devaient lire au moins une édition de *L'Etat de la Planète* pour obtenir leur diplôme. Le Président de l'université de Georgie, Charles Knapp, a annoncé en 1989 son intention de donner à tous ses étudiants un formation destinée à leur faire prendre conscience des problèmes que pose l'environnement.

Cet intérêt pour la littérature écologique se traduit par une utilisation croissante de *L'Etat de la Planète* dans l'enseignement supérieur où il est prescrit comme ouvrage fondamental ou de complément. L'édition 1989 sert de support à 1 106 cours dispensés dans quelque 584 collèges et universités aux Etats-Unis. Le faible nombre d'exemplaires de l'édition 1990 restitués par les emprunteurs témoigne même d'un engouement accru. En Californie, l'édition 1989 est diffusée sur 63 campus à l'appui de 131 cours.

Au niveau international, des groupes sont spontanément apparus pour favoriser la vente et la distribution des publications du Worldwatch. Le premier de ces groupes, le Worldwatch Institute Japan, a assuré la traduction de *L'Etat de la Planète* en japonais et a plus récemment lancé sa propre version de notre magazine *World Watch*.

Pour ce qui est des pays nordiques, la création du Worldwatch Institute Norden, sous les auspices de Magnar Norderhaug, y a considérablement développé l'utilisation des publications du Worldwatch, dont *L'Etat de la Planète*. Avec 9 000 exemplaires vendus, l'édition norvégienne bat le record du monde si on la rapporte au nombre d'habitants.

Le Worldwatch Institute Europe est en cours de constitution par les soins de Gunter Pauli. Entre autres actions, ce dernier a organisé le lancement des éditions européennes par le biais d'une présentation à la Commission pour l'Environnement du Parlement Européen qui regroupe quelque 50 membres de cette institution. La première réunion tenue à Bruxelles en février 1990 a eu un tel succès qu'une récidive est prévue à Strasbourg à la mi-février pour la lancement de *L'Etat de la Planète 1991*.

Un autre phénomène particulièrement gratifiant pour l'Institut est le nombre croissant de personnes qui, à titre personnel, distribuent des exemplaires de *L'Etat de la Planète* à certains décideurs clés. Au cours de chacune des dernières années, Ted Turner, par exemple, a acheté 1 000 exemplaires pour les remettre aux 500 directeurs généraux qui sont sur la liste établie par le périodique *Fortune* et aux membres du Congrès, et quelques

400 exemplaires destinés aux principaux directeurs et journalistes de son propre *Cable News Network*. De son côté, William Bryant, membre de la Chambre des Représentants du Michigan, achète régulièrement 150 exemplaires qu'il distribue à ses collègues.

En dehors des Etats-Unis, un important industriel norvégien également membre du conseil d'administration du Worldwatch Institute Norden, Raymond Rooth, a acheté 900 exemplaires qu'il destine à certains personnages clés de son pays. Bjorn Stigson, dirigeant d'entreprise suédois et l'un des directeurs d'ASEA-Brown Boveri, s'est procuré 500 exemplaires de l'édition suédoise pour les remettre gracieusement à certains membres du Parlement et des Gouvernements provinciaux de Suède.

Pour l'Institut, 1990 a été une année stimulante mais aussi très chargée. Après la Journée de la Terre en avril qui a drainé un public considérable et suscité l'intérêt des médias vis-à-vis des thèmes chers au Worldwatch, l'automne a vu la diffusion du premier volet de la RACE TO SAVE THE PLANET (Cause pour sauver la planète). Produite par la station de télévision WGBH de Boston, cette série d'une durée totale de 10 heures s'inspire des différentes éditions de *L'Etat de la Planète*. Si l'on veut une preuve de son importance, il faut savoir que le Public Broadcasting Service des Etats-Unis l'a diffusée à deux reprises à l'automne 1990.

Tous ces témoignages de l'intérêt sans cesse croissant que suscite l'avenir de notre planète ne sont pas la moindre de nos satisfactions. Nous sommes convaincus que la présente décennie sera celle de l'environnement et que la cause à laquelle nous nous sommes voués va enfin recevoir l'attention qu'elle mérite. S'il en est ainsi, c'est grâce à nos lecteurs. Qu'ils en soient remerciés.

Lester R. Brown, Directeur de Projet,
Christopher Flavin, Sandra Postel, directeurs de Projet associés,
Worldwatch Institute,
1776 Massachusetts Ave. N.W.,
Washington, D.C. 20036.

Décembre 1990

CHAPITRE 1

Un nouvel ordre mondial

par Lester R. Brown

A l'aube de la décennie 1990, le monde entre dans une ère nouvelle. La guerre froide, qui a dominé la scène internationale pendant une quarantaine d'années et conduit à une militarisation sans précédent de l'économie mondiale, est finie. Avec elle disparaît l'ordre mondial auquel elle avait donné le jour.

Le conflit d'idéologies Est-Ouest a été si violent qu'il a imposé sa loi à l'ordre mondial pour plus d'une génération. Il a défini un principe directeur bien déterminé autour duquel se sont articulées les politiques étrangères des deux superpuissances et aussi, dans une moindre mesure, d'autres gouvernements. Mais, à mesure que les anciennes priorités et alliances militaires perdent de leur raison d'être, nous arrivons aujourd'hui à l'un de ces rares moments de l'histoire que l'on appelle un grand tournant, c'est-à-dire un moment où le changement est aussi imprévisible qu'inéluctable (1).

Nul ne peut dire avec certitude à quoi ressemblera le nouvel ordre mondial. Toutefois, si nous voulons façonner un avenir plein de promesses pour la prochaine génération, il faudra que l'effort considérable requis pour arrêter la dégradation écologique de la planète et renverser la tendance s'inscrive au premier rang des préoccupations internationales au cours des décennies à venir. En fait, la lutte pour sauver la planète supplantera la lutte idéologique en tant que thème directeur du nouvel ordre mondial.

Au fur et à mesure que s'appaisent les tensions de la guerre froide, l'ampleur des atteintes causées à l'environnement mondial et l'inadéquation des efforts mis en œuvre pour y remédier apparaissent on ne peut plus clairement. Depuis la première « Journée de la Terre » 1970, il y a vingt ans, le monde a perdu près de 200 millions d'hectares de couvert forestier, soit une superficie pratiquement équivalente à la partie des Etats-Unis située à l'est du Mississipi. Les déserts ont gagné du terrain, s'octroyant quelques 120 millions d'hectares, soit plus que les surfaces de terres mises en culture actuellement en Chine. Des milliers d'espèces végétales et animales avec lesquelles nous partagions la planète en 1970 ont disparu. En deux décennies, la population mondiale a augmenté d'environ 1,6 milliard d'habitants, chiffre supérieur à la population de la planète en 1990. Par ailleurs, selon les estimations, les agriculteurs ont perdu sur l'ensemble du globe terrestre 480 milliards de tonnes de couche arable, soit l'équivalent de la surperficie des terres cultivées de l'Inde (2).

Cette dégradation de la planète s'est poursuivie en dépit des efforts de protection de l'environnemnt déployés par différents gouvernements ces vingts dernières années. Pendant cette période, la quasi-totalité des pays a créé des agences pour la sauvegarde de l'environnement. Les corps législatifs nationaux ont adopté des milliers de lois destinées à protéger l'environnement. Des dizaines de milliers d'associations locales de défense ont surgi en riposte à des intiatives régionales destructrices. Le nombre d'adhérents à des organisations nationales de sauvegarde de l'environnement est monté en flèche. Mais comme s'interrogeait Denis Hayes, président de la Journée de la Terre 1990 : « Comment se fait-il que nous soyons aujourd'hui sur le point de perdre la guerre alors que nous avons lutté si durement et gagné tant de batailles ? » (3)

Pour expliquer cet échec, on se doit de préciser que, si les gouvernements se sont déclarés officiellement préoccupés par la dégradation de l'environnement, rares sont ceux qui ont été prêts à opérer les changements fondamentaux indispensables pour redresser la situation. Stabiliser le climat par exemple, nécessite une restructuration des économies nationales en matière d'énergie. Mettre un frein à la croissance démographique exige des modifications importantes du comportement des individus en matière de procréation. Or la perception par l'opinion publique des conséquences d'un réchauffement continu de la planète ou d'une croissance démographique rapide est encore trop limitée pour contribuer à la mise en œuvre de politiques efficaces.

La lutte pour la sauvegarde des systèmes écologiques qui permettent la vie et l'activité sur la planète diffère de la lutte pour la suprématie idéologique sur plusieurs points importants. La guerre froide a été dans une large mesure une abstraction, une campagne orchestrée par quelques stratèges éminents. Mis à part le coût économique qu'elle a dû assumer et qui, lui, était très concret, la majorité de la population aux Etats-Unis et en Union Soviétique n'y a pris aucune part directe. En revanche, dans cette nouvelle bataille, chacun d'entre nous, en quelque endroit du globe où il se trouve, sera nécessairement concerné : ceux qui veulent recycler leurs déchets, les couples qui tentent de décider s'ils auront oui ou non un deuxième enfant, et les ministres de l'énergie qui essaient d'élaborer un système énergétique écologiquement viable. Si l'objectif de la guerre froide était de contraindre les autres à modifier leurs valeurs et leur comportement, il nous faudra, pour gagner la lutte pour la sauvegarde de la planète, modifier nos propres valeurs et notre propre comportement.

Le parallèle avec les bouleversements étonnamment rapides survenus récemment en Europe de l'Est est instructif. A un moment donné, il est apparu comme une évidence aux yeux de pratiquement tout le monde que non seulement les économies à planification centralisée ne fonctionnaient pas, mais qu'elles étaient foncièrement incapables de fonctionner. Les rayonnages vides des magasins et les longues files d'attente devant les vitrines fournissaient à cet égard une preuve, qui n'était que trop probante de l'incapacité d'une économie socialiste centralisée à satisfaire les besoins vitaux, et encore moins de respecter ses promesses d'abondance. Dès lors qu'un certain nombre de personnes, y compris Mikhail Gorbatchev, avait pris conscience de l'impuissance des responsables socialistes de la planification à résoudre cette contradiction au sein du système existant, la réforme était inévitable.

De la même manière, la contradiction entre les indicateurs utilisés pour mesurer l'état de santé de l'économie mondiale et ceux utilisés pour évaluer l'état de santé de ses systèmes écologiques vitaux apparaît de plus en plus nettement. Ce conflit semble être aujourd'hui inhérent à tous les systèmes économiques : les économies industrialisées de l'Ouest, les économies en voie de réforme de l'Est et les économies du Tiers Monde. A l'image des contradictions qui affectent l'Europe de l'Est, celles qui opposent les indicateurs économiques et les indicateurs écologiques ne peuvent être résolues qu'en procédant à des réformes économiques, notamment en remodelant l'économie mondiale de manière à ce quelle soit viable pour l'environnement (voir Chapitre 10).

Deux points de vue sur le monde

Quiconque lit régulièrement les journaux financiers ou les hebdomadaires économiques peut légitimement penser que le monde est dans une situation relativement satisfaisante et que les tendances économiques à long terme sont favorables. Certes, des problèmes demeurent, comme le déficit du budget américain, la dette du Tiers Monde et la déstabilisation consécutive à la hausse des prix du pétrole, mais, pour un économiste, les choses semblent à portée de solution. Même ceux qui prédisent une grave récession mondiale en 1991 sont optimistes sur les perspectives économiques à plus long terme de la décennie 1990.

Pourtant, sur le front de l'environnement, le tableau pourrait difficilement être plus sombre. Quiconque lit régulièrement les revues scientifiques ne peut qu'être préoccupé par le changement de la condition physique du globe. Tous les principaux indicateurs révèlent une détérioration des systèmes naturels : les forêts régressent, les déserts gagnent du terrain, la couche arable des terres de culture diminue, la couche d'ozone de la stratosphère ne cesse de s'amincir, les gaz à effet de serre s'accumulent, le nombre d'espèces végétales et animales est en baisse, la pollution de l'air a atteint la cote d'alerte dans des centaines de villes et les dommages causés par les pluies acides se font sentir sur tous les continents.

Cette divergence de points de vue sur l'état du monde plonge ses racines dans l'économie et l'écologie, deux disciplines qui reposent sur des bases intellectuelles si différentes que leurs utilisateurs éprouvent souvent des difficultés à communiquer. Les économistes interprètent et analysent les tendances en termes d'épargne, d'investissement et de croissance. Ils s'appuient géné-ralement sur des théories et des indicateurs économiques et envisagent l'avenir plus ou moins comme une extrapolation du passé récent. Vus sous cet angle, il n'y a guère lieu de s'inquiéter des contraintes naturelles susceptibles de limiter l'activité écono-mique de l'homme ; rares sont les textes économiques qui men-tionnent le principe de la capacité d'accueil si fondamental en écologie. Aux dires des économistes, le progrès technologique est capable de faire reculer toutes les limites. Cette opinion prédo-mine dans les milieux industriels et financiers, ainsi qu'au sein des gouvernements et des organisations internationales de dévelop-pement (4).

A l'inverse, les écologistes étudient la relation entre les orga-nismes vivants et entre ces organismes et leur milieu. Pour eux, la croissance décrit des courbes en S, un concept que l'on a l'habitude d'exposer aux étudiants en biologie en introduisant des algues dans une boîte de Petri. Cultivées avec soin à température optimale, ces algues reçoivent des quantités illimitées de nourriture. Elles commencent par se reproduire lentement, puis leur croissance s'accélère jusqu'au moment où elle finit par ralentir et s'arrêter, le plus souvent en raison de l'accumulation des déchets. Si l'on reproduit le tracé de cette évolution en fonction du temps, on obtient un profil en S, bien connu, qui est caractéristique de tous les processus de croissance biologique dans un environnement fini.

Les écologistes pensent en termes de cycles fermés, le cycle hydrologique, le cycle du carbone, le cycle de l'azote, pour n'en citer que quelques-uns. Ils considèrent que tous les processus de croissance sont limités, confinés dans les limites naturelles de l'écosystème de la planète. Ils sont mieux que quiconque conscients des atteintes que l'expansion de l'activité économique porte aux ressources et aux systèmes naturels.

Si ce point de vue repose sur des fondements intellectuels d'origine biologique, d'autres disciplines scientifiques, comme la météorologie, la géologie et l'hydrologie, y jouent aussi un rôle. On retrouve la perspective écologique dans les académies des sciences de la plupart des pays, dans les organismes scientifiques internationaux et dans les organisations de sauvegarde de l'environnement. En fait, ce sont les environnementalistes qui défendent avec vigueur ce point de vue en réclamant l'application de principes écologiques pour restructurer les économies nationales et façonner le nouvel ordre mondial qui se fait jour.

Cette divergence de points de vue sur le monde crée une sorte de schizophrénie internationale, c'est-à-dire une perte de contact avec la réalité. Les manifestations de 1990 illustrent cette détérioration de la situation. La célébration de la Journée de la Terre 1990 a symbolisé la préoccupation grandissante pour la santé écologique de la planète. Si l'on en croit les estimations, 100 millions de personnes, au moins, appartenant à 141 pays différents, ont pris part aux manifestations organisées le dimanche 22 avril. Peu de temps après, au sommet économique du Groupe des Sept, à Houston, les dirigeants européens, traduisant la montée de l'inquiétude face au réchauffement de la planète, ont incité les Etats-Unis à adopter une politique énergétique orientée vers le climat (5).

Quelques semaines plus tard, l'Irak envahissait le Koweit, entraînant une déstabilisation des marchés du pétrole. Pratiquement, du soir au lendemain on assistait à un changement dans les préoccupations en matière d'énergie. Il ne s'agissait plus des conséquences climatiques à long terme dues à la combustion du pétrole ou autres combustibles fossiles, mais des préoccupations à court terme relatives au prix de l'essence à la pompe du coin. Des opinions plus traditionnelles en matière de sécurité énergétique refirent surface, éclipsant, du moins temporairement, les problèmes liés à l'utilisation des combustibles fossiles et le réchauffement de la planète.

Cette perspective schizophrénique se traduit par un violent conflit politique au niveau des responsables de la politique économique. Dans les revues économiques, les contraintes qui limitent l'expansion économique sont généralement analysées en termes d'une croissance insuffisante de la demande plutôt qu'en termes de restrictions imposées à l'offre par les ressources et les systèmes naturels de la planète. En revanche, l'opinion des écologistes, exprimée par les groupes d'intérêt public en faveur de l'environnement, fait valoir que la poursuite exclusive de la croissance pour la croissance finira par mener à l'effondrement économique. Les écologistes estiment indispensable de restructurer les systèmes économiques pour pouvoir maintenir le progrès.

Les deux tendances se disputent l'attention des dirigeants politiques et, compte tenu de l'augmentation du nombre de candidats écologistes aux postes dirigeants, le soutien des électeurs. Leurs divergences de vues sont flagrantes si l'on considère les indicateurs utilisés pour mesurer le progrès et évaluer les perspectives d'avenir. Les données de base présentées par les économistes font état d'excellents résultats au cours de la dernière décennie (voir tableau 1.1). La valeur de l'ensemble des biens et des prestations de services a progressé régulièrement au cours des années 1980, à raison d'environ 3 % par an, soit une augmentation de plus de 4 500 milliards de dollars du produit brut mondial, somme supérieure au produit mondial total de 1950. Ou, si l'on veut, la croissance de la production économique mondiale pendant les années 1980 a été plus forte que celle enregistrée au cours des milliers d'années qui se sont écoulées depuis le début de la civilisation jusqu'en 1950 (6).

Le commerce international, autre critère couramment utilisé pour mesurer le progrès économique dans le monde, a augmenté à un rythme encore plus rapide, avec une hausse de près de 50 % pendant les années 1980. Ce record a été dominé par l'essor du commerce des produits industriels, alors que la croissance du commerce des produits agricoles de base et des minéraux marquait le pas. Si les exportations de certains pays, comme ceux d'Asie de l'Est, ont progressé beaucoup plus fortement que les autres, seul un nombre relativement restreint de pays ont contribué à l'essor du commerce (7).

Tableau 1.1. Echantillon d'indicateurs économiques et écologiques mondiaux ·

Indicateur	Observation
Economie Produit mondial brut	La production mondiale de biens et de services a atteint un total d'environ 20 000 milliards de dollars en 1990, contre 15 500 milliards de dollars en 1980 (valeur en dollars 1990).
Commerce international	Les exportations mondiales de l'ensemble des biens, produits agricoles, produits industriels et minéraux, ont progressé de 4 % par an pendant les années 1980, pour excéder 3 000 milliards de dollars en 1990.
Emploi	Au cours d'une année type, la croissance de l'économie mondiale crée des millions d'emplois nouveaux, mais malheureusement la création d'emplois est très en retard par rapport au nombre de nouveaux venus sur le marché du travail.
Cours de la Bourse	Indicateur clé de la confiance des investisseurs, les cours de la Bourse de Tokyo et de la Bourse de New York ont atteint des records sans précédent à la fin de l'année 1989 et au début de l'année 1990.
Environnement Forêts	Chaque année, le couvert forestier de la planète diminue de 17 millions d'hectares environ, une superficie égale à la taille de l'Autriche. Les forêts sont défrichées pour les cultures, les récoltes de bois de construction et de bois de brûle sont supérieures aux rendements viables, et la pollution de l'air et les pluies acides prélèvent un tribut de plus en plus lourd sur chaque continent.
Sol	La déperdition annuelle de couche arable des terres cultivées est estimée à 24 milliards de tonnes, soit à peu près la quantité de terres à blé de l'Australie. La dégradation des paturâges est un phénomène général dans l'ensemble du Tiers Monde, de l'Amérique du Nord et en Australie.

Indicateur	Observation
Système climatique	La quantité de gaz carbonique, principal gaz à effet de serre présent dans l'atmosphère, augmente actuellement de 0,4 % par an sous l'effet de l'emploi de combustibles fossiles et du déboisement. Les records de températures estivales enregistrés pendant la décennie 1980 seront peut-être battus pendant les années 1990.
Qualité de l'air	La pollution de l'air a atteint des niveaux tels qu'elle constitue une menace pour la santé dans des centaines de villes et qu'elle entraîne une dégradation des récoltes dans un grand nombre de pays.
Vie végétale et animale	Tandis que la population de la planète augmente, le nombre d'espèces végétales et animales diminue. La destruction et la pollution de l'habitat réduisent la diversité biologique de la planète. La hausse des températures et l'épuisement de la couche d'ozone pourraient provoquer de nouvelles pertes.

Source : Worldwatch Institute, basé sur des sources mentionnées dans la note 6.

Sur le front de l'emploi, l'Organisation internationale du travail indique que la population économiquement active est passée, au cours de la décennie, de 1,96 milliard à 2,36 milliards. Malgré de nettes améliorations enregistrées au niveau de l'emploi dans certaines régions, la création d'emplois dans les pays du Tiers Monde n'a pas été de pair avec le nombre de nouveaux venus sur le marché du travail, ce qui explique les résultats médiocres de cet indicateur par rapport à tous les principaux critères de mesure économiques (8).

A en juger par les cours de la Bourse, les années 1980 ont apporté des résultats tout à fait remarquables. Les investisseurs à la Bourse des valeurs de New York ont vu la valeur de leurs portefeuilles grimper à un rythme vertigineux, avec quelques interruptions seulement, comme en octobre 1987. Le Standard and Poor, qui porte sur un éventail de 500 actions ordinaires, a montré que les valeurs des titres avaient pratiquement triplé pendant la décennie. Les caisses de retraite, les fonds communs de placement et les investisseurs individuels ont tous enregistré des bénéfices (voir figure 1.1). La valeur des titres qui s'échangeaient à la Bourse de Tokyo a progressé à un rythme encore plus rapide (9).

Le contraste entre les indicateurs de base de l'économie mondiale et ceux qui mesurent la santé de notre milieu planétaire ne pouvait pas être plus marqué. Tandis que les premiers sont résolument positifs, les seconds, du moins les plus importants sont tous uniformément négatifs. Par exemple, suite au défrichage des forêts entrepris pour satisfaire les besoins en terres arables, et suite à la montée en flèche de la demande de bois de brûle, de bois de construction et de papier, le déboisement a pris de l'ampleur. Vers la fin de la décennie, les forêts de la planète diminuaient, selon les estimations, de 17 millions d'hectares par an. Certains pays, comme la Mauritanie et l'Ethiopie, ont pratiquement perdu la totalité de leur couvert forestier (10).

Un autre élément en relation étroite avec ce phénomène concerne la perte de sol arable, sous l'effet de l'érosion par le vent et par l'eau, et la détérioration des sols qui en résulte. Le déboisement et le pâturage excessif pratiqués dans l'ensemble des pays du Tiers Monde ont également favorisé une dégradation généralisée des sols. Chaque année, environ 6 millions d'hectares de terres subissent une dégradation si grave qu'elles perdent leur capacité à produire et deviennent impropres à la culture (11).

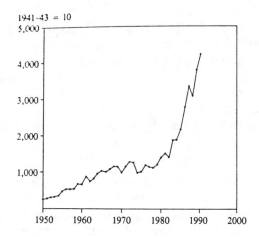

Source : Ministère du Commerce des Etats-Unis.

Figure 1.1. **Indice du cours des actions, 500 actions ordinaires, 1950-90**

Au cours des années 1980, les émissions de carbone dans l'atmosphère dues à l'utilisation des combustibles fossiles ont pulvérisé un nouveau record, atteignant presque 6 milliards de tonnes en 1990. Dans le même temps, les cours de la Bourse ont atteint des niveaux exceptionnellement élevés, tout comme d'ailleurs la température moyenne de la planète, faisant des années 1980 la décennie la plus chaude depuis les premières données d'archives disponbiles, c'est-à-dire il y a plus d'un siècle. La hausse des températures a été particulièrement forte dans les régions occidentales de l'Amérique du Nord et la Sibérie. Les données climatiques préliminaires relatives à l'année 1990 laissent penser qu'elle sera l'année la plus chaude jamais enregistrée, et que la couverture neigeuse dans l'hémisphère Nord sera la plus faible depuis 1970, date des premiers relevés par satellite (12).

La pollution de l'air et de l'eau s'est aussi aggravée dans la plupart des régions du monde au cours des dix dernières années. En 1990, la quantité de polluants présents dans l'air avait atteint la cote d'alerte dans des centaines de villes. Dans de vastes régions d'Amérique du Nord, d'Europe et d'Asie, les récoltes ont aussi été très éprouvées. Et en dépit d'une importante réduction de la pollution de l'eau aux Etats-Unis, la Environmental Protection Agency (EPA), l'Agence pour la Protecton de l'Environnement, annonçait, en 1988, la présence de pesticides dans les eaux souterraines de 39 Etats. En Pologne, la moitié au moins des eaux fluviales était trop polluée pour permettre même une utilisation à des fins industrielles (13).

Ces modifications de la condition physique du globe ont un effet dévastateur sur la diversité biologique de la planète. Si nous ignorons le nombre d'espèces végétales et animales détruites pendant les années 1980, des biologistes éminents estiment qu'un cinquième des espèces de la planète risque d'avoir disparu au cours des deux dernières décennies de notre siècle. Mais ce qu'ils ne peuvent pas prévoir, c'est le temps qu'il faudra à ce processus d'extinction, s'il se poursuit à ce rythme, pour conduire à un effondrement massif des écosystèmes (14).

Comment expliquer qu'une certaine catégorie d'indicateurs universellement utilisés donne des résultats uniformément positifs et que l'autre donne des résultats uniformément négatifs ? Si les critères économiques sont si optimistes, c'est notamment parce que les systèmes nationaux de comptabilité, qui fournissent des chiffres sur le produit national brut, ne tiennent absolument aucun compte de la dette écologique que le monde encourt. Ceci équivaut à une forme déguisée de financement des déficits. Si nous considérons chaque secteur l'un après l'autre, nous constatons que nous consommons notre capital naturel à un taux alarmant, ce qui est le contraire d'une économie écologiquement viable, c'est-à-dire une économie de nature à satisfaire les besoins courants sans compromettre les perspectives des générations futures. Comme le dit si bien l'économiste Herman Daly : « Considérer la planète comme une entreprise en liquidation est une erreur fondamentale » (15).

Pour aller plus loin dans l'analogie, c'est comme si une grosse société industrielle vendait tranquillement chaque année quelques unes de ses usines et appliquait un système de comptabilité partiel qui ne reflèterait pas ces opérations. Sa capacité d'autofinancement serait donc élevée et ses bénéfices augmenteraient. Les actionnaires seraient satisfaits des rapports de gestion, parce qu'inconscients du fait que ces bénéfices sont dégagés au détriment de l'actif de la société. Mais, une fois toutes les usines vendues, il faudrait bien que les dirigeants de l'entreprise informent les actionnaires que leur part n'ont aucune valeur.

En fait, c'est exactement ce qui se passe pour notre planète. En lui appliquant un système de comptabilité du même genre, c'est-à-dire incomplet, nous épuisons nos ressources et satisfaisons aujourd'hui nos besoins au détriment de nos enfants.

Nouvelles façons de mesurer le progrès

Heureusement, on se rend de plus en plus compte qu'il faut trouver de nouvelles façons de mesurer le progrès. Depuis l'adoption des systèmes nationaux de comptabilité il y a un demi-siècle, le revenu par habitant a été le baromètre du progrès économique le plus couramment utilisé. Pendant les premiers stades du développement économique, l'expansion de la production se traduisait, presque directement par une hausse des niveaux de vie. On a donc pris l'habitude d'assimiler progrès et croissance économique, ce qui n'était pas illogique.

Toutefois, au fil du temps, le revenu moyen s'est avéré être une mesure du bien-être moins satisfaisante : il ne traduit ni la dégradation de l'environnement, ni le mode de répartition du surplus de richesse. Face à cette montée de l'insatisfaction, d'autres critères ont été mis au point. Deux initiatives intéressantes ont été menées en ce sens : il s'agit du *Human Development Index* (HDI), Index du développement humain, défini par les Nations Unies, et de l'*Index of Sustainable Economic Welfare* (ISEW) , Index du bien-être économique viable, élaboré par Herman Daly et le théologien John Cobb. Un troisième indicateur, la consommation céréalière par personne, reflète de façon particulièrement précise l'évolution du bien-être dans des pays à faible revenu (16).

Le Human Development Index, mesuré sur une échelle de 0 à 1, réunit trois indicateurs : la longévité, le savoir et le fait de disposer des ressources nécessaires pour mener une vie décente. En ce qui concerne la longévité, l'équipe des Nations Unies a utilisé l'espérance de vie à la naissance. En ce qui concerne le savoir, les taux d'alphabétisme, la lecture étant en effet le meilleur moyen de s'informer et de comprendre. Enfin, pour ce qui est du fait de disposer des ressources nécessaires, elle a utilisé le produit national brut (PNB) par personne corrigé pour tenir compte du pouvoir d'achat. Ces indicateurs représentant des moyennes nationales, ils ne traduisent pas directement l'inégalité de répartition des ressources, mais, dans la mesure où ils intègrent la longévité et l'alphabétisme, ils reflètent indirectement la répartition de ces ressources. Ainsi une espérance moyenne de vie élevée témoigne d'un large accès aux soins médicaux et à des disponibilités alimentaires suffisantes (17).

Si l'on compare différents pays classés, d'une part, par produit national brut corrigé par habitant et, d'autre part, par indice HDI, on constate des disparités importantes : certains pays à faible revenu moyen enregistrent des indices HDI relativement élevés et vice versa. Au Sri Lanka, par exemple, le PNB par habitant n'est que de 2 053 dollars, alors que l'indice HDI est de 0,79. Au Brésil, en revanche, où le PNB est de 4 307 dollars par habitant, soit deux fois plus élevé, l'indice HDI est égal à 0,78, soit légèrement plus faible. La raison tient du fait qu'au Sri Lanka, la répartition des richesses est relativement égale, ainsi d'ailleurs que l'accès aux ressources alimentaires et aux services sociaux, alors qu'au Brésil, la richesse est principalement concentrée dans les mains des plus riches, qui représentent un cinquième de la population. Les Etats-Unis, qui occupent la première place dans le monde en terme de revenu corrigé par habitant avec 17 615 dollars, sont en 19e position dans la colonne de l'indice HDI, derrière l'Australie, le Canada et l'Espagne par exemple (18).

Si l'indice HDI apporte une amélioration sensible par rapport au revenu pour mesurer l'évolution du bien-être humain, il ne donne aucune information sur la dégradation de l'environnement. L'indice HDI peut donc s'élever par suite d'une augmentation du niveau d'alphabétisme, de l'espérance de vie ou du pouvoir d'achat. Cette augmentation est financée par l'épuisement des systèmes naturels qui sous-tendent la vie et l'activité sur la planète, ce qui, à plus long terme, finit par conduire à une détérioration des conditions de vie.

L'*Index of Sustainable Economic Welfare* de Daly et Cobb est l'indicateur de bien-être le plus adéquat dont on dispose, car il tient compte non seulement de la consommation moyenne, mais aussi de la répartition des ressources et de la dégradation de l'environnement. Après avoir ajusté le facteur consommation pour tenir compte des inégalités dans la répartition des ressources, les auteurs introduisent dans leurs calculs différents coûts écologiques consécutifs à la mauvaise gestion de l'économie, tels que l'épuisement de ressources non renouvelables, la perte de terres agricoles du fait de l'érosion du sol et de l'urbanisation, la perte de terrains marécageux et le coût de la pollution de l'air et de l'eau. Ils intègrent aussi ce qu'ils appellent « les atteintes à long terme causées à l'environnement », un chiffre qui cherche à prendre en compte les changements à grande échelle, comme les effets du réchauffement de la planète et de la diminution de la couche d'ozone (19).

Si l'on applique ce critère au cas des Etats-Unis, on observe une augmentation du bien-être par personne d'environ 42 % entre 1950 et 1976 (voir figure 1.2). Mais, au-delà de cette date, l'indice ISEW commence à diminuer, tombant à une valeur à peine supérieure à 12 % en 1988, dernière année où il a été calculé. Plus simplement, on peut dire qu'il y a une quinzaine d'années, les avantages nets associés à la croissance économique aux Etats-Unis étaient inférieurs à la croissance démographique, d'où une baisse du bien-être individuel (20).

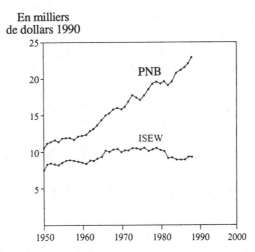

Source : Cobb and Cobb, 1990.

Figure 1.2.   PNB et Index of Sustainable Economic Welfare (ISEW) par habitant aux Etats-Unis, 1950-88

Le principal point faible de l'indice ISEW, qui n'a en l'occurence été calculé que pour les Etats-Unis, est qu'il repose sur des données disponibles dans un nombre très réduit de pays. Peu de pays en développement, par exemple, possèdent des informations détaillées sur le degré de pollution de l'air et de l'eau, sans parler des variations d'une année à l'autre. L'Indice HDI présente le même inconvénient : en effet, les données relatives à l'espérance de vie s'appuient en grande partie sur les données en matière de mortalité infantile lesquelles, dans la plupart des pays du Tiers Monde, ne sont collectées, au mieux, qu'une fois tous les dix ans.

Un indicateur qui est à bien des égards plus représentatif du bien-être dans les pays à faible revenu est la consommation céréalière par habitant. Celle-ci reflète la satisfaction d'un besoin fondamental de l'homme et est beaucoup moins sensible aux déformations dues aux inégalités du pouvoir d'achat. La répartition des richesses entre le cinquième le plus riche et le cinquième le plus pauvre d'un pays peut varier de 20 à 1, comme c'est le cas en Algérie, au Brésil ou au Mexique, mais la consommation de céréales par habitant pour ces mêmes catégories peut varier de 4 à 1, mais pas au-delà. Dans les pays plus riches, ce chiffre culmine à 800 kilogrammes environ par an, la limite correspondant à la quantité de produits provenant du bétail nourri de grains qui peut être consommée. En bas de l'échelle, la survie d'une population est compromise si la consommation céréalière annuelle tombe à un niveau très inférieur à 180 kilogrammes (environ 1 livre par jour) pendant une période prolongée. Ainsi, un accroissement de la consommation céréalière moyenne dans un pays traduit en général une amélioration du bien-être (21).

A l'autre extrémité de l'échelle, ce critère peut servir à évaluer la menace qui pèse sur la santé. Au-delà d'un certain point, situé très en-deçà de la consommation des pays les plus riches, l'accroissement de la consommation céréalière par personne, composée essentiellement de produits d'origine animale riches en graisses, aboutit à une augmentation du nombre de maladies cardiaques et de certaines formes de cancer, ainsi qu'à une diminution globale de l'espérance de vie.

La production céréalière est également un baromètre plus fiable de la dégradation écologique que ne l'est le revenu, car elle subit plus directement les conséquences de facteurs qui ne tiennent pas à l'agriculture et qui ont une action destructrice sur l'environnement, comme la pollution de l'air, les étés plus chauds qui accompagnent le rechauffement de la planète et la multiplication des inondations consécutives au déboisement.

En résumé, l'Index of Sustainable Economic Welfare est de loin l'indicateur du progrès le plus performant dont on dispose actuellement, bien que le manque de données soit un obstacle à son utilisation. Dans des pays à faible revenu où les données nécessaires au calcul de l'indice ISEW font défaut, les variations de la consommation céréalière par personne sont plus parlantes que le revenu pour illustrer l'amélioration ou la diminution du bien-être.

Ce que disent les indicateurs alimentaires

De tous les secteurs de l'économie mondiale, l'agriculture offre le contraste le plus saisissant entre les indicateurs économiques et les indicateurs écologiques. Voilà plusieurs décennies que l'économie mondiale vit aux dépens des générations futures, et c'est dans le domaine agricole, où l'on s'est efforcé sans relâche d'accroître la production alimentaire, que les effets néfastes de cette attitude se font le plus durement sentir. Dans bon nombre de pays, l'expansion du secteur agricole cherche à repousser les limites des ressources diponibles en terres et en eau. Dans d'autres, les réserves technologiques dont disposent les agriculteurs pour augmenter la production alimentaire s'amenuisent.

Selon les critères traditionnels, l'agriculture mondiale semble en bonne posture. L'Europe de l'Ouest est absorbée par un problème d'excédents, notamment de produits laitiers, et les Etats-Unis continuent de laisser des terres de culture en jachère pour contrôler la production. Les pays exportateurs de céréales ont recours à des subventions pour pouvoir rester compétitifs sur des marchés qui semblent toujours limités. Du point de vue des économistes, le problème de l'économie alimentaire mondiale est peut-être un problème de distribution, mais sûrement pas un problème de production.

Pour un écologiste, l'avenir est beaucoup moins rose : une part importante de la production alimentaire mondiale actuelle est produite sur des terres extrêmement sujettes à l'érosion qui seront prochainement laissées à l'abandon, ou est obtenue au prix d'un pompage excessif des eaux souterraines qui ne saurait durer indéfiniment. Alors que l'agriculture mondiale cherche à faire reculer les limites naturelles imposées par la superficie des terres fertiles, par le volume d'eau douce créé par le cycle hydrologique, et par les processus géophysiques qui produisent la couche arable, la croissance de la production commence à se ralentir. L'augmentation modeste de la superficie des terres de culture est contrebalancée par l'affectation de terres à des fins non agricoles et par l'abandon de terres sérieusement détériorées (22).

Les quantités d'eau douce disponibles limitent la production de céréales dans de nombreuses régions agricoles. Les rivalités entre pays pour s'octroyer les eaux de rivières qui arrosent plusieurs nations, comme le Tigre et l'Euphrate, le Jourdain et le Nil au Moyen-Orient, sont sources de tensions politiques de plus en plus vives. En Asie centrale soviétique, le fleuve Amou Daria, d'où provient la plus grande partie de l'eau d'irrigation de la région, est désormais à sec bien avant de rejoindre la mer d'Aral. La baisse des nappes phréatiques est un phénomène courant dans les pays à forte densité de population, comme l'Inde et la Chine, qui pratiquent un pompage excessif de la nappe aquifère pour tenter de répondre à la demande croissante en eau d'irrigation. Sous certaines régions de la plaine qui s'étend dans le nord de la Chine, la nappe phréatique diminue d'un mètre par an. Quant à la vaste nappe phréatique d'Ogallala qui fournit l'eau d'irrigation nécessaire aux agriculteurs et aux éleveurs américains depuis le centre du Nébraska jusqu'à la partie septentrionale du Texas, elle est en voie d'épuisement. Des villes comme Denver et Phoenix s'opposent aux agriculteurs dans une compétition de plus en plus vive pour l'approvisionnement en eau (23).

Outre la dégradation des sols induite par les cultures, des forces extérieures commencent à prélever un tribut relativement peu reconnu sur l'agriculture. D'après les estimations officielles, la pollution de l'air entraîne une baisse de la production céréalière aux Etats-Unis de 5 à 10 % et, selon toute vraisemblance, elle produit des effets similaires dans les pays d'Europe de l'Est et en Chine, où l'économie repose sur le charbon. Avec la progression du déboisement dans les régions montagneuses de la planète, l'expression « récoltes dévastées par les inondations » figure de plus en plus fréquemment dans les bilans mondiaux (24).

Tout comme ces contraintes sur l'environnement et sur les ressources freinent la croissance de la production alimentaire mondiale, les réserves technologiques agricoles inexploitées s'amenuisent. En Asie, par exemple, c'est en 1966, c'est-à-dire il y a un quart de siècle, que les variétés de riz à rendement le plus élevé ont été mises à la disposition des agriculteurs. Le International Rice Research Institute, premier établissement de recherche dans ce domaine dans le monde, a indiqué dans un rapport de stratégie relatif à l'année 1990 que « au cours des cinq dernières années, la croissance du rendement du riz a pratiquement cessé » (25).

Une façon d'analyser les perspectives technologiques de relance de la production alimentaire pendant les années 1990, est d'observer l'évolution de l'utilisation des engrais, puisque sa multiplication par neuf expliquent pour une grande part la croissance vertigineuse de la production alimentaire mondiale entre 1950 et 1984. Dans une large mesure, d'autres progrès importants dans le domaine agricole, comme le quasi triplement des superficies irriguées et l'adoption de variétés à rendement de plus en plus élevés, ont considérablement élargi la possibilité d'utiliser les engrais en plus grandes quantités et de façon plus rentable. A l'aube de la décennie 1990, cependant, bon nombre de pays ont atteint le stade où l'emploi d'engrais supplémentaires n'a plus guère d'incidence sur la production alimentaire (26).

C'est aux Etats-Unis que le potentiel d'extension de l'emploi d'engrais a été le plus visible. La quantité d'engrais employée a été multipliée par cinq entre 1950 et 1981 (voir figure 1.3). Après trois décennies marquées par une progression spectaculaire de l'utilisation d'engrais, celle-ci s'est brutalement interrompue pendant les années 1980, entraînant un palier dans la production céréalière. Une évolution semblable se dessine en Europe de l'Ouest. Par ailleurs, en Union Soviétique, où des subventions massives étaient accordées aux engrais, l'adoption, dans le cadre des réformes économiques, des prix du marché mondial, jointe à une diminution substantielle du gaspillage, a entraîné une réduction de l'emploi des engrais de près de 10 % entre 1987 et 1989. En Chine, où l'utilisation de ce facteur de production agricole avait progressé encore plus rapidement qu'aux Etats-Unis, la croissance de cette production accuse aussi un ralentissement (27).

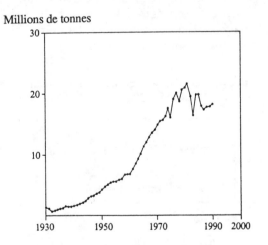

Millions de tonnes

Source : FAO, Etats-Unis, Ministère de l'Agriculture, Fertilizer Institute.

Figure 1.3.   Consommation d'engrais aux Etats-Unis, 1930-90

Certes, il existe encore des pays, comme l'Inde, aujourd'hui quatrième producteur de céréales loin derrière les trois premiers, qui offrent un vaste potentiel d'expansion à l'utilisation rentable d'engrais. Mais leur nombre ne cesse de diminuer. De même que la forte expansion de l'utilisation d'engrais a largement contribué à la croissance sans précédent de la production céréalière enregistrée entre 1950 et 1984, le ralentissement intervenu depuis lors dans leur utilisation explique la diminution de la croissance de la production céréalière. L'Association internationale de l'industrie des engrais implantée à Paris prévoit que la croissance annuelle de l'utilisation d'engrais dans le monde, qui est tombée de près de 6 % pendant les années 1970 à 2,6 % pendant les années 1980, diminuera de 1,5 % au début de la décennie 1990 (28).

Après la raréfaction de plus en plus prononcée des terres de cultures fertiles et de l'eau douce, la baisse des rendements induite par la dégradation de l'environnement et la diminution de possibilités nouvelles en matière de technologies agricoles, les agriculteurs sont entrés dans une phase de consolidation. Comme on l'a indiqué, la croissance de la production alimentaire mondiale, vers la fin des années 1970 et le début des années 1980, était en partie imputable à la mise en cultures de terres très sujettes à l'érosion et du pompage excessif des nappes aquifères. Vers le milieu des années 1980, les agriculteurs commençaient à faire marche arrière et à abandonner les terres marginales qui, de toute façon, n'étaient pas viables. Ce faisant, ils ont contribué à ralentir la croissance de la production céréalière mondiale, d'où une augmentation de la production par personne d'à peine 6 % entre 1984 et 1990, soit une hausse d'environ 1 % par an (29).

Tableau 1.2. Production céréalière régionale et mondiale par personne, année record et année 1990

Régions	Production record		Production en 1990	Ecart par rapport à l'année record
	Année	Kilogrammes	Kilogrammes	(Pourcentage)
Afrique	1967	169	121	− 28
Europe de l'Est & Union soviétique	1978	826	763	− 8
Amérique latine	1981	250	210	− 16
Amérique du Nord	1981	1 509	1 324	− 12
Europe de l'Ouest	1984	538	496	− 8
Asie	1984	227	217	− 4
Monde	1984	343	329	− 4

Source : Basé sur le Ministère de l'Agriculture des Etats-Unis (USDA), Service de recherche économique (ERS), base de données sur les céréales dans le monde (Washington D.C., 1990) avec mise à jour pour la récolte 1990.

La tendance générale à la baisse de la production céréalière par habitant reflète les différentes évolutions enregistrées dans chaque région géographique. Mais le moment où cette évolution a commencé et les causes essentielles qui l'ont provoquée varient (voir tableau 1.2). La tendance mondiale à la hausse amorcée après la Seconde Guerre mondiale s'est tout d'abord inversée en Afrique, la production de céréales par personne culminant en 1967 pour s'établir à 169 kilogrammes. Dès 1990, sous l'effet conjugué d'une croissance démographique record, d'une dégradation des sols et d'une mauvaise gestion économique, elle tombait à 121 kilogrammes, ce qui représente une chute de 28 %.

C'est en Europe de l'Est et en Union Soviétique que la production céréalière a ensuite culminé. On sait que, dans la région, c'est la production soviétique qui domine. Le record enregistré dans la région en 1978 a coïncidé avec la fin de l'expansion rapide des superficies céréalières soviétiques qui a suivi l'insuffisance massive de la récolte de 1972. Depuis lors, la superficie céréalière de ce pays a diminué de 10 % par suite de la décision de laisser une plus grande quantité de terres en jachère un an sur deux, afin de rétablir l'humidité et de stabiliser les rendements, et par suite de l'abandon de terres affectées par l'érosion. Dans cette région, la production de céréales par personne a baissé de 8 % depuis 1978 (30).

La production céréalière par habitant en Amérique latine et en Amérique du Nord a atteint son maximum en 1981. En Amérique latine, la crise d'endettement qui a éclaté brutalement en 1982 a affaibli le pouvoir d'achat des consommateurs et réduit le volume des devises disponibles pour importer les facteurs de production indispensables, comme les engrais. Ces tensions économiques, conjuguées à la croissance rapide de la population et à la dégradation des sols, ont entraîné une chute de la production de céréales par personne de 16 % depuis 1981 (31).

En Amérique du Nord, aucune restriction n'a été imposée en 1981 quant aux superficies plantées et de vastes étendues de terres fortement sujettes à l'érosion ont été mises en culture. Par la suite, des programmes gouvernementaux de « gel » ont été rétablis pour mettre des terres hors culture et réduire ainsi les « excédents ». A compter de 1986, certains agriculteurs ont entrepris de laisser hors culture des terres fortement sujettes à l'érosion dans le cadre du nouveau Conservation Reserve Program, (Programme de mise en réserve des terres à des fins de conservation) qui, d'ici à 1990, aura libéré 14 millions d'hectares environ pour les herbages ou les arbres. Bien que les superficies prises en compte dans le programme plus traditionnel de « gel des terres » aient fortement diminué en 1990 pour faire face à l'expansion de la demande, la récolte par personne a été inférieure de 12 % au chiffre record de 1981 (32).

Dans les deux dernières régions enfin, à savoir l'Europe de l'Ouest et l'Asie, la production par personne a atteint son maximum en 1984. En Europe de l'Ouest où un puissant soutien des prix allié aux progrès technologiques a entretenu une hausse persistante des rendements, les agriculteurs commencent à éprouver des difficultés à tenir le cap. Si l'Uruguay Round organisé au sein de l'Accord général sur les tarifs douaniers et le commerce (GATT) s'est achevé sur un accord destiné à réduire le soutien des prix agricoles en Europe, la baisse observée dernièrement pourrait se poursuivre pendant quelques années. Heureusement pour cette région qui produit un excédent de céréales susceptible d'être exporté, les niveaux de consommation alimentaire sont élevés et la croissance démographique tend vers zéro (33).

Pour ce qui est de l'Asie, qui compte plus de la moitié de la population mondiale, et produit plus de 90 % de son riz, le rendement céréalier par hectare continue de croître, mais à un rythme plus lent qu'il y a dix ans. En Asie de l'Est, essentiellement en Chine, au Japon et en Indonésie, la croissance démographique s'est ralentie pour s'établir à 1,4 % par an. C'est en Asie de l'Ouest, où la plupart des 1,1 milliard de personnes du sous-continent indien a tout juste de quoi vivre, que le déséquilibre entre l'alimentation et la population est le plus marqué et risque fort de s'aggraver (34).

Dans l'ensemble du monde, l'augmentation annuelle de la production céréalière entre 1984 et 1990 a été de 1 %, alors que celle de la population atteignait près de 2 %. La diminution des cultures consécutive à l'utilisation renforcée d'engrais, l'effet défavorable de la dégradation écologique sur les récoltes, et l'absence de technologies nouvelles capables de remplacer les engrais en tant que moteur de la croissance agricole, sont autant de facteurs qui laissent prévoir un avenir où la faim sévira dans la majeure partie du monde. En 1984 et en 1990, les rendements à l'hectare des trois céréales qui constituent l'essentiel du régime alimentaire mondial, à savoir le blé, le riz et le maïs, ont établi de nouveaux records, signe de conditions exceptionnellement propices dans toutes les principales régions de cultures céréalières. Si ces deux années sont relativement comparables sur le plan météorologique, comme cela semble le cas, ce ralentissement de croissance de la production céréalière mondiale pourrait fort bien s'avérer être une nouvelle tendance (35).

Le ralentissement de la production alimentaire mondiale depuis 1984 aurait eu des conséquences encore plus graves s'il n'avait pas été possible d'accumuler des réserves record de céréales au milieu de la décennie 1980. Les stocks mondiaux reportés d'une année sur l'autre, qui constituent peut-être le meilleur indicateur à court terme de la sécurité alimentaire, ont atteint le chiffre inégalé de 461 millions de tonnes de céréales en 1987, soit une quantité suffisante pour nourrir le monde pendant 102 jours (voir figure 1.4). Pendant les trois années suivantes, par contre, la consommation de céréales dans le monde a été supérieure à la production, d'où une réduction des stocks de 173 millions de tonnes pour pallier la baisse de la production céréalière par habitant. Au début de 1990, les stocks reportés d'une année sur l'autre étaient tombés à 290 millions de tonnes, quantité suffisante pour assurer tout juste 62 jours d'approvisionnement. Après la récolte de céréales exceptionnelles enregistrée en 1990, les stocks reportés d'une année sur l'autre devraient augmenter, en 1991, sans dépasser toutefois 66 jours de consommation (36).

Lorsque les stocks tombent au-dessus de 60 jours de consommation, c'est-à-dire la quantité approximative de céréales requise pour éviter toute interruption d'approvisionnement, nous assistons à une forte instabilité des prix qui varient à la hausse comme à la baisse au gré des prévisions météorologiques hebdomadaires. La dernière fois que ce cas s'est présenté, c'est-à-dire en 1973, alors que les stocks n'assuraient plus que 55 jours de consommation, les prix des céréales ont doublé en l'espace de quelques mois. En 1990, les stocks ont baissé dangereusement au point de frôler ce seuil de déclenchement (37).

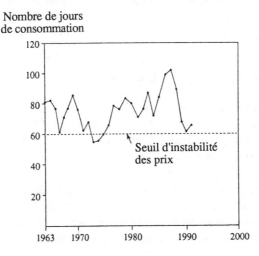

Source : Ministère de l'Agriculture des Etats-Unis.

Figure 1.4. **Stocks mondiaux de céréales reportés d'une année sur l'autre, 1963-91**

La diminution escomptée des terres arables et de l'eau douce par personne au cours de la décennie 1990, qui s'ajoute à la perspective d'une réduction probable de l'utilisation d'engrais par habitant, soulève de graves questions concernant la sécurité alimentaire dans les prochaines années. Cette inquiétude est encore aggravée par l'incapacité à reconstituer des stocks de céréales appréciables en 1990 en dépit d'une année de récoltes record. Si nous ne réussissons pas à reconstituer les stocks après une année aussi exceptionnelle, quand le pourrons-nous ? Qu'adviendra-t-il des stocks et des prix des céréales dans le monde en cas de récoltes particulièrement mauvaises ? La réponse à ces questions nous sera vraisemblablement fournie au cours des quelques prochaines années (38).

Dans notre économie post-industrielle moderne de l'information, où une faible proportion de la population reste attachée à la terre, nous sommes relativement éloignés des fondements agricoles de l'économie. Nous avons tendance à prendre comme acquise la capacité de la terre de satisfaire nos besoins. Or, il faut bien dire que les indicateurs économiques partiels auxquels nous accordons une si grande confiance masquent de graves problèmes de fond. Comme l'indique si clairement l'anthropologue écologiste de Harvard, Timothy Weiskel : « Nous vivons dans une culture urbaine fortement industrialisée, mais il ne faut pas oublier que la société "post-agricole", ça n'existe pas ». Si les fondements agricoles de l'économie mondiale vacillent, l'économie mondiale vacillera aussi. Il est en effet probable que l'agriculture sera le premier secteur à illustrer l'incidence déterminante de la dégradation écologique sur la conjoncture économique mondiale (39).

Une question négligée : l'explosion démographique

Le contraste idéologique entre les économistes et les écologistes n'est nulle part plus évident que dans leur façon d'analyser la croissance démographique. D'une manière générale, les économistes ne considèrent pas la croissance économique comme une menace particulièrement grave. Selon eux, si la croissance économique d'un pays est de 5 % par an et celle de sa population de 3 %, cela garantit une progression de 2 % du niveau de vie. Compte tenu des seules variables économiques, cette situation a pu sembler durable, de nature à se reproduire indéfiniment.

Les écologistes qui, dans la même situation, observent les indicateurs biologiques, voient que l'accroissement de la demande, de la part de populations de plus en plus nombreuses et qui aspirent à une abondance de plus en plus grande, ne peut manquer de surpasser la capacité d'accueil des forêts, des pâturages et des sols dans les divers pays. Ils voient que, partout dans le Tiers Monde, les seuils de rendement viables des sytèmes naturels sur lesquels repose l'économie sont dépassés. Ils voient aussi cette conséquence : que la base des ressources naturelles diminue alors que la population ne cesse d'augmenter.

Contre cette toile de fond, les biologistes jugent profondément alarmante l'évolution démographique enregistrée ces dernières années. Après une forte accélération qui a marqué la reprise consécutive à la seconde guerre mondiale, la croissance annuelle de la population mondiale a atteint son point culminant en 1970, avoisinant 1,9 %. Elle a ensuite diminué progressivement, tombant à 1,7 % au début des années 1980. Mais vers la fin de cette même décennie, elle s'est de nouveau accélérée pour atteindre 1,8 %, principalement en raison d'une hausse modérée du taux de natalité en Chine et d'une baisse du taux de mortalité en Inde. A la fin des années quatre-vingt, la fertilité a donc repris sa courbe ascendante au lieu de décliner. Au vu de ce résultat, qui va à l'encontre de ce que certains attendaient et beaucoup espéraient, il faut s'attendre à ce que la population de la planète progresse d'au moins 960 millions d'habitants pendant la présente décennie, contre 840 millions pendant la décennie 1980 et 750 millions pendant la décennie 1970 (40).

L'inquiétude suscitée par les répercussions de la croissance démographique ne date pas d'aujourd'hui. Près de deux siècles se sont écoulés depuis la publication par Malthus de son célèbre traité dans lequel il déclarait que la croissance démographique progressait de façon exponentielle alors que la production alimentaire augmentait de façon arithmétique. Il affirmait que, faute de freiner la progression excessive de la natalité, de préférence par l'abstinence, la famine et la faim seraient inévitables. L'erreur de Malthus a été de ne pas anticiper l'énorme potentiel offert par le progrès technologique pour accroître la productivité des sols. A l'époque où il écrivait, Mendel n'avait pas encore énoncé les principes fondamentaux de la génétique et Von Liebig n'avait pas encore démontré que toutes les substances nutritives extraites du sol par les plantes pouvaient y revenir sous forme de minéraux (41).

Malthus avait cependant raison lorsqu'il prévoyait des difficultés à maintenir l'accroissement de la production alimentaire à un rythme aussi rapide que celui de la croissance démographique. A l'heure actuelle, des centaines de millions d'habitants de notre planète connaissent la faim, notamment à cause de l'inégalité de répartition des ressources, mais aussi et de plus en plus à cause de la baisse de la production alimentaire par habitant. A l'aube des années 1990, les rangs des affamés grossissent.

Malthus était préoccupé par le lien entre la croissance démographique et la capacité de production alimentaire de la planète. Nous savons maintenant que l'expansion de la population et de l'activité économique influent sur bien d'autres fonctions naturelles, comme la capacité de la planète à absorber les déchets. Quel que soit le niveau de pollution par habitant, l'accroissement de la population se traduit par un accroissement de la pollution. Au fur et à mesure que le déversement des divers déchets industriels et agricoles surpasse la capacité d'absorption des déchets par les systèmes naturels, les effets cumulés des substances toxiques sur l'environnement commencent à menacer la santé de l'homme.

Autre conséquence d'une poursuite de la croissance démographique dans la plupart des pays du Tiers Monde, la pénurie du bois de brûle qui constitue le principal combustible. Au fur et à mesure que la demande locale de bois de brûle nécessaire à la cuisson des aliments excède le rendement viable des espaces boisés dans une région, les forêts reculent de plus en plus loin des villages. Les femmes qui ramassent l'essentiel du bois de brûle sont souvent obligées de parcourir des distances considérables à pied avant de trouver suffisamment de combustible pour préparer les repas. Dans certaines régions, les familles se contentent d'un seul repas chaud par jour. Si Malthus s'inquiétait de l'insuffisance de nourriture, il n'a jamais imaginé que la recherche du combustible nécessaire à sa préparation ferait partie de la lutte quotidienne pour la survie (42).

La croissance record de la population prévue pour la décennie 1990 signifie une diminution simultanée des ressources vitales disponibles par habitant, comme la terre, l'eau et le bois, et ce à un rythme sans précédent (voir tableau 1.3). Comme aucun changement de la superficie totale cultivée n'est attendu au cours de cette décennie, la surface disponible par personne pour produire nos produits de base diminuera de 1,7 % par an. En d'autres termes, la surface céréalière par personne, qui, en 1990, représente en moyenne 0,13 hectares, régressera d'un sixième au cours des années 1990. Face à une croissance estimée de moins de 1 % par an des terres irriguées dans le monde, la superficie irriguée par personne diminuera de près d'un dixième.

La superficie de forêts par personne, en diminution sous l'action conjuguée de la déperdition globale des forêts et de la croissance démographique, accusera vraisemblablement une baisse d'un cinquième, voire plus, pendant cette décennie. Etant donné la croissance démographique et l'expansion de la désertification, la superficie de pâturages par personne, soit 0,61 hectares, qui nous fournit l'essentiel de notre lait, de notre viande et de notre fromage, devrait également diminuer d'un cinquième d'ici à l'an 2000. Face à cette réduction des ressources naturelles par habitant, il ne sera pas facile de maintenir une amélioration des conditions de vie (43).

Tableau 1.3. **Disponibilité des ressources naturelles de base par personne en 1990 et en l'an 2000**

Ressources	1990 (en hectares)	2000 (en hectares)
Surfaces céréalières	0,13	0,11
Surfaces irriguées	0,045	0,04
Surfaces forestières	0,79	0,64
Surfaces de pâturages	0,61	0,50

Source : Basé sur le Ministère de l'Agriculture des Etats-Unis (USDA), Service de recherche économique (ERS), base de données sur les céréales dans le monde (Washington D.C., 1990) Organisation des Nations Unies pour l'alimentation et l'agriculture (FAO), *Production Yearbook* (Rome, différentes années ; et U.N. Department of International Economic and Social Affairs, *World Population Prospects 1988* (New York, 1989).

L'une des raisons pour lesquelles le monde connaît aujourd'hui une chute aussi spectaculaire des ressources par habitant réside, dans l'indifférence pure et simple qui a, semble-t-il caractérisé la politique de planning familial, tant à l'échelle nationale qu'au sein des organismes internationaux de développement. Après deux décennies durant lesquelles les Etats-Unis ont joué un rôle de pionnier dans les initiatives mondiales menées en faveur du planning familial, l'administration Reagan a cessé tout soutien financier américain aux deux principales sources d'assitance internationale en matière de planning familial, le United Nations Population Fund et l'International Planned Parenthood Federation. Cédant aux pressions de la faction politique d'extrême-droite, qui invoquait le prétexte de l'opposition à l'avortement pour mettre fin à ce financement, l'administration a totalement perdu son rôle de premier plan. Le comble de l'ironie est que, par voie de conséquence, les femmes des pays du Tiers Monde ont de moins en moins accès aux services de planning familial et sont donc contraintes de recourir de plus en plus à l'avortement (voir Chapitre 7) (44).

Au sein des organisations internationales de développement, les responsables continuent de manquer de fermeté dans la conduite de la politique démographique. Si la Banque mondiale reconnaît officiellement la nécessité de freiner la croissance de la population, elle ne déploie guère d'efforts en ce sens. Le Secrétaire Général des Nations Unies fait rarement mention de la question démographique, sans parler d'initiatives dans ce domaine. L'opposition religieuse profondément ancrée dont font preuve l'église catholique et de nombreuses sociétés musulmanes a encouragé ce climat d'indifférence.

Parmi les pays plus peuplés, le Brésil a été l'un des rares où le planning familial a acquis quelque succès pendant les années 1980, le nombre moyen d'enfants par femme tombant de 4,4 en 1980 à 3,3 en 1990. L'une des causes est l'expansion des services publics de planning familial et l'élargissement de l'accès aux moyens de contraception moderne sur les marchés commerciaux (45).

Dans l'ensemble, toutefois, la décennie 1980 n'a pas permis, malgré les efforts, de parvenir à un équilibre durable entre la population et les systèmes naturels dont elle dépend. La poursuite d'une croissance démographique rapide et l'extension de la dégradation écologique ont entraîné des centaines de millions d'individus dans une spirale descendante marquée par une baisse des revenus et la progression de la faim. Si le nombre d'individus engloutis dans ce cercle infernal qui menace leur vie augmente d'année en année, le monde pourrait être contraint sous peu d'assumer les conséquences de l'indifférence qui a caractérisé pendant des années la politique démographique.

Un nouveau programme, un nouvel ordre

Alors que s'achève le conflit d'idéologies qui a dominé la scène internationale pendant une génération, un nouvel ordre mondial, reposant sur un nouveau programme, verra le jour. Si la détérioration de la condition physique du globe devient le principal sujet de préoccupation de la communauté internationale, la sauvegarde d'un environnement viable deviendra le principe directeur de ce nouvel ordre. (Pour une étude plus approfondie d'une économie mondiale viable pour l'environnement, voir Chapitre 10 dans l'Etat de la Planète 1990). Les orientations de ce programme mondial seront davantage axées sur l'écologie que sur l'idéologie et seront dominées non pas tant par les relations entre les nations que par les relations entre les nations et la nature. Pour la première fois depuis l'apparition de l'Etat-Nation, tous les pays pourrons s'unir autour d'un même thème. Il est de l'intérêt de toutes les sociétés de satisfaire les besoins de la génération actuelle sans compromettre la capacité des générations futures à satisfaire leurs besoins. Il est de l'intérêt de chacun de nous de protéger les systèmes qui fournissent les éléments nécessaires à la vie sur la terre, car nous sommes tous concernés par l'avenir de l'habitabilité de notre planète.

Ceci ne veut nullement dire qu'il n'y aura pas de conflit entre les différentes initiatives internationales. L'attribution et l'étendue des responsabilités qui seront conférées dans la poursuite d'un objectif déterminé, comme la stabilisation du climat, ne manqueront pas d'empoisonner les négociations internationales alors même que l'accord sur cet objectif proprement dit aura été acquis de longue date. Les pays riches seront-ils tenus de réduire leurs émissions de carbone dans les mêmes proportions que les pays pauvres ? Si l'on se fixe comme objectif la conservation de la diversité biologique de la planète, est-ce aux habitants des pays tropicaux qui renferment la grande majorité des espèces animales et végétales de la planète d'en prendre en charge le coût, ou bien à la communauté internationale ?

En cette ère nouvelle, les efforts de la diplomatie seront concentrés davantage sur la sécurité écologique que sur la sécurité militaire. Aussi les diplomates devront-ils, pour garantir l'efficacité de leurs actions, posséder de solides connaissances non seulement en matière d'économie et de politique mais, aussi, en matière d'écologie. L'élimination des déchets toxiques, la protection des espèces menacées, la maîtrise des émissions de carbone, les accords sur le partage des eaux, les substituts des chlorofluorocarbones (CFC), l'obtention de taux de fécondité propres à assurer le simple renouvellement de la population, et les technologies les plus récentes en matière d'énergie solaire ne sont que quelques-unes des questions qui retiendront l'attention des diplomates dans la lutte pour sauver la planète.

S'il est trop tôt pour décrire le nouvel ordre qui suivra la fin de la guerre froide, nous pouvons dès à présent en tracer les grandes orientations. Pour s'engager dans la voie d'une amélioration à long terme de la condition humaine, il est indispensable d'inscrire non plus la croissance mais la viabilité de l'environnement à l'ordre des priorités des politiques économiques nationales et du développement international. La puissance politique reposera davantage sur la maîtrise de l'espace écologique et économique que sur la force militaire. Il est probable que, dans ce nouvel ordre, les tensions politiques entre l'Est et l'Ouest céderont le pas aux tensions économiques entre le Nord et le Sud, notamment à des questions comme la réduction de la dette du Tiers Monde, l'accès aux marchés des pays industrialisés du Nord et la répartition entre les riches et les pauvres des coûts relatifs aux projets de protection de l'environnement.

Ce nouvel ordre mondial verra selon toute vraisemblance les Nations Unies jouer un rôle de plus en plus important sur la scène internationale, notamment pour le maintien de la paix, rôle qui se rapprochera sans doute davantage de celui qu'avaient imaginé ses fondateurs. Les signes de cette nouvelle capacité des Nations Unies sont apparus en 1990 avec le rôle directeur et déterminant que l'organisation a joué dans la réaction de la communauté internationale face à l'invasion du Koweit par l'Irak. Ils sont également visibles dans les négociations menées vers le milieu des années 1990 par les Nations Unies en vue d'un réglement pacifique au Cambodge. Si les Nations Unies sont capables d'assumer pleinement la vocation de maintien de la paix qui leur a été assignée, le processus de démilitarisation et le transfert des ressources à des fins de sécurité écologique n'en seront que plus rapides.

Autre témoin de l'expansion du rôle des Nations Unies, l'accord international intervenu en juin 1990 sur l'élimination progressive des CFC en vue de minimiser les risques de nouvelles destructions de la couche d'ozone de la stratosphère. Environ 93 pays sont convenus de mettre un terme à la production des CFC d'ici la fin de la décennie 1990, marquant ainsi un progrès considérable par rapport au Protocole de Montréal de 1987 qui prévoyait une réduction de 50 % de la production d'ici 1998. Ce pas en avant, d'une importance capitale, dépendait de la création d'un fonds international capable de fournir une assistance technique pour un montant de 240 millions de dollars, au cours des trois prochaines années, afin d'aider le Tiers Monde à se procurer des produits de remplacement des CFC. Ce mécanisme de financement était essentiel pour élargir l'acceptation par les pays en développement de l'élimination progressive des CFC, en particulier par l'Inde et la Chine, les deux pays les plus peuplés de la planète (46).

Il sera beaucoup plus difficile de parvenir à un accord international sur un plan de stabilisation du climat, lequel exige, en effet, une restructuration de l'économie énergétique mondiale (voir Chapitre 2). Le plan actuel, qui prévoit la soumission d'un projet d'accord, lors de la Conférence des Nations Unies sur l'environnement et le développement, en juin 1992, sera le premier test important du nouvel ordre mondial.

Pour faire face à des menaces transnationales spécifiques, nous pouvons nous attendre à une prolifération d'alliances écologiques en nombre très supérieur aux alliances militaires qui ont si fortement marqué la période postérieure à la Seconde Guerre mondiale. Pour citer quelques exemples, les pays européens pourraient coopérer à la sauvegarde des forêts en voie de dégradation dans cette région, les pays de la Mer Baltique pourraient unir leurs efforts pour inverser la tendance à la dégradation de cette étendue d'eau, et les pays du sous-continent indien pourraient associer leurs forces pour entreprendre le reboisement de l'Himalaya et réduire la fréquence des inondations si dévastatrices pour les récoltes. Nous pouvons aussi escompter la constitution de nouvelles alliances Nord-Sud pour sauver les oiseaux migrateurs, qu'il s'agisse des oiseaux chanteurs de l'hémisphère Nord ou des oiseaux aquatiques qui migrent de l'Europe vers l'Afrique.

Comme on l'a indiqué précédemment, c'est moins la puissance militaire que la capacité à mettre sur pied des économies viables pour l'environnement qui conféra un rôle de premier plan dans ce nouvel ordre mondial. Les Etats-Unis et l'Union Soviétique, traditionnelles superpuissances militaires, sont très en retard dans ce domaine et risquent fort d'être supplantés par d'autres gouvernements plus aptes à jouer un rôle de premier plan dans ce changement. En témoigne la décision novatrice prise par le gouvernement ouest-allemand en juin 1990 de réduire les émissions de carbone de 25 % d'ici 2005, ainsi que d'autres intiatives écologiques ambitieuses concernant la réutilisation et le recyclage des matériaux (voir Chapitre 3), qui pourrait asseoir la nouvelle Allemagne unie dans un rôle de pionnier (47).

A l'approche de l'échéance fixée pour inverser la tendance à la destruction écologique de la planète, il est plus que jamais nécessaire d'agir pour transformer rapidement notre économie mondiale écologiquement non viable en une économie mondiale écologiquement viable. Les nombreux moyens permettant d'opérer cette mutation vont des changements volontaires de notre mode de vie, comme la limitation de la dimension de la famille ou la réduction des déchets, à des changements qui sont dus à l'intervention du législateur, comme les lois destinées à promouvoir les économies d'énergie des automobiles et des appareils électroménagers. Mais l'instrument le plus efficace sera vraisemblablement la mise en place d'une politique fiscale, en particulier le remplacement partiel des impôts sur le revenu par des taxes qui décourageront les activités destructrices pour l'environnement. Parmi les principales activités susceptibles d'être taxées figurent les émissions de carbone, l'utilisation de matières vierges et la production de déchets toxiques (voir Chapitre 10).

Nous savons quels effets une croissance non viable pour l'environnement peut produire sur la planète. Nous connaissons les grandes lignes dont pourrait s'inspirer une économie écologiquement viable. A défaut de redoubler nos efforts dans cette voie, nous risquons d'être submergés par les conséquences économiques et sociales de la dégradation de notre planète. Pour ce faire, il faut qu'un plus grand nombre d'entre nous se mobilise et milite activement en faveur de l'environnement en vue de travailler à l'avenir de la planète et de nos enfants. Si nous n'inversons pas rapidement certaines évolutions écologiques qui sapent notre économie, l'espoir que nous avons formé d'une vie meilleure pour nos enfants et nos petits-enfants ne sera jamais autre chose qu'un rêve.

CHAPITRE 2

Concevoir
un système énergétique viable

par Christopher Flavin et Nicholas Lenssen

Le monde avance désormais en zigzag d'une crise énergétique à une autre, risquant à chaque embardée de faire dérailler son économie ou de déséquilibrer les écosystèmes qui conditionnent sa survie. Il est à craindre que la décennie qui commence ne soit empoisonnée par des crises encore plus fréquentes et plus sérieuses que jamais auparavant.

Alors que l'incapacité des sociétés à réorienter leur avenir énergétique relève en un certain sens d'une incapacité politique, elle est aussi le fruit d'un manque de discernement et d'imagination. Les responsables politiques, en effet, n'ont pratiquement aucune idée de ce que pourrait être un système énergétique qui ne serait pas basé sur les combustibles fossiles. Ils ne semblent pas penser davantage qu'une autre approche soit possible. Ainsi, la société entre-t-elle dans une période de changements rapides et inévitables touchant ses systèmes énergétiques. Or, nous ne savons guère où ces changements vont nous conduire et nous n'avons qu'une vague idée de ce qu'il faudrait faire pour les maîtriser au mieux.

La Conférence mondiale sur l'Energie, manifestation triennale qui réunit des responsables et des experts de l'énergie, a conclu, fin 1989, que la consommation du monde aura augmenté de 75 % vers l'an 2020, et que la plus grande partie de cette consommation sera assurée par le charbon, le pétrole et le nucléaire. Mais ce scénario des plus classiques ne débouche pas sur une version plus réjouissante de l'actuel statu quo, dont le maintien est apparemment l'objectif de beaucoup de planificateurs (1).

Dans un tel cas de figure, en effet, le monde dépendrait du Golfe Persique pour plus des deux tiers de sa consommation pétrolière, contre 26 % aujourd'hui. Il faudrait aussi construire trois fois plus de centrales nucléaires dans les trente prochaines années que l'on en a construites dans les trente dernières, avec pour conséquences de plus nombreux accidents liés à l'atome et une plus grande accumulation de déchets radio-actifs et de plutonium. Il en résulterait également une accélération du réchauffement du globe avec des émissions de gaz carbonique encore supérieures à celles que l'on enregistre aujourd'hui. Et la centralisation croissante, comme la taille croissante des unités de production d'énergie, exigeraient un exercice plus sévère du pouvoir réglementaire de l'Etat et des restrictions concernant la participation publique. Une telle perspective n'est ni attrayante, ni finalement très plausible (2).

Trois considérations majeures poussent désormais les systèmes énergétiques du monde vers des orientations nouvelles. La première est la disponibilité des combustibles fossiles, notamment le plus économique et le plus souple d'emploi de tous, le pétrole. Ici, la contrainte ne réside pas dans l'importance des réserves mondiales, mais dans les contingences géopolitiques liées au fait que près des deux tiers des dites réserves se trouvent dans la région du Golfe Persique (3).

La seconde considération est d'ordre écologique, puisqu'elle concerne la capacité de la planète à faire face aux pollutions de plus en plus envahissantes engendrées par une économie de 20 000 milliards de dollars par an à base de carburants fossiles. L'aspect le plus irréductible de cette pollution est la masse de quelque 6 milliards de tonnes de carbone envoyée dans l'atmosphère chaque année. Du fait qu'il n'y ait sans doute pas de solution technique, à ce problème, le ralentissement du réchauffement atmosphérique ne pourra résulter que de la limitation de l'emploi des combustibles fossiles (4).

La troisième considération est d'ordre social et politique. Au cours des dernières années, des citoyens se sont dressés, un peu partout dans le monde, contre les « solutions » que leurs gouvernements ont cherché à apporter au problème de l'énergie. Les Allemands de l'Ouest, par exemple, se sont opposés dans les années 80 au développement du nucléaire dans leur pays. Et les Soviétiques sont en train d'en faire autant. Des technologies moins controversées ne sont plus guère utilisées. C'est ainsi que la réalisation de centrales électriques fonctionnant au charbon se fait de plus en plus rare dans la région nord-est des Etats-Unis. De même, en Inde, les efforts du gouvernement pour la construction de nouveaux barrages hydroélectriques se sont heurtés aux protestations massives des populations concernées. Partout dans le monde, les responsables politiques commencent à comprendre que ce n'est pas par une marée de décisions technocratiques que l'on répondra aux préoccupations passionnées des populations (5).

De puissantes forces économiques, écologiques et sociales poussent maintenant le monde vers un système énergétique qui sera très différent dans les prochaines décennies. Mais à quoi donc pourrait bien ressembler ce système ? Une économie viable devra finir par fonctionner avec moins de combustibles fossiles, et probablement sans recours au nucléaire. Cette économie produira probablement son électricité à partir de l'énergie solaire qui est renouvelée chaque jour, ainsi qu'à partir de l'énergie géothermique, ces deux ressources étant de très loin plus abondantes que les combustibles fossiles. Il faudra aussi que son rendement énergétique soit beaucoup plus élevé, car le prix de revient de l'énergie renouvelable ne sera probablement jamais aussi bas que celui du pétrole.

Une économie basée sur l'énergie solaire impliquera la création de toutes nouvelles industries, et la restructuration du marché du travail. De nouveaux systèmes de transport devront apparaître, et les cités comme les campagnes devront changer de visage. Le défi de l'avenir consiste en partie à poursuivre le développement des nouvelles techniques qui permettront d'économiser l'énergie et de faire baisser le prix de la mise en œuvre d'énergies renouvelables. Mais le défi le plus important est d'ordre politique. En effet, la société doit se placer au-dessus des intérêts économiques étroits et repenser sa politique énergétique de manière à développer des systèmes sur lesquels les générations futures pourront compter.

La fin de l'ère du pétrole

Il y a tout juste quarante ans, la consommation mondiale de pétrole était le sixième de ce qu'elle est aujourd'hui, et la moitié en revenait à la seule Amérique du Nord. Il y a vingt ans, l'économie basée sur le pétrole n'avait encore touché qu'une infime partie de l'humanité. Alors que la dépendance vis-à-vis de l'or noir peut paraître à notre génération inéluctable et définitive, il se pourrait bien qu'elle s'avère encore plus éphémère dans l'histoire de l'humanité que ne l'ont été les 200 ans de l'âge du charbon qui l'ont précédée (6).

Dans le futur immédiat, le chaos dont souffre le marché pétrolier mondial pourrait fort bien suffire à modifier le cours des tendances actuelles. Lorsque les chars irakiens ont envahi le Koweit en août 1990, le monde a connu son troisième choc pétrolier en l'espace de dix sept ans (voir figure 2.1). Cette invasion, qui a fait immédiatement passer la part irakienne des réserves pétrolières mondiales de 10 à presque 20 %, a provoqué une hausse de 170 % des prix du brut en l'espace de trois mois et mis les marchés financiers dans un état proche de la panique (7).

Source : *Amer. Petroleum Inst., U.S. Dept. of Energy.*

Figure 2.1.   Prix mondial du pétrole

A l'origine de cette crise on trouve surtout les politiques énergétiques malencontreuses qui ont conduit les pays consommateurs de pétrole, industrialisés ou en développement, à accroître fortement leur dépendance à l'égard du Moyen-Orient vers la fin des années 1980. L'attirance universelle pour le pétrole bon marché s'avère aussi destructrice et aussi difficile à réprimer que le besoin de boire pour un alcoolique. Dès 1986, quand les prix du brut retombaient au-dessous de 20 dollars le baril, la tendance aux économies d'énergie pour les habitations, les voitures ou les usines, qui s'était fait jours vers le milieu des années 1970, allait connaître une pause marquée. Par voie de conséquence, la demande mondiale de pétrole s'accrût brutalement de presque 5 millions de barils par jour, soit une augmentation de près de 10 % (8).

Pratiquement tout ce surcroît de pétrole est fourni par une poignée de pays du Moyen-Orient, région en proie à des tensions qui résultent de nombreux facteurs : démographie galopante, régimes politiques autocratiques, pauvreté généralisée, et course implacable aux armements. Non seulement le monde se saoule au pétrole pas cher, mais la plus grosse boutique où il se fournit est située dans un quartier dangereux.

Le caractère inégal de la répartition des réserves mondiales de pétrole ne cesse de s'accentuer avec le temps. Tandis qu'en 1980 la région du Golfe Persique était créditée de 55% des réserves mondiales prouvées, ce chiffre atteignait 65 % en 1989. La plupart des pays de cette région disposent d'au moins 100 ans de réserves sûres au taux d'extraction actuel, contre moins de 20 ans pour l'Europe, l'Amérique du Nord et l'Union soviétique (voir tableau 2.1) (9).

Tableau 2.1. Réserves mondiales de pétrole par région, 1980 et 1989

Région	Réserves (en milliards de barils)		Réserves restantes au rythme de production de 1989 (Nombre d'année)
	1980	1989	
Moyen-Orient	362	660	110
Amérique latine	70	125	51
URSS et Europe de l'Est	66	60	13
Afrique	55	59	28
Asie, Autralie et Nouvelle Zélande	40	47	20
Amérique du Nord	39	42	10
Europe occidentale	23	18	13
Monde	655	1 011	44

Source : British Petroleum, *BP Statistical Review of World Energy* (Londres, diverses années).

A l'extérieur du Moyen-Orient, une grande partie du pétrole pas cher a déjà été consommée. Aux Etats-Unis et en Union soviétique, à ce jour encore les plus gros pays producteurs du monde, la production est désormais en voie de diminution. En ce qui concerne les USA, ce n'est guère surprenant. En effet, ce pays exploite des champs pétrolifères qui représentent seulement 4 % des réserves du globe pour en extraire jusqu'à 12 % de la production mondiale. Tandis qu'un puits de pétrole saoudien classique produit 9 000 barils par jour, le puits américain en soutire 15 du sous-sol. Quant à l'Union soviétique, elle est aussi à la veille d'un déclin brutal de sa production, dans la mesure où elle va réduire ses investissements démesurés dans le secteur pétrolier. Quelques injections de technologie occidentale pourraient ralentir ce déclin, mais ne suffiront probablement pas à l'arrêter complètement (10).

Si l'on se réfère à l'expérience du passé – et tout nous pousse à le faire –, les pays du Golfe ne seront pas en mesure d'assurer à long terme une fourniture fiable de pétrole. Une dépendance accrue à l'égard de ces pays entraînerait le monde dans une suite sans fin de flambées des prix, de crises économiques et de guerres du pétrole. Les pays en développement qui sont fortement endettés sont particulièrement vulnérables aux variations extrêmes du prix du brut. L'Inde, par exemple, a dû réduire sa consommation de 25 % lorsque les prix ont monté en flèche vers la fin de 1990 (11).

Les pays consommateurs de pétrole sont donc confrontés à la nécessité impérative de réduire leur dépendance. Mais dans quelle mesure ? La consommation pétrolière moyenne actuelle est de 4,5 barils par personne et par an. Mais cette moyenne passe de 24 barils aux Etats-Unis à 12 barils en Europe et à moins de 1 baril en Afrique sub-saharienne. Tant pour économiser les réserves mondiales que pour réduire les dommages à l'environnement, il est improbable que notre planète puisse dépasser une consommation de 30 millions de barils par jour en l'an 2030, soit la moitié de la consommation actuelle. Compte-tenu de l'accroissement de la population, cela se traduirait par une moyenne mondiale de seulement 1,7 baril par personne et par an, ce qui impliquerait de profonds changements dans l'économie énergétique du globe (12).

La capacité de la biosphère à absorber les émissions provoquées par un système énergétique basé sur les combustibles fossiles peut s'avérer, en fin de compte, encore plus contraignante que les limites imposées par les réserves de pétrole. Près de 6 milliards de tonnes de carbone sont recrachées dans l'air chaque année sous la forme de dioxyde de carbone, un gaz à effet de serre dont la quantité s'accroît régulièrement dans l'atmosphère et provoque un réchauffement graduel de la planète. Bien que cette concentration s'accroisse lentement, les modifications qui en résulteront pour le climat seront probablement brutales et catastrophiques (13).

Malgré la grande attention manifestée par le public depuis trois ans au problème du réchauffement général du globe, la quantité de carbone rejetée annuellement dans l'atmosphère s'est accrue de 400 millions de tonnes depuis 1986, ce qui est exactement l'inverse de ce que beaucoup de scientifiques jugent nécessaire (voir figure 2.2) (14).

Une importante étude scientifique, communiquée en 1990 par le panel intergouvernemental sur le changement du climat mis sur pied par les Nations-Unies (*United Nations-commissioned International Panel on Climate Change*), confirme qu'il se produira un accroissement rapide et très brutal de la température du globe si les émissions de carbone ne sont pas réduites. Le Dr John Houghton, directeur de la météorologie nationale britannique, notait qu'il s'agissait là d'un « remarquable consensus » puisque moins de 10 scientifiques sur les 200 participants avaient contesté ces conclusions. De toutes les façons, une réduction significative des émissions de dioxyde de carbone prendra plusieurs décennies, mais l'objectif sera encore bien plus difficile à atteindre si ces émissions continuent à augmenter (15).

Quelque peu à contrecourant de cette sombre tendance mondiale, cinq pays ont, au cours des deux dernières années, adopté des plans de réduction de leur production de dioxyde de carbone, ce qui implique une réduction de leur consommation de combustibles fossiles. Au premier rang, l'Allemagne, qui veut réduire de 25 % les émissions de l'ancienne RFA au cours des 15 prochaines années. Pour stabiliser la concentration de dioxyde de carbone dans l'atmosphère, les scientifiques pensent toutefois que les émissions devraient être réduites d'au moins 60 à 80 % afin de n'être plus que 2 milliards de tonnes par an, environ (16).

Un monde qui produirait 2 milliards de tonnes de carbone par an serait très différent d'un autre qui en produirait 6 milliards (voir tableau 2.2). D'ici quarante ans, les émissions de carbone par habitant devront être réduites au quart de leur niveau actuel en Europe occidentale, compte-tenu de l'inévitable accroissement de la population mondiale au cours des prochaines décennies. Il s'agit là d'un objectif très contraignant, surtout si l'on considère que les combustibles fossiles produisent actuellement 75 % de l'énergie mondiale (17).

Milliards de tonnes

Source : Oak Ridge National Lab, Worldwatch.

Figure 2.2.   Emissions de carbone à partir des combustibles fossiles, 1950-89

On ne pourra limiter les émissions de carbone dans l'atmosphère à 2 milliards de tonnes que si l'utilisation du charbon, combustible fossile le plus riche en carbone, est réduite d'environ 90 %. De petites quantités de charbon continueraient à être brûlées dans certains pays comme la Chine ou l'Inde, qui ont de grandes populations et des réserves limitées en ce qui concerne les autres carburants fossiles. Les schistes bitumineux et autres carburants de synthèse seront à éliminer complètement en raison de leur haute teneur en carbone (18).

Pour la plupart des pays, toutefois, le gaz naturel restera probablement le principal combustible fossile encore en usage. Il produit en effet, à peu près deux fois plus d'énergie que le charbon pour une même quantité de carbone émise. Les ressources en gaz naturel sont également mieux réparties. Les plus importantes réserves connues se trouvent cependant au Moyen-Orient et en Union soviétique. Dans quarante ans, il se pourrait pourtant que le gaz naturel fournisse toujours autant d'énergie qu'actuellement (19).

Tableau 2.2. **Utilisation mondiale d'énergie et émissions de carbone, 1989 avec objectifs pour 2030**

Source d'énergie	1989		2030	
	Energie (mtep1)	Carbone (millions de tonnes)	Energie (mtep[1])	Carbone (millions de tonnes)
Pétrole	3 098	2 393	1 500	1 160
Charbon	2 231	2 396	240	430
Gaz naturel	1 707	975	1 750	1 000
Renouvelables[2]	1 813	–	7 000	–
Nucléaire[3]	451	–	0	0
Total	9 300	5 764	10 490	2 590

1. Millions de tonnes équivalent pétrole.
2. L'énergie renouvelable tirée de la biomasse ne se traduit par un excédent d'émission de carbone que dans le cas où elle n'est pas renouvelée par l'apport de plantations nouvelles.
3. L'énergie nucléaire produit du dioxyde de carbone lors du traitement du combustible qui précède son emploi dans les réacteurs.

Source : Worldwatch Institute, d'après British Petroleum, *BP Statistical Review of World Energy* (Londres, 1990) ; J.M.O. Scurlock and D.O. Hall, « The Contribution of Biomass to Global Energy Use », Biomass n° 21, 1990 ; Gregg Marland *et al.*, « Estimates of CO_2 Emissions from Fossil Fuel Burning and Cement Manufacturing, Based on the United Nations Energy Statistics and the US Bureau of Mines Cement Manufacturing Data » (Oak Ridge, Tenn., Oak Ridge National Laboratory, 1989).

Dans un monde doté d'un système énergétique vraiment viable – économiquement et socialement – le nucléaire ne sera probablement pas une source majeure d'énergie. Au cours des six dernières années, le rythme d'expansion du nucléaire s'est ralenti pratiquement jusqu'à marquer un arrêt un peu partout dans le monde. Tous les réacteurs actuellement en service sont prévus pour cesser de fonctionner d'ici une quarantaine d'années. Il apparaît probable que, pour la plupart, ils ne seront pas remplacés (20).

Bien qu'il y ait beaucoup à discuter sur les nouvelles technologies énergétiques à déployer, comme sur la restructuration des villes et des économies, un point demeure clair : un système viable de production de l'énergie ne sera possible que si le rendement énergétique est fortement amélioré. D'une manière générale, le monde devra produire biens et services avec une dépense d'énergie comprise entre le tiers et la moitié de ce qu'elle est aujourd'hui. Depuis 1973, les pays membres de l'OCDE ont déjà réduit de 24 % leur consommation d'énergie par unité de PNB, mais les possibilités d'améliorations sont encore grandes. L'Union soviétique, l'Europe de l'Est et les pays en développement ont un potentiel encore plus vaste et qui est encore intact (21).

Nous disposons déjà de technologies qui permettront de quadrupler le rendement énergétique de la plupart des systèmes d'éclairage et de doubler celui des nouvelles voitures. Un meilleur rendement des installations électriques pourrait réduire la consommation de 40 à 75 % pour un coût moyen inférieur à 2 cents le kilowatt-heure. Les besoins des bâtiments en chauffage et en refroidissement pourraient être encore plus réduits grâce à l'amélioration des calorifères et des climatiseurs, de même que par une meilleure isolation des murs et des fenêtres (22).

Au cours des trente prochaines années, les nations industrialisées pourraient réduire d'au moins 50 % leur consommation énergétique par habitant sans affecter pour autant leurs économies. Dans les pays en développement, une amélioration du rendement pourrait permettre à la consommation individuelle de rester constante tandis que se poursuivrait la croisance de l'économie. Les pays en développement ne seront probablement pas en mesure de continuer à vouloir faire leurs, des technologies coûteuses et centralisées tout en faisant fi de moyens simples et meilleur marché pour améliorer leur efficacité énergétique (23).

Le quadruplement de la production d'énergie renouvelable est une condition essentielle de la mise sur pied d'un système énergétique viable dans un avenir prévisible. Cela comporte le développement de l'utilisation de la biomasse et de l'énergie hydroélectrique. Mais aussi, et plus encore, cela exigera que l'énergie solaire et l'énergie géothermique deviennent, comme il sera indiqué plus loin, les composantes majeures du système énergétique global.

Les technologies pour amorcer cette transition historique sont à portée de main, mais cela ne se fera pas sans des changements majeurs dans la politique de l'énergie. Le premier pas consiste à réorienter la politique d'un grand nombre de gouvernements dans le sens de l'amélioration du rendement énergétique et de la réduction de l'usage des combustibles fossiles. Par exemple, l'achat de voitures sobres devrait être récompensé, tandis que celui de voitures trop voraces se verrait découragé par le biais de dispositions fiscales. Il faudrait, aussi, fixer des normes de construction plus strictes et encourager des moyens de transport destinés à remplacer l'automobile. Dans les deux domaines, les gouvernements et les autorités locales peuvent jouer un rôle de premier plan.

Le second stade est la restructuration progressive des industries de l'énergie, notamment des compagnies d'électricité, nationalisées ou sous contrôle de l'état. Idéalement, elles devraient se voir écartées des activités de constructions des centrales et chargées de promouvoir l'efficacité énergétique au niveau des utilisateurs. Le financement serait assuré par les recettes du service public.

Il reste enfin une dernière démarche et non la moindre. Les gouvernements devront lever des taxes sur les combustibles fossiles, de sorte que leurs prix reflètent en totalité les coûts des mesures à prendre en matière de sécurité et de protection de l'environnement (voir Chapitre 10). Cela donnerait une forte impulsion au développement de techniques économes en énergie ou utilisant des énergies renouvelables.

L'énergie solaire

Les ressources en énergies renouvelables sont immenses. Le ministère de l'Energie des Etats-Unis estime que, dans ce pays, l'afflux annuel des ressources énergétiques accessibles est de plus de 200 fois supérieur à sa consommation et représente plus de dix fois ses réserves totales estimées de combustibles fossiles et nucléaires. D'après une étude récente menée par plusieurs laboratoires du secteur public, les énergies renouvelables pourraient fournir l'équipement de 50 à 70 % des besoins énergétiques actuels des Etats-Unis aux environs de l'an 2030 (24).

Contrairement à la croyance populaire, les énergies renouvelables – essentiellement la biomasse et l'énergie hydro-électrique – assurent d'ores et déjà quelque 20% de la consommation énergétique mondiale. A elle seule, la biomasse satisfait 35 % des besoins énergétiques des pays en développement, quoique ce ne soit pas toujours d'une manière renouvelable ou viable à long terme. Dans certains pays industriels, les énergies renouvelables jouent un rôle capital. C'est le cas de la Norvège où ces énergies, l'hydro-électricité en premier lieu, assurent plus de 50 % des besoins du pays (25).

Des progrès constants ont été enregistrés depuis le milieu des années 70 dans une vaste gamme de technologies utilisant des énergies renouvelables. Un grand nombre d'appareils, de machines ou de procédés capables de fournir de l'énergie dans une économie basée sur l'énergie solaire sont aujourd'hui économiquement compétitifs avec ceux qui utilisent les combustibles fossiles, et l'on peut s'attendre à voir leurs coûts diminuer dans la prochaine décennie avec les progrès de la technique (voir tableau 2.3). Mais le rythme de ces progrès sera déterminé par les prix de l'énergie et les politiques des gouvernements. Après une période d'indifférence au cours des années 80, beaucoup de gouvernements apportent désormais un soutien plus efficace aux technologies énergétiques nouvelles (26).

Tableau 2.3. Prix de revient de l'électricité tirée d'un certain nombre de sources renouvelables (1980-2030)[1]

Technologie	1980	1988	2000	2030
	Cents (100e de dollar) 1988/kWh			
Eolienne	32[2]	8	5	3
Géothermique	4	4	4	3
Photovoltaïque	339	30	10	4
Thermique solaire				
– Réflecteur avec assistance gaz	24[3]	8[4]	6[5]	–
– Parabolique avec récepteur central	85[6]	16	8	5
Biomasse[7]	5	5	–	–

1. Tous ces prix sont aménagés compte-tenu de la durée de vie estimée de la technologie et sont arrondis : les coûts prévisionnels supposent un retour à un niveau élevé de contribution gouvernementale à la R et D. 2. 1981. 3. 1984. 4. 1989. 5. 1994 6. 1982. 7. Les changements futurs dans les coûts de la biomasse dépendant des coûts de l'alimentation du bétail.

Source : Worldwatch Institute, d'après Idaho National Engineering Laboratory *et al.* The Potential of Renewable Energy : An Interlaboratory Whitepaper, préparé pour l'Office of Policy, Planning and Analysis, US Department of Energy, à l'appui de la stratégie nationale de l'énergie (Golden, Colo. : Solar Energy Research Institute, 1990) et autres sources.

La conversion directe de l'énergie solaire sera probablement la pierre angulaire d'un système énergétique viable pour la planète. Non seulement la lumière du soleil est très abondante, mais elle est aussi plus largement distribuée que n'importe quelle autre source d'énergie. Elle se prête particulièrement bien à la fourniture de chaleur dans la gamme des températures de 100 °C ou moins, celle qui couvre 30 à 50 % des besoins énergétiques des pays industrialisés, et une plus grande quantité de ces besoins dans les pays en développement. D'ici quelques dizaines d'années, les collectivités humaines chaufferont sans doute la majeure partie de l'eau qu'elles utilisent au moyen de l'énergie solaires et les nouveaux immeubles feront sans doute appel à des moyens naturels pour maintenir la température au niveau voulu et réduire de plus de 80 % leurs besoins énergétiques (27).

Le rayonnement solaire est une ressource gratuite et d'une utilisation facile au prix de légères modifications dans la conception et l'orientation des immeubles. A Chypre, en Israël et en Jordanie, des panneaux solaires chauffent d'ores et déjà entre 25 et 65 % de l'eau à usage domestique. Aux Etats-Unis, plus de 1 million de systèmes solaires actifs et plus de 250 000 systèmes passifs ont été réalisés. Des capteurs solaires de technologie avancée peuvent produire de l'eau assez chaude – 200 °C – pour répondre aux besoins en vapeur de nombreuses industries. En fait, l'utilisation de l'électricité ou la combustion directe de carburants fossiles pour chauffer l'eau et les bâtiments risquent fort de se raréfier au cours des toutes prochaines décennies (28).

Les capteurs solaires, comme d'autres technologies appliquées aux énergies renouvelables, peuvent transformer les rayons du soleil en électricité. L'un des procédés consiste à diriger l'énergie solaire à l'aide de grands réflecteurs paraboliques pour la concentrer sur un tube rempli d'huile, lequel produit de la vapeur pour une turbine. Une entreprise du sud de la Californie produit actuellement 354 mégawatts d'électricité grâce à ce genre de collecteurs et a passé des contrats pour l'installation de 320 mégawatts de plus. Les derniers nés de ces systèmes transforment 22 % du rayonnement solaire en électricité. Installés sur une superficie de 750 hectares, les collecteurs produisent assez de courant pour quelque 170 000 foyers à un coût ne dépassant pas 8 cents le kilowatt, ce qui le rend compétitif avec certaines sources d'électricité conventionnelles (29).

Les futures technologies de la thermique solaire devraient produire de l'électricité encore moins chère. Des miroirs paraboliques suivent la course du soleil et concentrent son rayonnement sur un point où se trouve, soit un petit moteur thermique, soit un dispositif transmettant l'énergie à une turbine centrale. La standardisation des unités permet leur addition afin d'obtenir la capacité de génération désirée. Vers le milieu du siècle prochain, de vastes étendues arides ou semi-arides du territoire pourraient être utilisées pour produire de l'électricité à exporter vers les régions qui en manquent (30).

Les piles photovoltaïques, qui convertissent directement le rayonnement solaire en électricité, seront presque certainement omniprésentes vers 2030. Ces petites unités modulaires peuvent alimenter n'importe quoi, depuis la calculatrice de poche jusqu'à la grande cité. Dans l'espace d'une génération, des piles solaires seront très probablement installées sur le toit des immeubles, le long des voies de communication, et permettront de créer de véritables centrales électriques. Au Japon, la société Sanyo a incorporé des cellules solaires dans les bardeaux de ses toitures (31).

Au cours des vingt dernières années, le coût de l'électricité photovoltaïque est tombé de 30 dollars le kilowatt-heure à 30 cents à peine. A l'origine de cette diminution, on trouve la constante amélioration du rendement des piles et de leurs techniques de fabrication, et l'augmentation de la demande qui a fait plus que doubler tous les cinq ans. Du fait de cette réduction des coûts, le pompage de l'eau avec des systèmes photovoltaïques est, dans certaines régions isolées de l'Afrique, moins coûteux qu'avec ces moto-pompes diesel. Les piles solaires sont aussi la source la plus économique d'électricité dans la plupart des régions rurales du Tiers Monde. Ainsi, plus de 6 000 villages de l'Inde les ont-elles adoptées. L'Indonésie et le Sri Lanka ont également lancé d'audacieux programmes du même genre (32).

Si les réductions de coût prévues pour les deux technologies se concrétisent, le photovoltaïque pourrait jouer le premier rôle dans la génération d'énergie thermique à partir du rayonnement solaire. Du fait qu'elles peuvent être dispersées, elles exigent moins d'investissements dans les systèmes de transport et de distribution de l'énergie. Vers la fin de la décennie, lorsque l'électricité photovoltaïque coûtera, on l'espère, 10 cents le kilowatt-heure, certains pays pourront se tourner vers cette source pour fournir du courant à des réseaux qui fonctionnent déjà depuis longtemps. D'ici trente ans, le photovoltaïque pourrait fournir une grande partie de l'électricité, et cela pour guère plus de 4 cents le kilowatt-heure (33).

Une autre forme d'énergie solaire, l'énergie éolienne, capture l'énergie produite par le réchauffement différentiel de l'atmosphère sous l'action du soleil. L'électricité est produite par des turbines mécaniques à hélice montées sur des tours disposées en des endroits propices. Le coût de l'électricité ainsi produite est tombé de plus de 30 cents le kilowatt-heure au début des années 1980 à une moyenne de 8 cents actuellement. Vers la fin des années 92, on espère arriver à 5 cents environ. En majeure partie, cette baisse des prix est le fruit de l'expérience acquise en Californie, où près de 80 % de la production mondiale est effectuée. Le Danemark, qui est le second producteur mondial dans ce domaine, a pendant l'année 1990 tiré de ses éoliennes envion 2 % de son électricité (34).

L'énergie éolienne a un potentiel énorme. Cette source pourrait fournir à beaucoup de pays 20 % ou plus de leur électricité. Parmi les régions les plus prometteuses du globe, quelques-unes se trouvent dans le nord de l'Europe, en Afrique du Nord, dans la partie méridionale de l'Amérique du Sud, dans la grande plaine de l'Ouest américain et dans la ceinture des alizés, sous les tropiques. A elle seule, un ligne de crête du Minnesota, mesurant 160 km de long sur 1,6 km de large, pourrait produire trois fois plus d'électricité d'origine éolienne que toute la Californie à l'heure actuelle. Des sites encore plus productifs ont été identifiés dans le Montana et l'Idaho (35).

Les plantes vertes constituent un autre moyen de capturer l'énergie solaire. Grâce à la photosynthèse, elles convertissent la lumière solaire en biomasse qui, brûlée sous forme de bois, de charbon de bois, de déchets agricoles ou de déjections animales, représente la principale source d'énergie pour près de la moitié de la population du globe, soit environ 2,5 milliards de personnes qui vivent dans les pays en développement. L'Afrique sub-saharienne tire quelque 75 % de son énergie de la biomasse, en faisant essentiellement appel à des techniques primitives, au grand détriment de l'environnement (36).

Certaines utilisations de la bioénergie vont sans aucun doute se développer dans les décennies à venir, mais sans doute pas autant que certains enthousiastes semblent le penser. Les pays en développement devront trouver des méthodes plus perfectionnées et plus efficaces d'utilisation de la biomasse s'ils veulent faire face à leurs besoins croissants en combustible. Ainsi, avec tant de forêts et de terres de culture déjà surexploitées, et avec des besoins alimentaires qui pèsent de plus en plus sur les ressources agricoles, il n'est pas réaliste d'imaginer que l'éthanol distillé à partir du maïs puisse représenter plus qu'une infime fraction des besoins mondiaux en combustibles liquides. Et le manque d'eau d'irrigation peut encore compliquer les choses, particulièrement dans un monde qui subit un réchauffement rapide (37).

A l'avenir, l'éthanol sera probablement extrait des déchets agricoles et forestiers plutôt que de précieuses céréales. En utilisant un processus à base d'enzymes, les scientifiques ont réduit de 4 à 1,5 dollars le coût du gallon d'éthanol de bois au cours des dix dernières années, et ils espèrent arriver à environ 60 cents le gallon à la fin des années 90. Dans quelques décennies, toutefois, les combustibles liquides seront un luxe, probablement réservé à quelques usages spécialisés (38).

L'amélioration de la transformation des déchets agricoles et forestiers en énergie pourrait accroître le rôle énergétique de la biomasse dans l'avenir, particulièrement pour les pays en développement qui sont déjà tellement tributaires de cette source. Des poêles à bois au rendement thermique double ou triple des rendements actuels existent déjà, et l'on travaille sur des modèles encore plus performants. La transformation peut aussi être améliorée par des techniques de combustion plus efficaces. Pour la production d'électricité, des turbines à gaz modernes à haut rendement alimentées par la biomasse peuvent être construites pour des puissances aussi basses que 5 mégawatts. Une capacité de quelque 50 000 mégawatts, soit 75 % du total de l'énergie produite actuellement en Afrique, pourrait provenir des seuls déchets de l'industrie de la canne à sucre. Dans l'avenir, des systèmes agricoles intégrés, relevant de ce que l'on appelle l'agrosylviculture, pourraient produire en quantité des combustibles, des denrées alimentaires et des matériaux de construction (39).

La puissance hydraulique fournit actuellement près du cinquième de l'électricité mondiale. Bien qu'il existe encore un important potentiel de croissance dans ce domaine, notamment dans les pays en développement, des contraintes dues à l'environnement limiteront fortement son exploitation. Les projets à petite échelle sont généralement plus prometteurs que les grandes unités qui ont la faveur des gouvernements et des organismes internationaux de financement. Des barrages et des bassins de retenue plus petits ont un moindre impact social et écologique. Dans le choix des ressources hydro-électriques à développer, les facteurs tels que l'inondation des terres, l'envasement, et les déplacements de populations joueront un grand rôle. Ces considérations dissuaderont probablement la plupart des pays d'exploiter la totalité de leur potentiel (40).

L'énergie géothermique, tirée de la chaleur latente du noyau central de la terre, est un autre élément important d'un système énergétique à base de ressources renouvelables. En fait, cette énergie n'est pas à strictement parler renouvelable et son extraction doit être effectuée avec précaution afin de ne pas épuiser la source locale. Capables de produire de l'électricité pendant plus de

90 % du temps, les centrales géothermiques peuvent assurer la fourniture du courant lorsqu'il n'y a ni soleil ni vent.

Les ressources géothermiques sont localisées, bien que l'on en trouve un peu partout. Dans l'ensemble du monde, il a été réalisé des centrales géothermiques pour une puissance totale supérieure à 5 600 mégawatts. Le Salvador tire 40 % de son électricité de la chaleur naturelle de la terre, le Nicaragua 28 % et le Kénya 11 %. La plupart des pays riverains du Pacifique, de la grande fissure tectonique est-africaine et de la Méditerranée pourraient capter de l'énergie géothermique. L'Islande, l'Indonésie et le Japon figurent parmi les nations qui disposent du plus gros potentiel (41).

Alors que les combustibles fossiles sont emmagasinés dans la terre depuis des millions d'années, l'énergie renouvelable est un flux constant, qui se recharge dès que le soleil brille. La nature intermittente de la lumière solaire et du vent fera qu'un jour il sera nécessaire de disposer de capacités de stockage en vue d'une utilisation différée. En fait, l'énergie de la biomasse et l'énergie hydraulique sont les seules qui soient par nature faciles à stocker. La mise au point de nouveaux systèmes de stockage améliorés représente donc l'un des principaux problèmes à résoudre pour créer une économie énergétique viable.

La chaleur à basse température peut être emmagasinée au moyen de systèmes simples qui utilisent l'eau, des lits de galets ou des matières telles que l'huile et le sel. Les systèmes de stockage thermique récupèrent dans ces « magasins » la chaleur des jours ensoleillés d'été pour assurer le chauffage des immeubles même au cours des longs hivers. Ces systèmes peuvent restituer jusqu'à 85 % de la chaleur initialement captée et stockée. D'ores et déjà, quelque 30 grandes installations ont été réalisées en Europe, dont 10 se trouvent en Suède. Il s'agit, dans ce dernier cas, d'installations de quartier destinées à chauffer des écoles, des immeubles de bureaux et des appartements (42).

La plus grande difficulté, c'est la mise en réserve de l'électricité. Des systèmes hydro-électriques de stockage qui montent de l'eau jusqu'à un réservoir, puis la laissent s'écouler pour entraîner une turbine productrice de courant, sont désormais en service dans certaines régions. Comme les autres centrales hydro-électriques, ces unités de stockage par pompage verront leur généralisation limitée du fait qu'elles présentent des inconvénients au plan écologique, bien que leur utilisation soit encore de nature à augmenter. Une autre solution, qui peut être utilisée sur une grande échelle et qui est moins pénalisante pour l'environnement, consiste à utiliser l'électricité disponible afin de comprimer de l'air dans un réservoir souterrain. Quand il y a un besoin de courant, l'air est relâché, réchauffé, puis canalisé vers une turbine. Comme les systèmes basés sur le stockage de l'eau par pompage, les systèmes basés sur l'air comprimé peuvent atteindre un rendement de 70 %. Une unité de 290 mégawatts fonctionne déjà en Allemagne (43).

Le stockage dans des batteries est une solution plus souple. Les accumulateurs sont des appareils modulaires chimiques pouvant être utilisés à petite ou à grande échelle. Il est possible de connecter à des batteries d'accumulateurs aussi bien les cellules photovoltaïques de votre habitation personnelle que de véritables centrales éoliennes ou solaires. Les batteries sont également susceptibles de jouer un rôle dans les moyens de transport, et cela sans augmentation substantielle de la consommation d'électricité. Si le quart du kilométrage parcouru aux Etats-Unis par les véhicules transportant des passagers s'effectuait à bord de voitures électriques, la consommation d'électricité totale du pays n'augmenterait que de 7 % (44).

La mise en service de véhicules électriques est au programme de plusieurs constructeurs automobiles pour les premières années de la décennie 1990. Dans les années à venir, la réduction des prix de revient sera le fruit de la modernisation des accumulateurs. Les batteries de conception récente contiennent également moins de métaux lourds toxiques que les modèles au plomb. Mais aucune n'échappe à la nécessité de procéder avec soin à sa réutilisation et à son recyclage (voir Chapitre 23). Une formule, celle de l'accumulateur au sulfure de sodium, se révèle plus efficace, plus compacte, plus durable et plus légère que les modèles classiques. Mais elle requiert encore certains perfectionnements avant sa commercialisation, et notamment des dispositifs moins onéreux pour maintenir la batterie à la température élevée nécessaire à son bon fonctionnement (45).

L'hydrogène est le candidat le plus sérieux pour un stockage à grande échelle. Sa combustion peut se substituer à celle du pétrole, du charbon ou du gaz naturel. L'industrie chimique produit actuellement de l'hydrogène à partir de combustibles fossiles, mais ce gaz peut tout aussi bien être produit par électrolyse de l'eau. Des ingénieurs allemands et saoudiens étudient un processus de ce genre en utilisant de l'électricité d'origine photovoltaïque (46).

Les partisans de l'hydrogène solaire envisagent la création d'immenses centrales photovoltaïques implantées dans les déserts et reliées aux villes par des pipelines. L'hydrogène peut être stocké, soit sous forme d'hydrures métalliques, soit sous pression dans des citernes ou des réservoirs souterrains. Il offrirait ainsi une forme d'énergie facilement accesible (47).

L'hydrogène est le combustible le plus propre qui soit : en brûlant, il ne produit que de la vapeur d'eau et de petites quantités d'oxydes d'azote, formées par la combinaison de l'oxygène et de l'azote atmosphériques. Ces dernières émissions peuvent d'ailleurs être réduites en diminuant la température de combustion, et même pratiquement éliminées grâce à des convertisseurs catalytiques prévus à cet effet. A l'heure actuelle, les convertisseurs catalytiques ont la tâche autrement difficile de réduire les émissions simultanées de polluants multiples (48).

L'électricité peut aussi être produite chimiquement par combinaison d'oxygène et d'hydrogène dans des piles à combustible qui ne dégagent pas d'oxyde d'azote. La pile à combustible peut être utilisée dans la propulsion de voitures électriques fonctionnant à l'hydrogène, pour remplacer les moteurs à combustion interne désormais inefficaces. Les piles à combustible qui utilisent du gaz naturel convertissent en électricité 40 % de son énergie chimique, tandis que celles qui utilisent de l'hydrogène ont un rendement qui atteint 70 %. De leur côté, les moteurs à combustion interne dépassent rarement un rendement de 25 %, tandis que les centrales électriques classiques atteignent généralement 33 %.De plus, lorsqu'il s'agit de piles à combustibles fixes, on pourrait récupérer la chaleur perdue et l'utiliser dans un système de cogénération (49).

Le schéma général d'un système utilisant de l'énergie renouvelable commence à se dessiner. Une chose semble certaine : la tendance de l'ère solaire ira vers une décentralisation et une diversification accrues. La diversité des sources d'énergie sera le reflet du climat et des ressources naturelles de chaque région. L'Europe du Nord, par exemple, fera certainement appel à une combinaison d'énergies éolienne, solaire, hydraulique et tirée de la biomasse, tandis que l'Afrique du Nord et le Moyen-Orient dépendront pour une large part de l'ensoleillement direct. Le bois, les déchets agricoles, la lumière solaire et la géothermique fourniront probablement son énergie à l'ensemble du sud-est asiatique.

Il n'est nul besoin de technologies entièrement nouvelles. Il suffira d'apporter des améliorations pratique à celles que nous utilisons déjà ou qui sont en passe de l'être. Les technologies de l'énergie renouvelable sont très en avance sur les technologies de la fusion nucléaire, par exemple, qui ont bénéficié de milliards de dollars de crédits gouvernementaux pendant plusieurs décennies, sans qu'il en ait résulté jusqu'ici le moindre projet détaillé de centrale électrique viable (50).

L'un des aspects important d'un système qui utilise l'énergie renouvelable est que tous les pays devront virtuellement partir de zéro. Bien que les nations riches aient un avantage évident en matière d'investissements en capital, les pays en développement disposent souvent de ressources considérables d'énergie renouvelable et ne se trouveront pas confrontés à des problèmes de reconversion aussi coûteux. De plus, l'énergie renouvelable protégera les pays du Tiers Monde des fluctuations dévastatrices du marché pétrolier mondial, qui ont tellement compliqué leurs plans de développement ces dernières années.

Si une très forte amélioration du rendement énergétique est la condition nécessaire dès que l'on cherche à diminuer la consommation de combustibles fossiles, elle devient la clé de tout bon fonctionnement d'un système à base d'énergie renouvelable. Si, par exemple, le bilan électrique d'une habitation pouvait être réduit des deux tiers, l'investissement à consentir pour une génératrice photovoltaïque de toiture en serait réduit de moitié. De même, une voiture électrique à haut rendement énergétique aura une plus grande autonomie avec des batteries plus petites, d'où une réduction de son poids et de son prix. La mise au point de technologies à plus haut rendement énergétique s'avère dès lors aussi cruciale pour la viabilité d'une économie basée sur les énergies renouvelables que celle des technologies solaires elles-mêmes.

Quelles conséquences pour l'emploi ?

Les économies qui réussisent sont dynamiques, en perpétuel mouvement à mesure que les technologies progressent et que les besoins changent. Cette évolution conduit tout naturellement à des mutations affectant les emplois. Avec l'avènement de l'automobile, par exemple, le forgeron et le charron furent remplacés par des pompistes et des mécaniciens. Certes, ce processus est douloureux pour ceux dont le métier disparaît, mais il leur offre des possibilités nouvelles, pour eux-mêmes et pour d'autres.

Les représentants de groupes d'intérêts industriels prétendent souvent que la réduction de la consommation d'énergie se traduira par une perte massive d'emplois dans les activités liées à la production énergétique. Il n'en est rien, au contraire, car une économie énergétique viable nécessiterait certainement un plus grand nombre d'emplois qu'une économie basée sur les combustibles fossiles. Essentiellement, parce que l'augmentation du rendement de l'énergie mobilise plus d'emplois que sa production. A l'avenir, donc, le nombre d'emplois affectés au secteur de l'énergie sera plus élevé qu'actuellement, et les qualifications requises seront profondément différentes.

Aujourd'hui, il y a peu de pays où la production d'énergie occupe une part importante de la force de travail. En Pologne, au Canada et en Inde, par exemple, respectivement 4,4, 2,1 et 1 % des emplois étaient consacrés à l'énergie ou à la mine en 1988. Dans cette même année, 1,5 million d'Américains, soit 1,4 % des travailleurs, étaient employés dans la production et la conversion de l'énergie. Ce chiffre comprend les emplois dans les mines de charbon, l'industrie pétrolière, ainsi que la production et la distribution du gaz et de l'électricité (51).

Dans les pays industrialisés, la tendance va dans le sens de la diminution du volume de ces emplois. Entre 1980 et 1988, les postes de travail dans les mines de charbon américaines ont enregistré une diminution de 40 % ; passant de 246 000 à 151 000, et ce malgré une augmentation de 14 % de la production. Dans l'industrie du pétrole et du gaz, le nombre d'emplois est passé de 715 000 à 528 000 pendant la même période de temps. Une seule exception, mineure, concerne l'électricité où les emplois, essentiellement dans les services, ont augmenté de 10 % pour atteindre un total de 648 000 employés. Cependant, il est vraisemblable que la plus grande partie de cet accroissement a été effacée par la réduction des empois dans la construction des centrales, à la suite d'une baisse de 40 % des dépenses affectées à cette construction au cours des années 1980 (52).

Les industries qui exploitent l'énergie comportent un nombre relativement peu élevé d'emplois car elles sont parmi les secteurs où l'intensité capitalistique est la plus forte. A Alberta, au Canada, par exemple, l'industrie pétrolière génère 1,4 emploi pour 1 million de dollars d'investissements, tandis que les autres secteurs économiques en génèrent, en moyenne, plus de 10 pour le même capital. Par comparaison, les activités manufacturières produisent 9,2 emplois pour 1 million de dollars investis, l'agriculture 13 et les services plus de 32 (53).

La production électrique est aussi une industrie à forte intensité capitalistique. La dette du Costa Rica et du Brésil est imputable pour un quart aux emprunts contractés pour le secteur de l'énergie électrique. Ce sont les économies à planification centrale qui sont allées le plus loin dans cette direction. En Union Soviétique, l'énergie a compté pour près d'un cinquième dans les dépenses en capital de la fin des années 80. En 1986, la Pologne a consacré près de 40 % de ses investissements industriels à l'énergie, dont 21 % au profit du seul charbon (54).

La réduction du nombre des emplois dans les mines de charbon est une tendance qui va probablement se poursuivre au cours des prochaines décennies. Les gouvernements devront verser des indemnités aux travailleurs, assurer leur reconversion et coopérer avec le monde des affaires pour créer de nouvelles industries dans les régions touchées. Des pays comme le Royaume-Uni et l'Allemagne ont fait l'expérience de ce problème : dans ces deux pays, l'effectif des mineurs ne cesse de diminuer avec les progrès de l'automatisation, en dépit de l'opposition des syndicats. Des centaines de milliers de Tchèques, de Polonais et d'Allemands de l'ex-RDA sont sur le point de perdre leur emploi avec la déréglementation des prix de l'énergie. Même en Chine, où l'on compte plus de 4 millions de travailleurs dans les mines de charbon, le développement de l'automatisation et l'accroissement de la productivité assurent une stabilisation de l'emploi dans ce secteur (55).

Il existe cependant un moyen de répondre aux besoins futurs en énergie tout en créant des emplois. Les études théoriques comme les évaluations *a posteriori* d'un certain nombre de projets ont abouti à une même conclusion : pour chaque dollar investi, l'amélioration du rendement énergétique génère plus d'emploi que la production d'énergie en soi. En 1979, un rapport du « *Council on Economic Priorities* » (Conseil pour les priorités économiques) faisait apparaître que les investissements consacrés au rendement énergétique, à l'économie de l'énergie et aux technologies solaires procuraient un nombre d'emplois plus de deux fois supérieur à celui que pouvait offrir le même effort financier au profit de nouvelles sources d'énergie classique : pétrole, gaz naturel, centrales électriques. Au niveau local, où les économies tirées de l'amélioration du rendement énergétique étaient réinjectées dans l'économie, chaque dollar ainsi dépensé produisait quatre fois plus d'emploi que s'il était investi dans la construction d'une nouvelle centrale (56).

Des conclusions similaires se dégageaient en 1985 d'une étude de la Commission des Communautés Européennes portant sur l'Allemagne de l'Ouest, le Danemark, la France et la Grande-Bretagne. Les investissements dans le chauffage urbain, l'isolation des immeubles et les unités de production de gaz à partir de la biomasse permettaient d'économiser de l'argent et de créer plus d'emplois que les investissements dans les sources d'énergie traditionnelle. En Alaska, une autre étude a montré que l'isolation des maisons était génératrice de plus d'emplois et de revenu individuel par dollar investi que n'importe quel autre des types d'investissements étudiés, y compris la construction d'hôpitaux, de grandes routes ou de centrales hydroélectriques. L'évaluation *a posteriori* des programmmes d'économies réalisés dans le Connecticut et dans l'Iowa a fait ressortir qu'ils s'étaient avérés moins coûteux et qu'ils avaient créé plus d'emplois que des solutions consistant à accroître la production d'énergie, la construction de nouvelles centrales électriques par exemple (57).

Quand une collectivité investit davantage dans l'amélioration du rendement énergétique et puise dans ses sources locales d'énergie renouvelable plutôt que d'acheter de l'énergie importée, le bénéfice économique qui en résulte rayonne dans toute son économie. C'est ainsi qu'un plan étudié par la ville de San Jose (Californie) créera 170 emplois en 10 ans pour un investissement intitial de 645 000 dollars seulement. Ce programme comprend des campagnes éducatives pour apprendre aux consommateurs à économiser l'énergie, ainsi qu'une assistance technique comme des audits sur l'énergie ou la mise sur pied d'un système d'évaluation de la consommation domestique. Les mesures prises pour réduire la consommation d'énergie dans les bâtiments publics et dans les transports urbains, constituent les poinst forts de ce programme et servent, en fait, d'exemple à toute la communauté de San Jose. L'investissement que fait la ville et qui devrait susciter près de 20 millions de dollars de dépenses dans le secteur privé, devrait être amorti en deux ans et demi. Il aura également pour conséquence une réduction des émissions de dioxyde de carbone (58).

Au sein même des technologies de production d'électricité, il existe d'importantes différences dans la densisté de l'emploi d'une technologie à une autre. Pour une quantité donnée d'énergie produite, le nucléaire et les combustibles fossiles traditionnels, y compris le charbon emploient moins de monde que le solaire (voir tableau 2.4). Avec les progrès techniques et les efforts de réduction des coûts, la différence entre le renouvelable et le conventionnel pourrait bien s'amenuiser. Les fabricants de piles photovoltaïques, par exemple, diminuent actuellement leurs prix en procédant à une automatisation générale de leurs chaînes de fabrication. C'est ce qu'a fait Solarex, dans le Maryland, en 1990 (59).

L'énergie qui provient de la biomasse, celle qui provient du bois notamment, dans la mesure où ce dernier, est exploité de façon viable est également génératrice de plus d'emplois que les combustibles fossiles. Une étude canadienne récente a montré qu'un accroissement de l'utilisation du bois dans le Nouveau Brunswick, au cours des 20 prochaines années, se traduirait par une plus grande augmentation des revenus, des emplois et des rentrées d'impôts pour la province qu'un accroissement équivalent de l'investissement au profit du pétrole ou du charbon. Les chercheurs qui, aux Etats-Unis, se sont penchés sur ces mêmes problèmes pour les régions du nord-est et des Grands Lacs, sont arrivés aux mêmes conclusions (60).

Dans cet effort pour mettre en place une économie basée sur l'énergie solaire, les professions qui connaîtraient la croissance la plus rapide seraient encore celles des spécialistes traditionnels, qualifiés ou semi-qualifiés, de l'isolation, de la charpente ou de la tôlerie. Mais les spécialistes de l'énergie éolienne, du photovoltaïque et de l'architecture solaire seront aussi parmi ceux qui verront leur nombre s'accroître rapidement. Alors qu'ils se comptent aujourd'hui par millier, ces spécialistes se compteront par millions d'ici quelques dizaines d'années. Certaines des capacités utilisées actuellement dans un système énergétique basé sur les combustibles fossiles seront encore appréciées. Les géologues et les spécialistes du forage pétrolier, par exemple, pourraient se reconvertir dans l'exploitation des ressources géothermiques.

Tableau 2.4. Etats-Unis : emplois directs générés par les technologies de production de l'électricité

Technologie	Emplois (par térawatt-heure et par an)
Nucléaire	100
Géothermique	112
Charbon[1]	116
Thermique solaire	248
Eolienne	542

1. Y compris les mines de charbon.

Source : Worldwatch Institute, d'après Department of Energy, Energy Information Administration, *Electric Plant Cost and Power Production Expenses 1988* (Washington D.C., 1990); DOE, EIA, *Coal Production statistics 1988* (Washington D.C., 1989) ; Mark Sisinyak, Vice President, California Energy Company, Coso Junction, Calif., communication privée du 19 juin 1990 ; Kathleen Flanagan, Director of Government Relations and Public Affairs, Luz International Limited, Los Angeles, Calif., communication privée du 18 juin 1990, Paul Gipe, Gipe & Assoc., Tehachapi, Calif., communication privée du 12 avril 1990.

Une économie de très grande efficacité qui serait basée sur les énergies renouvelables créerait plus d'emplois, mais aussi des emplois plus propres et plus sûrs. Par comparaison, certains des emplois créés par une politique axée sur le nucléaire exigerait du personnels pour éponger des fuites radio-actives ou pour retirer du service les centrales devenues peu fiables. La mise en œuvre d'équipements anti-pollution dans les centrales fonctionnant au charbon créera, elle aussi, des emplois. Mais ces équipements impliquent la présence de cendres toxiques dont il faudra se débarasser. Il faudra bien que quelqu'un s'en charge. Les constructeurs d'installations solaires passives, et les spécialistes chargés de leur exploitation sont à l'abri de tels risques professionnels.

Certaines nations ont fait de la production d'énergie la pierre angulaire de leur économie. Les pays du Golfe Persique connaî- traient sans doute de grands changements si le marché des combustibles fossiles s'effondrait. Les exportations pétrolières représentent en effet la quasi-totalité de leur commerce extérieur. Dans la plupart des pays producteurs, toutefois, les réserves seront largement entamées d'ici une cinquantaine d'années, d'où une diminution progressive de la production avec l'épuisement des réserves. Ironie du sort, le Moyen-Orient pourrait bénéficier dans l'avenir d'une autre forme d'exportation d'énergie, l'énergie solaire, cette fois, par la voie de pipelines transportant de l'hydrogène.

Les pays en développement importateurs de pétrole, particuliè- rement ceux dont la dette extérieure est très lourde, ont une raison supplémentaire d'adopter une stratégie énergétique basée sur l'efficacité, et à fort coefficient de main-d'œuvre. La plupart des nations d'Amérique latine et d'Afrique disposent de beaucoup plus de main-d'œuvre que de capitaux. Qui plus est, le sous-emploi et le chômage sont à l'origine de graves tensions sociales dans un grand nombre de pays en développement. En se tournant vers l'énergie solaire, ces pays pourraient créer plus d'emplois, tout en réduisant leurs importations de pétrole ou autres combustibles fossiles.

A mesure que la production d'énergie sera plus diversifiée et moins dépendante de combustibles chers, les économies locales seront libérées des à-coups brutaux qui empoisonnent actuelle- ment le marché. L'invasion du Koweit par l'Irak, il convient de le noter, n'a pas eu d'effet sensible sur le prix de l'eau chaude solaire en Jordanie, pas plus que sur celui de l'éthanol de canne à sucre au Brésil, ou sur celui de l'énergie éolienne au Danemark. En fait, les avantages difficilement chiffrables d'une plus grande autonomie liée à l'emploi d'une main-d'œuvre locale et à des investissements locaux, pour exploiter une ressource énergétique locale, semblent de nature à offrir la stabilité dans un monde par ailleurs bien incertain.

Vers une économie solaire

En 1976, la revue *Foreign Affairs* publiait un article qui remet- tait en cause les confortables certitudes des planificateurs de l'énergie. Dans *Energy Strategy : The Road Not Taken ?*, le physi- cien Amory Lovins proposait une vision hérétique du futur, où le monde miserait sur les technologies d'une efficacité énergétique accrue et des énergies renouvelables, plutôt que de s'en remettre aux combustibles fossiles et à l'énergie nucléaire (61).

L'expérience des quinze dernières années commence à prouver que Lovins avait raison. Dans le milieu des années 70, les spécialistes de l'énergétique conventionnelle prédisaient pour 1990, aux Etats-Unis, une consommation d'énergie de l'ordre de 135 quatrillions (Quads) de BTU (135 x 10^{15} BTU, soit environ 4 x 10^{13} kWh), tandis que Lovins prévoyait un peu moins de 100 quads. Le chiffre réel pour 1990 s'est établi à 83 quads, seulement 10 % de plus qu'en 1973. Présenté, à l'époque, comme un illuminé parce qu'il préconisait les énergies douces, Lovins avait, en fait, sous-estimé la rapidité des progrès en matière d'efficacité énergétique (62).

Il semblerait donc que le monde a fait le premier pas sur la route tracée par Lovins, bien que la plupart des responsables politiques persistent à n'en pas tenir compte. La grande question est de savoir quand nous nous déciderons à faire le pas suivant, celui qui consistera à mettre sur pied un système décentralisé d'énergies renouvelables. La réponse pourrait être que cela ne saurait tarder.

Par contraste avec le succès de ses thèses en matière d'efficacité énergétique, les prévisions de Lovins en ce qui concerne la proportion du solaire dans la production d'énergie ne se sont qu'à moitié réalisées. Ceci peut s'expliquer dans une large mesure par la négligence, voire l'hostilité des gouvernements au cours des années 80. Néanmoins, les technologies de l'énergie renouvelable sont beaucoup plus mûres aujourd'hui qu'elles ne l'étaient dans le milieu des années 70. Les coûts de production ont accusé une forte baisse, tandis que la fiabilité s'est fortement améliorée. Et l'on peut s'attendre avec confiance à un décollage commercial pour plusieurs de ces technologies dans les cinq années qui viennent. Cette poussée ne sera pas seulement due au progrès technique, mais aussi à un fait évident, à savoir que, s'agissant du pétrole et de l'évolution du climat, on ne peut pas permettre aux tendances actuelles de se poursuivre plus longtemps (63).

La physionomie de ce nouveau système énergétique commence à prendre forme et, comme l'avait prévu Lovins, elle se caractérisera par la décentralisation. A l'inverse des énormes centrales nucléaires ou à charbon d'aujourd'hui, les unités de production énergétique renouvelable, qu'il s'agisse de photopiles, de centrales à bois ou d'éoliennes, peuvent avoir des failles très différentes tout en restant rentables. Des unités solaires, éoliennes ou de cogénération peuvent être économiquement construites à une échelle inférieure au 1/1000e par rapport à la taille typique d'une grosse centrale nucléaire ou à charbon. Certains systèmes peuvent être réalisés littéralement à l'échelle du foyer familial (64).

Les constructeurs de turbines éoliennes concentrent actuellement leurs efforts sur des unités de 100 kW qui coûtent à peu près $100 000 à installer. Les processus et les investissements de fabrication sont plus apparentés aux chaînes de production d'automobiles qu'à la construction des centrales classiques. Avec l'expansion du marché, les coûts connaîtront une chute spectaculaire. Un fabricant d'éoliennes pourra installer 10, 100 ou 1 000 de ces machines, en fonction de la puissance requise. Et cette même machine pourra aussi être utilisée seule pour alimenter un village entier dans un pays en développement.

De par la diversité et la décentralisation des ressources renouvelables, les pertes dues au transport et à la distribution de l'énergie pourront être réduites au minimum. En outre, l'adoption d'un système basé sur l'hydrogène permettrait de transporter de l'énergie sur de longues distances, pratiquement sans pertes, par comparaison avec les réseaux électriques actuels. L'hydrogène est aussi utilisable pour la propulsion des automobiles, des autobus et autres moyens de transport (65).

Tableau 2.5. Etats-Unis : utilisation des terres par un certain nombre de technologies de production de l'électricité

Technologie	Emplois (par gigawatt-heure sur 30 ans)
Charbon[1]	3 642
Thermique solaire	3 561
Photovoltaïque	3 237
Eolienne	1 335
Géothermique	404

1. Y compris la mine.
2. Terrain effectivement occupé par les éoliennes et les voies de services.

Source : Worldwatch Institute, d'après Meridian Corporation, « Energy System Emissions and Materiel Requirements » préparé pour L'US Department of Energy, Alexandria, Va., février 1989 ; Paul Gipe, « Wind Energy Comes of Age », Gipe & Assc., Tehachapi, Calif., du 13 mai 1990 ; Paul Savoldelli, Luz International Limited, Los Angeles, Calif. communication privée et publication du 11 juillet 1989 ; Paula Blavdes, California Energy Company, San Franscisco, Calif., communication privée du 19 juin 1990.

Les régions où les sources d'énergie renouvelable sont abondantes et les besoins d'énergie importants verront probablement déboucher toute une gamme de technologies nouvelles. Le thermo-solaire sera extensivement déployé dans les déserts, tandis que les éoliennes se multiplieront dans les régions ventées. Quant au photovoltaïque, il peut être utilisé pratiquement n'importe où. Quelle que soit la technologie adoptée, les considérations d'environnement et d'utilisation du sol exigeront cependant une grande attention. Mais même si beaucoup de régions restent inaccessibles à la production d'énergie par souci de protection de l'environnement, cela ne gênera pas substantiellement le développement des énergies renouvelables.

L'électricité solaire exige une certaine surface de terres, mais guère plus que d'autres techniques actuelles de production de l'énergie (voir tableau 2.5). En fait, si l'on tient compte du terrain occupé par les mines, beaucoup de systèmes à base d'énergie renouvelable requièrent moins d'espace que le charbon. Dans les régions riches en houille de l'est de l'Europe, des Etats-Unis et de l'Inde, par exemple, de vastes mines à ciel ouvert couvrent maintenant d'immenses surfaces. Ces énormes balafres de la surface terrestre sont condamnées à demeurer dans de nombreux cas, rendant de larges territoires à jamais inutilisables pour les générations à venir (66).

L'électro-solaire n'exige pas non plus un déploiement uniforme sur une large bande de terrain. Les panneaux photovoltaïques peuvent être placés sur les toits ou dans des espaces inutilisables. Dans les centrales éoliennes, seulement 10 % de l'espace est réellement occupé par les tours et les voies de service ; le reste peut être utilisé pour faire paître des animaux ou pour la culture. Autour d'une centrale nucléaire, par contre, de vastes surfaces sont clôturées pour constituer des zones de sécurité. Et les chercheurs n'ont pas encore calculé la superfice de territoire nécessaire pour entreposer les déchets nucléaires et les résidus d'uranium, superficie qui peut demeurer zone interdite pour des millénaires (67).

Les superficies dont on dispose ne devraient pas être une contrainte pour l'exploitation de l'énergie solaire, même dans de grandes centrales de production. Les chercheurs de l'*Electric Power Research Institude* de Californie ont calculé que la totalité des besoins en électricité des Etats-Unis pourrait être satisfaite par des piles solaires déployées sur une superficie de 59 000 km^2, ce qui représente juste le double de la surface des champs de tir et de bombardement de l'US Air Force. Les *Pacific Northwest Laboratories* estiment que 25 % de la capacité de production électrique des Etats-Unis pourrait être assurée en installant des éoliennes sur les 1,5 % les plus ventés du territoire des quarante-huit Etats « contigus ». Ces superficies sont, pour la plupart situées dans les

Etats de l'Ouest et constituées de parcours de pâturages dénudés, qui appartiennent à des particuliers, et qui ne seraient guère altérés par l'installation de centrales éoliennes. En Europe, les plus grandes centrales éoliennes seront probablement installées près de la Mer du Nord et de la Baltique (68).

Néanmoins, personne n'envisage que les énergies éolienne ou photovoltaïque pourront fournir seules la totalité de l'électricité du monde. Il faudra probablement toute une gamme de technologies du renouvelable, déployées à différentes échelles. D'ici quelques décennies, un pays géographiquement diversifié comme les Etats-Unis pourrait tirer 30 % de son électricité du rayonnement solaire, 20 % de l'énergie hydraulique, 20 % de l'énergie éolienne, 10 % de la biomasse et 10 % de la cogénération à partir du gaz naturel. Un pays d'Afrique du Nord pourrait tirer la moitié de son énergie du soleil, tandis qu'un pays d'Europe du Nord fera probablement davantage appel au vent, et les Philippines à la géothermie.

Contrairement, à ce que pensent certains, il est peu probable que de vastes étendues de terres cultivables soient consacrées à la production d'énergie. Moins de 3 % des rayons du soleil sont convertis en biomasse par photosynthèse. Le photovoltaïque, par contre, transforme 10 % de ce rayonnement en électricité et le thermique solaire atteint un taux de 22 %. Dès lors, s'il faut affecter des terres à la production d'énergie, les technologies solaires offriront une productivité supérieure à celle de la biomasse. Par exemple, il faut environ un hectare de maïs pour faire rouler une voiture américaine à l'éthanol pendant un an, alors que, sur la même surface de terrain, des réflecteurs thermiques solaires modernes pourraient fournir l'énergie nécessaire à la propulsion de 80 voitures électriques. Qui plus est, les technologies solaires peuvent utiliser des terres de plus médiocre valeur. Un hectare de broussailles dans le Wyoming vaut à peu près 100 dollars, tandis que la même surface en bonne terre de culture de l'Iowa vaut plus de 3 000 dollars (69).

Parmi les autres aspects écologiques à prendre en compte, il faut citer la perte de biodiversité, un problème qui se pose si des écosystèmes naturels sont convertis en centrales énergétiques qui exacerbent la pollution par les pesticides et accroissent l'érosion des sols. Ainsi, le développement de la géothermie à Hawaï et aux Philippines s'est-il traduit par des problèmes de protection des forêts tropicales, tandis qu'en Californie on accusait les éoliennes de tuer les oiseaux. Mais il existe toujours des solutions possibles. Aux Pays-Bas, les promoteurs de l'énergie éolienne se sont mis d'accord avec les représentants des associations d'ornithologues pour ne pas implanter leurs unités en des sites où les oiseaux pourraient en souffrir (70).

La carte des implantations humaines, aujourd'hui façonnée par l'automobile et le pétrole bon marché, pourrait être redessinée dans les quelques décennies à venir. Plus de la moitié de l'énergie consommée dans les pays industrialisés à l'heure actuelle est liée dans une certaine mesure, selon Susan Owens, professeur de géographie à l'Université de Cambridge, à l'aménagement du territoire, c'est-à-dire, en fait, à la disposition relative des habitations, des lieux de travail et des centres commerciaux. C'est cette disposition relative des lieux de travail et des espaces de vie qui est partiellement à l'origine du gaspillage de l'énergie (71).

S'il est évident que tout changement majeur dans l'utilisation des sols prendra du temps, les premiers stades de cette transition pourraient intervenir dans l'immédiat, ou presque. Une chose dont on peut être à peu près certain qu'elle disparaîtra, c'est l'existence de ces banlieues tentaculaires que l'on remarque aujourd'hui dans un certain nombre de pays. Les grandes résidences individuelles, éloignées les unes des autres, sont responsables de consommations élevées d'énergie. De plus, la structure même des banlieues oblige les gens à utiliser leur automobile et à consommer ainsi des quantités énormes d'énergie pour accomplir les tâches ordinaires de la vie de tous les jours.

Dès lors, les contraintes énergétiques pousseront certainement les sociétés vers des communautés plus compactes, où les lieux de travail et les centres commerciaux seront souvent à des distances facilement franchissables à pied ou à bicyclette (voir Chapitre 4). Les cités européennes fournissent d'ores et déjà un modèle du genre, avec une densité d'habitants à peu près triple de celle des cités américaines modernes. Sous bon nombre de climats, les nouveaux immeubles pourraient être construits de telle sorte qu'ils capteraient le maximum de lumière solaire, aussi bien pour le chauffage que pour l'électricité, avec, si nécessaire, l'appoint d'un cogénérateur à hydrogène dans le sous-sol (72).

La souplesse d'emploi de l'énergie solaire lui permet d'être compatible avec les besoins d'un urbanisme relativement compact. Des résidences dotées de systèmes solaires passifs pourraient être construites de façon à comprendre 35 ou même 50 logements à l'hectare, une densité considérée comme élevée par les urbanistes américains. En effet, dans un faubourg résidentiel normal des Etats-Unis, le coefficient d'occupation des sols est au maximum de 10 habitations à l'hectare (73).

Les systèmes de chauffage et de climatisation par quartier peuvent favoriser l'efficacité énergétique dans les agglomérations les plus concentrées. Ce concept, déjà largement répandu en Union soviétique, fait appel à une chaufferie centrale qui fournit de la vapeur ou de l'eau chaude aux immeubles avoisinants. Au Danemark, 40 % du chauffage urbain est assuré par de telles centrales, dont certaines brûlent de la paille. Les centrales de quartier produisent souvent de l'électricité en même temps que la chaleur (cogénération), assurant une utilisation plus rentable du combustible (74).

Des ensembles urbains plus compacts réduisent également les besoins énergétiques des moyens de transport, et diminuent du même coup le trafic et la pollution. La proximité des lieux de résidence et des lieux de travail est sans doute plus efficace d'un point de vue énergétique, que la concentration des lieux de travail et des centres commerciaux à l'écart des zones d'habitation. Elle permet aux gens de se déplacer plus facilement à pied ou à bicyclette. Et des transports publics améliorés auraient eux aussi pour conséquence des économies d'énergie. D'ici une quarantaine d'année, le rail et les télécommunications pourraient bien avoir remplacé l'avion pour les déplacements à courte distance (75).

La transition vers un système énergétique viable s'impose à l'ensemble du monde. Vers l'an 2030, les pays en développement d'aujourd'hui compteront pour plus de 80 % dans la population mondiale. C'est finalement leur propre transition qui est la plus importante. Car ces nations ont peu d'espoir d'atteindre leurs objectifs fondamentaux de développement si elles suivent la route prise il y a 100 ans par l'Occident dans le domaine de l'énergie. Mais elles ont aussi la possibilité de dépasser les pays industriels en adoptant dès le début une stratégie énergétique viable. C'est à ce prix que le Tiers Monde sera capable de répondre aux besoins fondamentaux de ses populations tout en préservant son environnement (76).

En un sens, le monde s'est d'ores et déjà engagé dans la prochaine grande transition énergétique, sous la pression des contraintes économiques, écologiques et sociales qui ont rendu l'ancien système non viable et périmé. Le principal danger serait que les systèmes énergétiques évoluent trop lentement, qu'ils se laissent dépasser non seulement par des problèmes d'environnement, mais aussi par les bouleversements économiques et sociaux qui pourraient les accompagner. L'Humanité n'a que peu de temps devant elle pour déterminer et mettre en œuvre une politique énergétique viable, et pour mobiliser la volonté politique qui permettra de tenir ce cap.

CHAPITRE 3

Diminuer les déchets, économiser les matériaux*

par John E. Young

Dans un ouvrage publié en 1977 et intitulé *Soft Energy Paths* (Pour une énergie douce), Amory Lovins présentait une critique étonnamment simple de l'idée selon laquelle le bien-être d'une société est inexorablement lié au niveau de sa consommation d'énergie. L'énergie est un moyen, soutenait-il, et non une fin : « Les gens ne désirent pas de l'électricité ou du pétrole... mais plutôt des pièces confortables, de la lumière, des déplacements motorisés, de la nourriture, des meubles et d'autres biens immédiatement utilisables » (1).

De même, les gens ne recherchent pas des matériaux mais les services qu'ils procurent. Par exemple la quantité de bois, de pierre ou d'acier qui a servi à la construction d'une maison ou d'un immeuble de bureaux n'intéresse pas ses occupants, dès lors que le bâtiment est solide et se maintient à une température confortable. Le riz qui est vendu en vrac par le détaillant du coin et ramené au domicile dans une vieille jarre n'en a pas moins de goût ou de valeur nutritive que celui qui est acheté dans une boîte destinée à être jetée.

Les économies industrielles d'aujourd'hui ont été fondées sur l'utilisation de grandes quantités de matériaux et d'énergie, et la santé économique des nations a souvent été confondue avec le volume de matières premières consommées. Mais rien n'impose

_____

*Une version élargie de ce chapitre a été publiée en tant que Worldwatch Paper 101, *Bayond Disposal : Reducing waste, Saving Materials.*

de lier si étroitement la prospérité à la consommation (voir Chapitre 9). On peut aussi bien utiliser un kilogramme d'acier pour édifier un bâtiment qui durera des centaines d'années que pour fabriquer des boîtes de conserve qui aboutiront dans une décharge après un seul usage. Avec quelques centaines de grammes de verre, on peut façonner une bouteille qui sera réutilisée cinquante fois ou une autre qui sera jetée immédiatement.

La quantité de matières qui entre, au départ, dans une économie ne nous dit rien sur le sort final de ces matières ou leur contribution au bien-être des hommes. Mais elle nous livre, cependant, beaucoup d'indications sur les dommages infligés à l'environnement aux deux extrémités du cycle de production.

L'extraction et la transformation des matières premières comptent au nombre des activités humaines les plus destructrices. L'exploitation forestière a, d'ordinaire, des conséquences fatales pour les écosystèmes concernés, et la transformation des arbres en papier et autres produits à base de bois implique plusieurs processus extrêmement polluants. L'extraction minière fait régulièrement disparaître les écosystèmes ou les peuplements humains, quels qu'ils soient, qui sont situés au-dessus des gisements de minerai. La transformation des minerais en métaux exige de grandes quantités d'énergie et produit beaucoup de pollution et de déchets. Malheureusement, une bonne partie des dommages causés par l'extraction de matières premières intervient dans des régions reculées, si bien qu'ils sont mal perçus par la plupart des gens.

L'autre extrémité du cycle est plus connue. Les économies industrielles finissent par rejeter sous forme de déchets la plus grande partie des matières premières qu'elles dévorent. Ces déchets posent un énorme problème d'élimination. L'humanité n'a cessé de les accumuler sans se soucier des résultats. Au fur et à mesure que les conséquences de cet héritage sale et dispendieux sont apparues en pleine lumière, le symptôme le plus visible d'une consommation effrénée de matières – la « crise des ordures » – a engendré une forte agitation politique dans, de nombreuses communautés tout autour du globe.

Si le symptôme attire l'attention, le mal est rarement diagnostiqué par les hommes politiques : une économie mondiale assise sur une utilisation non efficace des matières premières et de l'énergie. Il s'ensuit que le remède traditionnel – une technologie de destruction des déchets de plus en plus sophistiquée – laisse la maladie se propager sans entrave. La masse des ordures continue à croître (souvent plus vite que la population), et la dégradation de l'environnement due à l'évacuation des déchets et la production de matières s'accentue.

Heureusement, rien ne condamne les sociétés à se limiter à des approches purement technologiques. Elles peuvent attaquer le problème à la source. On peut élaborer des stratégies d'utilisation des matières beaucoup moins agressives à partir des tentatives effectuées par les populations du monde entier pour trouver d'autres situations aux problèmes posés par les déchets. Leur principe opératoire est l'efficience : il s'agit de satisfaire les besoins de la population en utilisant une quantité aussi petite que possible des matériaux disponibles les plus appropriés.

Les matériaux et l'environnement

L'utilisation par l'homme de matières premières – à l'exception notable du bois – a été pratiquement négligeable, selon les critères actuels, jusqu'à l'ascension des économies industrielles modernes au XIXe siècle. Elle a ensuite augmenté à un rythme explosif, notamment en ce qui concerne les minerais. La production et la consommation de matières premières par habitant n'ont cessé de croître dans les nations industrielles jusqu'aux deux dernières décennies. Aux Etats-Unis, par exemple, la consommation par habitant d'acier, de ciment, de papier et de produits chimiques inorganiques n'a cessé de s'amplifier entre les années vingt et les années soixante, à mesure que l'économie croissait (2).

Cependant, depuis les années soixante-dix, la consommation de matières premières par habitant semble avoir plafonné ou légèrement diminuée en Europe occidentale et aux Etats-Unis. Certains observateurs estiment aujourd'hui que des changements fondamentaux dans les économies industrielles occidentales ont rendu inutile et improbable une croissance permanente de la consommation de matières premières (3).

De nouvelles industries, en croissance rapide, comme, entre autres, la production d'ordinateurs, de produits pharmaceutiques et de biens à haute technologie, constituent une plus grande part du produit économique. Ces industries font un appel beaucoup moins intensif aux matières premières et à l'énergie que les industries extractives et manufacturières traditionnelles, dont la croissance s'est ralentie ou même effondrée au cours des dernières années. Dans les économies hautement industrialisées, les matières premières servent plutôt au remplacement qu'à la construction de nouvelles infrastructures et sont, de ce fait, surtout employées aujourd'hui pour satisfaire les exigences immédiates des consommateurs (4).

Si ces évolutions semblent communes à la plupart des économies de marché industrielles, les niveaux absolus de consommation restent fort variables. En 1987, par exemple, chaque Allemand de l'Ouest consommait 75 % d'acier de plus qu'un Français ou un Anglais, et près de 66 % de zinc de plus qu'un Américain. Un Japonais a besoin de plus de deux fois plus de cuivre qu'un Anglais (5).

Les différences entre pays industriels et pays en développement sont encore plus tranchées. En moyenne, un Japonais consomme neuf fois plus d'acier qu'un Chinois, et les Américains utilisent quatre fois plus d'acier et vingt-trois fois plus d'aluminium que leurs voisins mexicains. La consommation de papier par habitant est plus de douze fois plus importante aux Etats-Unis qu'en Amérique latine, et les Américains utilisent vingt-cinq fois plus de nickel par personne que les habitants de l'Inde (6).

Les niveaux désormais assez stables de la consommation de matières premières dans diverses nations industrielles occidentales restent néanmoins élevés par rapport à ce qu'ils étaient dans le passé. Au cours du dernier siècle, la consommation par habitant a été mulitpliée par quatre aux Etats-Unis pour l'acier, par cinq pour le cuivre, par sept pour le papier et par seize pour le ciment. Selon les estimations, les Etats-Unis ont consommé à eux seuls, entre 1940 et 1976, plus de produits minéraux que toute l'humanité avant 1940 (7).

Contrairement à ce qu'on soutenait d'habitude pendant les années soixante-dix, le principal danger qu'offrent des niveaux de consommation aussi élevés réside moins dans un épuisement des ressources que dans les dommages incessants que leur extraction et leur transformation causent à l'environnement. Le pétrole en fournit un exemple instructif : bien que l'épuisement de la ressource soit plus facilement envisageable que pour d'autres matières, la hausse de la concentration de gaz carbonique dans l'atmosphère rend cet épuisement improbable avant que le coût d'utilisation du pétrole pour l'environnement, sous la forme d'un réchauffement de la planète, ne devienne prohibitif.

Chaque année, l'extraction et la production de matières vierges endommagent des millions d'hectares de terre, détruisent des millions d'arbres, engendrent des milliards de tonnes de déchets solides, et polluent l'air et l'eau dans une mesure qui n'est dépassée que par la production et l'utilisation d'énergie, dont une bonne partie est rendue nécessaire par l'extraction et la transformation de matières premières.

Des millions d'hectares de forêts sont abattus chaque année pour satisfaire les besoins en bois, matériau dont le monde a un appétit vorace. La fabrication de produits à base de bois non destinés à servir de combustibles, comme le papier, le bois de charpente et le contreplaqué, exige actuellement 1,7 milliard de mètres cubes de bois par an. Chaque fois qu'il intervient, l'abattage d'arbres atteint l'environnement. L'érosion accrue des sols, des ressources piscicoles endommagées, l'aggravation du nombre et de l'ampleur des crues, et la destruction des habitats nécessaires à la vie sauvage ne sont que quelques-uns de ses effets les plus fréquents (voir Chapitre 5) (8).

L'extraction minière, qui procure la plus grande partie des matières premières nécessaires aux sociétés industrielles, est l'une de celles sur lesquelles on est le plus mal informé. Les sociétés privées, les gouvernements et les organisations internationales collectent et publient des statistiques exhaustives sur la production minière, mais les informations relatives aux coûts supportés par l'environnement sont généralement fragmentaires et dépassées.

Bien qu'on ne tienne pas de statistiques mondiales précises, il est évident que les mines passées et actuelles couvrent une vaste superficie. Aux Etats-Unis seulement, les mines de métaux et de charbon en activité ou abandonnées ont une étendue estimée à 9 millions d'hectares, et ce chiffre ne comprend pas les surfaces appréciables, mais non mesurées, qui servent à l'extraction du sable, du gravier et de la pierre utilisés comme matériaux de construction. En comparaison, les routes, les places de stationnement et les autres espaces pavés recouvrent environ 16 millions d'hectares (9).

Le *Global 2000 Report to the President* (Le rapport au Président sur le monde en l'an 2000), établi en 1980 par le Conseil des Etats-Unis sur la qualité de l'environnement, estimait qu'en 1976, le nombre d'hectares supplémentaires qui, de par le monde, avait été sacrifié à l'extraction minière s'élevait à 571 000. Dans cette superficie, l'extraction des minerais autres que les combustibles entrait pour les deux tiers, et l'extraction de charbon était responsable du reste. L'étude prévoyait que, au cours du dernier quart du vingtième siècle, une superficie supplémentaire égale à environ la moitié de celle de l'Espagne, serait sacrifiée à l'extraction minière. Cette estimation peut paraître élevée, puisque la production n'a pas augmenté autant que le rapport ne le prévoyait, mais la tendance croissante et inévitable à extraire des minerais de plus faible teneur à mesure que les ressources de meilleure qualité s'épuisent pousse à une augmentation de la surface concernée chaque année (10).

L'extraction minière suppose le déplacement d'énormes quantités de terre et de roches. D'après le géologue John Wolfe, les matières et l'énergie utilisées dans la construction d'un immeuble nécessitent le creusement dans le sol d'un trou équivalent à la taille de cet immeuble. Comme environ la moitié, en moyenne, de ce qui est tiré du trou n'est pas utilisable, l'extraction et la transformation de minerais produisent de grandes quantités de déchets. Aux Etats-Unis, on estime que la quantité de déchets engendré par l'extraction de minerais autres que les combustibles, se situe, chaque année, entre 1 et 1,8 milliard de tonnes, soit six à sept fois plus que la quantité de déchets solides urbains (11).

La plupart des déchets sont produits très tôt dans le processus de production. A moins que le gisement ne se situe en surface, il faut enlever de la terre et des roches (appelés terrain de recouvrement) pour atteindre le minerai. L'extraction à ciel ouvert – qui produit le plus gros de la production minière actuelle – engendre beaucoup plus de déchets de cette nature que l'exploitation en sous-sol, dans laquelle le minerai est remonté à la surface par des puits et des tunnels. Quel que soit le type d'extraction, le processus de concentration du minerai laisse d'autres résidus. Enfin, dans la production des métaux, la fonte et le raffinage éliminent les impuretés restantes, sous la forme de scories (12).

Ces déchets ne sont pas tous dangereux. Le terrain de recouvrement se compose souvent d'une matière relativement inerte. Mais même un déchet chimiquement non dangereux peut susciter des problèmes s'il est érodé par le vent ou par l'eau. Cependant, tous ces déchets peuvent contenir des produits chimiques qui produisent des acides. Ils peuvent aussi contenir des métaux lourds, et d'autres produits de nature à contaminer l'environnement, et que l'eau et le vent peuvent charrier très loin de la mine. Par exemple, on estime que les produits acides ou toxiques en provenance des mines et des déchets miniers ont endommagé 16 000 kilomètres de rivières dans l'ouest des Etats-Unis (13).

La pollution due à l'extraction minière ne concerne pas que l'eau. La fonte et le raffinage laissent échapper de grandes quantités de polluants atmosphériques, dont la composition dépend du métal ou des métaux produits. Les oxydes de soufre, l'arsenic, le plomb et d'autres métaux lourds comptent au nombre des polluants généralement engendrés par les hauts-fourneaux.

Globalement, ces effets peuvent entraîner un désastre écologique dans les communautés et les écosystèmes situés au sein des régions minières. Cent ans d'extraction minière et de fonte dans le Montana ont donné naissance au plus grand site dangereux des

Etats-Unis. Ce site, qui devra faire l'objet d'une dépollution, s'étend sur près de deux cents kilomètres le long de la rivière Clark Fork et de ses affluents. On a découvert que des enfants élevés à l'ombre d'un haut-fourneau, aujourd'hui fermé, situé dans le Silver Valley, dans l'Etat voisin de l'Idaho, où l'on a aussi pratiqué l'extraction minière pendant plus d'un siècle, avaient assez de plomb dans le sang pour qu'ils relèvent d'un traitement médical d'urgence (14).

Bien que les effets les plus visibles et les plus immédiats de l'extraction minière, de l'abattage des arbres et d'autres activités similaires se fassent sentir au plan local, leurs effets mondiaux pourraient bien être encore plus considérables. Les industries qui produisent des matériaux en grandes quantités consomment environ dix fois plus d'énergie que les autres industries manufacturières. Cette consommation élevée d'énergie, associée à l'absence de reboisement dans de nombreuses régions, fait que la production de matières premières contribue grandement à l'accroissement de la concentration en gaz carbonique dans l'atmosphère et, de ce fait, au réchauffement de la planète (15).

Le grand pétrin

« Les historiens », écrivait en 1960, le critique de la société Vance Packard dans son ouvrage devenu classique, *The Waste Makers*, « pourraient bien voir dans notre époque celle du gaspillage ». Trente ans plus tard, sa description de la seconde moitié du vingtième siècle vaut encore pour les habitants des nations industrielles. Beaucoup de gens acceptent aujourd'hui cette aberration historique comme une situation normale (16).

La plupart des matières premières qui entrent dans les économies industrielles finissent par émerger à l'autre bout de la chaîne sous la forme de déchets. Même si, dans les nations industrielles, les déchets solides urbains, ou ordures ménagères, ne forment ni la plus importante ni la plus dangereuse catégorie de rejets, ils constituent, à coup sûr, un indice du gaspillage général. Et la production des éléments qui finissent sous forme de rebuts de toute sorte est responsable d'une bonne partie des déchets engendrés par les sociétés industrielles. Au fur et à mesure que l'intensité d'utilisation des matières premières semble baisser dans la production industrielle, la croissance continuelle de la production de déchets solides révèle qu'elle augmente probablement dans le secteur des produits de consommation. La chose ne manque pas d'ironie. Ainsi, les sociétés désireuses d'améliorer l'efficience globale avec laquelle elles utilisent les matières premières feraient bien de concentrer leur attention sur la réduction de la production d'ordures (17).

L'augmentation rapide des matières consommées aux Etats-Unis, en Europe occidentale et au Japon après la Deuxième Guerre mondiale s'est accompagnée d'une croissance non moins vive dans la production d'ordures. Aux Etats-Unis, par exemple, la quantité de déchets solides produits par habitant n'a cessé de croître depuis au moins 1960 (18).

Les masses d'ordures qui s'accumulent sont une caractéristique de presque toutes les économies de marché industrielles. Au sein de l'Organisation pour la coopération ou le développement économique (OCDE), on a noté entre 1980 et 1985 une augmentation de la production de déchets solides par habitant dans 14 des 16 pays membres pour lesquels on disposait de données (voir tableau 1.1).

Tableau 1.1. Augmentation de la production de déchets solides urbains dans divers pays, 1980-1985

Pays	Total (en pourcentage)	Par habitant (en pourcentage)
Irlande 1	+ 72	+ 65
Espagne 2	+ 32	+ 28
Canada	+ 27	+ 21
Norvège	+ 16	+ 14
Royaume-Uni 3	+ 12	+ 11
Suisse	+ 12	+ 9
Danemark	+ 6	+ 6
Suède	+ 6	+ 5
France	+ 7	+ 5
Italie	+ 7	+ 4
Portugal	+ 13	+ 4
Etats-Unis	+ 8	+ 3
Autriche 4	+ 3	+ 3
Luxembourg	+ 2	+ 2
Japon	0	- 3
Allemagne de l'Ouest 1	- 10	- 9

1. Données pour 1980-1984
2. Données pour 1978-1985   ⎫ Comprennent seulement l'Angleterre et le Pays
3. Données pour 1980-1987   ⎭ de Galles

4. Données pour 1979-1983

Source : Organisation pour la coopération et le développement économique, *OEDC Environmental Data Compendium 1989* (Paris : 1989) ; US Environmental Protection Agency, office of Solid Waste and Emergency Response, *Characterization of Municipal Solid Waste in the United States : 1990 Update* (Washington, DC : 1990).

Seuls le Japon et l'Allemagne de l'Ouest produisaient moins d'ordures, mais il est apparu, au cours des années, que cette production est repartie dans les deux pays. Avant que l'Allemagne occidentale ne fusionne avec l'Allemagne orientale, sa production d'ordures augmentait de 1 à 2 % par an (19).

Les informations limitées dont on dispose indiquent. une situation semblable ailleurs. Selon un rapport récent, établi d'après des articles de la presse soviétique, les gens rejettent entre 2 et 5 % d'ordures de plus chaque année. On n'a guère de documents pour l'Europe de l'Est, mais il est probable que la production de déchets y augmentera, comme en Union Soviétique, dès lors que des économies précédemment isolées seront ouvertes aux biens de consommation occidentaux. On rapporte que la production de déchets solides a grimpé en flèche en Allemagne de l'Est après l'unification de l'économie allemande (20).

L'industrialisation et la croissance économique n'ont pas seulement engendré plus d'ordures, mais aussi modifié leurs caractéristiques. Tandis que le papier et le carton restent généralement la plus grande composante (entre 15 et 40 % par le poids) des déchets solides urbains dans les démocraties industrielles, d'autres types de déchets croissent beaucoup plus rapidement. L'aluminium, les plastiques, et d'autres substances relativement nouvelles remplacent de plus en plus des matériaux traditionnels tels que le verre, l'acier et les fibres végétales. L'évolution la plus frappante a concerné les plastiques, dont le tonnage, parmi les déchets solides des Etats-Unis, a augmenté de 14 % par an, en moyenne, entre 1960 et 1988. Les plastiques repésentent aujourd'hui 9 % des déchets des Etats-Unis par le poids et 20 % par le volume. De nombreux produits de consommation modernes contiennent aussi des substances toxiques qui peuvent poser des problèmes d'élimination : les batteries comportent des métaux lourds tels que le plomb, le mercure et le cadmium ; les détachants domestiques, les dissolvants, les peintures et les pesticides intègrent souvent les produits chimiques dangereux (21).

Les quantités d'ordures produites sont très variables dans le monde. Des données de l'OCDE, portant sur le milieu des années quatre-vingt, indiquent que les Américains et les Canadiens engendrent environ deux fois plus d'ordures par personne que les Européens de l'Ouest ou les Japonnais. Même si d'autres estimations révèlent que l'écart entre l'Amérique du Nord et le reste du monde pourrait ne pas être aussi élevé, des documents du gouvernement américain lui-même indiquent que les Etats-Unis sont le plus grand producteur d'ordures du monde : 660 kilogrammes par personne en 1988 (22).

Le plus grand clivage dans la production de déchets, comme dans l'utilisation de matières premières, se situe entre le monde industriel et le monde en développement. Bien que les ordures ne soient pas spécifiques aux pays riches, elles y sont produites à une toute autre échelle. Par exemple, les habitants de la ville de New-York jettent au moins trois fois plus, sous une forme ou sous une autre, que les résidents de Calcutta ou de Manille. Dans les pays en développement, les déchets sont un luxe que seule une riche minorité peut se permettre. La réutilisation et le recyclage sont un mode de vie, et beaucoup survivent en triant les ordures des riches afin d'y trouver des articles mis au rebut mais encore utilisables (23).

Lors des deux dernières décennies, presque toutes les économies de marché industrielles ont découvert que la nouvelle ampleur et la nouvelle nature des déchets sont incompatibles avec le recours aux décharges publiques, qui étaient la méthode traditionnelle utilisée pour s'en débarrasser. Toutes les décharges finissent par produire des infiltrations et rejettent dans les eaux souterraines un mélange souvent toxique d'eau de pluie et de déchets en décomposition appelé « lixiviat ». Celui-ci peut contenir une grande diversité de substances dangereuses, notamment des métaux lourds et des produits chimiques organiques. La gravité du problème est illustrée par le fait qu'aux Etats-Unis plus du cinquième des sites qui comportent des déchets dangereux, et qui sont sur la liste des sites à dépolluer grâce au programme de super-financement, sont des décharges municipales. La dégradation des ordures dans des décharges dépourvues d'oxygène produit aussi du méthane, qui contribue fortement au réchauffement de la planète et présente des risques d'incendie (24).

Des densités de population plus fortes ont contraint le Japon et plusieurs pays d'Europe occidentale à s'attaquer aux problèmes écologiques que posent les décharges bien avant que les Etats-Unis n'aient été forcés de le faire. Ces- nations se sont heurtées beaucoup plus tôt à un manque d'espace pour installer des décharges et à des coûts croissants. Leur production plus faible de déchets, leur plus grand recours au recyclage et à l'incinération reflètent cette prise de conscience plus précoce des problèmes posés par les décharges.

Le Japon, par exemple, brûle entre 43 et 53 % de ses ordures et recycle entre 26 et 39 % du reste. L'Allemagne occidentale, quand elle était une nation séparée, incinérait 27 % de ses déchets et prévoyait de porter ce chiffre à 50 % d'ici 1995. Ses citoyens recyclaient environ le tiers de leur papier, de leur aluminium et de leur verre. Plusieurs nations d'Europe occidentale, dont le

Danemark, la France, la Suède et la Suisse, déversent, au plus, la moitié de leurs déchets dans des décharges (25).

Par contre, avant la fin des années quatre-vingt, les Etats-Unis évacuaient plus de 80 % de leurs déchets dans des décharges. Près des trois quarts des ordures américaines aboutissent encore dans des décharges, la moitié du reste étant brûlée et l'autre moitié recyclée. Le Royaume-Uni fait tout autant appel aux décharges, et le taux de recyclage y est même encore plus faible (26).

De nombreuses nations industrielles ont adopté une démarche officielle commune face aux ordures : la hiérarchie dans la gestion des déchets. Il s'agit d'une liste d'options de gestion par ordre de priorité : la réduction à la source (le fait d'éviter de produire des ordures au départ), la réutilisation directe des produits, le recyclage, l'incinération (avec récupération de l'énergie) et, en dernier ressort, le déversement dans des décharges. Le programme des Nations Unies pour l'environnement avalise cette hiérarchie. C'est aussi le cas de groupes de citoyens, de nombreux dirigeants de l'industrie et des milieux officiels, en Europe, en Amérique du Nord et au Japon. Et elle a été inscrite dans la législation des Etats-Unis, depuis le vote de la loi, en 1976, sur la conservation et la récupération des ressources (27).

Malheureusement, la pratique est allée directement à l'encontre du principe. La plupart des gouvernements continuent à se concentrer sur la gestion des déchets plutôt que sur leur réduction. Quand ils sont confrontés à des crises d'élimination de ces déchets, ils ont tendance à financer des options de gestion en proportion inverse de leur place dans la hiérarchie. Ils déplacent d'ordinaire leur choix d'un cran sur l'échelle, et passent des décharges à l'incinération. Si les incinérateurs sont omniprésents en Europe et au Japon, c'est par suite de ces décisions.

Aux Etats-Unis, les Etats, qui ont presque toute la responsabilité de la gestion des déchets, se sont largement concentrés sur la construction d'incinérateurs plutôt que sur les autres options. Une enquête réalisée en 1987 par *Newsday* a découvert que les gouvernements des Etats avaient dépensé trente neuf fois plus d'argent pour l'incinération que pour les programmes de recyclage. Le Massachusetts prévoit, depuis 1970, un financement exempté d'impôt de plus d'un demi-milliard de dollars pour les incinérateurs, alors qu'il a fallu attendre 1987 pour qu'il finance un plan de recyclage au niveau de l'Etat. De même, la loi d'engagement en faveur de l'environnement votée en 1972 par l'Etat de New York prévoyait un budget de 215 millions de dollars pour les incinérateurs et d'un million de dollars seulement pour le recyclage. Une législation supplémentaire n'a fourni que 31 millions de dollars de plus pour le recyclage pendant les années quatre-vingt. Bien que, d'après une enquête récente, les gouvernements des Etats planifient et financent de plus en plus le recyclage, 18 d'entre eux, situés au Nord-Est et dans le Centre-Ouest, prévoient encore de consacrer 8 à 10 fois plus d'argent à l'incinération qu'au recyclage au cours des cinq années à venir (28).

De sérieux malentendus persistent à propos de l'incinération. On la présente généralement comme une forme de recyclage ou une alernative aux décharges. A strictement parler, elle n'est ni l'un ni l'autre. Elle peut réduire la quantité de matières qui nécessitent un rejet définitif et permettre de récupérer un peu d'énergie chemin faisant, mais elle ne permet pas de récupérer les matières ou de supprimer le besoin de décharges.

Des incinérateurs dans lesquels on enfourne tout sans distinction sont techniquement capables de réduire le poids des ordures qui y sont introduites de 65 à 75 %, et leur volume de 80 à 90 %. Toutefois, en raison d'arrêts pour cause d'entretien et de la fraction substantielle des déchets qui sont trop volumineux ou inertes pour être brûlés, la réduction réelle de la quantité de déchets solides qui doit être déversée dans des décharges est généralement beaucoup plus faible, assez proche de 50 % pour le poids et de 60 % pour le volume (29).

L'incinération présente plusieurs grands inconvénients par rapport aux options situées plus haut dans la hiérarchie de la gestion des déchets. Ce qui est le plus important à long terme, c'est qu'elle est un processus de destruction qui gaspille à la fois les matières et l'énergie. Bien que de nombreux incinérateurs produisent de l'énergie, la quantité récupérée est très inférieure à celle qui est nécessaire pour produire les articles qu'ils brûlent. Par exemple, le recyclage du papier peut économiser jusqu'à cinq fois autant d'énergie que celle qui peut être récupérée par l'incinération, bien que la quantité récupérée varie de façon substantielle, selon le type de papier. Dans le cas du polyéthylène à haute densité, plastique qui compose d'habitude les paquets de lait et les bouteilles de détergent pour machine à laver, le recyclage économise presque deux fois plus d'énergie que l'incinération. Une réutilisation répétée d'un récipient durable peut en économiser encore plus (30).

Le brûlage des ordures n'est pas un procédé propre. Il est une cause de pollution de l'air et de l'eau et produit des tonnes de cendres toxiques. La combustion à haute température brise les liaisons chimiques qui rendent inertes les métaux toxiques dans de nombreux produits, libère ces métaux, leur permet de s'échapper des cendres de l'incinérateur déversées dans une décharge et d'atteindre les eaux souterraines. Les incinérateurs rejettent dans l'air de l'azote et des oxydes de souffre (qui favorisent tous deux les pluies acides), du monoxyde de carbone, des gaz acides, des dioxines et des furannes (substances extrêmement toxiques soupçonnées d'engendrer le cancer et des déficiences génétiques), ainsi que des métaux lourds tels que le plomb, le cadmium et le mercure. Des dispositifs installées sur les cheminées peuvent piéger certaines de ces substances, mais moyennant un prix : la lutte contre la pollution atmosphérique produit des cendres toxiques supplémentaires. Une autre forme de pollution apparaît avec l'utilisation de l'eau pour éteindre les cendres chaudes. L'eau est inévitablement contaminée par les produits chimiques, et pose un problème de rejet si elle n'est pas conservée et réutilisée (31).

Les incinérateurs sont aussi extrêmement dispendieux. Ils bénéficient d'habitude de diverses subventions publiques explicites et d'autres cachées, telles que des tarifs supérieurs à la normale en contrepartie de l'énergie qu'ils produisent. Bien que les coûts de fonctionnement quotidiens des incinérateurs puissent être inférieurs à ceux de programmes de recyclage et de compostage, ces économies sont dépassées, et de loin, par les coûts en capital extrêmement élevés de l'incinération. L'*Institute for Local Self-Reliance* (ILSR) ou Institut d'autosuffisance locale de Washington a estimé qu'une capacité d'incinérer une tonne par jour coûtait entre 100 000 et 150 000 dollars, alors qu'une capacité identique de recyclage coûtait de 1 000 à 1 500 dollars et que le coût du compostage se situait entre 15 000 et 20 000 dollars. Des calculs grossiers utilisant des chiffres prudents pour les coûts en capital indiquent qu'un investissement de 8 milliards de dollars en incinérateurs supplémentaires permettrait aux Etats-Unis de brûler le quart de la production de déchets solides qui est prévue pour l'an 2000, alors que la même somme dépensée en installations de recyclage et de compostage pourrait procurer une capacité supplémentaire suffisante pour traiter les trois quarts des ordures de la nation produites cette année-là (32).

Finalement, comme le dit l'écologiste Barry Commoner, « la seule entrave insurmontable au recyclage est la construction d'un incinérateur ». Bien que leurs exploitants soutiennent que l'incinération et le recyclage sont compatibles, parce que le fait d'extraire des déchets certains produits recyclables facilite la combustion dans les installations, ils ont en réalité incités à ne retirer que des matériaux non combustibles, tels que le verre et l'aluminium. Les programmes de recyclage, de réutilisation et de réduction à la source font directement concurrence aux incinérateurs pour environ 80 % du flux des déchets (33).

Comme de nombreux incinérateurs dépendent des recettes tirées des ventes d'énergie, ils doivent fonctionner à pleine capacité ou presque pour rester rentables. Des programmes efficaces de recyclage et de réduction des déchets peuvent diminuer la quantité d'ordures traitées par ces installations dans une proportion suffisante pour qu'elles entrent dans le rouge. En 1989, par exemple, les responsables de l'élimination des déchets du Comté de Warren, dans le New Jersey, ont imputé une large fraction des pertes hebdomadaires d'un incinérateur local, pertes qui se montaient à 59 000 dollars, à l'application d'une loi de l'Etat qui exigeait un taux de recyclage de 25 %. La communauté fut contrainte de rembourser les pertes du constructeur et de l'exploitant de l'incinérateur (34).

Heureusement, les collectivités ont d'autres possibilités plus intéressantes que les incinérateurs. La réduction des déchets à la source, la réutilisation et le recyclage – c'est-à-dire les trois options situées au-dessus de l'incinération dans la hiérarchie de gestion des déchets – peuvent, prises ensemble, diminuer les besoins en décharges d'au moins autant que l'incinération ne le ferait. En outre, ces solutions qui empruntent une voie « douce » peuvent non seulement affaiblir les effets de l'élimination des déchets sur l'environnement, mais aussi atténuer les dommages bien plus grands que subit l'environnement du fait de l'extraction et de la transformation des matières premières.

Changer les produits et les gens

La réduction à la source, c'est-à-dire une diminution des déchets obtenue grâce à une moindre utilisation de matières au départ, est le choix que tout le monde, ou presque, place en tête de sa liste de stratégies de gestion des déchets. Et cela, pour des raisons évidentes car, grâce à cette option, on élimine trois choses : la nécessité de se débarrasser des déchets, la nécessité d'extraire et de transformer des matières vierges, et même la pollution due au recyclage, lequel, par ailleurs, ne fournit qu'une énergie réduite. Pourtant, la réduction à la source est souvent écartée comme irréaliste.

Pour beaucoup, la réduction des déchets est impraticable dans les sociétés industrielles actuelles, car les individus ne pourraient pas se passer des objets qu'ils achètent, utilisent et jettent. A une époque où les termes de « consommateur » et de « personne » sont interchangeables, l'évacuation quotidienne de sacs d'ordures est devenue routinière, un acte de la vie apparemment inévitable. Les gens relativement jeunes oublient que la vie ne s'est pas toujours déroulée ainsi. Jusqu'à une période récente, le sens de l'économie était un mode de vie dans les pays industriels comme dans les pays en développement, et les gens choisissaient des produits susceptibles de durer.

Plusieurs évolutions ont contribué dans le passé à l'apparition des masses impressionnantes de déchets et de la demande vorace de matières premières qui caractérisent les sociétés de consommation actuelles. Après la Deuxième Guerre mondiale, les Etats-Unis et les entreprises américaines ont créé et exporté un nouveau mode de vie : la consommation à tout crin (voir aussi Chapitre 9). On a largement admis que le montant total des produits fabriqués par une nation était un indice de santé économique. L'accent mis sur les ventes a engendré un ensemble spécifique de normes de conception industrielles. Comme le disait un critique cité dans *The Waste Makers* de Vance Packard : « La recherche du volume de ventes maximal exige un produit le meilleur marché possible et, dans la limite de ce que les acheteurs sont susceptibles de tolérer, destiné à durer le moins longtemps possible. » C'est ce que Packard appelait la « loi d'airain » du marketing américain (35).

La commodité a éclipsé la longévité comme premier argument de vente, et la diminution de produits durables et réutilisables qui en a résulté, a perturbé un grand nombre d'activités de service. Les réparations sont devenues relativement plus coûteuses et, en règle générale, plus difficiles à obtenir. Les consommateurs ont été contraints de retourner au fabricant de nombreux articles, tels que des radios ou de petits équipements électriques, qui étaient habituellement réparés par les propriétaires ou par les magasins locaux. Ce qui supposait, d'ailleurs, que le fabricant offrait encore des services de réparation. Cette absence de commodité et ce surcroît de dépenses ont conduit de nombreuses personnes à jeter les anciens articles et à en acheter de nouveaux, tout comme des changements de style annuels rendaient beaucoup de produits démodés très peu de temps après leur achat (36).

L'utilisation de plus en plus grande de matières synthétiques a également eu des effets spectaculaires. Il y a quelques décennies, la plupart des produits se composaient d'un nombre de matières assez limité, dont la plupart avaient une origine biologique. Les produits actuels contiennent un extraordinaire mélange de matières synthétiques et naturelles, anciennes et nouvelles, recyclables et non recyclabes. Certains systèmes traditionnels de recyclage, comme la collecte des vieux lainages pour en faire des couvertures ou d'autres articles, ont de ce fait quasiment disparu.

Des initiatives simultanées sur deux grands fronts pourraient contribuer à enrayer ou inverser certaines de ces tendances, et à réduire la production de déchets et de matières premières. Il faut convaincre, persuader les fabricants d'améliorer leurs produits, ou les forcer à le faire, de sorte que les gens aient la possibilité de choisir des articles moins nocifs pour l'environnement. Il faut informer les consommateurs sur les articles qui se trouvent sur le marché, sur ce qu'il est bon d'acheter ou de ne pas acheter, et leur donner des raisons de faire le bon choix, de façon à ce que leur conscience n'entre pas en contradiction avec leur portefeuille.

Sur le premier front, des incitations perverses poussent actuellement les fabricants à produire des articles qui tiennent du gaspillage et sont dotés d'un conditionnement excessif. Les représentants de l'industrie soulignent régulièrement que les coûts des matières premières donnent déjà aux entreprises des incitations suffisantes à diminuer le gaspillage. Mais leur argumentation recèle trois grandes failles.

En premier lieu, les entreprises payent les matières premières vierges à des prix artificiellement bas. Cela tient en partie à ce que les coûts écologiques de leur production sont rarement inclus dans leur prix, mais aussi à ce que leur production est souvent subventionnée par les gouvernements (ce problème sera traité à la fin de ce chapitre). En deuxième lieu, c'est le plus souvent le public et non le fabricant, qui paye la facture de l'évacuation des produits de consommation dont on ne veut plus et des emballages, si bien que le producteur n'a aucune raison de se soucier de leur sort final. En troisième lieu, les profits maximaux – principale préoccupation des entreprises – ne sont pas toujours obtenus grâce à une minimisation des coûts. C'est ainsi que les dépenses supplémentaires qu'entraîne un emballage élaboré mais inutile peuvent être compensées par le nombre d'acheteurs additionnels qu'il attire.

Cependant, s'ils souhaitent réduire les déchets, les fabricants ont diverses options possibles. Les concepteurs de produits industriels pourraient sans aucun doute découvrir de nombreuses possibilités de réduction des déchets à la source si, par exemple, ils se concentraient sur le développement de produits durables et réparables, au lieu d'articles à usage unique qui prolifèrent aujourd'hui rapidement.

Les emballages sont une première cible évidente. Dans les pays industriels, une fraction importante d'entre eux est jetée après un premier usage, si bien que les emballages (y compris les récipients et les conteneurs de toute sorte) représentent une grande proportion des déchets solides en Occident. En 1988, par exemple, les emballages ont représenté 32 % des ordures aux Etats-Unis et 21 % des ordures ménagères aux Pays-Bas. Au cours des dernières années, ils ont constitué le tiers des déchets domestiques et commerciaux en Allemagne occidentale (37).

Les programmes de réduction des emballages devraient se fixer trois objectifs : tout d'abord, éliminer dans l'emballage tout ce qui est inutile, ensuite réutiliser au maximum cet emballage, enfin recycler ce qui n'a pu être réutilisé. La réutilisation est une option particulièrement adaptée aux récipients rigides qui contiennent des produits liquides ou en poudre. Le meilleur exemple en est offert par les bouteilles réutilisables, qui étaient encore la règle dans le monde entier il y a seulement quelques décennies. Elles continuent à prédominer dans de nombreux pays, y compris la Finlande, l'Allemagne, et une bonne partie du Tiers monde, mais elles ont perdu une large fraction de leur part de marché aux Etats-Unis, au Royaume-Uni et dans beaucoup d'autres nations (38).

Que la mise sur le marché de récipients réutilisables économise de la matière, c'est évident. Il ne faudrait pas oublier qu'elle économise aussi de l'énergie. Des études répétées ont montré qu'il faut beaucoup moins d'énergie pour nettoyer une vieille bouteille que pour la fondre et en fabriquer une neuve, ou pour fabriquer une nouvelle bouteille avec des matières vierges. D'après une étude de 1981, une bouteille en verre de 33 centilitres réutilisée dix fois nécessite, par usage, 24 % de l'énergie que requiert un récipient en aluminium ou en verre recyclé, et seulement 9 à 16 % de l'énergie qu'exige la fabrication d'un récipient à jeter après usage et qui est fait de ces mêmes matériaux (voir figure 3.1). Même une étude commanditée en 1989 par un groupe de distribution de plastiques a découvert qu'une bouteille en verre de 50 centilitres utilisée huit fois était le récipient qui consommait le moins d'énergie parmi neuf considérés. La clé des économies réside dans le nombre d'utilisations de la bouteille, qui peut atteindre ou dépasser cinquante dans les domaines où les récipients réutilisables dominent le marché. Presque toujours, on exige une consigne pour garantir le retour des récipients (39).

Dans l'ancienne Allemagne de l'Ouest, où les récipients à jeter ont récemment entraîné un marché dominé par les récipients à réutiliser, le ministère de l'Environnement Klans Töpfer promettait pour la mi-1990 une réduction spectaculaire dans la part de 30 % que les emballages tiennent dans les ordures ménagères. Il proposait de consigner presque tous les récipients contenant des produits liquides, d'exiger des détaillants, des distributeurs et des fabricants, qu'ils se chargent de leur collecte auprès des clients, d'exclure ces récipients du système gouvernemental d'évacuation des déchets. On envisage aussi (dans l'Allemagne récemment réunifiée) d'interdire l'incinération à vaste échelle d'emballages en carton, en plastique et laminés. Cette mesure pourrait encourager la réutilisation et le recyclage. L'industrie a réagi en proposant d'établir elle-même un système de retour des emballages qui n'imposerait pas une collecte par les détaillants. Töpfer a exprimé son intérêt pour la création de centres – déjà nombreux en Allemagne de l'Est – où les consommateurs pourraient rendre les emballages et récupérer la consigne (40).

Plusieurs autres pays européens, y compris le Danemark, les Pays-Bas, la Suède et la Suisse ont mis en place différentes mesures destinées à réduire les quantités de déchets. Par exemple, en 1977, le Danemark interdisait l'utilisation des récipients non consignés destinés aux boissons non alcoolisées. En 1981, c'était le tour des récipients destinés à la bière. Le pays défend avec vigueur cette politique contre les accusations de protectionisme que lui lancent les autres membres de la Communauté européenne (41).

Au-delà de la question posée par la réduction des emballages jetés se pose celle de la sécurité. Plusieurs juridictions ont des lois ou des réglementations qui visent à diminuer la toxicité des produits et des emballages, ou à garantir que les déchets contenant des matières dangereuses recevront un traitement spécial. Aux Etats-Unis, huit Etats ont adopté des législations – établies d'après un modèle mis au point par la coalition des gouverneurs du Nord-Est – qui visent spécialement une diminution des métaux toxiques dans les emballages. Au Japon et dans plusieurs nations européennes, certains produits, comme les batteries ou divers plastiques, ont été interdits ou sont collectés à part pour éviter l'émission de substances toxiques lors de l'incinération (42).

Si les consommateurs étaient bien informés et se montraient sélectifs dans leurs achats, cela pourrait bien, dans le long terme, constituer pour les fabricants la plus grande incitation à produire des articles plus sûrs et entraînant moins de gaspillage. La mesure dans laquelle le souci largement partagé de l'environnement a modifié les habitudes d'achat ne se voit pas encore clairement. Les ventes florissantes de produits « verts » et de nombreux guides les concernant sont un motif d'espérance à cet égard, mais les gens semblent encore être prêts à payer plus cher pour des produits ordinaires, plus faciles à se procurer, mais qui sont parmi ceux qui entraînent le plus de gaspillage. Le choix le plus important de tous – celui de se passer d'un achat – est le plus difficile à mesurer.

Cela ne servira à rien si, d'un côté, les producteurs fabriquent des biens durables et si, de l'autre, les consommateurs choisissent de ne pas les acheter ou continuent à préférer jeter les articles plutôt que de les réparer. Considérés sur toute leur durée de vie, les produits durables peuvent souvent s'avérer moins chers que les produits à jeter, malgré un prix initial plus élevé. Les supermarchés donnent le plus souvent aujourd'hui des informations sur les prix unitaires, si bien que les acheteurs peuvent comparer les coûts des produits conditionnés dans des emballages de taille différente ; on aurait besoin d'informations aussi détaillées sur les coûts à long terme des différents produits. Associés à une meilleure compréhension des questions relatives à l'environnement, ces informations pourraient aider les consommateurs à réduire fortement les volumes de déchets qu'ils produisent.

Reculer les limites du recyclage

Le recyclage est soudainement devenu à la mode en Occident. A mesure que de nombreuses collectivités adoptent des programmes de recyclage, les représentants commerciaux mettent beaucoup d'ardeur à promouvoir les produits « recyclables », et quelques-uns ont même mis sur pied des petits programmes de démonstration. Mais, tel qu'il se présente aujourd'hui, dans la plupart des pays, le recyclage est loin d'être le mieux que l'on puisse faire en matière de préservation des ressources. Et si elles expriment leur soutien à l'idée, de nombreuses firmes ne sont pas encore prêtes à fabriquer leurs produits avec des matériaux de récupération. Certains programmes de recyclage semblent n'exister, pour une bonne part, que pour apaiser la conscience des consommateurs alors que la plupart des déchets continuent à être incinérés ou envoyés à la décharge (43).

Bien que ce puisse être le tout dernier symbole du bon protecteur de l'environnement, le recyclage ne peut traiter tous les déchets et n'est pas la meilleure façon possible de les gérer. La réduction à la source et la réutilisation sont toutes deux supérieures du point de vue des effets globaux sur l'environnement. Mais s'ils sont associés à des rigoureux efforts pour poursuivre ces deux démarches, le recyclage et le compostage sont une solution moins chère et plus efficace que l'incinération, et qui peut ramener le besoin de décharges à un strict minimum. Et les programmes de recyclage des collectivités, notamment ceux qui impliquent un tri des ordures par les familles, peuvent contribuer à rendre les gens plus conscients du volume et de la nature des ordures qu'ils engendrent.

Toutes les formes de recyclage ne sont pas équivalentes. Malheureusement, le mot est devenu un terme passe-partout servant à décrire n'importe quel système impliquant une collecte et une utilisation de matériaux considérés auparavant des déchets. Cependant, en termes simples, le recyclage se définit comme la récupération de matières qui sont transformées ensuite pour en faire de nouveaux produits.

On peut classer la valeur relative des différents types de recyclage : le plus intéressant concerne la fabrication de nouveaux produits à partir d'articles identiques usagés ; le moins intéressant est la transformation de déchets en produits dotés de propriétés physiques inférieures. Le critère clé consiste à savoir si les matières récupérées remplacent la production de matières vierges, et ferment ainsi la boucle. L'objectif global est de réduire la quantité des matières qui entrent dans l'économie et qui en sortent, ce qui permet d'éviter les coûts que font subir à l'environnement l'extraction et la transformation des matières vierges, ainsi que l'évacuation des déchets.

Selon cette norme, le recyclage des verres, de l'acier et de l'aluminium, qui évite d'habitude l'utilisation de matières vierges, occupe, sans nul doute, un rang très élevé. Le recyclage de ces trois matières économise des quantités considérables d'énergie et de pollution qu'entraînerait la production de matières vierges. En raison des lois inflexibles de la thermodynamique, la réduction des minerais en métaux purs est un processus particulièrement consommateur d'énergie. Le fait d'éviter cette étape aboutit à ce que le recyclage les métaux économise une très grande quantité d'énergie (44).

Certaines formes de recyclage des plastiques, comme la fabrication de nouvelles bouteilles à partir d'anciennes, pourraient aussi s'avérer être du plus grand intérêt. Mais d'autres formes, comme la production de matériaux destinés à imiter le bois d'œuvre à partir de plastiques mélangés, sont moins intéressantes. En outre, malgré les grands efforts déployés par les fabricants pour le promouvoir, le recyclage des plastiques est loin d'avoir atteint des taux proches de ceux qui prévalent désormais pour les métaux, le verre et le papier.

Le recyclage du papier occupe un plan intermédiaire. Chaque fois que le papier est recyclé, les fibres qu'il contient tendent à être plus courtes, ce qui rend le nouveau papier plus fragile. Par chance, les fibres végétales sont une ressource renouvelable, et on pourrait recourir à des méthodes et à des technologies de fabrication du papier plus efficientes. Associés à une minimisation de la demande, à une maximisation du recyclage et à la recherche de fibres provenant d'autres sources que le bois, ces nouvelles techniques pourraient permettre de satisfaire les besoins en papier sans avoir des effets désastreux sur les forêts du globe (voir aussi Chapitre 5).

Les programmes de recyclage des collectivités sont généralement entrés dans deux grandes catégories, d'après les chercheurs du *Center for the Biology of Natural systems (CBNS)*, le Centre de biologie des systèmes naturels du Queens College de New York. Le « recyclage partiel » vise d'habitude un nombre limité de matériaux – les journaux, les bouteilles en verre, les boites d'aluminium – et la participation est généralement volontaire. Ces programmes sont le plus souvent conçus comme un complément de systèmes de gestion des déchets qui reposent essentiellement sur des décharges ou des incinérateurs. Ils aboutissent rarement à des taux globaux de recyclage supérieurs à 10 ou 15 % (45).

Le second type de programme est qualifié de « recyclage intensif ». Il comprend une séparation complète des matières, une récupération de tous les matériaux réutilisables ou recyclables, et le compostage des déchets organiques. Le recyclage intensif est plus considéré comme un remplacement que comme un complément de l'incinération et, s'il est convenablement conçu et géré, peut ramener le tonnage des déchets qu'il faudra éliminer à un niveau comparable à celui que laissent les incinérateurs (46).

Les chercheurs du CBNS estiment que la limite théorique supérieure du flux des déchets solides actuels des Etats-Unis qui pourrait être récupérés par un recyclage intensif se situe entre 85 et 90 %. Un projet pilote concernant cent familles volontaires de East Hampton, dans l'Etat de New York, a atteint un taux de recyclage de 84 % – bien supérieur à celui de tous les programmes existants –. A l'époque, une dizaine de collectivités seulement recyclaient 25 % de leurs déchets ou plus (47).

Aux Etats-Unis, les potentialités d'un recyclage intensif ont conduit de nombreuses collectivités à annuler ou différer leurs plans de construction d'incinérateurs et à chercher à atteindre des taux de recyclage auparavant considérés comme inacessibles. Peut-être le programme le plus connu – et le plus réussi – se trouve-t-il à Seattle. Confronté à la fermeture imminente de sa seule décharge, le conseil municipal proposa, au départ, de construire un grand incinérateur. Mais en 1988, devant une forte opposition des citoyens, la municipalité adopta à la place un plan extrêmement ambitieux de réduction à la source, de recyclage et de compostage des déchets. L'objectif majeur est de réduire de

60 % la quantité des déchets à déverser dans les décharges d'ici 1998, avec une cible intermédiaire de 40 % d'ici 1991. Avec un taux de recyclage de 37 % en 1989, qui est le plus élevé des grandes villes de la nation, Seattle est bien partie (48).

Même si Seattle constitue à elle-seule une catégorie à part parmi les grandes villes américaines, au moins dix collectivités plus petites ont, selon une étude réalisée en 1990 par l'Institut pour l'autosuffisance locale, des taux de recyclage équivalents ou supérieurs : dans le New Jersey, Berlin Township, qui compte une population d'environ 6 000 habitants, recyclait 57 % de ses déchets en 1989 ; Wellesley, dans le Massachussetts, en recyclait 41 % la même année (49).

En Allemagne, Heidelberg a aussi atteint un taux de recyclage de 37 %. Cette ville de 134 000 habitants exige des ménages qu'ils séparent les déchets alimentaires et les déchets de jardin – qui représentent globalement le quart des ordures – et poussent les gens à déposer le verre et le papier dans des centres prochent de leur lieu d'habitation et prévus à cet effet. Les déchets séparés sont compostés dans une installation centrale. D'autres villes allemandes se tournent aussi vers la séparation à la source pour augmenter les taux de recyclage, notamment parce que les citoyens s'opposent de plus en plus à l'incinération (50).

Les programmes de recyclage intensif qui réussissent le doivent à un certain nombre de facteurs. Des programmes d'enlèvement sur les trottoirs où à l'entrée des immeubles d'habitations, des centres de récupération de quartiers, privés ou publics, des centres privés de revente des matériaux particulièrement intéressants, et le transport public et privé des déchets des entreprises commerciales ont tous un rôle à jouer.

Le compostage joue un rôle particulièrement critique. Les ménages peuvent facilement composter les déchets alimentaires et de jardin, qui représentent un quart des ordures américaines. Par exemple, Seattle encourage le compostage dans les jardins grâce à un réseau de « master composters » (maître composteurs) bénévoles. Pour ceux qui ne se sentent pas le courage de faire le travail eux-mêmes, les collectivités peuvent organiser une collecte des matériaux et les composter dans une installation centrale. En 1989, les dix collectivités américaines, classées en tête pour le recyclage dans l'étude réalisée en 1990 par l'Institut d'autosuffisance locale, compostaient en moyenne 20 % de leurs déchets. Le compostage est une option efficace pour les déchets de jardin et alimentaires, mais pas pour tous les déchets. Les plastiques et d'autres matières synthétiques ne se prêtent pas du tout au compostage, parce qu'ils ne se dégradent pas de la même façon que les matières biologiques. Pire encore, lorsqu'ils se dégradent, ils peuvent dégager des substances toxiques, ce qui rend les composts inutilisables dans de nombreuses applications agricoles, et impossibles à commercialiser (51).

La réussite des programmes qui ont bénéficié d'un financement et d'une attention suffisante permet difficilement de soutenir que le recyclage est peu réaliste. Ceux qui prétendent encore qu'il présente trop de problèmes pour la plupart des gens ont la mémoire courte. Comme l'écrivait le journaliste du *Washington Post*, Jonathan Yardley : « Par comparaison avec ce qu'ont connu les parents des gens de ma génération pendant la Deuxième Guerre mondiale, où presque tout était conservé pour être réutilisé, les inconvénients du recyclage ne représentent pas grand chose » (52).

Il fait peu de doute aujourd'hui que des taux élevés de recyclage puissent être atteints. Il importe toutefois de se rappeler que ces efforts sont un moyen et non une fin. Le recyclage n'est que l'une des composantes d'une stratégie, qui doit aussi comprendre des efforts pour réduire les déchets à la source et réutiliser directement les produits. Cette stratégie doit viser à édifier une société qui consomme le strict minimum de matières et fait le strict minimum de déchets.

En finir avec la société du gaspillage

L'essayiste Wendell Barry soutenait que des valeurs mal placées étaient à la racine de notre problème de déchets : « Notre économie est telle que "nous ne pouvons pas nous permettre" de prendre soin des objets : la main-d'œuvre est coûteuse, le temps coûte cher, l'argent aussi, mais les matériaux – qui sont la base même de la création – sont si bon marché que nous ne pouvons pas nous permettre de prendre soin d'eux » (53).

Une augmentation de la valeur des matières premières est la première mesure qu'il faut prendre, et elle est essentielle, si l'on veut aller vers plus d'efficacité dans l'utilisation de ces matières et dans la réduction des déchets. Les matières vierges sont aujourd'hui artificiellement bon marché, aussi bien par rapport aux matières de récupération que par rapport aux autres facteurs de production. Des prix qui représenteraient des coûts réels d'utilisation des matériaux seraient l'incitation de loin la plus efficace à opérer une réduction à la source de ces matériaux à les réutiliser et à les recycler.

La première tâche du gouvernement est de supprimer les subventions très diverses à la production de matières vierges. Dans le secteur minier, les provisions pour épuisement de gisement sont les subventions les plus manifestes : les Etats-Unis accordent des exemptions fiscales massives à l'industrie minière, théoriquement pour compenser l'épuisement des réserves minérales. Ceux qui produisent les mêmes matières à partir de produits recyclés n'ont pas droit à ces provisions, qui se situent entre 7 et 22 %. De nombreux gouvernements consentent aussi d'importantes subventions à l'exploitation forestière, réduisant ainsi artificiellement le prix du papier vierge et d'autres produits du bois (voir Chapitre 5) (54).

Les lois archaïques, qui font que les sociétés multinationales ont accès aux ressources publiques de bois ou de produits minéraux à un coût faible ou nul, poussent aussi à l'extraction de matières vierges et à la destruction de l'environnement. Un exemple particulièrement célèbre en est offert aux Etats-Unis par la loi générale sur les mines de 1872, qui autorise quiconque découvre des minerais métalliques sur un territoire public à acheter la terre à un prix au plus égal à 12 dollars l'hectare, et n'exige de l'exploitant aucun autre paiement à l'Etat en contrepartie des minerais extraits. Le trésor des Etats-Unis n'a rien reçu en contrepartie des 4 milliards de dollars de minerais de roches dures (or, argent, plomb, fer et cuivre) extraits en 1988 d'anciennes terres fédérales (55).

L'absence ou la faiblesse des réglementations relatives aux effets sur l'environnement des activités minières et de l'exploitation forestière permet aux industriels concernés de faire des profits, alors que c'est la nature et les générations futures qui devront payer la note. Les réglementations minières sont assez laxistes dans la plupart des nations, et les entreprises d'exploitation forestière sont rarement contraintes de réparer ou d'atténuer les dommages qu'elles causent à l'environnement.

Des taxes sur les matières vierges rapprocheraient également leur prix de leur coût réel. Le Congrès des Etats-Unis a envisagé de telles taxes en 1990 dans le cadre de propositions visant à amender la loi sur la récupération et la préservation des ressources. L'Etat de Floride a déjà imposé une taxe de 10 cents par tonne sur le papier journal vierge, et d'autres Etats pourraient suivre. L'augmentation des taxes sur l'énergie, qui est souvent présentée comme une mesure cruciale pour éviter une modification du climat, servirait aussi à gonfler les prix des matières vierges (56).

Si les prix des matières vierges augmentaient dans de fortes proportions, la demande diminuerait probablement, et les économies régionales et nationales qui vivent de leur production en souffriraient sans doute. La Zambie, par exemple, tire 90 % de ses recettes à l'exportation du cuivre, et la Guinée 91 % de celles-ci de minerais et concentrés métalliques. Les responsables devraient explorer des moyens d'aider ces régions à développer une économie fondée sur des industries viables, et programmer des nouveaux impôts pendant une période de plusieurs années pour atténuer les effets immédiats de cette politique (57).

En dehors d'un redressement des prix, les gouvernements peuvent expérimenter diverses stratégies pour promouvoir la réduction à la source, la réutilisation et le recyclage. Des normes de garanties minimales pourraient encourager la fabrication de produits plus durables. Des consignes pourraient garantir que les fabricants conservent une certaine responsabilité en ce qui concerne les produits et les emballages. Lorsque les consignes ne parviennent pas à favoriser la réutilisation par rapport au recyclage – comme on l'a remarqué avec les récipients pour boissons dans la plupart des collectivités des Etats-Unis dotées d'une législation sur la consigne – il se pourrait qu'il faille introduire des réglementations supplémentaires.

Les mesures de réduction des déchets visant l'industrie seront généralement plus efficaces si elles sont mises en œuvre au niveau national plutôt que local, pour la simple raison que des marchés locaux peuvent être trop étroits pour forcer la main aux grandes entreprises. Dans les grandes nations, les Etats ou les provinces s'apercevraient sans doute que l'union est efficace. De même, des groupes de nations unifiées à des fins commerciales, comme la Communauté européenne, découvriront sans doute que des mesures à l'échelle du marché sont les plus efficaces, à condition de résister aux pressions qui les poussent à adopter comme norme le plus petit dénominateur commun.

Les gouvernements ou les entreprises qui sont guidés par des préoccupations civiques pourraient assez facilement faire revivre certaines pratiques de réutilisation jadis courantes. Par exemple, le retour des bouteilles réutilisables – généralement considéré aux Etats-Unis comme une chose du passé – reste possible. Onze des douze brasseries possédées par Anheuser-Bush, qui est le plus gros producteur de bière des Etats-Unis, fabriquent encore certains récipients réutilisables, et leur capacité est suffisante pour offrir à tout le pays des bouteilles non jetables. A Seattle, dans l'Etat de Washington, et à Portland, dans l'Oregon, les brasseries-sœurs Rainier et Blitz-Weinhard ont abandonné, au printemps de 1990, les bouteilles à jeter pour revenir aux bouteilles réutilisables (58).

Un réseau commode d'installation permettant de collecter et d'échanger des produits usagés mais encore utilisables pourrait réduire les déchets et procurer des emplois. Bien que beaucoup de gens stigmatisent les produits usagés, « ce ne sont pas des déchets tant qu'ils n'ont pas été usés jusqu'à la corde », selon l'expression de Dan Knapp, directeur de Urban Ore, une petite firme qui récupère et vend des articles utiles tirés des ordures collectées à la station municipale de triage de Berkeley, en Californie. Par exemple, une bonne partie des 280 millions de pneumatiques jetés chaque année aux Etats-Unis pourraient être rechappés et donner encore des années de satisfaction. Les exemples de produits qui sont encore utiles et qui sont généralement jetés avant la fin de leur durée de vie abondent (59).

Le succès des programmes de recyclage exige que les matières de seconde main aient régulièrement accès à des marchés. Les secteurs public et privé pensent soutenir le recyclage en achetant des matières récupérées dans les déchets. Une législation qui impose au gouvernement des Etats-Unis de le faire existe depuis 1976, mais elle n'est pas encore totalement appliquée. Dans le choix des produits recyclés – le papier notamment – les acheteurs devraient s'assurer que leurs achats contiennent des déchets collectés auprès des consommateurs et pas seulement des déchets industriels déjà couramment recyclés. Ils soutiendraient ainsi les programmes publics de recyclage. L'examen par les autorités des droits à commercialiser des produits écologiques pourrait aussi aider les consommateurs à choisir des produits foncièrement favorables à l'environnement (60).

Comme dans le cas des entreprises, le moyen d'obtenir des consommateurs qu'ils réduisent leurs déchets est de leur offrir un ensemble d'incitations qui les encourage à aller dans ce sens. En vertu de la théorie selon laquelle le chemin le plus rapide pour atteindre le cerveau des consommateurs passe par leur porte-feuille, de nombreuses collectivités font payer l'enlèvement des ordures par poubelle ou par sac. Mesure encore plus efficace, certaines villes prélèvent un prix plus élevé pour une seconde poubelle ou sur un second sac.

Les programmes ont assez bien réussi à diminuer les ordures et à impulser le recyclage. A Seattle, où les familles paient l'enlève-ment des ordures à la poubelles, le nombre moyen de poubelles par consommateur est passé de 3,5 à 1 depuis le lancement du pro-gramme, en 1981. Des limites de poids par poubelle, ou par sac empêchent les gens de se contenter de tasser leurs ordures au maximum. Les tarifs par poubelle ont aussi aidé la ville à atteindre l'un des taux de recyclage les plus élevés des Etats-Unis – 24 % –

avant même que le programme de recyclage parrainé par la municipalité n'ait démarré (61).

Des programmes éducatifs gérés par les autorités publiques et des groupes d'intérêt général peuvent aussi contribuer à favoriser la réduction à la source, la réutilisation et le recyclage. De nombreuses collectivités joignent aux factures relatives à l'enlèvement des ordures des tracts ou notices d'information. Le Comté de King, dans l'Etat de Washington, par exemple, livre à ses citoyens un « Guide des ordures ménagères » de quarante pages, qui comprend un jeu concours et une liste très étendue des sources d'information sur le recyclage et la réduction des déchets. Des campagnes de publicité publiques imaginatives, peut-être à la manière des spots télévisés américains anti-tabac des années soixante, qui ont eu tant de succès, pourraient faire passer le message à la population en dépit du vacarme qui entoure la publicité des produits (62).

Des programmes de label écologique offrent la possibilité de mettre à la disposition des acheteurs, au moment où ils font leurs achats, des   informations de bases sur l'environnement. Le Canada, la France, le Japon, le Pays-Bas, la Norvège, la Suède, l'Allemagne occidentale et d'autres nations ont déjà mis en œuvre ou étudient des systèmes de labels nationaux, et la Communauté européenne envisage un label qui serait utilisable dans l'ensemble du Marché commun. Aux Etats-Unis, au moins deux organisations prévoient d'accorder un label : Green Cross, la première à le faire, a été parrainée par quatre chaînes de supermarchés de la Côte Ouest, alors qu'une coalition de groupes d'écologistes et de consommateurs est en train de mettre sur pied Green Seal (63).

Des programmes qui suivent les produits « du berceau à la tombe », c'est-à-dire qui mesurent leurs effets depuis leur fabrication jusqu'à leur rejet final, seront plus efficaces pour promouvoir la réduction des déchets, leur réutilisation et leur recyclage que des programmes qui décernent des labels fondés sur quelques caractéristiques seulement, comme le fait qu'une boite soit composée ou non de papier recyclé. Le label écologique le plus connu, l'Ange bleu allemand, est fondé sur des critères limités, alors que les programmes publics assez récents du Canada et du Japon, ainsi que le programme américain Green Seal, qui est en gestation, s'attachent à l'ensemble des caractéristiques du produit (64).

Quelques règles tirées du bon sens peuvent guider les individus qui souhaitent contribuer à la solution. La plus importante est que l'option entraînant le moins de gaspillage est généralement le fait de s'abstenir d'acheter. Un autre est d'éviter les articles trop emballés. L'achat en vrac de denrées de première nécessité, comme les céréales et le riz, peut réduire les déchets de façon spectaculaire. Lorsqu'ils achètent des biens durables, les consommateurs devraient comparer les prix des différents produits par rapport à leur durée de vie : il se peut que des produits plus durables soient plus chers à l'achat, mais se révèlent finalement moins coûteux. Les écologistes peuvent soutenir des firmes qui fabriquent des articles de qualité supérieure en achetant leurs produits et en leur disant pourquoi ils l'ont fait. Si de meilleures options d'achat ne sont pas disponibles dans les magasins locaux, les consommateurs peuvent commander les produits concernés ou se rendre ailleurs. Enfin, la meilleure option pour rapporter ses achats chez soi est un sac robuste et réutilisable, et non un sac en papier ou en plastique jetable.

A long terme, un emploi plus efficient des matières pourrait pratiquement éliminer l'incinération des ordures et diminuer de façon spectaculaire le recours aux décharges. Il pourrait aussi fortement réduire les besoins en énergie et contribuer ainsi à ralentir le réchauffement du globe, qui est la plus grave de toutes les menaces qui pèsent sur l'environnement. Globalement, la réduction à la source, la réutilisation et le recyclage – qui sont les éléments de nature à conduire à une utilisation douce des matières – peuvent non seulement diminuer les déchets, mais aussi favoriser des économies plus flexibles, qui ont une plus grande capacité de récupération, qui sont plus diversifiées, autosuffisantes et viables. Une collecte et un traitement décentralisés des matières de récupération peuvent engendrer de nouvelles industries et de nouveaux emplois.

Enfin, l'utilisation douce des matières offre aux sociétés une chance de résoudre les problèmes posés par les ordures sans créer de nouveaux risques écologiques. Elles nous mène vers l'objectif ultime qui consiste, selon les mots de E.F. Schumacher, à fournir « le maximum de bien-être avec le minimum de consommation » (65).

CHAPITRE 4

Repenser les transports urbains*

par Marcia D. Lowe

L'automobile promettait jadis un monde fascinant de vitesse, de liberté et de commodité, dans lequel chacun serait magiquement transporté partout où la route le conduirait. Au vu de ces séduisantes propriétés, il n'est pas étonnant que les populations du monde entier aient caressé avec enthousiasme le rêve de posséder une automobile. Mais les sociétés qui ont édifié leurs systèmes du transport autour de l'automobile s'éveillent aujourd'hui à une réalité beaucoup plus dure. Les problèmes que pose une dépendance excessive par rapport à l'automobile dépassent les avantages qu'elle entraîne.

Ces problèmes sont nombreux et omniprésents. L'encombrement et la pollution atmosphérique sont une peste pour toutes les grandes villes, et la dépendance envers le pétrole rend les économies vulnérables. Dans les pays en développement, les automobiles ne profitent qu'à une petite élite et laissent une vaste majorité de la population sans transports adéquats. En Europe orientale et en Union soviétique, les réformes récentes pourraient ajouter les problèmes posés par la dépendance envers l'automobile aux crises épouvantables que subissent l'économie et l'environnement.

Il est nécessaire d'adopter, dans le domaine des transports, une démarche nouvelle, plus rationnelle, une démarche qui mette

_____

* Une version élargie de ce chapitre a été publiée en tant que Worldwatch Paper 98, sous le titre *Alternatives to the Automobile Transport for livables cities*. La recherche qui sous-tend ce chapitre a bénéficié du soutien de la Fondation Surdna.

l'automobile à sa bonne place dans la ville, c'est-à-dire qui n'en fasse qu'un mode de transport parmi de nombreux autres. Les autobus et les trains ont plus vocation que les voitures particulières à constituer la pièce maîtresse des systèmes de transport, notamment dans les zones urbaines les plus encombrées du monde. Avec des taux d'occupation raisonnables, les transports en commun utilisent l'espace et l'énergie de façon beaucoup plus efficace que les automobiles, et engendrent beaucoup moins de pollution.

Dans ce nouvel environnement des transports, la marche et la bicyclette joueraient aussi un rôle important, en complétant les transports en commun par l'avantage que procure la mobilité individuelle. Ces formes de transport non motorisé peuvent assurer une proportion considérable des déplacements, dès lors que les villes veillent à satisfaire les besoins des piétons et des cyclistes.

L'abandon de la prédominance de l'automobile exige aussi une restructuration progressive des villes et des banlieues afin d'amoindrir le besoin d'utiliser l'automobile. On peut planifier le développement de façon à créer des villes compactes dans lesquelles les emplois, les logements et les services sont rassemblés et proches des transports en commun. Dans les nations industrielles comme dans les pays en développement, une planification urbaine soigneuse peut contribuer à satisfaire les besoins futurs de transport tout en minimisant la demande de déplacements.

Du serviteur au maître

Plus peut-être que toute autre invention, l'automobile illustre bien l'observation que formulait l'écrivain Jacques Ellul à propos de toutes les technologies : elle fait un bon serviteur mais un mauvais maître. Pourtant, l'obéissance aux exigences de la voiture particulière est devenue une habitude routinière et passive dans de nombreuses villes du monde. La nécessité de faciliter l'accès de l'automobile à la ville a dicté la nature même de la vie urbaine, et c'est dans la conception de la cité moderne que la chose est la plus évidente. Les vastes voies publiques et d'énormes aires de stationnement distendent les paysages urbains dans une mesure qui écrase les individus et leur font peur. Quand toute la place disponible à la surface a été abandonnée aux voitures particulières, les ingénieurs recherchent de l'espace dans l'air et en sous-sol. Et, dans un dernier geste de soumission, des entrepreneurs de Yokohama, au Japon, ont récemment ouvert une aire de stationnement flottante dans la baie locale (1).

L'augmentation du parc automobile mondiale, fort de 400 millions de véhicules, montre clairement que si les sociétés ne reprennent pas ce serviteur en main, les problèmes posés par l'automobile se transformeront en crises planétaires. Le taux de croissance annuel des acquisitions d'automobiles a baissé de 5 % dans les années soixante-dix à 3 % pendant les années quatre-vingt en raison de la saturation dans les pays industriels, qui possèdent environ 80 % du parc mondial. Toutefois, si celui-ci n'augmente plus aussi vite qu'avant 1970 (le temps de doublement est désormais de vingt ans au lieu de dix), le nombre absolu de véhicules supplémentaires est impressionnant. Actuellement, le parc mondial s'accroît chaque année, en termes nets, de 19 millions d'automobiles (2).

L'accroissement du nombre des automobiles s'accompagne de problèmes omniprésents. L'encombrement de la circulation, qui est désormais un fait quotidien dans la vie des grandes villes, a fait passer la plage des heures de trafic intense à 12 ou plus à Séoul et à 14 à Rio de Janeiro. En 1989, la circulation londonienne a battu un record avec un bouchon d'automobiles quasi stationnaire long de 53 kilomètres. Le rugissement des moteurs et le bruit strident des klaxons engendrent malaise et hypertension, comme dans le centre du Caire, où le niveau du bruit dépasse de dix fois le seuil fixé par les normes de santé et de sécurité. La moitié des chefs d'entreprise américains interrogés dans treize grandes villes a déclaré que les conditions de circulation influaient sur le moral, la productivité, la ponctualité et l'humeur de leurs employés (3).

Les véhicules sont la plus grande source de pollution atmosphérique et engendrent un smog qui recouvre les villes dans le monde entier. La principale cause à l'origine du smog créé par les automobiles est l'ozone, gaz qui apparaît lorsque les oxydes d'azote et les hydrocarbones réagissent à la lumière du soleil. L'ozone et d'autres polluants, dont le monoxyde de carbone, les oxydes d'azote et les hydrocarbones, aggravent les affections des bronches et des poumons et sont souvent mortels pour les asthmatiques, les enfants et les vieillards. Les automobiles émettent aussi du gaz carbonique, gaz à effet de serre qui est responsable de plus de la moitié du réchauffement de la planète. Les voitures particulières sont à l'origine de plus de 13 % du total des émissions de gaz carbonique dues aux combustibles fossiles dans le monde, ce qui représente chaque année plus de 700 millions de tonnes de carbone (4).

La vulnérabilité économique et politique d'une société qui dépend de l'automobile devient parfaitement claire chaque fois qu'intervient une crise pétrolière. Les Etats-Unis, qui consacrent 43 % de leur consommation de pétrole à la circulation des automobiles et des camions légers et qui importent la moitié de leur pétrole, ont été fortement secoués en août 1990 quand les troupes irakiennes ont envahi le Koweit, qui contrôle près de 20 % des réserves mondiales prouvées de pétrole. Même lorsque la crise actuelle s'estompera, il se peut qu'on ne puisse plus se fier au Moyen-Orient comme à une source d'approvisionnement pétrolier stable (voir Chapitre 2) (5).

L'énormité des problèmes posés par l'automobile défie de simples solutions techniques. En l'absence d'autres possibilités que l'automobile, les progrès dans les économies de consommation et la réduction des émissions peuvent être annihilés par l'augmentation de la circulation. Aux Etats-Unis, par exemple, les spectaculaires réductions dans les émissions d'hydrocarbone et de gaz carbonique, que les pots catalytiques ont rendues possibles, ont été en partie annulées par une plus grande utilisation des automobiles, qui enregistrent 120 milliards de kilomètres de plus chaque année. En 1989, 96 zones urbaines, où vivent plus de la moitié des habitants du pays, ne respectaient pas la norme de sécurité fixée pour l'ozone par l'Agence de protection de l'environnement des Etats-Unis, et 41 zones violaient la norme établie pour le monoxyde de carbone (6).

Si certains progrès techniques sont très prometteurs, ils ne s'attaquent pas à tous les problèmes que pose l'utilisation des automobiles. Le fait de sortir des voitures neuves plus économes en carburant pourrait réduire la dépendance à l'égard du pétrole et, associé à des normes d'émission plus strictes et à une maîtrise accrue des gaz d'échappement, il pourrait aussi entraîner une diminution considérable de la pollution atmosphérique. Mais ces progrès ne font rien pour réduire l'encombrement de la circulation. Même les voitures électriques, qui pourraient réduire fortement la consommation de combustibles fossiles et la pollution, resteraient bloquées dans les embouteillages.

En outre, aucune technologie ne peut totalement remédier aux conséquences sociales négatives qui découlent du fait qu'une société est dominée par l'automobile. Les accidents mortels en offrent un exemple. En 1988, les accidents de la route ont causé la mort de 490 000 personnes aux Etats-Unis, et fait plus de victimes que toutes les autres formes d'accidents réunies. Dans le monde entier, malgré que la sécurité se soit améliorée, plus de

250 000 personnes ont été tuées dans des accidents de la route en 1988, et des millions d'autres ont été blessées ou handicapées à vie. Mais c'est la circulation dense et chaotique du mélange de véhicules motorisés et non motorisés qui prévaut dans le Tiers Monde qui représente le plus grand danger : les morts par accident y sont vingt fois plus nombreuses que dans le monde industriel. Une étude réalisée dans quinze pays en développement a montré que les accidents de la route étaient la deuxième grande cause de décès, après les maladies intestinales (7).

Enfin, aucune nouvelle technologie de l'automobile ne pourra servir à la majorité de la population humaine qui ne possèdera jamais de voiture. Une toute petite voiture Fiat se vend en Chine autour de 6 400 dollars, somme modérée pour les pays riches, mais qui équivaut à 16 ans de salaire pour un ouvrier ordinaire dans ce pays. Dans une bonne partie du monde en développement, l'accroissement des ventes signifie seulement qu'une petite élite améliore ses moyens de déplacement, alors que la mobilité de la grande majorité de la population, et la possibilité qu'elle a de se déplacer, sont très faibles. Même dans les villes des pays industriels axés sur l'automobile, ceux qui n'ont pas les moyens de s'offrir une voiture ou qui ne savent pas ou ne peuvent pas conduire n'ont souvent aucun moyen de transport pour se rendre à leur travail, à l'école, au centre de soins, ou autres destinations importantes (8).

La création de systèmes viables de transports urbains de nature à satisfaire équitablement les besoins de la population et à favoriser un environnement salubre nécessite qu'on ramène l'automobile à son statut utile de serviteur. Grâce à un changement de priorités, les voitures peuvent faire partie d'un vaste système équilibré, dans lequel les transports en commun, la bicyclette et la marche seront tous des options viables.

Prendre le chemin du progrès

Les transports en commun jouent un rôle central dans tout système de transports urbains efficace. Dans les pays en développement, où l'on s'attend à ce qu'au moins 16 villes aient chacune plus de 12 millions d'habitants à la fin de cette décennie, un refus de donner la priorité aux transports en commun serait désastreux. Mais ni les villes qui explosent, comme le Caire ou Delhi, ou les cités relativement stabilisées, comme New York et Londres, ne peuvent supporter une nouvelle croissance de la circulation automobile. Au commencement des années quatre-vingt-dix, une nouvelle crise pétrolière, l'accumulation de la pollution et de l'encombrement, et le réchauffement de la planète appellent tous un plus grand engagement en faveur des transports en commun (9).

L'expression « transports en commun » recouvre de nombreux types de véhicules, différents, mais renvoie généralement aux autobus et aux réseaux ferrés. Les autobus ont de multiples formes, depuis les minibus jusqu'aux véhicules à deux voitures reliées par un soufflet articulé. Les réseaux ferrés comprennent quatre grandes catégories : le réseau rapide qui fonctionne sur des voies exclusives dans des tunnels ou sur des voies aériennes (métro en France, « tube » ou « underground » en Angleterre « subway » aux Etats-Unis) ; les tramways qui circulent dans les rues ordinaires à côté des autres véhicules ; le réseau léger (ou trolleys), qui sont une formule plus silencieuse et plus moderne des tramways et qui peuvent rouler soit sur des voies en site propre soit dans les rues ouvertes à la circulation générale ; et les trains de banlieue ou régionaux, qui relient une ville aux zones suburbaines.

Le concept de transports en commun inclut aussi le fait que des gens se groupent pour utiliser la même voiture ou la même fourgonnette, ce que l'on appelle parfois le covoiturage. Pour les banlieusards américains qui habitent dans des zones où les services d'autobus et de chemin de fer sont insuffisants, ce peut être la seule option de transport « en commun ». Mais même quand les autres systèmes assurent une desserte complète, il existe de larges potentialités pour cette façon de se rendre à son travail et d'en revenir. Des recherches récentes montrent que dans les cités du monde entier, les voitures particulières ne transportent en moyenne que 1,2 à 1,3 personnes pendant les heures de trajet domicile-travail et retour (10).

Les transports en commun diffèrent entre eux par l'énergie qu'ils consomment, les polluants qu'ils émettent et l'espace qu'ils exigent, mais s'ils transportent un effectif raisonnable de passagers, ils font mieux, à tous ces titres, que les voitures particulières qui ne transportent qu'une seule personne. Bien que les besoins en énergie varient selon la taille et la conception du véhicule et selon le nombre de voyageurs, les autobus et les réseaux ferrés nécessitent beaucoup moins de combustible par kilomètre/ passager parcouru. Aux Etats-Unis, par exemple, un trolley qui transportent 55 passagers exige, d'après les estimations, 640 BTU (British Thermal Unit = 0,252 Kcal) d'énergie par passager et par kilomètre ; un autobus urbain de 45 passagers consommera environ 690 BTU par kilomètre/passager ; et une voiture privée occupée par quatre personnes consommera 1 140 BTU. Une automobile transportent une seule personne brûlera, quant à elle, près de 4 580 BTU par kilomètre/passager (11).

La réduction des émissions due aux transports en commun est encore plus spectaculaire (voir tableau 4.1). Comme les métros et les trolleys ont des moteurs électriques, la pollution n'est pas décomptée à la sortie du pot d'échappement, mais à la centrale électrique, qui est généralement située en dehors de la ville, là où les problèmes relatifs à la qualité de l'air sont moins aigus. Aux Etats-Unis, le réseau ferré rapide émet 30 grammes d'oxydes d'azote pour 100 kilomètres/passagers (c'est-à-dire chaque fois qu'un passager parcourt 100 kilomètres), alors que les trolleys en émettent 43 grammes, les autobus 95 grammes et les voitures particulières avec un seul occupant 128 grammes. Les possibilités de réduction des émissions d'hydrocarbone et de monoxyde de carbone offertes par les transports en commun sont encore plus grandes.

Tableau 4.1. **Etats-Unis : Emissions polluantes dues à divers trajets domicile-travail représentatifs** [1]

Mode de transport	Hydrocarbures	Monoxyde de carbonne	Oxydes d'azote
(en grammes par 100 kilomètres/passager)			
Réseaux férrés express	0,2	1	30
Trolleys	0,2	2	43
Autobus	12	189	95
Fourgonnettes prises en commun	22	150	24
Voitures prises en commun	43	311	43
Voitures particulières [2]	130	934	128

1. Fondées sur les taux d'occupation nationaux moyens des véhicules
2. Chiffres établis sur la base d'un seul occupant par véhicule

Source : American Public Transit Association, « Mass Transit : The Clean Air Alternative », brochure, Washington, D.C., 1989.

Alors que les autobus à moteur diesel, surtout dans les pays en développement, peuvent être de grands pollueurs, les technologies existantes permettent de dépolluer leurs gaz d'échappement. A Athènes, certains autobus sont équipés de collecteurs afin d'éviter que les particules ne soient rejetées dans l'air. Les autobus peuvent aussi fonctionner avec des combustibles moins polluants comme le propane (utilisé au Brésil et en Chine). Aux Pays-Bas, des autobus expérimentaux, qui fonctionnent au gaz naturel, émettent, d'après les estimations, 90 % d'oxydes d'azote et 25 % de monoxyde de carbone en moins que les véhicules équipés de moteur diesel (12).

En dehors du fait qu'ils diminuent la consommation de combustibles et la pollution, les transports en commun économisent des espaces urbains intéressants. Les autobus et les réseaux ferrés transportent davantage de personnes dans chaque véhicule et, s'ils fonctionnent en site propre, peuvent rouler en toute sécurité à des vitesses beaucoup plus élevées. En d'autres termes, non seulement ils prennent moins d'espace, mais ils l'occupent moins longtemps. Ainsi, lorsqu'on compare les conditions idéales de chaque mode de transport, un métro souterrain peut transporter 70 000 passagers au-delà d'un certain point sur une voie unique en une heure, un réseau ferré rapide de surface peut en transporter jusqu'à 50 000 et un trolley ou un autobus disposant d'un couloir plus de 30 000. Par contre, une voie destinée aux voitures particulières – même si chacune est occupée par quatre personnes – ne permet d'en déplacer qu'environ 8 000 en une heure (13).

Le coût de fourniture des transports en commun est, c'est facile à comprendre, le principal obstacle auquel se heurtent de nombreuses autorités confrontées à ces différences spectaculaires de mobilité et d'efficience. Mais de nombreux responsables publics ne font pas des comptes complets. Une comparaison équitable doit prendre en compte l'intégralité des coûts de tous les systèmes, y compris leurs effets sur l'environnement et leurs conséquences sociales, et se demander quel est le moyen qui est susceptible de transporter le plus de personnes. Avec des effets plus faibles sur l'environnement, des capacités plus grandes et un coût plus abordable pour le grand public, les transports en commun permettraient aux pouvoirs publics d'en avoir pour leur argent.

De même, les automobilistes trouveraient les transports en commun plus attractifs, s'ils conservaient présents à l'esprit tous les coûts. Peu de conducteurs américains réalisent que, lorsqu'on intègre tous les coûts, y compris l'essence, l'entretien, l'assurance, l'amortissement et les charges financières (mais à l'exclusion de la fraction de leurs impôts qui est destinée à subventionner la conduite automobile), ils payent 21 dollars pour 100 kilomètres parcourus, ou encore environ 1 700 dollars par an pour leurs seuls trajets domicile-travail. Par contre, les tarifs des transports en commun se montrent en moyenne à moins de 9 dollars aux 100 kilomètres. Dans des villes fortement dépendantes de l'automobile, une option viable de transports en commun pour se rendre au travail éviterait à certaines familles de devoir acheter une deuxième ou une troisième voiture (14).

La disponibilité et l'utilisation des transports en commun sont fort variables selon les cités du globe. Cela va d'autobus peu fréquents et presque vides qui roulent lourdement à travers les zones urbaines tentaculaires des Etats-Unis aux métros de Tokyo, surencombrés, qui passent toutes les minutes, où des « pousseurs » salariés pressent les passagers dans les voitures afin de permettre la fermeture des portes. Comme les différences dans les distances et les densités des villes influent sur le total des kilomètres parcourus, le nombre annuel de trajets pour lesquels chaque personne emprunte les transports en commun est un meilleur critère pour comparer leur importance dans les diverses villes. La fréquence d'utilisation des transports en commun va de plus de 700 trajets annuels par personne à Moscou à 22 trajets par individu et par an dans la ville de Dallas, au Texas, très orientée vers l'automobile (voir tableau 4.2) (15).

Tableau 4.2. La dépendance envers les transports en commun dans divers villes choisies, 1983

Ville	Popula-tion (en millions)	Mode	Trajets par personne et par an
Moscou	8,0	Autobus, tramway, métro	713
Tokyo	11,6	Autobus, tramway, métro, train	650
Berlin Est	1,2	Autobus, tramway, métro, train	540
Séoul	8,7	Autobus, métro	457
Berlin ouest [2]	1,9	Autobus, métro	389
Buenos Aires [3]	9,0	Autobus, métro	248
Kuala Lumpur [4]	9,0	Autobus, minibus	248
Toronto	2,8	Autobus, tramway, métro	224
Nairobi	1,2	Autobus, minibus	151
Abidjan	1,8	Autobus, bateau	132
Pékin	8,7	Autobus, métro	107
Chicago [3]	6,8	Autobus, métro, train	101
Melbourne [5]	2,7	Autobus, tramway, train	95
Dallas [3]	1,4	Autobus	22

1. Dans ce tableau, « train » renvoie aux trains de banlieue
2. 1982
3. Zone urbaine
4. Cyclo-pousse et minibus privés exclus
5. 1980

Source : Estimations du Worldwatch Institute, fondées sur Chris Bushell et Peter Stonham (sous la direction de), *Jane's Urban Transport Systems : Fourth Edition* (Londres : Jane's Publishing, 1985) ; Peter Newman et Jeffrey Kenworthy, *Cities and Automobile Dependence : An International Sourcebook* (Aldershot, Royaume-Uni : Gower, 1989).

Les villes d'Union soviétique et d'Europe orientale offrent une gamme étendue et complète de transports en commun, comprenant des autobus, des tramways, des métros et des trains de banlieue. Même si la qualité varie selon les contraintes budgétaires publiques – on va de métros modèles dans les villes les plus grandes à des systèmes peu fiables et excessivement surchargés ailleurs – les divers modes de transport offrent des services étendus aux nombreux individus qui ne possèdent pas de voiture. Sur les quelque 300 systèmes de tramways et de trolleys qui existent dans le monde, environ 110 se situent en Union soviétique et 70 autres en Europe orientale (16).

Les transports en commun urbains sont depuis longtemps une priorité gouvernementale en Europe occidentale. Bien que toutes les grandes villes européennes soient aux prises avec la circulation automobile, des systèmes d'autobus et de trains bien développés sont disponibles pour ceux qui choisissent les transports en commun. Si le nombre élevé de voitures particulières introduit une âpre concurrence, les transports en commun représentent généralement dans les grandes villes d'Europe occidentale entre 20 et 30 % des kilomètres/passagers parcourus. Ces dernières années, plusieurs grandes villes d'Europe occidentale ont renforcé leur engagement en faveur des transports en commun. Leur pratique consiste à combiner des investissements supplémentaires à des mesures complémentaires visant à restreindre l'utilisation des automobiles (17).

Les pays d'Asie à revenu élevé utilisent aussi massivement les transports en commun. Les villes japonaises sont particulièrement orientées vers les réseaux ferrés. Depuis les années soixante, les autorités surtout utilisent les trains pour relier les banlieues en expansion aux centres urbains. A Tokyo, 95 % des kilomètres/passagers parcourus grâce aux transports en commun le sont par le train. A Tokyo, Séoul et dans d'autres villes d'Asie, les lignes de métro ne transportent pas seulement des millions de passagers à l'intérieur de la cité, mais prêtent aussi leurs voies à des trains express provenant des banlieues environnantes. A Hong Kong, les transports en commun représentent 9 des 10 millions de trajets effectués chaque jour par les citadins (18).

Les transports en commun jouent aussi un rôle important dans les zones urbaines du Tiers Monde. Dans de nombreuses villes d'Asie, d'Amérique latine et d'Afrique, les autobus, sous toutes leurs formes, effectuent entre 50 et 80 % de tous les trajets motorisés. Les autobus sont parfois énormement surchargés. Il n'est pas inhabituel de voir de nombreux passagers cramponnés à l'extérieur. Cependant, dans la plupart des villes du Tiers Monde, l'utilisation par habitant des transports en commun est plus faible qu'en Europe occidentale, ce qui reflète l'incapacité de maigres parcs d'autobus à faire face à la croissance démographique (19).

Des exploitants de lignes d'autobus privés prennent souvent le relais lorsque les systèmes publics cessent d'être présents, et, dans de nombreux cas, assurent l'essentiel des services. A Calcutta, par exemple, les sociétés privées détiennent environ les deux tiers du marché ; les trois quarts des trajets effectués dans les transports en commun à Buenos Aires sont assurés par quelque 13 000 autobus privés, ou *colectivos*. Des formes flexibles et informelles de transports en commun – minibus, jeeps converties en véhicules de transport, fourgonnettes, pickups, taxis partagés, cyclo-pousse – procurent des services essentiels, surtout dans les quartiers des villes difficilement accessibles (20).

Au cours des deux dernières décennies, quelque 21 grandes villes, dont Mexico, Shanghaï et Le Caire, se sont dotées de systèmes de métro. Ces projets ont beaucoup amélioré les transports dans les centres denses des villes, mais à un coût très élevé, ce qui a soulevé des doutes quant à leur viabilité économique dans les pays en développement. Néanmoins, dans plusieurs villes où la densité est si extrême que les services d'autobus, bien qu'on n'ait cessé de les multiplier, n'arrivent pas à répondre à la demande, on programme de nouveaux métros en dépit de leur coût (21).

Parmi les grandes villes du monde, ce sont les cités australiennes et américaines qui utilisent le moins les modes de transport autre que la voiture particulière. Bien qu'aux Etats-Unis, moins de 5 % de tous les trajets domicile-travail, s'effectuent par les transports en commun, leur utilisation est très forte à New York, Chicago et dans d'autres lieux qui offrent des services étendus. De fait, près du quart des trajets effectués dans le pays par les transports en commun ont lieu à New York. Mais plusieurs grandes et moyennes villes américaines, qui ont atteint les limites de leur dépendance envers l'automobile, construisent ou prévoient de construire des systèmes de trolleys, et d'autres ajoutent des trolleys aux lignes existantes (22).

La Californie est un Etat passionné de l'automobile. Cependant un certain nombre de ses villes ont pris la tête dans cette tendance qui consiste à faire revivre le réseaux ferrés. Elles ont mis sur pied plusieurs projets dont l'extension du trolley de San Diego, qui a eu beaucoup de succès, et la création d'une ligne de trolley à San José. Même à Los Angeles, un nouveau réseau ferré très étendu est en construction. Une fois achevé, il devrait comprendre 240 kilomètres de voies pour trolleys et métro (23).

Dans de nombreuses villes, la tendance récente va plus dans le sens des trolleys que des systèmes « lourds » de métros. Alors que ceux-ci nécessitent des voies en site propre, qui exigent souvent la construction de lignes et de stations souterraines ou aériennes coûteuses et longues à édifier, on peut instaurer un système de trolleys dans les rues ordinaires à un coût plus faible. Les coûts en capital des lignes de trolleys construites récemment vont de 5 millions de dollars par kilomètre pour les trolleys en surface de San Diego à 39 millions de dollars par kilomètre pour une ligne de trolleys en tunnel à Hanovre, en Allemagne. Par contre, le métro souterrain de Santiago, au Chili, a coûté 40 millions de dollars par kilomètre, une extension du métro à Osaka, au Japon, a exigé 64 millions de dollars ; et la nouvelle ligne souterraine de Caracas, au Vénézuela, a entraîné une facture de 117 millions de dollars par kilomètre (24).

Une possibilité de transport de plus en plus à la mode consiste à améliorer les anciens systèmes de trains de banlieue, en augmentant leur vitesse et leur commodité à un coût bien inférieur à celui d'une nouvelle ligne de métro. Par exemple, Hong Kong a complètement modernisé et reconstruit son réseau de trains de banlieue et ajouté de nouveaux véhicules pour un coût de 13,2 millions de dollars par kilomètre, soit à peine plus de 10 % du coût de la ligne de métro urbaine Island Line. Des projets d'amélioration des réseaux ferrés sont en cours de réalisation dans au moins cinquante grandes villes, dont Londres, Djakarta, Melbourne et São Paulo (25).

Des villes conçues pour les gens

La marche et la bicyclette sont les formes les plus courantes de transport individuel. Parce qu'elles sont économiques et propres, utilisent peu d'espace, et n'exigent pas d'autre combustible que le dernier repas absorbé par un individu, elles sont aussi le moyen le plus adéquat pour faire de courts trajets. Pourtant les trajets non motorisés sont souvent négligés dans le cadre des systèmes de transport. Il y a vraiment très peu de villes qui se préoccupent des besoins des piétons et des cyclistes et qui font le nécessaire pour les satisfaire.

Dans les pays riches comme dans les pays pauvres, la satisfaction des besoins des individus qui ne possèdent pas d'automobile a une importance cruciale dans la mise en place d'un système de transports viable. Il exite de nombreuses façon d'édifier des villes pour les gens, au lieu de les édifier pour les seules automobiles. Citons en quelques unes : installations diverses destinées à améliorer l'accès des cyclistes et des piétons à divers points de la ville ; donner la priorité aux cyclistes et aux piétons dans les centres des villes ; intégrer la bicyclette et la marche aux transports en commun.

La façon la plus efficace de rendre les villes plus sûres et plus agréables pour les transports non motorisés est d'empêcher que la circulation motorisée ne monopolise l'espace urbain. En raison de leur masse et de leur vitesse, les automobiles s'emparent automatiquement des rues, font peur aux piétons et aux cyclistes et les mettent en danger. Pour que la bicyclette et la marche deviennent des moyens de transport viables, il faut que les gens puissent se déplacer en sécurité dans la ville et à leur propre rythme. Dans certaines situations (là où la circulation automobile est intense et rapide), cela nécessite des voies séparées pour les cyclistes et des sentiers pour les piétons, mais encore plus souvent, cela exige que les automobiles partagent les rues ordinaires avec les autres utilisateurs.

Pour que certaines rues deviennent sûres pour ceux qui se déplacent plus lentement, il faut imposer des restrictions aux automobiles. De nombreuses villes européennes recourent à ces restrictions, qui visent à « calmer le trafic », afin de transformer les rues en espaces où les gens peuvent vivre, travailler et faire leurs courses, au lieu d'être de simples voies de passage pour les automobilistes. La principale contribution des mesures qui visent à calmer le trafic est de permettre aux piétons et aux cyclistes de circuler en sécurité dans les rues, sans avoir à les rejeter dans des voies ou passages de qualité souvent inférieure.

Depuis plus de vingt ans, les Hollandais ont calmé le trafic en modifiant le dessin des rues résidentielles, en les transormant en *woonerf*, ou « espace de vie ». Dans un *woonerf*, les automobiles sont contraintes de naviguer lentement autour d'arbres et autres aménagements soigneusement placés. Comme la circulation motorisée ne peut pas mobiliser toute la largeur de la rue, une bonne partie de l'espace s'ouvre plus facilement à la marche, à la bicyclette et aux jeux d'enfants. Les automobiles sont libres d'entrer dans le *woonerf*, mais seulement comme « invitées », alors que le trafic non motorisé à la priorité. L'expérience des mesures visant à calmer le trafic a montré qu'elles sont plus efficaces si elles sont largement utilisées, de sorte que les problèmes posés par la circulation automobile ne soient pas purement et simplement déviés vers les rues avoisinantes (26).

Des systèmes semblables de *Verkehrsberuhigung* se sont multipliés par milliers dans toute l'Allemagne occidentale depuis que cette nation les avait introduits dans les années soixante-dix. Destiné à l'origine aux zones résidentielles, cette technique est maintenant adoptée par des villes entières. Le fait de calmer le trafic améliore beaucoup la qualité de la vie dans le voisinage des rues où cette pratique est mise en œuvre, et elle devient de plus en plus populaire dans de nombreux pays, comme l'Italie, le Japon, la Suède et la Suisse. Ces restrictions sont si bien accueillies au Danemark que les résidents des sites concernés sont souvent prêts à financer les mesures adoptées (27).

Une autre manière de mettre une plus grande superficie de rue à la disposition des non automobilistes est de limiter le nombre des voitures dans le centre des villes. Plusieurs villes d'Europe occidentale ont limité avec succès la circulation dans le centre en le dévisant en zones. A Göteborg, en Suède, par exemple, le centre-ville est divisé en cinq zones en forme de pâté, toutes accessibles par un grand voie périphérique. Les automobiles n'ont pas le droit de franchir les limites de la zone, mais les transports en commun, les véhicules d'urgence, les bicyclettes et les mobylettes le peuvent. Depuis que ce système a été instauré en 1970, en même temps que des voies étaient réservées pour les autobus et les tramways, et que certaines rues étaient fermées à tout le monde sauf aux piétons, le nombre d'accidents a diminué dans la ville et la qualité des transports en commun s'est améliorée. On trouve aussi ce type de zones à Brême, en Allemagne (où elles sont nées) ; à Besançon, en France ; à Groningue, en Hollande ; et à Tunis, capitale de la Tunisie (28).

Si l'on veut faire de la bicyclette un moyen de déplacement réellement utilisable, il faut avant tout créer des itinéraires continus qui permettent d'aller partout dans la ville, ce qui peut exiger des voies et passages cyclables séparés. Mais il ne suffit pas d'offrir ces installations. Lorsqu'ils dessinent ces voies, les responsables de la circulation doivent analyser les données relatives aux flux des déplacements et aux possibilités d'accident. Il importe que les pistes cyclables soient suffisamment larges et leur surface suffisamment régulière, sinon elles sont dangereuses du point de vue de la sécurité.

Les situations les plus dangereuses se trouvent aux carrefours où les bicyclettes croisent les véhicules motorisés. Certaines villes installent à ces points de croisement, des passages aériens ou souterrains séparés pour la circulation des non automobilistes. Mais ce qu'on appelle dans de nombreuses villes « amélioration de la sécurité » signifie souvent des passerelles pour piétons, des voies cyclables séparées, et autres installations qui écartent les enfants, les cyclistes et les piétons de l'espace réservé exclusivement aux automobiles. Bien que ces installations séparées soient parfois nécessaires, il est généralement préférable de référer la circulation automobile de sorte que les gens puissent traverser les rues en toute sécurité. Cela peut être réalisé grâce à des feux spéciaux. On peut aussi aménager les intersections de façon à permettre aux cyclistes de s'arrêter devant les automobilistes et de démarrer les premiers. Il faut pour cela délimiter un espace qui leur soit réservé et prévoir un signal lumineux spécial (29).

Lorsqu'on installe des voies ou des passages séparés pour la circulation non motorisée, le tout est d'éviter de s'en servir comme justification pour restreindre l'accès des piétons et des cyclistes aux rues ordinaires. Aux Pays-Bas, où quelque 30 % des trajets domicile-travail et 60 % des trajets scolaires sont affectués à bicyclette, certaines villes ont combiné, là où c'était nécessaire, des mesures de régulation de la circulation avec des voies séparées, en cherchant à créer des voies cyclables directes et interrompues au lieu de se contenter d'empêcher les cyclistes de gêner les automobilistes. Les villes chinoises offrent souvent des voies et ponts pour piétons et cyclistes aux quelque 300 millions de cyclistes que compte le pays, en même temps qu'elles limitent les possibilités des véhicules motorisés de tourner aux croisements dangereux (30).

Un autre moyen efficace de rendre les rues plus accueillantes pour les piétons et les cyclistes consiste à limiter le stationnement des voitures dans la ville. Non seulement ces restrictions dégagent de l'espace pour la circulation non motorisée, mais elles poussent aussi les gens à choisir d'autres modes de transport que la voiture. Le maire de Paris Jacques Chirac, apparemment impressionné par la réduction du trafic entraîné par les restrictions temporaires de stationnement imposées à l'occasion du bicentenaire de la Révolution française en 1989, a annoncé des plans visant à supprimer définitivement plus de 100 000 places de stationnement dans les rues au centre de Paris. Genève interdit le stationnement des voitures devant les bureaux du centre ville, ce qui incite les banlieusards à emprunter l'excellent système municipal de transports en commun (31).

Faisant mentir les idées reçues, une recherche réalisée dans dix grandes villes allemandes a montré que les aires de stationnement n'attirent pas toujours un plus grand nombre de chalands dans les zones commerciales. De fait, un nombre excessif de places de stationnement peut même être défavorable aux affaires en créant une atmosphère hostile pour les piétons. Les places de stationnement pour bicyclettes reviennent beaucoup moins cher et permettent une circulation plus silencieuse, plus sûre et non polluante (32).

Le Conseil municipal de Copenhague a limité la circulation automobile en centre-ville en interdisant tout stationnement dans les rues de cette zone centrale. Il a remplacé les aires de stationnement des places publiques par des aménagements paysagers, et augmenté le nombre de places de stationnement pour bicyclettes dans les gares où arrivent les trains de banlieue. La politique des autorités de Harare, au Zimbawe, exige des commerçants qu'ils offrent en ville des places de stationnement pour bicyclettes. Bien que celles-ci soient assez faciles à créer, il faut les concevoir avec soin pour garantir leur sécurité. Naturellement des vols nombreux dissuadent les cyclistes potentiels. La mesure la plus efficace est peut-être le parc de stationnement gardé, fréquent dans de nombreux pays d'Asie, notamment en Chine et au Vietnam, et dans les gares de certains pays industriels, comme le Danemark, le Japon, les Pays-Bas et l'Allemagne (33).

Les centres des villes profitent largement de la création de zones piétonnes où l'automobile est inerdite. Presque toutes les grandes villes européennes réservent une partie de leur centre aux piétons. L'impressionnante zone piétonne de Münich, qui couvre 85 000 m², doit une bonne partie de son succès à un accès facile grâce aux transports en commun. Les villes du Tiers Monde où existent de fortes concentrations de piétons et de marchands ambulants pourraient renforcer la sécurité et améliorer les conditions de circulation grâce à de tels dispositifs. Après l'instauration de rues piétonnes à Lima, au Pérou, qui ont attiré les marchands ambulants et les chalands, la circulation dans le centre s'est améliorée de façon spectaculaire (34).

Si la bicyclette et la marche sont souvent employées pour des trajets courts, elles peuvent aussi servir à des trajets plus longs, à condition de former avec les autobus et les trains un ensemble bien intégré. Cela exige un accès sûr aux arrêts et aux gares pour les cyclistes et les piétons. On peut aussi rendre les entrées des gares plus accessibles aux voyageurs qui n'arrivent pas en voiture en établissant une hiérarchie entre les places de stationnement pour les bicyclettes, les voies d'autobus et les aires de stationnement des voitures. Par exemple, les chemins de fer hollandais ont mis au point un programme qui cherche à accorder la priorité aux piétons pour l'entrée dans les gares, devant, dans l'ordre, les cyclistes, les passagers des autobus, les passagers des taxis, les personnes déposées par une voiture et, enfin, les individus qui parquent leur automobile à la gare (35).

Les efforts faits pour promouvoir le système « bicyclette – transports en commun » et inciter les banlieusards à prendre leur bicyclette jusqu'à la gare, au lieu d'utiliser leur voiture, ont conduit à des réalisations de plus en plus populaires au Japon et en Europe occidentale. Il y a des années que les Japonais préfèrent la bicyclette aux lents autobus qui desservent les gares de banlieue. Le recensement japonais de 1980 a montré que 7,2 millions de

banlieusards, soit environ 15 % du total, se rendaient à leur travail
ou à la gare de banlieue à bicyclette. En Europe, dans les banlieues
et les petites villes, la proportion de voyageurs qui se rendent à la
gare à bicyclette varie entre 10 et 55 pour cent. Les gares disposent
souvent de places pour des centaines de bicyclettes et de nombreux
systèmes de transport en commun permettent aux cyclistes de
mettre leur bicyclette dans l'autobus ou le train (36).

Pour un grand nombre des habitants des pays en développement, les trajets non motorisés sont primordiaux parce que la
possession d'une automobile n'est pas envisageable. Dans une
bonne partie du monde en développement, les motocyclettes et les
cyclomoteurs sont de plus en plus populaires. Mais ils sont très
polluants et souvent trop chers pour ceux qui n'ont qu'un faible
revenu, sans compter qu'ils consomment des combustibles fossiles
rares et dispendieux. Même les autobus sont hors de portée pour
un grand nombre. On estime qu'un quart des familles des villes du
Tiers Monde n'ont pas les moyens de prendre les transports en
commun (37).

Les autorités écrasées par les coûts du développement des
transports en commun peuvent fortement améliorer les possibilités de déplacement de la population moyennant un investissement moins lourd : en subventionnant les achats de bicyclettes.
Dans des pays comme la Tanzanie, où une bicyclette peut coûter
sept à huit fois le salaire mensuel moyen, aller à bicyclette peut
être un luxe. Certaines municipalités chinoises se sont donné plus
de temps pour mettre en place des lignes d'autobus en versant aux
banlieusards une allocation mensuelle pour les inciter à se rendre
à leur travail à bicyclette. Des systèmes de crédit qui aident les
individus à acheter des bicyclettes, des cyclo-pousse et autres
véhicules non motorisés existent en Inde, au Ghana et dans
d'autres pays. A Harare, les employés municipaux reçoivent des
prêts à bas taux d'intérêt pour acheter des bicyclettes (38).

Les villes peuvent ainsi alléger une bonne partie de leurs
problèmes de transport en favorisant la marche et la bicyclette.
Elles peuvent prendre des mesures pour éliminer les trajets en
voiture sur de courtes distances, rendre les transports en commun
plus commodes, et garantir une mobilité et une accessibilité de
grande qualité à la population moyennant une fraction seulement
du coût des transports motorisés. Simultanément, la qualité de la
vie s'améliore dans les villes orientées vers les gens et non vers les
seuls véhicules motorisés.

Urbanisme et transports

Des autobus, des trains et des rues sûres sont loin d'être les seuls facteurs qui permettent aux villes de développer les transports en commun et de faciliter l'utilisation de la bicyclette et de la marche à pied. Le tracé d'une ville contribue à déterminer si ces modes de transport conviennent ou même s'ils peuvent exister. De nombreuses zones urbaines sont conçues autour de l'automobile, et les planificateurs recourent à la construction de rues ou de routes pour lutter contre l'inévitable encombrement de la circulation. Les résultats c'est que l'on tourne en rond, les nouvelles voies étant saturées dès leur achèvement. Les villes commencent alors à ressembler à Los Angeles, où les deux tiers de l'espace urbain sont recouverts de ciment ou de bitume pour servir l'automobile (39).

Si elles veulent réduire la nécessité d'utiliser l'automobile, les villes peuvent échapper au piège qui consiste à construire encore plus de voies de circulation, et cesser de tourner en rond, en modifiant les schémas d'utilisation des sols. A long terme, une diminution de la dépendance envers l'automobile appelle une redéfinition fondamentale de la forme même des villes.

Bien que toutes les grandes zones urbaines soient, dans une certaine mesure, en butte à l'encombrement de la circulation, celles dont l'étendue est la moins grande sont celles qui ont le plus de possibilités de favoriser d'autres modes de transport que l'automobile. Dans le cadre d'une étude portant sur 32 villes du monde, les chercheurs australiens Peter Newman et Jeffrey Kenworthy ont découvert que les faibles densités de population urbaine (moins de 40 personnes et emplois par hectare) et la dépendance envers l'automobile vont de pair. Les villes tentaculaires des Etats-Unis et d'Australie sont fortement orientées vers l'automobile. Les villes de densité moyenne, en Europe occidentale et au Canada, font un plus grand usage des transports en commun. Les métropoles très concentrées d'Asie comptent plus de banlieusards qui circulent à pied ou à bicyclette (voir tableau 4.3).

Newman, Kenworthy et d'autres chercheurs sont parvenus à la conclusion que les politiques vigoureuses d'utilisation des sols visant à accroître les densités urbaines sont un facteur crucial lorsqu'il s'agit de promouvoir des solutions viables autres que la dépendance envers l'automobile. De très fortes densités ne sont pas nécessaires. Même une densité de 60 à 100 habitants et emplois par hectare, comme c'est le plus souvent le cas en Europe occidentale, peut grandement améliorer les possibilités de choix entre modes de transport. La différence qu'introduit un contrôle de l'utilisation des sols est frappante quand on compare les modes de développement japonnais ou ouest-européen, où de strictes réglementations favorisent un développement compact, à ceux qui prévalent aux Etats-Unis ou en Australie, où une planification lâche a favorisé une croissance tentaculaire des banlieues. Dans la plupart des villes européennes, une plus grande proportion des citadins vit dans le centre au lieu de vivre à la périphérie. Même les banlieues européennes sont plus concentrées que les banlieues américaines ou australiennes, et elles sont presque toujours dotées de transports en commun (40).

Tableau 4.3. Densités urbaines et options retenues pour les trajets domicile-travail dans diverses villes choisies en 1980.

Ville	Intensité d'utilisation des sols	Voiture particulière	Transport en commun	Marche et bicyclette
	En habitants et emplois par hectare	Travailleurs utilisateurs, en pourcentage		
Phoenix	13	93	3	3
Perth	15	84	12	4
Washington	21	81	14	5
Sydney	25	65	30	5
Toronto	59	63	31	6
Hambourg	66	44	41	15
Amsterdam	74	58	14	28
Stockholm	85	34	46	20
Münich	91	38	42	20
Vienne	111	40	45	15
Tokyo	171	16	59	25
Hong Kong	403	3	62	35

Source : Peter Newman et Jeffrey Kenworthy, *Cities and Automobile Dependence : An International Sourcebook* (Aldershot, Royaume-Uni : Gower, 1989).

Alors qu'un grand nombre de villes ont évolué dans le sens de la compacité en raison des contraintes évidentes dues à l'espace, d'autres dotées de terrains abondants ont délibérément contenu leur extension dans un but d'efficacité. Les villes suédoises, où des centres compacts sont entourés de larges étendues de terres rurales, fortement boisées, démontrent le succès de la politique vigoureuse d'utilisation des sols urbains qu'à suivi le pays. L'Union soviétique fait également un usage efficace de l'espace urbain en dépit de sa grande taille (41).

Les Etats européens ont admis depuis longtemps la nécessité de laisser l'avantage social, et non le profit individuel, dicter les modes d'utilisation de l'espace urbain. Le professeur Kenneth Jackson, de l'université Columbia, cite l'exemple d'une grande ville allemande : « Quand les maraichers s'adonnent à leurs cultures à moins de 2 kilomètres des gratte-ciel de Düsseldorf, la ville la plus riche du continent, [ce n'est pas] parce que d'autres utilisations du sol ne procuraient pas un rendement plus élevé, mais c'est parce que les autorités rejettent toute idée de nouvelles opérations d'urbanisme ». Dans une bonne partie de l'Europe, l'aménagement des terrains privés est orienté par le zonage, des incitations fiscales, par le fait que les projets de faible densité sont interdits, et par d'autres mesures. Les planifications urbaines s'efforcent de placer les nouveaux aménagements à une distance telle qu'on puisse gagner les arrêts des transports en commun à pied ou à bicyclette (42).

Si l'expression « forte densité » évoque des images de tours résidentielles et d'un manque d'espace libre, des aménagements denses peuvent se révéler agréables et vivables s'ils sont bien planifiés. Loin d'interdire des espaces verts et des immeubles de taille humaine, une formule urbaine plus compacte peut en réalité les favoriser. Selon une étude réalisée pour le compte de l'Agence de protection de l'environnement des Etats-Unis, un aménagement compact peut combiner des immeubles résidentiels de deux à six étages et des rangées de maisons mitoyennes de deux à trois étages avec des groupes de maisons individuelles, tout en laissant 30 % d'espaces libres et de parcs dans la zone. Dans une collectivité représentative très étendue et de faible densité comme on en voit un peu partout, seuls 9 % du sol, d'après l'étude, sont réservés à des espaces libres (43).

Les contrôles d'utilisation des sols devraient faire mieux que de se borner à accroître la densité. Idéalement, ils devraient combiner différents usages du sol. On peut recourir au zonage pour mixer logements et commerces au lieu de les séparer et d'engendrer ainsi de longs trajets. Le chercheur Robert Cervero, de l'université de Californie, souligne que, dans une bonne partie du monde industriel, il n'y a plus de motif puissant de séparer les logements et les emplois, puisque les lieux de travail d'aujourd'hui ne sont plus les usines traditionnelles dont les cheminées crachaient de la fumée et les abattoirs de l'ère industrielle. Leur séparation avait à l'origine pour but d'éviter des nuisances dues à la proximité. Mais actuellement, d'après Cervero, « les nuisances » auxquelles sont confrontées la plupart des banlieues paraissent davantage... découler de l'encombrement de la circulation » (44).

Stockholm offre un bon exemple d'un schéma, vieux de plusieurs décenies, qui combine différentes utilisations des sols et qui opère une intégration entre le développement et les transports. La capitale est entourée de villes satellites de 25 à 50 000 habitants chacune, étroitement reliées par un réseau ferré et des voies express. Magasins, logements et bureaux sont groupés autour de voies qui permettent aux gens de se rendre à leur travail dans la périphérie et au centre. Le plan a également permis aux autorités municipales de limiter la circulation et le stationnement automobiles en ville, et de rendre le centre plus propice à la marche et à la bicyclette. Paris a suivi une politique de développement similaire (45).

Des modifications dans le zonage pourraient contribuer à corriger un fréquent problème de déséquilibre entre emplois et logements, qui est l'un des principaux facteurs de la dépendance envers l'automobile. Comme les promoteurs préfèrent souvent des projets plus rentables de commerces de détail et de bureaux aux logements, et comme les villes et les banlieues souhaitent accroître leur assiette fiscale en attirant les investissements des entreprises, les logements sont renvoyés ailleurs, ce qui engendre de longs trajets, ou sont carrément ignorés. Sans contrôles du développement, il n'y a guère de chance de voir des logements abordables s'insérer entre les centres d'affaires, parce qu'ils sont moins rentables pour les promoteurs (46).

Ces contrôles comprennent des mesures énergiques en faveur des logements en centre ville. Elles consistent, par exemple, à lier l'extension des surfaces de bureau à la réservation d'un espace minimum aux logements. Une autre possibilité est de prélever des droits sur les promoteurs dont les projets aggravent le déséquilibre, et d'utiliser ces recettes pour créer des emplois et des logements dans des zones qui en manquent. Le Plan de mobilité régionale de l'Association des collectivités publiques de la Californie du Sud, une entreprise lancée en 1990 pour résoudre les problèmes de transport de la région et qui se déroulera sur vingt ans, prévoit d'utiliser cette stratégie pour améliorer l'équilibre entre emplois et logements (47).

Il n'est pas trop tard, pour des cités bien établies, de modifier leur plan d'occupation des sols et secouer l'emprise de l'automobile, comme l'ont montré certaines villes canadiennes. Toronto, par exemple, qui a combiné l'extension des transports publics, le zonage et des incitations qui poussent les promoteurs à renforcer la densité et à raccourcir les distances à parcourir. La moitié de tous les appartements construits depuis 1954 se trouvent à une distance des transports ferrés rapides qui peut être parcourue à pied, et 90 % de tous les nouveaux bureaux sont proches des gares dans le centre ville et dans trois autres endroits. La densité globale de Toronto est aujourd'hui comparable à celle de nombreuses grandes villes d'Europe occidentale et, malgré l'augmentation des voitures particulières, la fréquentation des transports en commun s'est accrue de 80 % en un peu plus de vingt ans. Toronto a grandi si vite (la population a doublé pendant la période de construction du métro) que, dans les années quatre-vingt, les résidents ont décidé de s'opposer à une nouvelle extension de la ville. Les plans récents d'occupation des sols de la ville restreignent le développement au centre et prévoient de nouvelles lignes de chemin de fer pour déplacer le développement vers l'extérieur, dans des centres secondaires (48).

Le réseau ferré rapide paraît avoir modelé l'agglomération de Toronto : vues d'avion, les gares s'identifient nettement par la densité des constructions et des aménagements de toutes sortes qui se pressent autour d'elles. Plus précisément, les succès du système de transport et des aménagements de sites sur les terres avoisinantes se sont mutuellement renforcés. Le train peut être un facteur important dans le développement urbain, mais en l'absence de mesures spéciales portant sur l'utilisation des sols, une nouvelle ligne de chemin de fer n'induira pas, par elle-même, une forte densité. A Paris, Stockholm, Hambourg et de nombreuses autres villes, les réseaux ferrés et le contrôle délibéré de l'utilisation des sols ont permis un aménagement des centres urbains compact et efficace (49).

Même aux Etats-Unis et en Australie, certaines villes commencent à remettre en cause l'utilisation peu efficace de leur sol. Portland, dans l'Oregon, a prélevé certains des fonds fédéraux qu'elle avait reçu pour construire des routes en vue d'édifier à la place une ligne de trolleys, tout en établissant des plans pour intensifier la mise en valeur du corridor le long de la ligne. La cité a l'intention d'utiliser les recettes de projets de développement conjoints (comme l'abandon en location-bail à des promoteurs privés des droits de construire au-dessus des gares) pour rendre la ligne de trolleys autosuffisante. Portland pousse à la construction d'immeubles collectifs dans les zones à faible densité, mais encourage aussi beaucoup les gens à se loger dans le centre ville. Les autorités limitent par ailleurs le stationnement en ville et donnent une priorité de circulation aux trolleys et à certaines lignes d'autobus (50).

Les temps sont peut-être mûrs pour un aménagement urbain plus attentif dans d'autres parties des Etats-Unis. Dans le cadre d'un sondage d'opinion réalisé auprès des habitants du New

Jersey, 25 % des personnes interrogées déclaraient que le contrôle de l'aménagement du territoire devrait être « très strict » et 50 % « extrèmement strict ». Cependant, certaines initiatives populaires qui ne veulent plus de la croissance et qui s'efforcent de l'arrêter complètement sapent en réalité les objectifs qui consistent à mêler les utilisations des sols et à concentrer des densités plus élevées à proximité des transports en commun. Cela ne fait que détourner l'apparition inévitable de nouvelles opérations d'urbanisme vers les zones où les contrôles sont plus lâches, et accroître encore l'étalement désordonné de la ville. La question n'est pas de rejeter ou d'accepter la croissance, mais de savoir comment l'utiliser au mieux pour diminuer la dépendance envers l'automobile et rendre les agglomérations plus agréables à vivre (51).

La politique du logement et la politique fiscale peuvent soit soutenir soit saper le contrôle de l'utilisation des sols et l'amélioration des transports. Par exemple, l'apparition des banlieues a été largement alimentée aux Etats-Unis par les subventions accordées aux maisons individuelles par le biais des impôts fonciers et de la possibilité de déduire les intérêts hypothécaires des impôts fédéraux. Les Canadiens et les Européens de l'Ouest, qui ne bénéficient généralement pas de ces avantages, tendent à vivre dans des immeubles collectifs, ce qui crée une plus grande densité de la population. Les codes des impôts qui favorisent la construction neuve par rapport à l'amélioration des bâtiments existants poussent aussi à une augmentation de l'étalement des villes (52).

Le contrôle de l'utilisation des sols a eu assez peu de succès dans les pays en développement, par suite d'un certain nombre d'obstacles. Entre autres : rapidité de la croissance, laxisme dans l'application de ce contrôle et incapacité à respecter les réglementations. Surtout dans les villes d'Asie, les systèmes de transport en commun croulent déjà sous les densités élevées de population. Cependant, comme rares sont ceux qui possèdent une automobile, il importe que les distances urbaines puissent être parcourues à pied ou à bicyclette. Hong Kong, Séoul et Singapour ont contribué à améliorer la gestion de la demande de transport en attirant les nouvelles opérations d'urbanisme dans des centres secondaires volontairement établis à l'extérieur du centre-ville. Le plan de Singapour a mis en œuvre un vaste programme de logements sociaux pour situer les logements à proximité des emplois, et pour décongestionner partiellement la ville, sans avoir à étendre le système de transports (53).

Au Pakistan, à Karachi, le programme de développement urbain « Métroville » repose sur un principe voisin. Le plan permet aux gens de construire leur propre maison à une distance de leur emploi qui puisse être parcourue à pied, et élimine certains trajets en favorisant les ateliers à domicile pour la production de tissus, de meubles et d'autres articles. En Afrique et en Amérique latine, des systèmes proches, qui planifient le développement urbain de façon à rapprocher emplois, services et logements abordables, offrent de vastes possibilités de résoudre des problèmes de transport dont souffrent des villes entières et de procurer à la population un accès à des équipements collectifs d'importance vitale (54).

Un changement complet de politique

L'automobile est devenue la peste des grandes villes du monde et leur pose des problèmes que de nouveaux bricolages dans la technologie automobile ne résoudront jamais. Pour remédier totalement à l'encombrement, à la pollution, à la dépendance par rapport au pétrole et au caractère de plus en plus invivable des villes, les autorités devront mettre fin au règne de l'automobile. Le moyen le plus sûr d'atténuer la dépendance excessive envers l'automobile consiste en une révision radicale de l'ordre des priorités en matière de transport.

La première mesure est d'expliciter les coûts cachés de la conduite automobile, comme la pollution atmosphérique, les services municipaux, la construction et l'entretien de la voirie. Les éléments de ces dépenses les moins bien perçus sont peut-être les services de police, de lutte contre l'incendie et les services d'ambulances. Selon une analyse des rémunérations et du temps du personnel du Département de la Police de Pasadena, en Californie, 40 % des coûts de ce département sont liés à l'automobile, principalement aux accidents, aux vols et au contrôle de la circulation. L'extension de ce résultat à l'ensemble des Etats-Unis, suggère que la conduite automobile coûte au moins 60 milliards de dollars par an aux seules autorités locales. Ce n'est que lorsque ces coûts cachés seront mis en pleine lumière que les autorités se rendront compte que, comparés à la voiture, les autres modes de transport sont économiques (55).

Les places de stationnement procurées par les employeurs représentent une subvention encore plus directe à la conduite automobile. Aux Etats-Unis, où moins de 10 % des employés payent le stationnement, les employeurs peuvent déduire de leurs impôts les dépenses de fourniture d'emplacements de stationnement. Mais les déductions liées au remboursement des billets des transports en commun sont strictement limitées. Les employés reçoivent une place de stationnement comme un avantage annexe exempt d'impôt qui, pour l'ensemble du pays, représente, selon les estimations, entre 12 et 50 milliards de dollars chaque année (56).

Les avantages fiscaux dont bénéficient les véhicules d'entreprise sont encore une autre subvention fréquente. Par exemple, au Royaume Uni, la faible taxation des véhicules d'entreprise retire, chaque année, au Trésor public, quelque 5 milliards de dollars tout en favorisant une augmentation de la circulation automobile et l'achat de voitures plus grosses et moins économes en énergie. En moyenne, les véhicules d'entreprise parcourent presque deux fois plus de kilomètres par semaine que les voitures particulières, alors que la voiture a été la plupart du temps utilisée à des fins privées. En réaction à la colère croissante du public contre cette subvention, les impôts sur les véhicules d'entreprise britanniques ont été augmentés chaque année depuis 1988, ce qui a provoqué des protestations véhémentes de la part des constructeurs. Cependant, la subvention reste appréciable, et doit encore être diminuée (57).

Tant que les incitations pleuvront sur les possesseurs d'automobiles, ils resteront dans leur voiture et laisseront vides les trains, les autobus et les voies cyclables. Ce qui crée un cercle vicieux, puisqu'il est peu probable que les planificateurs investissent dans des modes de transport améliorés alors que les systèmes existants sont sous-utilisés. Au vu du grave déséquilibre dans les systèmes de transport de nombreuses villes, il apparaît raisonnable de prélever des droits et impôts sur l'automobile, et de dépenser une partie de ces recettes pour développer des installations pour piétons et cyclistes ainsi que les transports en commun.

Par exemple, la suppression des subventions au stationnement décourage les déplacements automobiles individuels. En avril 1975, quand le Canada commença à faire payer aux employés fédéraux 75 % du tarif de stationnement commercial, le nombre de ceux qui se rendaient seuls en automobile à leur travail chuta de 21 % et le nombre de ceux qui empruntaient les transports en commun augmenta de 16 %. Une étude réalisée sur les employés du Centre civique de Los Angeles qui vivent en banlieue a montré que, si l'on compare les employés qui paient leur stationnement et ceux qui ne le paient pas, on s'aperçoit que les premiers sont, à 44 %, moins susceptibles que les seconds de faire le trajet seul en voiture, et à 175 % plus susceptibles d'utiliser les transports en commun (58).

Une taxe raisonnablement élevée sur l'essence, comme la taxe de 26 à 52 cents par litre qui est désormais généralement prélevée en Europe, découragerait la conduite automobile, pousserait les gens à prendre les transports en commun dès lors qu'ils seraient disponibles, et augmenterait les recettes pour développer les services de transport. Elle exercerait aussi un effet stabilisateur sur des prix pétroliers qui varient fortement. Surtout aux Etats-Unis et au Canada, où le prix de l'essence est comparativement faible, il conviendrait d'augmenter régulièrement ces taxes dans les dix ans à venir (59).

Il serait également avisé de prélever une taxe appréciable sur les voitures neuves et d'augmenter les frais annuels d'enregistrement. Ces redevances incitent les individus à considérer la totalité des coûts de la conduite automobile au moment de l'achat et découragent les familles d'acquérir une deuxième ou une troisième voiture. Une démarche possible est la nouvelle politique allemande, qui consiste à lier ces redevances aux émissions de gaz polluants des voitures. Une autre consiste à fonder la taxe sur les économies d'énergie engendrées par la voiture (60).

Les Philippins ont obtenu des résultats remarquables depuis 1975 avec un programme de transports qui a augmenté les prix de l'essence de près de 100 %, instauré des droits sur les ventes de voiture et des droits d'enregistrement assis sur la puissance du moteur, et construit une ligne de trolleys à Manille. Entre 1976 et 1985, la consommation totale d'essence du pays a chuté de 43 %, malgré l'expansion de la population et la hausse du revenu par habitant. Dans le voisinage du réseau ferré, la durée totale des trajets routiers a diminué d'environ un tiers (61).

La création d'un système de transports viable dépend largement du fait de rendre attractives les différentes options. Des enquêtes montrent que même les Américains n'utilisent pas leur voiture par amour aveugle de l'automobile, mais tiennent compte du temps et de l'argent qu'exige un trajet. Comme les gens choisissent leur mode de transport en fonction du coût, de la commodité, du temps et de la fiabilité des options qui s'offrent à eux, le fait de rendre commodes les différentes options aide les villes à atteindre un meilleur équilibre des transports (62).

Les services de transport doivent être fiables aussi bien pour les trajets effectués pendant les heures creuses que pour les trajets domicile-travail. Les automobilistes n'utiliseront régulièrement les transports en commun que si la qualité du service est élevée et que si les systèmes sont commodes. Lorsqu'on cherche à attirer ces passagers, on aboutit généralement à la création d'un système plus efficace que si on se borne à desservir les citoyens dépourvus d'automobile. Paris, Hambourg, Copenhague, Tokyo, Toronto et d'autres villes ont montré que cette stratégie peut fortement accroître la fréquentation des transports en commun (63).

Les municipalités peuvent partager les coûts de développement des services de transport en passant des accords avec les promoteurs privés qui profitent d'un meilleur accès aux projets mis en chantier. On peut programmer des projets de développement conjoints autour des nouvelles stations de métro et réduire ainsi les coûts. L'autorité des transports en commun de la zone urbaine de Washington a estimé que les avantages à long terme procurés par des projets de développement conjoints à deux stations de métro seulement dépasseront les coûts publics de plus de 200 millions de dollars (64).

Une combinaison de participation publique et privée aux services d'autobus et de trains peut accroître l'efficacité et diminuer la pression financière à laquelle sont soumises les municipalités, tant que le secteur public reste le principal offreur et qu'il conserve un rôle important de réglementation. Partout en Asie, en Amérique latine, et en Afrique, des minibus et des mini-fourgonnettes privés contribuent à combler les lacunes de transports en commun, là où les services publics ne parviennent pas à eux seuls à satisfaire la demande. Mais ces dispositifs exigent une réglementation soigneuse afin de garantir que les itinéraires rentables et non rentables sont tous couverts, que les tarifs sont raisonnables et que les normes de sécurité sont respectées.

Avec des systèmes de transport en commun très étendus, l'Europe de l'Est et l'Union soviétique sont dans une situation incomparable pour éviter les excès de la dépendance envers l'automobile, même s'il faut bien se dire que, dans un proche avenir, les occasions ne manqueront pas de répéter les erreurs des pays industriels. Ces Etats ont de multiples raisons de concentrer les investissements futurs en matière de transports sur l'amélioration de la qualité souvent insuffisante de ces services, et de structurer les coûts de l'automobile de façon à ce qu'ils traduisent précisément les effets de cette dernière sur l'environnement et la société.

Dans les pays en développement, la dégradation des systèmes de transport en commun et la négligence dont font l'objet les transports non motorisés résultent largement de l'orientation des prêts accordés par les banques internationales de développement, qui favorisent la construction de routes. Bien que la logique qui a poussé à encourager les transports motorisés ait été due à la nécessité de transporter des marchandises afin de stimuler le développement économique, cette stratégie a créé des systèmes déséquilibrés. Ainsi, ceux qui n'ont pas suffisamment d'argent pour s'offrir une voiture se retrouvent avec des moyens de transport gravement insuffisants.

L'ampleur des besoins de transport insatisfaits et la dette financière écrasante des pays en développement montre clairement qu'un avenir dominé par l'automobile n'est pas viable pour le Tiers Monde. Cela plaide fortement en faveur d'un effort international visant à aider les pays en développement à financer des projets de transport en commun, notamment une expansion des réseaux ferrés là où c'est utile, grâce à une augmentation des taxes sur l'essence, sur la construction automobile ou sur des projets connexes. Cette mesure ne compenserait que partiellement la part disproportionnée des pays industriels dans la consommation pétrolière mondiale, ainsi que leur responsabilité dans le réchauffement de la planète et les autres problèmes de l'environnement (65).

Dans les villes qui construisent des systèmes de transport en commun à partir de rien, des voies réservées aux autobus augmenteraient la rapidité du service, contribueraient à attirer plus de passagers là où la demande est faible, et amélioreraient fortement l'efficacité là où la demande est élevée. Une autre mesure intermédiaire consiste à favoriser l'utilisation à plusieurs d'une même voiture ou d'une même fourgonnette, en réservant certaines voies aux véhicules transportant au moins trois passagers.

Une autre façon de pousser les individus à partager le même véhicule est de faire payer les automobilistes qui empruntent des voies encombrées. Depuis 1975, Singapour a mis en place avec succès un système de licences par zone, tel que des droits sont perçus sur les véhicules qui pénètrent dans le centre-ville, à l'exception des autobus, des véhicules commerciaux et des voitures transportant quatre personnes ou plus. Ce système fait partie d'un ensemble de mesures relatives à la circulation, dont le développement des services d'autobus, le prélèvement des droits de stationnement élevés, et de fortes taxes sur les automobiles, qui ont diminué l'encombrement et les accidents de la route, et contribué à éviter la construction de nouvelles voies (66).

Avec des incitations correctes, les employeurs peuvent devenir les meilleurs promoteurs des transports en commun. Les collectivités locales peuvent exiger des grandes entreprises qu'elles fournissent des informations sur les lignes d'autobus et de train et offrent des primes aux employés afin de favoriser le covoiturage, l'utilisation des transports publics, la bicyclette et la marche. En Californie du Sud, par exemple, le Plan de gestion de la qualité de l'air de la Côte Sud exige des entreprises qui emploient plus de 100 personnes qu'elles soumettent des plans de nature à réduire le nombre de voitures qui ne transportent qu'un seul passager. Des amendes élevées pénalisent celles qui ne le font pas (67).

Une planification efficace de l'utilisation des sols est une autre clé pour instaurer un nouveau système de transport viable. De nombreuses études suggèrent qu'il existe un seuil de densité urbaine – 30 à 40 personnes par hectare – en-deçà duquel la dépendance envers l'automobile grimpe en flèche. C'est la densité qu'on trouve, à peu de chose près, à Copenhague, Toronto et Hambourg. Si l'on compare Copenhague (30 habitants par hectare) à Denver (12 habitants par hectare), il apparaît qu'une diminution de densité de 60 % correspond à une augmentation de 285 % dans la consommation d'essence par personne. Cela illustre la différence que des modifications relativement modestes dans l'utilisation des sols peuvent introduire, et donne une idée de la densité minimale que les planificateurs peuvent prendre comme guide dans la pratique (68).

Il importe que les politiques locales d'utilisation des sols s'inscrivent dans des plans régionaux plus larges. Sinon, il se pourrait que les collectivités résolvent leurs propres problèmes de transport, notamment l'encombrement, au détriment des zones voisines. L'expérience américaine de planification locale fragmentée a aussi montré qu'en l'absence d'une coordination plus vaste, les promoteurs privés peuvent jouer d'une autorité contre l'autre et ainsi échapper aux contrôles (69).

Surtout dans le monde en développement, une affectation logique et efficace de la voirie devrait conduire à réserver des espaces exclusifs pour les autobus et à donner la priorité aux piétons et aux cyclistes sur les automobiles. Dans toutes les villes, les autorités municipales peuvent améliorer les options de transport des individus en prenant des arrêtés qui imposent que les immeubles soient dotés d'aires de stationnement sûres pour les bicyclette ou pour les transports en commun.

Peter Newman et Jeffrey Kenworthy ont souligné que la densité des places de stationnement ne trompe guère en ce qui concerne l'attitude d'une ville à l'égard de l'automobile. L'étude qu'ils ont réalisée sur 32 villes a montré, qu'en règle générale, il y avait entre 150 et 200 places de stationnement pour 1 000 emplois dans la zone centrale des affaires. Mais dans les villes les plus dépendantes de l'automobile, on comptait plus de 500 places de stationnement pour 1 000 emplois. Ils ont émis l'idée que, dans la zone centrale des affaires, ces villes devraient limiter les places de stationnement à 200 pour 1 000 emplois (70).

A quoi ressemblerait l'avenir si les villes n'étaient plus dominées par les automobiles ? Le cœur même de la cité serait réservé aux piétons ou aux personnes arrivant par le métro ou le trolley.

En partant du centre et en se dirigeant vers l'extérieur, les rues deviendraient le domaine commun des piétons, des cyclistes, des trolleys et des autobus. On autoriserait une circulation automobile à vitesse réduite au-delà du cœur le plus dense de la cité, mais des services commodes d'autobus et de trains, desservant des arrêts accessibles à pied ou à bicyclette de la plupart des endroits, permettraient de circuler à une vitesse supérieure. Des réseaux de transport en commun express relieraient les zones extérieures les unes aux autres et au centre-ville. Les places de stationnement pour automobiles seraient de moins en moins limitées à mesure qu'on s'écarterait du centre de la cité.

Les gens effectueraient la plupart des trajets de courte distance à pied ou à bicyclette, et les trajets plus longs en se rendant à pied ou à bicyclette jusqu'aux arrêts des transports en commun, avant de poursuivre en autobus, en métro ou en trolley. La plupart des longs trajets entre villes, au lieu de s'effectuer en automobile s'effectueraient en train. Les automobiles serviraient surtout pour des déplacements pour lesquels les autres modes de transport sont peu commodes : lorsque l'on a beaucoup d'objets à transporter, lorsqu'il s'agit de transporter des groupes, lorsqu'il s'agit de trajet à des heures auxquelles les transports en commun circulent avec une faible fréquence, certains voyages récréatifs.

Le défi qui consiste à créer un autre avenir pour les transports est finalement de nature politique. Comme, dans la plupart des sociétés, les élus en ont bien conscience, nombreux sont les individus qui continuent à soutenir les mesures qui ont alimenté une dépendance excessive envers l'automobile, depuis les subventions à la circulation routière jusqu'aux avantages fiscaux et à l'expansion des voies de circulation et des aires de stationnement. Une résistance au changement encore plus forte provient du pouvoir colossal du groupe de pression constitué par les constructeurs automobiles et les constructeurs de routes.

Mais si l'existence des villes continue à être empoissonnée par les énormes problèmes qu'engendre une dépendance excessive envers l'automobile, une transformation politique pourrait intervenir. De fait, toutes les populations du monde commencent déjà à percevoir que les coûts d'une dépendance envers l'automobile dépassent ses avantages. Si les villes veulent voir se réaliser un jour le rêve de moyens de transport propres, efficaces et fiables que promettait jadis l'automobile, elles doivent s'orienter vers d'autres solutions viables.

CHAPITRE 5

Réformer
l'exploitation forestière

par Sandra Postel et John C. Ryan

Depuis le sort du hibou moucheté de la côte nord-pacifique des Etats-Unis jusqu'à la lutte des tribus malaises pour survivre contre la scie et le bulldozer qui massacrent leur habitat, les conflits que suscite l'exploitation du bois posent des questions difficiles en ce qui concerne le progrès économique et la protection de l'environnement. Longtemps considérée comme une ressource inépuisable, la forêt devient rapidement trop clairsemée et trop dégradée pour qu'elle puisse continuer à fournir tous les produits dont a besoin la population, et à rendre tous les services écologiques nécessaires à une planète en bonne santé.

Au cours des dix mille dernières années, le manteau forestier de la terre a rétréci d'un tiers à mesure que les arbres faisaient place aux cultures, aux pâturages et aux cités. Alors même que cette transformation se poursuit, avec la disparition annuelle de quelque 17 millions d'hectares de forêt tropicale, la demande pour la principale ressource forestière – le bois – est plus forte qu'elle ne l'a jamais été et ne cesse de grandir. Dans le même temps, une appréciation plus juste du rôle de la forêt dans le maintien du climat, la stabilisation des sols et des ressources en eau, ainsi que la préservation de la diversité biologique a montré clairement qu'il fallait la protéger (1).

Bien que peu de pays aient procédé à l'inventaire de la valeur biologique de leurs forêts, les meilleures estimations font apparaître qu'il ne reste que 1,5 milliard d'hectares de forêt primaire sur les quelque 6,2 milliards existant avant l'apparition de l'agriculture sédentaire (voir tableau 5.1). La moitié de la superficie

Tableau 5.1   Surface estimée des forêts primaires encore existantes à la fin des années 1980 dans un certain nombre de pays ou de régions, et total mondial

Pays/Région	Couverture forestière originelle	Couverture forestière actuelle	Forêt primaire actuelle	Pourcentage de la forêt primaire actuelle par rapport à la surface originelle
	millions d'hectares			
URSS	n.c.	944	444 [1]	n.c.
Canada	530	453	274 [2]	52
Brésil [3]	286	220	180	63
Zaïre [3]	125	100	70	56
USA	438	296	65 [4]	15
Indonésie [3]	122	86	53	43
Pérou [3]	70	52	42	60
Venezuela [3]	42	35	30	71
Colombie [3]	70	28	18	26
Nouvelle Guinée [3]	43	36	18	42
Australie	244	151	13 [5]	5
Chine	476	117	6 [6]	1
Nouvelle Zélande	22	7	5	24
Europe	n.c.	157	< 1 [7]	0
Autres	n.c.	1 563	295	n.c.
Monde [8]	6 200	4 244	1 514	24

1. Chiffre basé sur des superficies supérieures à 400 000 hectares dépourvues de routes et dont le développement n'a vraisemblablement pas été entrepris ; peut inclure des forêts non primaires et exclure des surfaces plus petites.
2. Surface essentiellement constituée de forêts « improductives » (180 millions d'hectares). Chiffre basé sur les classes d'âge ; il reste 85 millions d'hectares de forêt primaire « productive », avec un rendement supérieur à 50 m³ de bois à l'hectare.
3. Les chiffres indiqués concernent seulement la forêt tropicale humide.
4. Concerne essentiellement les forêts d'Alaska (52 millions d'hectares) ; le chiffre relatif aux 48 états « méridionaux » (13 millions d'hectares) correspond à la moyenne des 2 et 5 % qui restent de la forêt d'origine.
5. Essentiellement constituée par des sols boisés (avec des arbres de petite taille) ; il reste 1,7 million d'hectares de futaie de forêt ancienne.
6. Chiffre basé sur un recensement par classe d'âge et représentant des zones forestières naturelles en « surmaturité ».
7. Hors de l'Union Soviétique, la seule forêt primaire qui reste en Europe se trouve dans le nord de la Suède où elle couvre 450 000 hectares.
8. L'addition des colonnes peut ne pas correspondre au total, en raison du caractère arrondi des chiffres partiels.

Source : Worldwatch Institute, d'après les sources indiquées dans la note 2.

initiale des forêts tropicales a disparu sous l'action des paysans, des bûcherons, des éleveurs et des spéculateurs fonciers, tandis que la moitié restante a déjà été exploitée pour le bois d'œuvre ou dégradée à un point tel que son intégrité écologique s'en trouve fortement compromise (2).

En Europe, pratiquement toute la forêt d'origine a disparu, remplacée par des plantations intensives composées d'une poignée d'espèces différentes. Aux Etats-Unis, à l'exception de l'Alaska, moins de 5 % de la forêt primaire est restée intacte. De vastes superficies encore épargnées persistent aux confins nord du Canada et de l'Union Soviétique, où la plupart des zones boisées sont trop éloignées ou insuffisamment productives pour l'exploitation à grande échelle ou pour l'implantation de populations (3).

Aucune forêt secondaire, aucune plantation ne peut rivaliser pour ce qui est de la richesse biologique et de l'importance écologique, avec la forêt primaire. Avec ses arbres séculaires, énormes et sa très grande densité de bois à l'hectare, l'industrie du bois a bénéficié pendant un temps d'un filon particulièrement riche. C'est ainsi qu'un seul sapin de Douglas de 500 ans, comme on en trouve sur la côte nord-ouest du Pacifique, fournit à lui seul suffisamment de bois pour la construction d'une maison américaine moyenne (4).

Mais cette exploitation rapide de la forêt se paie très cher sur le plan économique et sur le plan écologique. La Banque mondiale prévoit que la surexploitation va faire tomber de 33 à 10 le nombre de pays exportateurs de bois tropicaux dans les dix prochaines années. Sur la côte nord-ouest pacifique et dans les autres régions tributaires de forêts très anciennes en climat tempéré, l'industrie du bois va marquer un important recul lorsque les derniers peuplements forestiers auront été coupés. Néanmoins, le coût global pour la société, en espèces disparues, érosion des sols et autres dommages écologiques, reste largement ignoré (5).

Tendance de l'industrie du bois

Plus de 3,4 milliards de mètres cubes de bois sont extraits chaque année de l'ensemble des forêts et autres zones boisées du monde entier. A peu près la moitié sert de bois de chauffage, le reste de bois d'œuvre ou à la fabrication du contreplaqué, du papier ou de divers autres produits industriels. La raréfaction du bois à brûler atteint un seuil critique dans beaucoup de régions du Tiers Monde et constitue une cause importante de disparition ou de dégradation de la forêt, par exemple en Afrique sub-saharienne et en Inde. Cependant, la récolte du bois de chauffage ne constitue que rarement une cause de destruction des riches forêts primaires (6).

L'exploitation industrielle du bois est par contre une cause majeure de destruction de la forêt primaire, aussi bien dans les pays tempérés que dans les pays tropicaux, et elle fait l'objet du présent chapitre. Sous les tropiques, par exemple, la coupe dégrade annuellement quelque 4,5 millions d'hectares de forêt tropicale humide et favorise le déboisement en rendant les zones concernées plus sujettes aux incendies, de même que plus vulnérables aux agressions des paysans et des éleveurs, principales causes directes de disparition de la forêt (7).

En augmentation de plus de 50 % depuis 1965, la récolte mondiale du bois d'œuvre commercialisé atteint maintenant près de 1,7 milliard de mètres cubes par an, ce qui représente un chiffre d'affaires de 85 milliards de dollars au niveau international. Les trois géants du bois d'œuvre, Etats-Unis, Union Soviétique et Canada, fournissent plus de la moitié du bois industriel utilisé dans le monde (voir tableau 5.2).

Comme c'est le cas pour beaucoup de produits, la demande de bois est fonction de la croissance démographique, des conditions économiques et de la mesure dans laquelle on peut lui trouver des substituts. Bien que la consommation totale de bois industriel ait augmentée, le taux d'accroissement mondial de cette consommation s'est ralenti depuis le boom des années de l'après-guerre. C'est ainsi que par rapport à un taux annuel de 3,5 % dans les années 50, la croissance s'est stabilisée entre 1 et 2 % au cours des années 70 et 80. Deux études prévisionnelles relativement récentes situent la demande entre 2 et 2,6 milliards de mètres cubes en 2030, soit entre 18 et 53 % de plus qu'aujourd'hui (8).

Bien que l'on ne prévoie pas d'augmentation explosive de la consommation à l'échelle mondiale, les tendances enregistrées dans certains pays clefs sont pour le moins inquiétantes. En Chine, par exemple, la demande est montée en flèche à la suite des réformes économiques de la fin des années 70. C'est ainsi que la récolte annuelle de bois dans ce pays a fait un bond pour passer de 196 millions de mètres cubes en 1976 à 344 millions de mètres cubes en 1988. Dans ce dernier chiffre, la part des usages industriels entre pour environ 60 %. Les services officiels en concluent que la consommation chinoise dépasse maintenant de 100 millions de mètres cubes la capacité de renouvellement. La superficie des forêts productrices de bois d'œuvre s'est réduite de quelque trois millions d'hectares depuis 1980. Au rythme actuel des coupes, tout ce qui reste de forêts arrivées à maturité aura disparu d'ici dix ans.

Les responsables chinois parlent ouvertement aujourd'hui d'une crise dans le ravitaillement en bois d'œuvre, crise que les importations, qui ont totalisé 25 millions de mètres cubes en 1989 et que l'on estime à 15 millions pour 1990, ne résoudront que partiellement (9).

Tableau 5.2   Production mondiale de bois rond industriel, 15 premières nations et monde entier, 1988 [1]

Pays	Volume (en millions de m^3)	Part du Total (en pourcentage)
USA	417	25
URSS	305	18
Canada	173	10
Chine	98	6
Brésil	67	4
Suède	48	3
Finlande	46	3
Indonésie	40	2
Malaisie	36	2
France	32	2
RFA	31	2
Japon	28	2
Inde	24	2
Pologne	20	1
Australie	18	1
Autres	281	17
Monde	1 664	100

1. Toutes productions de bois sauf le bois de chauffage et le charbon de bois.

Sources : FAO, Forest Products Yearbook 1988 (Rome, 1990).

La situation de l'Inde est tout aussi désastreuse. Les forêts de ce pays perdent 1,5 millions d'hectares chaque année. En raison de leur faible productivité, les surfaces boisées indiennes ne peuvent pas fournir plus de 39 millions de mètres cubes par an. Cela représente seulement 0,046 m^3 par personne pour le bois de chauffage et le bois industriel. Comparé à la seule consomation de bois industriel par habitant aux Etats-Unis, soit 1,86 m^3, c'est 40 fois moins. Les prévisions gouvernementales montrent que la demande de l'Inde devrait atteindre 289 millions de mètres cubes vers l'an 2000, plus de sept fois le volume disponible annuel, ce qui assure un déficit permanent pour l'avenir (10).

Du côté plus optimiste de ce panorama de l'offre et de la demande, on enregistre l'arrivée sur le marché du produit des plantations d'un certain nombre de pays comme l'Afrique du Sud, l'Argentine, l'Australie, le Brésil, le Chili, l'Espagne, la Nouvelle-Zélande, le Portugal et le Venezuela, une arrivée qui contribuera à satisfaire l'accroissement de la demande. Ces exploitations peuvent produire entre 20 et 35 m^3 par hectare et par an, jusqu'à dix fois le rendement annuel des forêts naturelles, ce qui permet de relâcher quelque peu la pression qui pèse sur celles-ci. En raison de leur pousse beaucoup plus rapide, les plantations peuvent faire l'objet de coupes beaucoup plus fréquentes. Toutefois, leur caractère de monoculture accroît leur vulnérabilité aux parasites et aux maladies, comme on va le voir au chapitre suivant. De plus, elles ont une valeur écologique beaucoup plus faible que les forêts naturelles (11).

En Amérique Latine, les plantations industrielles représentent moins de 1 % de la surface forestière, mais elles produisent le tiers du bois d'œuvre fourni par la région. Le Chili dispose maintenant de 1,3 million d'hectares de plantations, dont environ 85 % en pin de Monterrey. Malheureusement, dans le but de faire des plantations la clef de voûte de l'industrie forestière, beaucoup de forêts naturelles ont été remplacées par des monocultures de pin. Les exportations chiliennes ont plus que doublé en valeur depuis 1983, et l'on s'attend à un fort accroissement de la production pour le début du XXIe siècle, grâce aux quelque 77 000 hectares plantés annuellement entre 1978 et 1986 (12).

Le Brésil a également beaucoup accru sa surface boisée au cours des dernières années, mais ses exportations semblent devoir souffrir des effets conjugués du manque de capitaux et de l'augmentation de la consommation intérieure. Un climat très favorable à la croissance rapide des eucalyptus, des terres relativement bon marché, ainsi qu'une technique nouvelle qui permet à l'eucalyptus (un bois dur) de se substituer aux bois tendres pour la fabrication de nombreux produits à base de pâte à papier sont autant de facteurs qui donnent au Brésil un net avantage dans la compétition internationale. En effet, ce pays peut produire de la pulpe de bois dur pour le quart du prix de la pulpe de bois tendre fabriquée en Suède et pour la moitié de ce qu'elle coûte dans le sud-est des Etats-Unis (13).

Avec le cinquième de la surface forestière mondiale et près du quart de la superficie destinée à l'exploitation, l'Union Soviétique pourrait détenir un important potentiel de bois encore inexploité. Au cours des dernières années, les forestiers soviétiques ont replanté environ un million d'hectares par an et aidé la régénération naturelle sur une surface légèrement supérieure, afin d'assurer un accroissement de la surface boisée comme de la production. Beaucoup de forêts du nord de la Russie d'Europe, de la Sibérie et de l'Extrême-Orient soviétique pâtissent cependant du climat défavorable et du manque d'irrigation, d'où une faible productivité. Dans l'ensemble, il est peu probable que la production soviétique de bois d'œuvre s'accroisse dans de fortes proportions, bien que la quantité de produits tirés de ce bois soit susceptible d'augmenter par suite d'une meilleure utilisation de la récolte (14).

Avec quelques problèmes régionaux, mais sans indice perceptible d'une crise mondiale de l'offre et de la demande pour l'industrie du bois, la véritable tragédie que vit la foresterie n'en est que plus saisissante. En effet, une grande partie de la production de bois d'œuvre conduit au gaspillage, à la fois au plan économique et au plan de l'environnement. Elle conduit aussi à une dégradation et à une fragmentation inutile d'écosystèmes forestiers irremplaçables.

Sous les tropiques, la surexploitation a fait que les divers pays sont devenus à tour de rôle le fournisseur de bois le plus important. En effet, au fur et à mesure que le pays qui tenait ce rôle voyait sa forêt vidée de ses arbres et ses exportations de bois brut s'effondrer, un autre prenait sa place. C'est ainsi que les exportations du sud-est asiatique vers le Japon (de loin le plus gros importateur mondial de bois tropicaux) ont été d'abord dominées par les Philippines, dans les années 60. Puis ce fut le tour de l'Indonésie dans la plus grande partie des années 70, relayée par la Malaisie au cours de la décennie suivante (15).

Ce sont aujourd'hui les états de Sabah et de Sarawak, en Malaisie orientale, qui fournissent la plus grande partie des bois tropicaux utilisés dans le monde. Mais avec un taux d'abattage qui dépasse de plus de deux fois ce que permettrait une production soutenue à long terme, leurs forêts disparaissent rapidement. En 1989, les exportations de grumes malaises ont atteint le chiffre record de 3,1 milliards de dollars, mais le pays pourrait fort bien se retrouver en position d'importateur net de bois dans moins de dix ans (16).

Un processus semblable s'est produit en Afrique occidentale, qui exporte la plus grande partie de ses bois tropicaux en Europe. Jadis l'un des plus gros exportateurs, le Nigeria s'est trouvé confronté à un effondrement dramatique de ses expéditions après bien des années de surexploitation de ses forêts et une rapide expansion de l'agriculture itinérante sur brûlis. En 1988, le pays n'a encaissé que 6 millions de dollars grâce à ses exportations de grumes. Par contre, il a dépensé 100 millions de dollars pour payer ses importations de produits forestiers (17).

Malheureusement, la Côte d'Ivoire et le Ghana marchent sur les traces du Nigeria. Plus de 80 % de la forêt tropicale humide de ces pays a déjà disparu, et ils seront l'un et l'autre, en toute probabilité, importateurs de bois avant la fin de la décennie. Entre 1980 et 1987, les exportations de grumes de la Côte d'Ivoire se sont effondrées, passant de 490 et 81 millions de dollars (18).

L'abattage qui a pour résultat de détruire la forêt n'est en aucun cas l'apanage des pays tropicaux. Dans la province canadienne de la Colombie Britannique, l'exploitation des forêts les plus anciennes se poursuit au rythme de 270 000 hectares par an, et les sociétés concessionnaires détiennent des licences qui les autorisent à abattre pratiquement tout ce qui reste. En 1989, les 85 millions de mètres cubes de bois produits pour la Colombie Britannique dépassaient de 30 % le taux de remplacement (19).

Les Etats-Unis tirent à peu près le tiers de leur bois d'œuvre tendre et de leur contreplaqué d'une bande forestière qui s'étend de l'Etat de Washington à la Chaîne des Cascades. En dehors de l'Alaska, cette bande contient pratiquement toute la forêt ancienne du pays. Au cours de la première moitié des années 80, les coupes effectuées par les industries qui sont les propriétaires-exploitants de cette forêt ont dépassé le taux d'abattage qui permettrait une exploitation soutenue à long terme de plus de 25 %. Quant aux douze forêts nationales, qui abritent la plupart des arbres les plus anciens, elles ont dépassé ce taux d'abattage de 61 % (20).

Avec la diminution des réserves et l'augmentation des coûts de production, l'industrie américaine du bois d'œuvre a déplacé son centre de gravité vers une zone extensive de plantations et de forêts secondaires dans le sud-est. En 1986, les Etats du Sud comptaient pour 47 % dans la production nationale du bois, contre 25 % pour les Etats de la côte pacifique. Et l'on s'attend à ce que la contribution de ces derniers diminue encore dans l'avenir (21).

Les forces du marché continueront à éloigner de plus en plus les exploitants des anciennes forêts. Mais que restera-t-il de l'héritage biologique du monde lorsque cette transformation sera complètement achevée ? En l'absence de changements profonds dans les politiques gouvernementales, seules les forêts primaires les plus inaccessibles et les moins productives auront survécu lorsque les exploitants industriels du bois se fourniront uniquement dans les forêts secondaires ou les plantations. Tandis qu'au Canada, aux Etats-Unis et ailleurs la controverse fait rage sur la question de savoir quelle quantité d'anciennes forêts il faut protéger, les dernières survivantes sont en train de disparaître. Pire encore, dans beaucoup de pays le débat n'a même pas commencé.

L'héritage de la surexploitation

Les méthodes d'exploitation forestière sont pratiquement aussi différentes les unes des autres que les écosystèmes qu'elles concernent. Pratiquement partout, cependant, cette exploitation tend à épuiser, morceler et homogénéiser la forêt. La plus néfaste et la plus répandue des pratiques est la coupe à blanc, un cycle qui consiste à surexploiter puis à émigrer vers un territoire plus riche. Partout où la coupe aura dépassé le taux de remplacement, les récoltes futures seront compromises et les bûcherons chercheront de nouvelles régions à exploiter. Par exemple, maintenant qu'elles ont épuisé les forêts de leurs propres régions, les sociétés forestières américaines de la côte pacifique et leurs homologues soviétiques de la Russie occidentale lorgnent les unes et les autres vers les étendues pratiquement intactes de l'Extrême-Orient soviétique. Quant aux bûcherons thaïs, ils ont dû fuir leur propre terroir forestier. Les inondations catastrophiques de 1988 avaient laissé leurs villages engloutis sous la boue et les grumes qui provenaient des pentes déboisées. On les retrouve aujourd'hui dans le pays voisin, en Birmanie, où ils se sont mis en devoir de saigner à blanc la dernière grande forêt de teck du monde (22).

La seule alternative à cette attitude qui consiste à pousser toujours plus loin pour y trouver de nouvelles terres est le type d'exploitation qui assure le renouvellement de la forêt. Pourtant, une étude menée en 1989 par l'ITTO (International Tropical Timber Organization) montre que moins de 0,1 % de l'exploitation des forêts tropicales s'effectue selon cette méthode. En dehors des régions tropicales, le but de l'exploitation forestière moderne a été de dépouiller les surfaces boisées de leur complexité naturelle afin d'en tirer le rendement maximal. Partout dans le monde, on ignore généralement les principes de l'exploitation forestière écologiquement viable. Il s'agit d'un concept plus large qui veut que l'on ne se contente pas d'assurer le renouvellement de la forêt, mais que l'on se soucie de la préservation de sa diversité biologique et de l'ensemble des services écologiques qu'elle rend à l'environnement (23).

La coupe du bois commence généralement par le tracé d'un réseau dense de voies d'accès qui déboisent déjà d'importantes surfaces. En Asie du sud-est, près de 14 % des zones d'abattage sont dégagés pour l'aménagement de ces voies d'accès. Dans les forêts nationales des Etats-Unis, plus de 570 000 km de routes d'exploitation forestière, ce qui représente huit fois le réseau des routes fédérales, occupent environ 1,4 million d'hectares (24).

L'existence de ces voies expose la forêt aux agressions des organismes nuisibles venant de l'extérieur, menace la vie sauvage, peut sérieusement accroître l'érosion, notamment sur les pentes, et augmenter le dépôt des sédiments dans les ruisseaux et les rivières. Dans le nord-ouest des Etats-Unis, les voies d'exploitation ont accéléré la propagation d'un certain nombre d'organismes nuisibles dont l'action est fatale pour la forêt, notamment une sorte de pourriture qui attaque les racines et se propage rapidement en altitude dans les derniers peuplements de cèdre de Port Orford, l'arbre le plus prisé de la région pour la qualité du bois d'œuvre qu'il fournit. Dans l'Idaho, les routes forestières ont provoqué une dégradation plus de 200 fois supérieure à l'érosion observée dans des sites non perturbés. Près de Bacuit Bay, dans l'Ile de Palawan (Philippines), les chemins forestiers couvrent seulement 3 % du bassin versant, mais sont responsables de 84 % de l'érosion liée à l'exploitation forestière.

Pour aussi graves que soient ces impacts, l'effet le plus sérieux du réseau routier sur les forêts est le phénomène de dévastation qu'il amorce. Les routes ouvrent des espaces boisés jusqu'alors impénétrables à toute une armée de mineurs, de chasseurs, d'éleveurs ou de fermiers pauvres. Du fait que le déboisement est une suite d'événements, il est impossible d'évaluer exactement la part du dommage causé par le commerce du bois, mais il est certain que cette activité contribue dans une large mesure au rythme alarmant de la disparition des forêts en Afrique et en Asie du sud-est. Etant donné le taux actuel de destruction, d'après le consultant britannique Norman Myers, spécialiste de l'environnement, « au début du siècle prochain, il ne restera plus grand chose des forêts tropicales, à l'exception de quelques grands massifs en Nouvelle Guinée, dans le bassin du Zaïre, dans la région ouest-amazonienne du Brésil et sur les hauts plateaux du Guyana. » (26).

Au fur et à mesure que les routes, l'exploitation et le défrichage des forêts prennent de l'extension, de vastes zones d'habitat naturel deviennent autant d'îles dans un océan de terres dégradées. La diversité biologique naît de l'existence de vastes étendues d'habitat ininterrompues, et les franges des îlots forestiers créées par l'exploitation peuvent se détériorer rapidement.

Elles sont en effet exposées à l'action néfaste des vents, à des espèces qui leur sont étrangères et à des changements brutaux de température, d'humidité et de luminosité. Longtemps avant leur disparition physique, les forêts auront déjà perdu leur intégrité biologique. Dans le nord-ouest de la côte pacifique, par exemple, pour dix hectares déboisés on a constaté la dégradation de quatorze hectares supplémentaires de forêt ancienne par suite des effets de frange. On constate aussi que 37 % de ce qui reste des anciens peuplements se trouve dans des îlots dont la superficie est inférieure à 160 hectares (27).

Le reboisement après coupe peut réduire partiellement l'érosion des sols, la perte de nutriments et le ruissellement des eaux consécutifs à la disparition du couvert végétal. Souvent, cependant, les graves perturbations qui suivent généralement une exploitation à grande échelle, rendent le reboisement difficile, voire impossible. Utilisés pour traîner les grumes, les gros engins mécaniques compactent les sols. En Union Soviétique, par exemple, ils détruisent jusqu'à 80 % des jeunes pousses. Le prélèvement d'une quantité importante de végétation dans les forêts tropicales humides, là où les nutriments sont, pour l'essentiel, tirés de la vie végétale elle-même, et non du sol, laisse derrière lui un écosystème appauvri qui mettra peut-être des siècles pour reconstituer ses réserves nutritives. Les échecs du reboisement sont également courants dans les forêts du nord et dans les plantations d'altitude de la région ouest de l'Amérique du Nord (28).

Sous les tropiques, même l'abattage le plus sélectif s'avère tout à fait destructif en raison de la formidable diversité des espèces. En effet, les exploitants « écrèment » la forêt, ne prenant qu'un tout petit nombre d'espèces choisies, mais dégradant ainsi des superficies beaucoup plus importantes que s'ils récoltaient d'autres variétés moins recherchées. Dans l'est de l'Amazone, une étude a montré que, pour 3 % d'arbres récoltés, 54 % avaient été déracinés, écrasés ou endommagés lors de l'aménagement des routes ou au cours de l'abattage des arbres et du transport des grumes. Comme l'expérience de l'Amazone et de l'Indonésie l'a montré, l'abattage sélectif peut aussi modifier les climats locaux, transformant des forêts pluviales pratiquement ininflammables en peuplements secs qui brûlent facilement (29).

Le rôle du déboisement tropical dans le réchauffement général de la planète est bien connu. Il entre pour 20 à 30 % dans les émissions de carbone à l'échelle mondiale. Ce que l'on sait moins, par contre, c'est que les forêts pluviales anciennes du nord-ouest de l'Amérique du Nord fixent trois fois plus de carbone à l'hectare que leurs homologues des tropiques. Selon Mark Harmon et ses collègues de l'Université de l'Oregon, la conversion, au cours des cent dernières années, de ces peuplements forestiers naturels en plantations s'est traduite par le rejet d'une masse globale de 1,8 milliard de tonnes de carbone dans l'atmosphère. La même équipe de chercheurs a également noté que la destruction de ces accumulateurs de carbone irremplaçables, qui recouvrent seulement 0,017 % de la surface du globe, a été responsable, au cours des cent dernières années, de 2 % des émissions de carbone consécutives au déboisement et autres changements intervenus dans l'utilisation de la surface terrestre (30).

La création de plantations industrielles, constituées presque toujours d'une seule espèce d'arbres ou d'une seule variété génétique au sein d'une espèce, se touve également à l'origine de l'élimination quasi générale de la diversité végétale et animale sous les latitudes tempérées. Le pic-vert, et toute la gamme des espèces qui sont tributaires des arbres morts ou âgés, sont menacés dans toute l'Europe, car la plupart des forêts y ont été converties à la monoculture. Ainsi, 97 % des surfaces boisées allemandes ne sont plus peuplées que de trois espèces d'arbres. L'if du Pacifique, dont l'écorce contient une substance anticancéreuse, est en danger d'extinction avec la prolifération des plantations de sapin de Douglas tout le long de la côte nord-ouest des Etats-Unis (31).

Cette dégradation de l'environnement a aussi un coût économique non négligeable. En Amazonie péruvienne, là où la récolte des fruits et celle du latex procurent, à long terme, de plus importants revenus par hectare que la coupe du bois, le botaniste Charles M. Peters et ses collègues ont trouvé qu'il suffisait de couper un seul arbre fruitier sur six pour que le gain financier global soit annulé. En Colombie Britannique, où le déboisement des pentes abruptes a envasé les fleuves et les baies, et où les papeteries ont pollué les rivières et les voies d'eau côtières, le revenu annuel de l'industrie de la pêche au saumon, 700 millions de dollars, est désormais inférieur de moitié à ce qu'il était précédemment (32).

La rançon de la surexploitation du bois est généralement à payer par ceux qui sont tributaires d'un espace boisé intact, comme les habitants de la forêt, les communautés qui vivent en aval, et les activités basées sur le tourisme. Mais les bûcherons peuvent aussi en arriver à couper leur propre source de revenus. C'est ainsi qu'un certain nombre d'espèces de bois d'œuvre tropicaux de grande valeur commerciale, comme le *Virola surinamensis*, le plus coté des arbres de la région et de l'Amazone, et le pin de Masson, qui fut l'une des principales ressources de bois d'œuvre du sud et du centre de la Chine, sont menacés d'extinction pour cause de surexploitation (33).

Lorsque des peuplements d'arbres d'espèces variées sont remplacés par des plantations génétiquement uniformes, les récoltes futures sont mises en péril. La suppression, en vue de maximiser la croissance des arbres, des systèmes qui maintiennent l'équilibre au sein de la forêt, fragilise les monocultures. Les maladies et les parasites peuvent s'attaquer à des régions entières. Ces épidémies sont désormais courantes dans les plantations de conifères aux Etats-Unis, en Europe centrale et en Chine. Elles sont devenues chroniques dans les plantations tropicales, et peuvent décimer tout un secteur et non plus seulement certains bouquets d'arbres isolés (34).

Comme le notent l'écologiste, spécialiste des forêts, Jerry Franklin et ses collègues de l'Université de Washington : « La création de plantations uniformes, avec une base génétique étroite, accroît la vulnérabilité des forêts aux changements climatiques, aux polluants, aux parasites et aux agents pathogènes. » En Allemagne, les scientifiques pensent que la dégradation à long terme consécutive à une exploitation forestière intensive a sans doute accéléré la *Waldsterben*, cette mort généralisée des forêts liée à la pollution de l'air et aux pluies acides. Du fait qu'il n'existe pratiquement plus de forêts naturelles pour permettre la comparaison, il est impossible de confirmer ou d'infirmer leur thèse (35).

Au-delà de l'impact sur certaines portions spécifiques des écosystèmes, la coupe fait disparaître les espaces sauvages. En Colombie Britannique, au Canada, où seulement 6 des 89 grands bassins versants de l'île de Vancouver n'ont pas été exploités, et dont un seul est protégé, les forêts pluviales sont des écosystèmes en danger. Il est prévu que l'on va exploiter 90 % de la forêt de Clayoquot Sound, une des rares régions encore à l'état sauvage à subsister sur la côte ouest de l'île, même si la région recèle trois des six bassins versants encore intacts. Et lorsque, comme au Chili, une vénérable cathédrale d'arbres millénaires de l'espèce *alerce* est abattue, alors que ces arbres sont porteurs de quelques-uns des plus vieux organismes vivants de la planète, aucune donnée statistique n'est en mesure d'évaluer la perte qui en résulte pour le monde (36).

De nouvelles orientations pour l'exploitation forestière

Comment l'industrie du bois peut-elle s'approvisionner sans détruire la forêt ? La réponse pratique à cette question varie avec les régions, depuis l'effort massif de plantation sur les terres où ne pousse pas un seul arbre, jusqu'à la gestion plus efficace des forêts là où elles subsistent. Cependant, le dénominateur commun à toutes les stratégies est une transformation fondamentale dans la philosophie des forestiers. Au lieu de traiter la diversité biologique comme un obstacle au bon rendement de la forêt en matière de bois, il faudra, au contraire, que l'exploitation forestière s'attache à entretenir et à restaurer la complexité de la vie qui fait que la forêt peut, à la fois, rester le milieu naturel qu'elle a toujours été, et fournir à l'homme le bois dont il a besoin.

Un peu partout dans le monde, l'intérêt des gouvernements et des entreprises pour « une exploitation forestière viable » s'est accru l'an dernier, en réponse à l'inquiétude croissante des opinions publiques. Lorsque cette toute récente prise de conscience écologique est vraiment sincère, elle est certainement la bienvenue. Mais, du fait que la forêt primaire représente un capital naturel qui a mis des siècles, voire des millénaires à se constituer, la notion d'« exploitation viable », appliquée à une ressource pratiquement non renouvelable constitue, à strictement parler, une contradiction dans les termes.

Au-delà de leur valeur intrinsèque de plus grande réserve mondiale de vie, et de la valeur économique des produits qu'elles fournissent en dehors du bois, les forêts qui ont été conservées intactes restent vitales pour le succès à long terme de l'industrie forestière. Les peuplements non perturbés d'arbres de souche naturelle sont d'une grande valeur en tant que sources de prédateurs d'insectes, et comme barrières physiques pour empêcher la propagation des maladies vers les plantations voisines. Selon l'entomologiste Timothy Showalter, de l'Université de l'Oregon, et d'autres auteurs, les forêts primaires peuvent accueillir cent fois plus de prédateurs que les plantations, et les épidémies qui les frappent tendent à être limitées (37).

Quand ces forêts disparaissent, l'industrie du bois perd également ses réserves de variétés génétiques et les laboratoires scientifiques qui lui permettent de découvrir les innombrables relations cachées grâce auxquelles la croissance des arbres est possible. Tandis que la plupart des forestiers continuent à se polariser étroitement sur le rendement du bois, quelques chercheurs et un petit nombre de gestionnaires ont commencé à s'intéresser à certains facteurs jusqu'alors négligés, notamment sur la côte nord-ouest des Etats-Unis. Orientés vers les écosystèmes et connus sous le nom de Nouvelle Foresterie, les travaux de ce groupe ont fait apparaître clairement que la diversité dans le domaine génétique, comme au niveau des espèces et des écosystèmes, constitue un facteur déterminant pour la productivité à long terme de la forêt (38).

La présence dans la terre d'organismes qui contribuent au maintien de la fertilité des sols est un élément resté ignoré jusqu'à une époque récente. Parmi les plus importants de ces organismes, il faut citer les champignons mycorhiziens, que l'on retrouve sur les racines de 90 % des espèces de plantes existant dans le monde, et dont la dissémination est assurée par les petits mammifères. Ces champignons permettent aux arbres d'assimiler les nutriments et l'eau qui se trouvent dans le sol et de fixer l'azote. Les méthodes habituelles de coupe éliminent les plantes qui abritent les champignons, elles perturbent les sols, et sont souvent la cause que ces champignons disparaissent. Les forestiers commencent également à reconnaître que les arbres et le bois morts font parties intégrantes d'une forêt en bonne santé. Ces éléments constituent un habitat important pour la vie sauvage, rétrocédent au sol des matières organiques et des nutriments, et contribuent en outre à limiter l'érosion. Si on enlève une trop grande quantité de bois mort ou autres matières organiques à un écosystème, on risque de provoquer son effondrement (39).

Cette interpénétration de facteurs connus et inconnus, découverte au sein de la forêt, montre à quel point il y a intérêt à maintenir au maximum les conditions initiales tout au long du cycle d'exploitation. Les premières mises en application coordonnées des divers enseignements tirés de ces découvertes ont été effectuées en 1988 sur certaines parcelles de la forêt nationale de Willamette, dans l'Oregon. Cette approche nouvelle, et en constante évolution, gagne aujourd'hui du terrain un peu partout dans le nord-ouest des Etats-Unis. Ainsi, les exploitants ont-ils commencé à laisser coexister les arbres morts et vivants, des couloirs non exploités le long des cours d'eau et ce qui reste des arbres après l'enlèvement des grumes. Ils ont également entrepris de regrouper les parcelles à couper, afin de réduire leur fragmentation, et par-là l'extension du réseau des voies d'exploitation (40).

Malheureusement, la Nouvelle Foresterie est souvent mise en avant comme substitut à la protection traditionnelle de la forêt primaire. Cependant, il semble y avoir au moins un projet d'une conception plus éclairée. Ce projet concerne le parc national de Siskiyou, dans le sud-ouest de l'Oregon, et il est aujourd'hui au stade final de sa définition. Son but consiste à maintenir la santé biologique de la vallée de Shasta Costa, y compris la protection de ses forêts primaires. L'exploitation du bois sera limitée aux peuplements situés aux abords des voies existantes et aux plus jeunes. Elle sera conduite de manière à sauvegarder des arbres et des broussailles pour fixer l'azote, ainsi que d'autres éléments de l'héritage naturel, afin d'assurer la pérennité de la forêt (41).

Dans les régions tropicales, quelques rares programmes partagent ce respect de la diversité de la forêt. Depuis 1985, par exemple, la coopérative forestière de Yanesha, premier organisme indien de ce genre en Amazonie, opère dans la vallée péruvienne de Palcazu. Cette association est constituée par des habitants de la région qui possèdent ou exploitent la forêt et ses produits. L'abattage y est réglementé de façon à préserver la diversité des espèces. Grâce à la coupe à blanc de bandes étroites, qui laissent intactes de larges surfaces boisées, l'opération de Palcazu cherche à réaliser une simulation à petite échelle des perturbations naturelles. L'aménagement de fenêtres dans le couvert forestier permet la croissance de centaines d'espèces qui tolèrent mal l'ombre, ce qui leur permet de coloniser les bandes ainsi défrichées. En abandonnant sur place les écorces et les branches, sources potentielles d'engrais naturel, au lieu de les brûler, on espère assurer la fertilité du sol à long terme. Malheureusement, l'instabilité des conditions sociales dans une nation péruvienne appauvrie et ravagée par la guerre civile risque de rendre bien difficile la gestion saine d'un tel projet dans cette région (42).

A la question de savoir si la forêt tropicale humide est ou non capable d'assurer une production de bois soutenue sans perdre ses autres valeurs, la réponse demeure matière à controverse. Un jour, sans doute, les chercheurs en sauront assez pour comprendre dans quelle mesure des perturbations telles que les incendies, les ouragans et les méthodes indigènes de culture contribuent effectivement à la diversité naturelle des espèces. Cela leur permettrait de mettre au point des systèmes permanents d'exploitation fondés sur le respect de cette diversité. Mais le contexte social de la plupart des nations forestières tropicales, caractérisé par la pauvreté, l'endettement, le manque de terres et l'influence politique excessive de l'industrie du bois, rend illusoire, dans un avenir prévisible, une exploitation de la forêt primaire qui serait, même de loin, viable (43).

La forêt secondaire, celle qui a repoussé sur les coupes d'exploitation de la forêt primaire ou après la mise en culture du sol, est souvent sous-utilisée, aussi bien dans les régions tropicales que dans les régions tempérées. Comptant peut-être pour les deux tiers du couvert forestier mondial, ces espaces boisés assument d'importantes fonctions écologiques. Du fait qu'ils sont souvent proches des voies d'accès et fragmentés en petites parcelles, ces espaces permettent une exploitation avec un minimum de dommages pour l'environnement. De plus, une saine gestion forestière, y compris celle de l'exploitation du bois, peut servir à restaurer la santé biologique des secteurs concernés.

Frank Wadsworth, de l'Institut de la Forêt Tropicale de Porto-Rico, estime que la surface actuelle des forêts tropicales en cours d'exploitation pourrait fournir plus de bois qu'il n'en faut pour répondre aux besoins régionaux tels qu'ils ont été estimés jusqu'à la fin de la décennie. Bien que la valeur marchande d'un grand nombre d'arbres de ces forêts ne soit pas actuellement considérée comme suffisante pour le marché international du bois, ils n'en constituent pas moins une source potentielle de produits bien utiles (44).

Un important accroissement des efforts de reboisement des terres autrefois boisées est une nécessité urgente si l'on veut réduire l'accumulation de gaz carbonique dans l'atmosphère, stabiliser les bassins versants dégradés et fournir du bois à brûler. Ce repeuplement peut aussi devenir, à long terme, une ressource majeure de bois industriel. Même si la plantation de nouveaux arbres peut se révéler coûteuse par rapport à l'exploitation bien conçue des forêts existantes, les sujets ainsi produits poussent beaucoup plus vite que ceux des forêts naturelles et les besoins en bois peuvent être satisfaits sur des superficies plus petites. En Chine, par exemple, on estime qu'un accroissement de 10 millions d'hectares des surfaces arborées, soit 4 % des surfaces consacrées actuellement à la production de grumes, permettrait de doubler la production de bois d'œuvre (45).

C'est surtout dans les pays pauvres en bois que l'on devra prévoir et développer sérieusement les plantations d'arbres, afin de produire du bois d'œuvre le plus vite possible. Un certain nombre de facteurs militent cependant en faveur d'une conception du reboisement plus diversifiée que la simple multiplication de la monoculture intensive qui prévaut à l'heure actuelle. Comme on l'a vu précédemment, en effet, les plantations constituées d'une ou deux espèces seulement sont particulièrement vulnérables aux maladies et à la pollution.

En outre, du fait que la plupart des plantations sont constituées par des arbres qui poussent rapidement et sont coupés relativement jeunes, la qualité du bois ainsi produit est plutôt médiocre. Mis à part leur plus petit diamètre, les jeunes arbres contiennent également un pourcentage plus élevé de bois « juvénile » qui n'est pas aussi solide, pas aussi rentable pour la production de pâte et pas aussi agréable à l'œil que le bois des arbres plus âgés. En l'absence d'une meilleure attention à la qualité du bois, les plantations ne peuvent que complémenter la production de grumes des forêts naturelles, mais non s'y substituer. Sous les tropiques, seule une proportion de 12 % de ces plantations peut fournir des bois durs, de haute qualité, capables de remplacer ceux que produit la forêt naturelle. Les pays du nord, où les arbres ne peuvent pas pousser aussi vite que dans les régions plus chaudes, ont ainsi leur place sur le marché en fournissant des bois de meilleure qualité que ceux de leurs concurrents (46).

Bien qu'il y ait souvent, à court terme, un compromis à trouver entre la diversité naturelle et le rendement, il est de plus en plus apparent que la plantation intensive pénalise souvent la producti-vité à long terme. Les exploitants finiront peut-être par voir la sagesse qu'il y aurait à redonner à la forêt les deux qualités natu-relles qu'ils ont toujours cherché à éliminer : sa capacité de récupé-ration et sa variété. La diversité n'est pas un luxe. Réduire les risques d'épidémies et assurer la persistance des nutriments dans le sol sont des mesures de bon sens partout où l'on récolte du bois (47).

Contrairement aux monocultures, les plantations qui compor-tent un mélange d'espèces et d'âges différents permettent une certaine variété dans la production du bois et autres produits. De plus, en raison de leurs multiples étages de couvert, elles offrent un bon habitat pour la faune sauvage. Même dans les plantations de type clonal, où tous les sujets sont génétiquement identiques, une certaine diversité peut être rétablie. C'est ainsi que, dans les plantations clonales de la réserve forestière de Subri, au Ghana, on s'efforce de garder intacte la végétation au sol. On laisse aussi subsister quelques petits arbres. Il s'agit, en effet, de préserver les sols et les organismes micorhiziens. De même, on conserve des galeries de forêt naturelle dans les fonds de vallées, afin de réduire la propagation des épidémies. Comme partout, la pousse des arbres est plus rapide lorsque l'on réduit les dommages liés à l'exploitation (48).

Même si les mesures visant à promouvoir la diversité biolo-gique et la productivité à long terme sont de nature à faire baisser les rendements à court terme, la plantation d'arbres sur des terres dégradées ouvre des perspectives considérables d'accroissement de la production de bois lorsque les nouveaux arbres arriveront à maturité. Pour avoir une idée de ce potentiel, prenons, par exemple, en zone tropicale, des plantations diversifiées d'espèces à pousse lente et rapide, qui donnent à la fois des fibres à crois-sance rapide et des bois de haute qualité. On peut affirmer, tout en restant prudent, que ces plantations produiraient 10 m^3 par hectare et par an. En réalisant de telles plantations sur seulement 5 % des 600 millions d'hectares de forêt tropicale humide d'ores et déjà déboisés, on pourrait obtenir presque deux fois la quantité de bois industriel tirée actuellement de toutes les forêts tropicales du monde.

Sous les tropiques, où les populations rurales dépendent directement de la gamme de produits que fournit la forêt naturelle, les efforts de plantation d'arbres ne seront couronnés de succès que s'ils s'articulent autour de l'idée que s'en font les populations locales et des intérêts locaux. Les projets forestiers qui ont négligé ce principe n'ont cessé de souffrir de l'abattage illicite. Idéalement, la plupart des plantations devront s'effectuer dans le cadre d'opérations à petite échelle, orientées dans le sens des besoins des populations locales et vers la stabilisation des sols par l'agrosylviculture, dans laquelle les cultures vivrières sont plantées en rangées entre des haies d'arbres ou d'arbustes (voir *Etat de la Planète 89*, chapitre 2). Mais les plantations industrielles peuvent aussi incorporer toute une gamme d'autres arbres produisant autre chose que du bois d'œuvre, comme des fruits ou du fourrage, et s'attirer ainsi l'appui des populations locales (49).

Réduire la demande de bois industriels

Il faudra, à l'avenir, réduire la demande de bois d'œuvre si l'on veut parvenir à un équilibre entre cette demande et le maintien d'un patrimoine forestier en bonne santé, et ceci pour deux raisons : dans le court terme, l'exploitation forestière viable produira souvent moins de bois à l'hectare que le système qui consiste à saigner à blanc une forêt avant d'aller ailleurs ; ensuite, le fait d'accorder une plus grande place aux divers rôles de la forêt, autres que la production de bois, laissera moins de place à cette production. Fort heureusement, un rapide coup d'œil sur le secteur du bois industriel dans le monde révèle de nombreuses possibilités d'éliminer le gaspillage et les utilisations injustifiées de ce matériau.

Environ la moitié du bois industriel récolté dans le monde est transformée en bois d'œuvre, un quart est utilisé pour faire de la pâte à papier ou d'autres produits et plus d'un huitième pour fabriquer des panneaux de contreplaqué ou d'aggloméré. Bien que l'on ne dispose pas de données précises en ce qui concerne la destination finale exacte du bois industriel, il apparaît clairement que la construction est le plus gros consommateur de bois d'œuvre dans le monde. En Amérique du Nord et en Europe, seules régions pour lesquelles on dispose de statistiques, la construction de logements est, de loin, le plus gros utilisateur final de bois d'œuvre et de panneaux (50).

Le gaspillage est la règle dans le bâtiment. En 1987, près d'un tiers du contreplaqué produit au Japon servait à la confection de panneaux de coffrage, *kon-pane*, qui sont d'ordinaire mis au rebut après deux ou trois utilisations. Pire encore, la quasi-totalité de ces panneaux était faite avec du bois dur tropical de haute qualité provenant du Sud-Est asiatique. En Finlande, à peu près 10 % du bois utilisé dans la construction est perdu. A Toronto, au Canada, on a calculé que la construction d'une maison de taille moyenne se traduit par la perte d'environ 845 kg de bois, soit à peu près l'équivalent de la consommation annuelle de papier de toute la famille des futurs habitants de cette maison (51).

Venant s'ajouter à ces gaspillages criants, il en est bien d'autres, beaucoup plus discrets. C'est ainsi, par exemple, que les murs de la grande majorité des maisons américaines comportent des poteaux espacés de 40 centimètres. Si l'on portait cet espacement à 60 centimètres, on pourrait réduire notablement la consommation de bois sans effet notable sur la résistance et sur la qualité des murs. Le Service des Forêts des Etats-Unis estime qu'une poignée de mesures techniques de ce genre, visant à réduire l'emploi inutile de matériaux, permettraient d'économiser 10 % du bois d'œuvre utilisé dans les maisons classiques (52).

Des procédés de fabrication inefficaces sont aussi à l'origine de pertes importantes dans le domaine des bois de haute qualité. A vrai dire, on perd peu de bois au niveau des scieries. La plus grande partie de la sciure et des autres déchets de fabrication servent de matière première pour la pâte à papier ou sont brûlés pour produire de l'énergie. Mais une proportion importante de bon bois est perdue en cours de fabrication, sous forme de copeaux et de sciure. Dans le sud-est asiatique, des unités de production de contreplaqué fortement subventionnées ne transforment que 40 % du bois brut en produit fini. C'est au Japon que l'efficacité s'avère la plus grande, atteignant 65 à 70 %, nettement plus que la moyenne générale de 50 % partout ailleurs. Outre la mise en œuvre de machines plus efficaces, les Japonais font un gros effort pour tirer le maximum de chaque pièce de bois, compensant la rareté du matériau par l'abondance de la main-d'œuvre, pratique qui, dans beaucoup de régions, apparaît comme tout à fait logique (53).

On dispose d'un grand nombre de technologies pour réduire les pertes lors de la fabrication. C'est ainsi que des lames plus minces peuvent réduire la voie, c'est-à-dire la quantité de bois pulvérisé par la scie, jusqu'à une valeur de 3 mm, au lieu des 7 mm habituels dans les scieries américaines. Dans les fabriques de contreplaqué, on utilise des dérouleuses pour détacher des feuilles de bois minces et continues. Des dérouleuses améliorées peuvent exploiter une bille presque intégralement, ne laissant qu'un noyau de 5 cm de diamètre contre 10 habituellement. On passe les grumes au scanner afin de détecter les défauts intérieurs et de déterminer le meilleur mode de coupe en vue de maximiser le rendement des bois de haute qualité. Le Service des Forêts des Etats-Unis estime que les seules forces du marché pousseront suffisamment à l'utilisation de ces techniques pour qu'en 2040 la quantité de bois nécessaire pour produire le contreplaqué ait été réduite d'un tiers. Des efforts concertés pour promouvoir une plus grande efficacité pourraient apporter ces améliorations beaucoup plus tôt (54).

En Union Soviétique, beaucoup de bois se perd au cours des opérations d'abattage. Le biologiste Alexei V. Yablokov, Vice-Président du Comité Ecologique du Soviet Suprême, rapporte que la plupart des rivières du nord et de l'extrême-orient soviétiques sont encombrées de grumes perdues lors de leur transport. Plus de 3 millions de mètres cubes de bois pourraient être perdus ainsi chaque année (55).

Avec quelques exceptions notables, comme les *kon-panes* ou les 10 milliards de paires de baguettes jetables utilisées chaque année au Japon, les produits fabriqués à partir du bois sont destinés à des usages essentiels et durables. Le papier, toutefois, est souvent consommé avec une prodigalité injustifiée. C'est là, peut-être, que se trouve la possibilité la plus immédiate de réduire la demande industrielle qui pèse sur les forêts du monde (56).

La consommation de papier et de carton est montée en flèche dans les pays industrialisés au cours de ces dernières décennies, on doit surtout cette augmentation aux bureaux, au conditionnement et à la publicité (voir figure 5.1). La poursuite d'une croissance rapide et continue de cette consommation est prévue aussi bien dans les pays industrialisés que dans les pays en développement (57).

La plus grande partie de la pulpe utilisée pour la fabrication du papier provient des résidus des plantations ou des scieries. Il n'y a donc pas toujours un lien direct entre les économies de papier et la préservation des forêts. Beaucoup de régions naturelles d'une grande importance écologique sont cependant déboisées pour produire de la pulpe, notamment la forêt nationale de Tongass, en Alaska, et la dernière grande étendue côtière de palétuviers de Bintuni Bay, en Indonésie. Plus de la moitié du papier journal des Etats-Unis, et près du tiers de celui utilisé dans les imprimeries du monde entier viennent du Canada. L'abattage destiné à produire la pulpe y endommage de grands espaces de forêt naturelle (58).

Il faut dire en outre que la plus grande partie du bois de basse qualité utilisé pour la pulpe, de même que les déchets de bois que l'on transforme aujourd'hui en papier, pourraient être traités pour remplacer du bois prélevé dans la forêt primaire. L'utilisation des panneaux de particules, à base de déchets de bois encollés, s'est développée plus vite que celle de tout autre dérivé du bois au cours des dernières décennies. Ce produit constitue désormais l'une des principales matières premières de l'industrie européenne du meuble. De plus, les nouvelles technologies peuvent convertir en bon bois de charpente le bois noueux, ou ayant tendance au voilage, qui provient des plantations d'arbres destinés d'ordinaire à la fabrication de la pâte à papier (59).

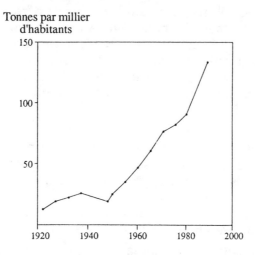

Source : FAO, Commission économique pour l'Europe.

Figure 5.1.   **Consommation de papier et de carton en Europe par habitant, 1922-1988**

Les nations industrielles consomment des quantités fantastiques de papier, la plupart du temps jeté dès le premier usage. Les Allemands de l'Ouest, par exemple, utilisent 76 kg de papier d'emballage par personne et par an, ce qui représente 40 % de leur consommation totale de papier. Aux Etats-Unis, c'est une grosse moitié du papier produit qui finit en emballage. Dans l'ensemble du monde, 15 millions de tonnes de bois, représentant 1 % de la production totale de pulpe, disparaissent chaque année sous la forme de couches jetables (60).

Comparée à celle du Tiers Monde, la consommation de papier par habitant s'avère être très élevée dans tous les pays industrialisés, mais il existe encore entre eux des disparités considérables (voir tableau 5.3). La consommation d'un Suédois, par exemple, est plus de deux fois celle de son voisin Norvégien. De telles différences, parallèlement à celles que l'on constate entre les taux de recyclage (20 % au Canada contre 50 % au Japon), laissent à pen-

ser qu'il existe un vaste potentiel de réduction dans la consommation du papier, sans diminuer pour autant la qualité de la vie. Le
ministre responsable des Services publics de l'Ontario économise
d'ores et déjà 29 tonnes de papier par an, simplement en imposant
la photocopie recto-verso (61).

**Tableau 5.3. Consommation individuelle de papier et de carton pour un
certain nombre de pays et de régions sélectionnés. Fin de la
décennie 80**

Pays-Région	Consommation [1] *(Kg/an)*	Part recyclée [2] *(%)*
USA	317	29
Suède	311	40
Canada	247	20
Japon	204	50
Norvège	151	27
URSS	35	19
Amérique Latine	25	32
Chine	12	21
Afrique	5	17
Inde	2	26

1. 1988.
2. Pourcentage de papier recyclé par rapport à la consommation totale : chiffres de 1987.

Source : Greenpeace, The Greenpeace Guide to Paper (Vancouver, 1990).

Aux Etats-Unis, le plus grand consommateur mondial de bois,
un effort visant à réduire le gaspillage de ce matériau procurerait
des bénéfices dont l'importance surprendrait (voir tableau 5.4).
Une meilleure efficacité dans les techniques de fabrication appliquées aux produits de la forêt qui se rapprocherait des niveaux
atteints au Japon, suffirait à économiser assez de bois pour préserver un arbre sur quatre actuellement coupés dans le pays. Ensemble, les méthodes disponibles pour réduire le gaspillage, accroître
le recyclage et améliorer l'efficacité dans la fabrication pourraient
réduire la consommation américaine de bois de plus de moitié (62).

L'insuffisance ou l'absence de données rendent impossible la
même analyse à l'échelle mondiale. Néanmoins, les schémas
d'ensemble de la consommation dans les pays riches montrent à
l'évidence que la dégradation de vastes espaces boisés est de loin
supérieure à ce qui serait strictement nécessaire. Tout effort
sérieux de protection de la forêt implique la réduction du gaspillage du bois, l'accroissement de l'efficacité dans la fabrication, et
le développement du recyclage du papier.

Tableau 5.4. Etats-Unis : économies potentielles de bois grâce à une meilleure gestion de la demande

Activité	Economies (millions de m³ en équivalent bois rond)
Procédé de fabrication plus efficaces [1]	
Scieries	114,3
Production de contreplaqué	10,6
Elimination du gaspillage du bois dans le bâtiment [2]	26,1
Réduction du jetable et conservation du papier [3]	68,5
Double recyclage du papier [4]	12,5
Economies totales aux Etats-Unis	232,0
Total consommation des Etats-Unis	460,4
Rapport Economies/consommation (%)	50,4

1. Hypothèse d'un accroissement du rendement conforme aux prévisions du Service des Forêts du ministère de l'Agriculture des Etats-Unis (USFS/USDA) pour l'an 2040, estimations basées sur la généralisation des meilleures technologies disponibles, avec des améliorations de 42 à 66 % dans les scieries et de 50 à 73 % dans les fabriques de contreplaqué. Calculs basés sur les niveaux actuels de consommation.
2. D'après les estimations du Service des Forêts en ce qui concerne le bois perdu du fait de la persistance de méthodes obsolètes dans le bâtiment, estimations recoupées par les statistiques finlandaises. Economies tenant compte du meilleur rendement au niveau de la fabrication.
3. Compte tenu de diverses mesures telles que la réduction de l'emballage, des couches ou autres produits jetables, de la conservation du papier de bureau et du freinage de la publicité, qui pourraient ramener la consommation individuelle de papier au niveau norvégien, soit environ 48 % du niveau américain.
4. De 29 % actuellement à 60 %. Economies accrues en tenant compte de la baisse de consommation.

Source : Worldwatch Institute, d'après les sources indiquées dans la note 62.

Vers une exploitation forestière viable

En l'absence de mesures permettant de mettre fin rapidement au type d'exploitation actuel qui consiste à abattre les arbres sans se préoccuper le moins du monde de l'avenir de la forêt, il ne restera pas grand chose de l'héritage forestier naturel de notre globe pour la prochaine génération. Le problème fondamental consiste d'abord à stopper l'épuisement rapide des peuplements primaires. Il faudra ensuite hâter le passage à des forêts secondaires et à des plantations gérées de façon viable, et réduire la demande de bois.

La réorientation des buts et des pratiques de l'exploitation forestière ne sera pas chose aisée. Dans beaucoup de pays, où l'industrie du bois est bien établie, elle profite d'importants subsides gouvernementaux et tire avantage d'une quasi-absence de réglementation dans ce domaine. Et c'est ainsi que certains services publics agissent plus comme des fournisseurs de bois que comme des gestionnaires de la forêt. Le sauvetage de la forêt, notamment dans les pays tropicaux, exigera des réformes fondamentales aussi bien à l'extérieur qu'à l'intérieur du secteur forestier.

Malheureusement, les pays qui seraient les mieux placés pour donner l'exemple, ne le font pas. Aux Etats-Unis, le législateur a préconisé plusieurs mesures destinées à protéger les forêts primaires du Nord-Ouest Pacifique, y compris la création d'une « réserve de la forêt ancienne » qui définirait des secteurs de forêts primaires et de forêts adjacentes plus jeunes interdits à la coupe, à la construction de routes et aux autres activités dommageables. Dans cette réserve, on trouverait notamment toute la zone supposée être l'habitat du hibou moucheté dont l'existence est menacée. A l'horizon de 1995, cela réduirait de 10 millions de mètres cubes la production de bois des forêts fédérales, soit un peu plus de 2 % de la production globale du pays. Dans la forêt nationale de Tougass, une loi, votée en octobre 1990, protégera de la coupe des grumes environ 400 000 hectares supplémentaires, ce qui représente environ 6 pour cent de la superficie totale, mais ne réduira pas nécessairement l'abattage subventionné. Etant donné que l'industrie du bois et l'administration Bush sont opposées à une réduction majeure de l'exploitation des forêts nationales, on ne sait pas dans quelle mesure on pourra sauver ce qui reste de la forêt primaire (63).

A ce jour, aucun projet de loi de cette envergure n'a encore été déposé au Canada. En Colombie Britannique, toutefois, des associations d'écologistes demandent que l'on mette un terme à la liquidation de la forêt primaire et, d'une manière plus urgente, que l'on établisse un moratoire en ce qui concerne la mise en coupe de plusieurs zones de la partie ouest de l'Ile de Vancouver, que la main de l'homme n'a encore jamais touchées. Ces associations ont perdu un round en avril 1990, quand le Premier Ministre de la Province William Van der Zalm a décidé d'autoriser la coupe dans la moitié de la Vallée de Carmanah, là où se trouvent les plus grands épicéas du monde. Parmi les signes encourageants, on doit toutefois signaler un mouvement qui se développe à l'intérieur du

ministère provincial de la forêt en faveur d'une stratégie de protection des forêts primaires, qui prévoierait d'abord des interdictions d'abattage, ensuite la création d'un complexe de réserves,
comme aux Etats-Unis (64).

Etant donné la pression qu'exerce la démographie, la pauveté
et l'endettement, le sauvetage des forêts tropicales écologiquement les plus importantes et biologiquement les plus riches
s'avère, beaucoup plus difficile. Le succès repose essentiellement
sur le respect avec lequel on traitera les quelque 200 millions
d'individus qui vivent dans ces forêts ou aux alentours, et sur la
façon dont on saura s'attirer leur coopération. La mesure la plus
spectaculaire, jusqu'à ce jour, a été la mesure prise par le gouvernement de Colombie qui a rendu à quelque 70 000 Indiens
appartenant à plus de cinquante ethnies différentes, les droits
légaux qu'ils avaient sur quelque 18 millions d'hectares, soit près
de la moitié de l'Amazonie colombienne. Bien que rien ne garantisse que ces Indiens ne vont pas mettre la forêt en coupe réglée
dans un but de profit à court terme, (ni qu'il n'y aura pas
exploitation du pétrole ou des autres ressources minérales, car le
gouvernement a conservé tous ses droits sur le sous-sol), il y a de
bonnes chances pour que ces ethnies, qui ont vécu là pendant des
siècles, se livrent à une exploitation viable (65).

Une extension du système des « swaps dette-nature », c'est-
à-dire l'échange d'une partie des dettes contre un meilleur traitement de la nature, qui s'est avéré jusqu'ici le moyen le plus efficace
pour financer des programmes locaux de protection de la nature
dans le Tiers Monde, peut servir aussi à protéger la forêt. Les
arrangements de ce type impliquent une tierce partie, généralement une organisation de protection de l'environnement ou un
pays industrialisé, qui rachète à bas prix une fraction de la dette du
pays en développement et convertit cette dette en monnaie locale
pour financer différents projets de protection de l'environnement.
A la date du 15 août 1990, de tels arrangements avaient été mis sur
pied en Bolivie, au Costa-Rica, en Equateur, à Madagascar, aux
Philippines, en Pologne, en République Dominicaine et en Zambie.
Certes, ces transactions n'ont qu'à peine entamé la dette ou le
problème du déboisement (elles portent au total sur moins de
100 millions de dollars), mais leur potentiel d'expansion n'en est
pas moins réel, étant donné la quantité de forêts tropicales qui se
trouvent dans des pays lourdement endettés ! (66).

Comme toutes les tentatives de protection de la nature, les
« swaps dette-nature » ont besoin, pour être efficaces et équitables, de l'appui et de la coopération des populations locales. En
Bolivie, par exemple, une opération de ce genre a connu des

difficultés en raison de revendications concurrentes des Indiens locaux sur la propriété du sol. Quand l'opération fut lancée, en 1987, le gouvernement bolivien refusa de donner suite aux revendications des Indiens et avait déjà accordé des concessions d'exploitation dans plusieurs secteurs qui allaient devenir la zone tampon de la Réserve de Biosphère de Beni. Fin août 1990, des centaines d'Indiens boliviens entamèrent une marche de 650 kilomètres sur la capitale pour y faire valoir leurs droits sur le sol, et pour attirer l'attention sur leur cas. En septembre, le gouvernement réagit en attribuant plusieurs territoires à des tribus locales et en interdisant la coupe dans certaines parties du domaine forestier contesté. Reste à voir dans quelle mesure toutes les parties se montreront satisfaites de ces décisions. Quoi qu'il en soit, une reconnaissance moins tardive des droits des indigènes aurait facilité la recherche d'un compromis satisfaisant (67).

Au-delà de l'aide limitée qu'apporte le nouveau système des « swaps dette-nature », des mesures plus drastiques sont visiblement indispensables. Un moratoire international sur l'exploitation des forêts primaires, en zone tempérée comme en zone tropicale, semble désormais nécessaire si l'on veut mettre fin à la dévastation par l'industrie du bois de la plus grande partie de ce qui vaut encore la peine d'être sauvé. Une interdiction internationale ne serait sans doute pas définitive, mais permettrait de freiner les destructions assez longtemps pour pouvoir placer les régions les plus précieuses sous protection et généraliser les procédures d'exploitation à un rythme plus viable. Pour être efficace, cette mesure d'interdiction devrait recueillir l'appui de tous les pays, et être assortie d'un financement compensatoire au profit des pays tropicaux qui verraient fondre une bonne partie des quelque 7 milliards de dollars qu'ils retirent du commerce du bois.

Une telle mesure provoquerait certainement un choc économique à court terme dans les régions qui vivent de l'exploitation forestière, et se heurterait à l'opposition de ceux qui justifient une exploitation sans restriction en la présentant comme un moyen de créer des emplois dans les zones rurales. Mais les reconversions d'emploi restent inévitables, que les forêts survivantes soient massacrées ou protégées. En effet, les emplois et les profits tirés d'une ressource en voie d'épuisement sont tout simplement condamnés à disparaître.

Dans l'Oregon, où la controverse sur la forêt primaire a été fallacieusement médiatisée comme un conflit entre « les emplois et les hiboux », même les récoltes record de grumes n'ont pu empêcher une baisse de 15 % des emplois concernés entre 1979 et 1989, par suite de la mécanisation et des exportations de bois brut. Poursuivre l'abattage des dernières forêts primaires fera peu de chose pour soutenir l'emploi dans l'industrie du bois. Qui plus est, cette poursuite de l'abattage fermera définitivement la porte à l'option de diversification qui transformerait une économie étroitement basée sur le bois en une économie fondée plus largement sur l'ensemble des ressources de la forêt, le tourisme par exemple (68).

Sous les tropiques, le nombre des emplois dans l'exploitation forestière mécanisée, est relativement limité. Il s'agit en général de personnels à plein temps qui émigrent de place en place avec leurs engins. Ces emplois sont rarement tenus par les habitants de la forêt, dont l'indigence est souvent présentée comme une raison supplémentaire d'exploiter la forêt pour son bois, ce qui ne manque pas d'ironie. Au lieu de bénéficier aux populations locales, l'exploitation du bois tend au contraire à les appauvrir en déstabilisant leurs systèmes communautaires de gestion de la forêt, et en les privant de leurs sources de nourriture, de remèdes et autres produits. Partout où les opérations d'exploitation du bois sont subventionnées par les gouvernements, des communautés entières paient, en fait, pour enrichir une poignée de bûcherons et de riches concessionnaires (69).

Comme prélude à une interdiction complète de l'exploitation des forêts primaires, les pays importateurs pourraient surtaxer lourdement les bois de haute qualité provenant de ces forêts. Une telle mesure pourrait décourager les utilisations inadéquates et les gaspillages, comme la transformation par les Japonais de précieux bois durs tropicaux en coffrages perdus pour le béton, ou l'usage par les Canadiens d'arbres séculaires pour en faire de la pâte à papier. Les revenus de cette surtaxe pourraient alimenter un fonds de compensation au profit des pays concernés. Ces pays perdraient, en effet, des revenus d'exportation essentiels pour eux. Ils devraient financer des efforts de conservation, la création de réserves destinées à être exploitées de façon viable pour les produits autre que le bois, et d'autres investissements du même genre.

Par-delà la sauvegarde d'une plus grande superficie de forêts primaires, la suppression totale des subsides gouvernementaux pour la récolte des grumes revêt une importance critique. Aux Etats-Unis, les mises à prix des droits de coupe sont si basses qu'en 1989 les revenus tirés de la vente des grumes se sont avérés inférieurs aux dépenses engagées par le gouvernement dans 102 des 120 forêts nationales. Au cours des années 1980, le Service des Forêts des Etats-Unis a dépensé, chaque année, plus de 40 millions de dollars pour vendre des grumes dans la forêt nationale de Tongass. Il n'en a retiré que 20 % à peine de cette somme. Exiger que les ventes des grumes des forêts nationales couvrent au moins les dépenses aiderait à éliminer la surexploitation, permettrait d'allouer de plus grandes surfaces aux fonctions récréatives de ces forêts, à la protection de la diversité biologique, au développement d'autres fonctions et, par suite de la fixation du prix du bois à des niveaux plus proches du coût réel, favoriserait une meilleure utilisation de ce bois (70).

Des réformes sont également nécessaires pour réduire la destruction des forêts tropicales. Des études détaillées, menées par l'économiste Robert Repetto et ses collègues du « World Resources Institute » (WRI), montrent que le système des concessions de coupe encourage généralement des pratiques qui causent aux forêts des dommages irréparables. Par exemple, la plupart des gouvernements basent leurs redevances de coupe sur le volume de bois récolté plutôt que sur le volume de bois d'œuvre commercialisable en provenance d'un peuplement donné. Cela encourage la « coupe d'écrémage » qui détruit un grand nombre d'arbres non recherchés pour arriver à celui que l'on veut. De même, aux termes de leurs contrats, les concessionnaires sont souvent autorisés à revenir dans les forêts pour une seconde coupe, avant que ne se soit écoulé un temps suffisant pour leur régénération. C'est ainsi qu'en Indonésie, les contrats de concession autorisent généralement une seconde campagne d'abattage au bout de vingt ans seulement (71).

Les gouvernements pourraient également réduire la destruction des forêts en exigeant une part plus équitable de la valeur réelle des récoltes de bois. Pour attirer les soumissionnaires étrangers, beaucoup de pays ont fixé ces redevances à un niveau incroyablement bas. Entre 1979 et 1982, par exemple, les Philippines et l'Indonésie n'ont respectivement encaissé que 17 et 38 % des revenus de leurs exploitations forestières, tout le reste allant à des concessionnaires privés, généralement étrangers. Le niveau élevé de rendement financier de ces opérations a eu pour effet de stimuler la rapacité des exploitants. Au cours des dernières années, un certain nombre de gouvernements comme ceux du Ghana, de l'Indonésie et des Philippines ont entrepris de relever les droits et redevances sur l'exploitation du bois d'œuvre, des réformes souvent trop timides, ou trop tardives, hélas ! (72).

Malheureusement, la plupart des grandes initiatives internationales en vue de freiner le déboisement des régions tropicales n'ont jamais atteint leurs objectifs. Il s'avère urgent d'en revoir la lettre sinon l'esprit. A en croire les évaluations récentes du *Tropical Forestry Action Plan* (TFAP), c'est-à-dire le Plan d'action pour la forêt tropicale, lancé par la Banque mondiale, *U.N Development Program* (UNDP), c'est-à-dire le Programme de développement des Nations Unies, l'Organisation pour l'Alimentation et l'Agriculture (FAO) et l'Institut sur les Ressources du Monde (WRI), tout laisse à penser que le phénomène du déboisement va s'amplifier plutôt que s'arrêter. Le plan pour le Cameroun, par exemple, prévoit un doublement de la production de grumes et la construction d'une route de 600 kilomètres pour ouvrir de nouvelles zones d'exploitation dans les forêts du sud du pays. Aussi étonnant que cela puisse paraître, ce plan ne fait pas la moindre mention des 50 000 Pygmées qui vivent dans cette zone. De son côté, le plan du gouvernement péruvien prévoit une multiplication par quatre ou sept de la production de grumes en Amazonie. Il ne propose même pas d'essayer de maîtriser la vague de colonisation qui pourrait résulter du désenclavement de la forêt (73).

Il s'agit là d'un triste exemple d'une possibilité que l'on n'a pas su saisir. Jusqu'ici, le TFAP n'a pas fait grand chose d'autre que de coordonner les efforts des pays donateurs qui ont pour résultat de subventionner une exploitation forestière qui continue comme si de rien n'était. Dans une analyse récente du programme, Robert Winterbottom, du WRI, constate que « le TFAP ne devrait pas encourager l'exploitation des dernières forêts naturelles tant qu'un système de gestion n'est pas en place et n'a pas démontré à la fois sa viabilité et son aptitude à répondre aux besoins et aux préoccupations des populations locales ». Le simple fait que cela doive être dit montre à quel point le TFAP a pu s'éloigner du concept de développement viable. Si le TFAP n'est pas fondamentalement révisé bientôt, mieux vaudrait l'abandonner (74).

Les efforts de l'International Tropical Timber Organisation (ITTO), formée en 1985 et composée de nations productrices et consommatrices ont été, eux aussi, assez généralement décevants. L'accord initial appelait les responsables politiques des nations à prendre des mesures pour protéger les forêts tropicales et leurs ressources énergétiques, et à en faire une utilisation viable. S'agissant du mandat d'une organisation commerciale, c'était du jamais vu. Basée à Yokohama, au Japon, l'ITTO a malheureusement enregistré peu de progrès dans la poursuite de ces objectifs. Une mesure positive a cependant été prise lors de la réunion de mai 1990, en Indonésie, au cours de laquelle les participants ont fixé à l'an 2000 l'époque où la totalité de l'exploitation forestière tropicale devra être basée sur une production viable, même si cette notion reste mal définie. Bien que beaucoup de pays ne puissent pas se permettre d'attendre neuf ans, la résolution votée en 1990 rappelle à juste titre que l'ITTO doit faire porter l'essentiel de ses efforts sur la viabilité du commerce du bois, au lieu de se contenter d'en faire la promotion (75).

Dans pratiquement tous les pays, qu'ils soient ou non riches en bois, des investissements accrus en faveur de la gestion des forêts secondaires et des plantations d'arbres sont essentiels pour mettre l'exploitation commerciale des forêts sur le chemin de l'équilibre. Plutôt que de subventionner le déboisement destructif et anti-économique de ses forêts nationales, le gouvernement américain, par exemple, pourrait faire bénéficier les propriétaires non industriels, qui fournissent la moitié du bois d'œuvre du pays, de mesures incitatives afin qu'ils plantent et gèrent un plus grand nombre d'arbres. En 1988, trois programmes fédéraux d'assistance ont abouti à la passation de contrats avec des petits fermiers ou propriétaires de terrains boisés, afin qu'ils sèment ou plantent des arbres sur une superficie de 329 000 hectares, ce qui représente presque le quart du total semé ou planté cette année-là. Pour cet effort de reboisement, le gouvernement a payé une somme globale de 37 millions de dollars, inférieure à ce qu'il a dépensé pour ouvrir des accès dans la Forêt Nationale de Tongass et vendre du bois à perte (76).

Devant l'aggravation des pénuries de bois, les responsables chinois ont fixé un objectif de plantation de 30 millions d'hectares pour l'an 2000. En Inde, une nouvelle agence appelée *Technology Mission for Wasteland Development* (Mission technologique pour la mise en exploitation des terres laissées à l'abandon) a fixé un objectif de reboisement de 17 millions d'hectares pour 1995, dont 6 millions pour les usages industriels. Mener à bien des opérations de plantation d'une telle envergure, et assurer la survie des jeunes pousses, n'est pas une mince affaire comme l'ont montré certains échecs du passé (77).

Améliorer le rendement dans l'utilisation du bois et diminuer les pertes dans la fabrication de ses sous-produits peuvent contribuer largement à réduire les abattages, et donc la menace qui pèse sur la forêt. Mais les gouvernements et les administrations chargées du développement encouragent rarement ces mesures. Dans beaucoup de cas, la Banque mondiale rendrait un bien meilleur service à l'économie et à l'environnement d'un pays en investissant dans des usines de production de contreplaqué plus efficaces ou dans des unités de recyclage du papier, plutôt qu'en ouvrant de nouvelles forêts à l'exploitation.

De profondes réformes sont nécessaires pour rendre l'exploitation des forêts viables. En l'absence d'une coopération internationale, il y en a vraiment peu qui verront le jour. D'une part, les groupes d'intérêts décidés à exploiter la forêt jusqu'au dernier arbre sont trop puissant. D'autre part, les gouvernements sont beaucoup trop leurs débiteurs – ou trop pauvres – pour agir seuls.

Lors du Sommet des Sept de juillet 1990, au Texas, le Président Bush a proposé l'ouverture de négociations en vue de mettre sur pied une convention mondiale sur la forêt qui pourrait être signée en 1992. Pour apporter un soutien qui ne soit pas de pure forme, l'administration américaine devrait activement soutenir l'interdiction d'exploitation dans les forêts primaires du nord-ouest de la côte du Pacifique, cesser de subventionner la vente des grumes provenant des forêts nationales, exiger l'emploi de papier recyclé dans ses propres bureaux, et accroître son aide financière aux pays pauvres qui accepteraient de prendre des mesures semblables (78).

Faire que l'exploitation de la forêt soit enfin viable dans le monde entier est une entreprise aussi complexe que vitale pour la santé de la planète. Les intérêts des gouvernements endettés, des populations aborigènes, des forestiers et des collectivités locales sont tous à prendre en compte, de même que les préoccupations relatives à l'extinction accélérée des espèces vivantes, le réchauffement du globe et la disparition d'écosystèmes irremplaçables. Le passé récent nous a fait entrevoir une exploitation de la forêt qui respecte ses innombrables bienfaits et la diversité de sa vie, ce qui nous permet d'espérer. Mais à moins que des changements plus grands n'interviennent rapidement, on peut affirmer que la génération à venir recevra en héritage un patrimoine biologique énormément appauvri.

CHAPITRE 6

Réhabiliter l'environnement en Europe de l'Est et en Union Soviétique*

par Hilary F. French

Le jour où un biologiste hongrois relativement peu connu, Janos Vargha, prit l'initiative d'une campagne dirigée contre un projet de barrage hydroélectrique sur le Danube au début des années 80, il était loin d'imaginer l'ampleur des événements qu'il allait déclencher. Avant que la décennie ne s'achève, la vague de protestations ne fit que s'amplifier et contribua au développement d'une véritable opposition politique qui parvint par la suite à battre en brèche le pouvoir absolu du parti communiste en Hongrie (1).

Il ne s'agit pas là d'un cas isolé dans la région. La période qui a précédé les diverses révolutions locales a vu le thème de l'environnement catalyser l'opinion pour déboucher ensuite sur des exigences de réformes politiques beaucoup plus vastes. Les protestations contre la pollution se sont vite transformées en rejet du joug communiste. Initialement perçus comme relativement bénins par les gouvernements des pays concernés, les mouvements écologiques ont rapidement acquis un élan irrésistible (2).

Les bouleversements du paysage politique intervenus ces dernières années en Europe de l'Est et en Union Soviétique laissent augurer d'innombrables réformes positives, parmi les-

---

* Une version plus étoffée de ce chapitre a été publiée en tant que Worldwatch Paper 99, sous le titre : *Environmental Reconstruction in Eastern Europe and the Soviet Union.*

quelles figure la réhabilitation de l'environnement. Cependant, bien que le climat politique ait changé, les problèmes écologiques demeurent. Sous les effet conjugués de la pollution atmosphérique et des dépôts acides, des villes médiévales ont pris une couleur de suie et s'effritent, des coteaux entiers sont déboisés et les récoltes s'appauvrissent. Fleuves et rivières sont transformés en égouts à ciel ouvert, et l'eau potable se fait rare. Plus alarmant encore, les gens meurent de la pollution. Dans les zones les plus touchées, l'espérance de vie a diminué de plusieurs années, tandis que les cas de cancers, les problèmes génétiques et une foule d'autres maux y sont beaucoup plus nombreux qu'ailleurs.

Bien qu'elles soient soumises au même régime communiste issu de la Seconde Guerre mondiale et qu'elles partagent, dans certains cas, un héritage slave commun, l'Europe de l'Est et l'Union Soviétique sont culturellement, historiquement et géographiquement distinctes. C'est un point que soulignent un grand nombre d'habitants de l'Europe de l'Est, lorsqu'ils parlent d'Europe centrale, en faisant référence à la région. Néanmoins, l'expérience commune que partagent tous ces pays en matière de planification centralisée et de régimes autoritaires, tout autant que les changements politiques d'une importance capitale qu'ils connaissent, leur confèrent des caractéristiques écologiques similaires, ce qui permet donc de les considérer comme un tout.

Il ne sera pas facile pour leurs gouvernements de se consacrer aux problèmes que pose l'environnement face aux priorités économiques et politiques auxquelles ils sont confrontés. Ceux qui, pour des motifs budgétaires ou autres, préconisent de différer le traitement de ces problèmes risquent de l'emporter sur ceux qui souhaitent les voir résolus en priorité. Le prix à payer à court terme pour la réhabilitation de l'environnement, comme par exemple les investissements dans la lutte contre la pollution, ou les mises au chômage dues aux fermetures d'usines, est en effet bien plus aisément perceptible que ne le sont les retombées favorables sur le plan économique ou celui de la qualité de vie.

Dans toutes ces régions, cependant, l'assainissement de l'environnement est loin d'être un luxe. Bien qu'il soit difficile de se procurer des chiffres exacts, les économistes estiment que la dégradation de l'environnement coûte, chaque année, à la Pologne 10 à 20 % de son produit national brut (PNB). Quant à la Tchécoslovaquie, le coût est de 5 à 7 %. En 1987, les conséquences de la pollution sur la santé des habitants d'Union Soviétique ont été chiffrées à 190 milliards de roubles (soit 330 milliards de dollars au taux officiel d'octobre 1990), ce qui représente 11 % du PNB estimé de l'URSS. Dans ces conditions, tout investissement fait pour la protection de l'environnement ne peut qu'être économiquement profitable (3).

L'état de l'environnement dans cette partie du monde n'intéresse pas seulement ceux qui y résident mais bien le monde entier. L'Union Soviétique est à l'origine de 19 % des émissions mondiales de dioxyde de carbone (CO_2), gaz qui est le principal responsable du réchauffement général de la planète. Par ailleurs, une partie considérable de l'air et des eaux pollués d'Europe orientale aboutit en Europe de l'Ouest. Pour cette dernière, investir dans la lutte contre la pollution à l'Est est donc une façon rentable de procéder à son propre assainissement (4).

Compte tenu du rôle important que les mouvements de défense de l'environnement ont joué dans les récentes crises en Europe de l'Est et en Union Soviétique, les écologistes peuvent à juste titre se considérer comme mandatés pour la mise en place de contrôles stricts. Donner droit à leurs revendications exigera une politique soutenue de la part des gouvernements concernés tout autant que de la communauté internationale, faute de quoi la situation ne fera qu'empirer.

La nature dévastée par l'industrialisation

Jusqu'à une époque récente, les panaches de fumée vomis par les cheminées d'usines étaient considérés comme un symbole de puissance nationale tant en Europe de l'Est qu'en Union Soviétique. Mais l'extrême importance que l'on a attachée à l'accélération de l'industrialisation, comme en témoignent un peu partout les affiches de propagande communiste, a prélevé un lourd tribut. La pollution de l'atmosphère et des eaux atteint des niveaux qui rappellent ceux que l'Ouest a connu dans les années 1950 et 1960. Les polluants qui n'ont pas été rejetés dans l'air ou dans les eaux de la région ont abouti dans des décharges. Il paraît clair que l'élimination des déchets toxiques a grandement souffert d'un manque de réglementation.

La pollution atmosphérique dans la région est atterrante. En Europe de l'Est, la principale cause réside dans la combustion de la lignite, ou charbon gras, extraite sur place. Faiblement énergétique, cette lignite a une haute teneur en soufre. Avant que n'intervienne la réunification allemande, l'Allemagne de l'Est et la Tchécoslovaquie consommaient pratiquement le tiers de la lignite utilisée dans le monde. La plupart des usines qui utilisent la lignite dans la région ne bénéficient d'aucune technologie anti-pollution. Aux rares endroits où cette technologie existe, les moyens de lutte se révèlent beaucoup moins efficaces que dans les pays de l'Ouest (5).

La dégradation de l'atmosphère résulte aussi, pour partie, d'une très mauvaise utilisation de l'énergie. Par suite des subventions officielles qui maintiennent son coût à un niveau extrêmement bas et de l'absence d'une politique de prix valable, pas plus les industriels que les particuliers ne sont incités à restreindre leur consommation. De ce fait, la région n'a pas su réaliser les gains considérables en matière d'efficacité énergétique qu'ont connus d'autres pays à la suite de l'augmentation du prix du pétrole en 1973 et en 1979. L'Europe de l'Est et l'Union Soviétique utilisent encore sur une large échelle des fours Martin et autres technologies peu économes en énergie. En moyenne ces pays consomment moitié plus, voire le double, de l'énergie requise aux Etats-Unis pour produire un dollar de leur produit intérieur brut (PIB). Par rapport au Japon, leur consommation est double ou triple (voir figure 6-1) (6).

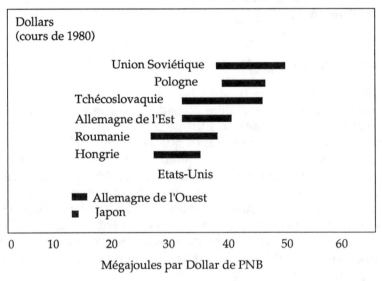

Source : Chandler et Kolar, 1990

Figure 6.1.   Intensité énergétique estimée, échantillon de pays, 1985

Sous les effets conjugués de la dépendance vis-à-vis du charbon, de contrôles anti-pollution limités et d'un manque d'efficacité énergétique, l'Europe de l'Est présente les taux d'anhydride sulfureux (SO_2) les plus élevés du monde. Si l'on rapporte les émissions nocives au PNB, ces pays figurent parmi les plus polluants (voir tableau 6.1). Une usine de Boxberg, ex-RFA, qui brûle de la lignite, rejette, à elle seule, 460 000 tonnes d'anhydride sulfureux chaque année, c'est-à-dire plus que le Danemark et la Norvège réunis (7).

Tableau 6.1. Rejets de polluants dans l'atmosphère, échantillon de pays, 1988[1]

Pays	Oxydes d'azote		Anhydride sulfureux	
	Rejets (en milliers de tonnes)	Rejets par unité du PNB (en grammes)	Rejets (en milliers de tonnes)	Rejets par unité du PNB (en grammes)
Allemagne de l'Est	708	4	5 258	31
Tchécoslovaquie	950	8	2 800	24
Bulgarie	150	3	1 030	21
Pologne	1 550	7	4 180	20
Roumanie[2]	390	4	1 800	19
Hongrie	259	4	1 218	17
Union Soviétique[3]	4 150	2	18 584	10
Royaume-Uni	2 480	3	3 664	5
Etats-Unis[4]	19 800	4	20 700	4
Suède	390	2	214	1
France	1 615	2	1 226	1
Allemagne de l'Ouest	2 860	3	1 300	1

1. Données préliminaires.
2. Estimation de 1980 pour le SO_2, estimation de 1985 pour le NO_x.
3. Sources fixes uniquement, données de 1987.
4. Les chiffres indiqués dans la colonne anhydride sulfureux concernent en fait l'oxyde de soufre.
Source : Worldwatch Institute, se référant à la Commission Economique des Nations Unies pour l'Europe. *The State of Transboundary Air Pollution : mise à jour de 1989* (Genève 1990) ; Christer Agren « Localisation des polluants atmosphériques », *Acid News*, 1er janvier 1990. Chiffres des rejets pour les Etats-Unis fournis par l'Agence américaine pour la protection de l'environnement, *National Air Quality and Emissions Trends Report for 1988*, (Washington DC : 1990) ; chiffres pour l'Union Soviétique extraits de la traduction non officielle du supplément statistique fourni par le Comité d'Etat soviétique pour la Protection de la Nature, *Rapport sur l'Etat de l'Environneent en URSS* (Moscou : 1989). Nombre d'habitants fourni par le Bureau de Recensement, *1988 World Population Data Sheet* (Washington DC : 1988). PNB extrapolé des niveaux de parité ajustés des pouvoirs d'achat de 1980 cités par Paul Marer. *Dollar GNP's of the USSR and Eastern Europe* (Baltimore : Johns Hopkins University Press, 1985), selon les taux de croissance publiés par la CIA, *Hand-book of Economic Statistics* (Washington DC 1989).

On constate également d'importantes émissions d'oxydes d'azote (NO_x) qui contribuent à la fois aux dépôts acides et à la teneur en ozone au niveau du sol. Nuisible aussi bien aux hommes qu'aux récoltes et aux forêts, l'ozone résulte d'une réaction entre oxydes d'azote et hydrocarbures sous l'effet du soleil. Les émissions d'oxydes d'azote, quant à elles, sont le fait des automobiles, des usines et des centrales électriques. Par dollar de PNB, c'est de loin la Tchécoslovaquie la plus coupable, suivie de près par la Pologne (8).

Bien que leur nombre par habitant soit inférieur à ce qu'il est à l'Ouest, les automobiles contribuent ici beaucoup plus largement à la pollution atmosphérique globale par suite de leurs caractéristiques techniques. Les moteurs deux-temps des Trabant et autres Wartburg construites en ex-RDA sont particulièrement polluants. En effet, ils utilisent un mélange d'essence et d'huile qui entraîne des émissions d'hydrocarbures, de particules et d'aldéhydes (produits chimiques organiques) bien supérieures à celles des moteurs à quatre temps, encore que leurs rejets d'oxydes d'azote soient plus faibles. On se souvient comment les Trabant et leur sillage de fumée sont devenues un symbole particulièrement parlant de la pollution de leur pays d'origine lorsqu'elles ont déferlé à la frontière après la chute du mur de Berlin. Les autres véhicules produits dans la région sont équipés de moteurs à quatre temps, mais n'en restent pas moins plus polluants que ceux construits en Europe de l'Ouest (9).

Une autre cause majeure de la pollution atmosphérique réside dans les émissions industrielles de divers produits chimiques toxiques. L'effort d'industrialisation qui a suivi la fin de la Seconde Guerre mondiale a vu la création d'industries lourdes hautement polluantes à travers toute l'Europe de l'Est et l'Union Soviétique. En Hongrie, par exemple, la part de l'industrie chimique dans la production brute est passée de 3,5 % en 1950 à 19,1 % en 1986. L'économie reste largement fondée sur les industries lourdes, contrairement aux pays de l'Ouest qui se sont orientés vers des activités du secteur tertiaire. Dans chacun des pays de la région considérée, l'industrie représente plus de la moitié de l'activité économique tandis que les services n'interviennent que pour moins du quart. Par contraste, la part de l'industrie et des services en Suède est respectivement de 32 % et 65 %, les autres pays de l'Ouest étant sensiblement calqués sur le même schéma (10).

Les industries lourdes de la région ont tendance à être agglutinées dans des zones géographiquement isolées où elles rejettent de grandes quantités de fumées toxiques dans l'atmosphère. Ces zones industrielles présentent les plus forts taux de pollution jamais enregistrés. Par exemple, la ville de Yana en Bulgarie, à mi-chemin entre les usines métallurgiques de Kremikovtsi et une mine d'uranium, a été qualifiée de « cité condamnée » par la presse locale par suite des fortes concentrations de produits chimiques toxiques constatées dans l'atmosphère. Après que des expertises médicales eurent montré que, dans cette ville, 1 enfant sur 9 seulement pouvait être considéré comme étant en bonne santé, les autorités se sont décidées à étudier le problème de la réimplantation de ses 1 550 habitants (11).

Le fait que la pollution atmosphérique ne respecte pas les frontières constitue un facteur aggravant. Les émissions d'anhydride sulfureux transitent en permanence d'un pays à l'autre. Les pays de l'Europe de l'Est exportent 68 % à 97 % de leurs émissions de SO_2 mais, par contre, 40 à 91 % du SO_2 que l'on trouve à l'intérieur de leurs frontières a été importé. Ceci est également vrai des rejets de produits toxiques. La ville de Ruse, en Bulgarie, a été empoisonnée au fil des années par des émissions de chlore provenant d'une usine roumaine implantée sur l'autre rive du Danube. Les protestations qu'a suscitées cette usine au début de 1987 ont, pour la première fois, fait bouger les choses et été à l'origine des mouvements écologistes et anti-gouvernementaux en Bulgarie. La persistance des rejets incriminés commence à altérer sérieusement les relations de ce pays avec la Roumanie voisine (12).

Les sous-produits d'origine industrielle qui ne sont pas rejetés dans l'atmosphère ont tendance à être évacués dans les eaux de la région, à un niveau pratiquement inimaginable à l'Ouest. L'usine chimique de Buna, située dans le district de Halle en ex-Allemagne de l'Est, par exemple, rejette quotidiennement 20 kilos de mercure, soit 10 fois plus que n'en rejette en un an une usine similaire du district de Ludwigshafen dans l'ex-Allemagne de l'Ouest. Les décharges industrielles, combinées aux eaux résiduaires (eaux d'égout et eaux de ruissellement à partir des terres agricoles) non traitées ont contaminé la plupart des fleuves, lacs et rivages maritimes d'Europe de l'Est et d'Union Soviétique (13).

En Tchécoslovaquie, seulement 40 % des eaux usées sont correctement traitées. En Hongrie, quelque 1,3 milliard de mètres cubes d'eaux non traitées se mélangent chaque année aux eaux superficielles du pays. La moitié des villes de Pologne, y compris Varsovie, et 35 % des installations industrielles du pays ne font subir aucun traitement à leurs déchets. En 1988, l'Union Soviétique ne pouvait convenablement traiter que 30 % des siens, 50 % l'étant partiellement tandis que les 20 % restants étaient rejetés directement dans la nature. Aujourd'hui encore, nombre de villes soviétiques importantes comme Kaunas en Lituanie et Riga, capitale de la Lettonie, ne disposent d'aucune station d'épuration (14).

Dans la région, l'eau potable est rare. Sur 3 000 villes d'importance majeure et moyenne en Hongrie, environ 700, qui représentent quelque 300 000 habitants, sont condamnées à utiliser de l'eau en bouteille ou acheminée de secteurs voisins, leurs propres puits étant contaminés par les pesticides et les nitrates qui proviennent d'engrais entraînés par ruissellement. En Tchécoslovaquie, la moitié des ressources en eau potable est hors des normes sanitaires nationales. Dans de nombreuses zones de ce même pays, la pollution par les nitrates est telle que l'eau du robinet est fortement déconseillée aux femmes enceintes et aux bébés. En Pologne, 65% de l'eau des fleuves et des rivières est si corrosive qu'elle est impropre à tout usage industriel et encore moins potable. En Union Soviétique, 18 % des échantillons d'eau prélevés à travers le pays en 1988 ont été trouvés non conformes aux normes sanitaires (15).

Toujours en Union Soviétique, la pollution industrielle et les produits chimiques agricoles entraînés par ruissellement menacent également le plus grand réservoir d'eau douce du monde, le lac Baïkal. Ce lac offre la particularité remarquable de contenir 80% des réserves d'eau potable du pays, et d'héberger 2 400 espèces de plantes et d'animaux dont plus des deux tiers n'existent nulle part ailleurs sur la planète. Un plan de grande envergure a été mis en œuvre en 1987 pour mettre au pas les entreprises coupables, mais les progrès ont malheureusement été très lents. Sur 41 projets d'assainissement prévus, comme par exemple l'amélioration du traitement des eaux usées et l'imposition de restrictions aux rejets des usines de papeterie, 26 seulement avaient pu être menés à terme en janvier 1989. Sur l'ensemble de ceux qui devaient débuter en 1988, pratiquement les deux tiers n'avaient fait l'objet d'aucun commencement d'exécution (16).

De nombreux fleuves de la région traversant plusieurs pays, la pollution des eaux constitue également une source de litiges internationaux. La pollution par la Roumanie des sources de la Tisza a longtemps été un motif de conflit avec la Hongrie, sa voisine. En 1988, la Pologne poursuivait la Tchécoslovaquie en dommages et intérêts, après la contamination du tronçon polonais de l'Odra due au déversement accidentel de grandes quantités de mazout en novembre 1986. Quant au Danube, il traverse la partie Ouest de l'Allemagne, l'Autriche, la Tchécoslovaquie, la Yougoslavie, la Bulgarie, la Roumanie, et l'Union Soviétique, récupérant au passage toutes sortes de déchets industriels et biologiques. Sur l'ensemble des villes d'Europe de l'Est situées sur son parcours, bien peu traitent leurs eaux usées (17).

Les fleuves et rivières pollués de la région finissent tous par déboucher en mer. C'est ainsi que, chaque année, l'Elbe charrie 10 tonnes de mercure, 24 tonnes de cadmium et 142 tonnes de plomb à travers l'ex-Allemagne de l'Ouest avant de les déverser dans la mer du Nord. La mer Caspienne reçoit annuellement 40 % des 28,6 km^3 d'eaux usées non traitées qui proviennent d'Union Soviétique. C'est la Volga qui en charrie la majeure partie. Ce sont 4 300 tonnes de composés azotés, 900 tonnes de produits pétroliers, 600 tonnes de plomb et 200 tonnes de détergents d'origine industrielle qui sont déversées dans la mer Noire, principalement, par le Danube et le Dniepr. Quant à la mer Baltique, enfin, plus de 46 % de l'azote et plus de 53 % des déchets organiques qui y aboutissent viennent de Pologne, de l'ex-Allemagne de l'Est et d'Union Soviétique, bien que ces pays ne bordent qu'un tiers de ses rivages. Le principal coupable, ici, est la Vistule polonaise (18).

L'état catastrophique où se trouvent toutes ces mers n'est pas sans avoir des répercussions économiques. Il fut un temps où la Caspienne alimentait 90 % des pêcheries d'esturgeons productrices de caviar en Union Soviétique. Au cours des 20 dernières années, les populations d'esturgeons et autres poissons comestibles ont connu un déclin qui se situe entre 66 et 96 %. En ce qui concerne la mer Noire, les populations de poissons disparaissent avec une effrayante rapidité au fur et à mesure qu'une couche d'hydrogène sulfuré remonte vers la surface. La pollution des plages du littoral de ces deux mers ainsi que de la Baltique a entraîné leur interdiction périodique au cours de ces dernières années. Des stations balnéaires comme Yalta sur la mer Noire et Yurmala sur la Baltique sont en péril pour la même raison (19).

Bien que peu d'informations précises soient disponibles, il semble que des déchets nocifs aient été disséminés de façon totalement anarchique dans la région. Sur le territoire de l'ex-RDA, ce sont 15 000 décharges qui doivent être passées au crible. Les services municipaux de Prague sont incapables d'expliquer la présence de 80 % des 40 000 tonnes de déchets dangereux dont se débarrasse la ville chaque année. Il n'est pas surprenant, dans ces conditions, que des décharges sauvages soient en ce moment même découvertes à travers toute la Tchécoslovaquie. La radio d'Etat a révélé, par exemple, qu'une décharge recèlant 3 500 tonnes de déchets toxiques qui contiennent des substances neuroplégiques avait été découverte près de Karlovy Vary, station thermale réputée pour ses sources d'eaux chaudes minérales (20).

En Union Soviétique, plus de la moitié des quelque 6 000 décharges légales sont en infraction vis-à-vis des normes sanitaires. Dans les républiques d'Ouzbékistan, de Georgie, de

Moldavie, de Lituanie et du Turkménistan, les trois quarts des sites similaires sont dans la même situation. Là encore, les décharges sauvages sont un motif d'inquiétude majeure. L'un des cas les plus retentissants est celui de Sillamae, au nord-est de l'Estonie, où 300 bambins de deux jardins d'enfants se mirent à perdre leurs cheveux. Leur entourage, horrifié, n'arrivait pas à comprendre pourquoi. Ce n'est que plus tard, après plusieurs mois de suppositions diverses, que l'ex-directeur d'une usine locale révéla que ses services avaient enfoui des déchets radio-actifs à l'endroit où, par la suite, les écoles avaient été construites (21).

Le tribut payé par la santé

De toutes les informations en provenance d'Europe de l'Est et d'Union Soviétique, les statistiques sur la santé sont peut être les plus choquantes. Dans certaines régions fortement polluées, ces statistiques montrent des espérances de vie raccourcies, des taux de cancer en croissance galopante ainsi qu'une quantité d'autres maladies. Les habitants des zones les plus touchées n'ont d'ailleurs pas attendu ces chiffres officiels pour prendre conscience des méfaits auxquels leur santé est exposée. En Bohême, au nord de la Tchécoslovaquie, où sont concentrées la plupart des industries lourdes et des centrales électriques du pays, ils qualifient de « frais d'obsèques » l'indemnité de résidence qui leur est allouée (22).

Compte tenu de l'imbrication des problèmes d'environnement et d'autres plus généraux touchant à la santé publique, il est difficile d'identifier causes et conséquences de façon précise. On peut cependant estimer qu'une mauvaise alimentation aggravée par un nombre élevé de gros fumeurs et une forte consommation d'alcool contribuent très largement aux problèmes de santé, sans parler de l'efficacité toute relative des services sanitaires. De par leurs interactions, tous ces facteurs engendrent une situation où le tout est, sans aucun doute, pire que la somme des parties. Bien qu'il soit malaisé de cerner précisément le rôle de l'environnement dans la dégradation sanitaire constatée, un ensemble de plus en plus grand de données laisse entendre qu'il est considérable (23).

La santé des populations localisées dans des zones où la pollution industrielle est anormalement élevée a fait l'objet d'une étude de la part du ministère soviétique de la Santé. Le rapport sur l'environnement national auquel elle a donné lieu montre claire-ment l'influence de la pollution atmosphérique sur l'apparition de diverses affections. Les taux de tumeurs malignes, de problèmes respiratoires et de maladies de la peau sont directement proportionnels au niveau de cette pollution. Une corrélation entre les types de maladies observées et la nature des installations industrielles avoisinantes a également pu être mise en évidence. Ainsi, la production d'engrais semble responsable d'une augmentation des taux de cancers ainsi que d'anomalies sanguines et cardio-vasculaires. Les usines traitant des métaux non ferreux, quant à elles, paraissent favoriser les cancers chez les enfants ainsi que les maladies de la peau. Il est enfin apparu que les enfants en bas âge qui vivent dans des régions où les pesticides sont très largement utilisés ont une propension à la maladie cinq fois supérieure à celle des enfants qui habitent dans des lieux relativement peu pollués (24).

La révélation récente de l'étendue du désastre de Tchernobyl a traumatisé l'opinion publique en Union Soviétique. A la suite des toutes dernières informations rendues publiques sur l'importance des retombées, il est probable que 20 000 personnes seront éva-cuées, d'ici à 1992, des zones contaminées d'Ukraine, de Biélorus-sie et de Russie. On craint de plus en plus que les conséquences du désastre soient bien supérieures aux estimations initiales. Les autorités soviétiques admettent aujourd'hui que plus de 150 000 personnes souffrent « d'atteintes sérieuses » à la glande thyroïde causées par l'iode radioactive, et que les taux de cancers de la thyroïde chez les habitants de la zone contaminée sont 5 à 10 fois supérieurs à la normale, tandis que les cas de leucémie chez les enfants sont le double ou le quadruple de ce qu'ils devraient normalement être. La part prise par l'accident de Tchernobyl dans ces diverses aggravations continue à faire l'objet de débats passionnés mais il n'en reste pas moins que la multitude d'animaux de ferme qui, dans la région, présentent de très importantes malformations congénitales n'est guère de nature à réconforter ceux qui, aujourd'hui, sont persuadés que leur santé est en danger (25).

Il y a longtemps que le bruit court que l'espérance de vie est plus courte dans les régions les plus polluées d'Europe de l'Est, et ces rumeurs commencent à se confirmer. Dans les zones les plus touchées de Tchécoslovaquie, ce raccourcissement de l'espérance de vie peut aller jusqu'à 5 ans par rapport au reste du pays. En Pologne, les habitants de la Silésie, qui est industrialisée à outrance, meurent trois ou quatre ans plus tôt que leurs compa-triotes. Dans l'ex-RDA, les habitants de Halle, important centre d'industries chimiques, ont une longévité diminuée de cinq ans par rapport aux habitants du reste du pays. A cela s'ajoute le fait que les individus qui sont nés et ont grandi dans des zones écologique-ment sinistrées n'atteignent leur maturité qu'aujourd'hui, et nombre d'entre eux risquent d'être frappés de maladie dans les années à venir (26).

Selon des recherches menées par le Dr Kiriaki Basmadjieva, membre du ministère de la Santé bulgare, les personnes qui vivent à proximité des principaux complexes industriels du pays souffrent d'asthme et d'ulcères dans des proportions 9 fois supérieures à celles observées dans des zones relativement peu polluées ; les cas de maladies de la peau y sont sept fois plus élevés, ceux de rachitisme et de maladies du foie quatre fois plus nombreux et ceux d'hypertension et de maladies du système nerveux trois fois plus nombreuses. De l'avis du Dr Ellen Silbergeld, toxicologue collaborant au Fonds de Défense de l'Environnement, les enfants qui habitent dans la ville industrielle de Kuklen en Bulgarie présentent une telle quantité de plomb dans leur sang qu'ils seraient immédiatement soumis à une cure de désintoxication s'ils vivaient aux Etats-Unis (27).

Des chercheurs de l'Institut d'Hygiène et d'Epidémiologie de Prague ont également établi qu'il existe une corrélation, dans certaines régions de Tchécoslovaquie, entre le niveau de pollution atmosphérique et la fréquence élevée de diverses affections, parmi lesquelles de graves maladies du système respiratoire. Dans ces régions, les enfants présentent un développement osseux tardif, des défenses immunitaires réduites, et sont plus souvent victimes d'une hypertrophie des ganglions lymphatiques et d'infections crâniennes. Là où la pollution par le plomb et l'arsenic est forte, l'analyse d'échantillons capillaires montre une concentration anormalement élevée de ces métaux lourds dans la chevelure des enfants. Au cours des dix dernières années, les cas d'allergie au pollen ont sextuplé chez les adultes et décuplé chez les enfants, tandis qu'environ 30 % de ces derniers sont atteints d'une allergie quelconque (28).

La Hongrie non plus ne fait pas exception. La population y voit sa santé empirer et son espérance de vie diminuer tandis que les maladies cardiaques et les cas de cancer se multiplient et que l'on observe une mortalité croissante qui coïncide avec une période où la pollution s'est aggravée, sans qu'il soit toutefois possible de démontrer une relation directe entre ces deux phénomènes. Cependant, des études menées dans les villes industrielles de Dorog, Ajka et Pàpa ont mis en évidence deux fois plus d'affections des voies aériennes supérieures chez les enfants qui vivent dans une atmosphère fortement polluée que chez ceux qui bénéficient d'un air pur. Les cas d'asthme sont également en augmentation dans les zones insalubres. Selon un autre rapport, la fréquence des malformations congénitales est proportionnelle à la pollution de l'environnement. D'après l'Institut national de la santé publique, la pollution atmosphérique est responsable d'un cas d'invalidité sur 24 et d'un décès sur 17 en Hongrie (29).

En Pologne, nombre de maladies, parmi lesquelles figurent la tuberculose, la pneumonie, la bronchite et la leucémie, sont plus fréquentes dans les zones fortement polluées. Un rapport conjoint de l'Institut d'ingénierie de l'environnement de Zabrze, en Haute Silésie, et du Centre pour l'environnement, de Berlin, montre que les cas de maladies vasculaires, de cancers et d'affections respiratoires chez les habitants de Haute Silésie sont respectivement supérieurs de 155 %, 30 % et 47 % à la moyenne nationale. Les chercheurs concernés pensent que ces tendances expliquent en partie le fait que l'espérance de vie des Polonais de sexe mâle âgés de 40 à 60 ans soit retombée à son niveau de 1952 (30).

Bien que trop souvent considérées comme des domaines séparés, santé publique et qualité de l'environnement sont indéniablement liées. Ceci est particulièrement vrai en Europe de l'Est et en Union Soviétique, pays où il sera particulièrement ardu d'améliorer l'état de santé actuel des populations à moins que la qualité de l'environnement ne puisse y être rétablie.

Le déclin de la productivité biologique

Tout autant que celle des humains, la santé de la flore et de la faune d'Europe et d'Union Soviétique est menacée. La productivité agricole y décline par suite de la dégradation des sols et de la pollution, les forêts y sont ravagées aussi bien par la pollution atmosphérique que par les pluies acides, et la diversité des espèces y est en danger. En un mot, les ressources naturelles sur lesquelles repose l'économie diminue de façon inquiétante.

La dégradation des sols constitue un obstacle majeur à l'augmentation de la productivité agricole en Union Soviétique. Chaque année, 1,5 milliard de tonnes de terre arable au moins disparaissent par érosion. Près des 2/3 de cette terre, soit 152 millions d'hectares, ont perdu une partie de leur fertilité par suite de l'érosion combinée du vent et des eaux. Les pertes de production engendrées par l'érosion des sols pénalisent l'économie soviétique de 18 à 20 milliards de roubles (31 à 35 milliards de dollars) chaque année. Douze pour cent des terres cultivées, soit 2,5 millions d'hectares, sont contaminées par le sel ou des composés salins par insuffisance de drainage. De 1975 à 1985, les superficies ainsi atteintes ont pratiquement doublé (31).

Le désastre de la mer d'Aral constitue un exemple abominable des dommages que peut entraîner une irrigation défectueuse. Jusqu'en 1973, la mer d'Aral était, par la superficie, la quatrième mer intérieure du monde. Malheureusement, le cours des deux fleuves qui s'y jettent, l'Amu Darya et le Syr Darya, ont été détournés pour irriguer les plantations de coton et autres cultures. Le résultat en est que, depuis 1960, la mer d'Aral a vu son volume diminuer de 66 %, sa surface décroître de 40 % et son niveau baisser de pratiquement 13 mètres. L'ancien fond marin s'est transformé en un désert salin balayé d'immenses tourbillons qui entraînent sel et sable pour les déposer ensuite sur les terres cultivées avoisinantes à un rythme proche de 5 quintaux par hectare chaque année (32).

Plusieurs pays d'Europe de l'Est font également état d'une dégradation croissante des sols. En Bulgarie, 80 % des terres sont affectés par l'érosion. En Tchécoslovaquie, 54 % de ces terres sont menacés d'érosion sous les effets combinés du vent et des eaux, les pertes annuelles étant chiffrées à 5 millions de tonnes de couche arable. En Hongrie comme en Roumanie, le même type d'érosion menace 30 % des terres arables. Ici et là, enfin, sont signalés des problèmes de salinisation et d'imprégnation par l'eau (33).

L'utilisation des engrais et des pesticides varie considérablement d'un pays à l'autre. La quantité de produits chimiques à l'hectare est en règle générale identique à celle observée dans les pays occidentaux, mais l'utilisation qui en est faite est souvent inadaptée. Ces produits font l'objet de subventions massives, ce qui conduit les fermiers à en déverser des quantités sans cesse croissantes dans les terres, que l'amélioration qui s'ensuit soit ou non à proportion. Les taux d'épandage sont souvent fixés par un lointain technocrate qui a peu de chance de connaître les quantités réellement appropriées ou ignore l'apparition d'une variété de parasites devenue résistante à un produit donné, ce qui rend ce dernier inefficace.

En Union Soviétique, un audit mené par l'Office National de Planification (Gosplan) a révélé que 11 % des engrais produits ne parvenaient jamais sur le terrain par suite de problèmes de transport et de stockage. Sur un ton qui n'était peut-être qu'à mi-chemin de la plaisanterie, la Pravda a suggéré que les fermiers soviétiques sèment leurs récoltes le long des voies férrées, là où les engrais perdus sur le trajet de l'usine à leur ferme sont déposés en abondance. L'utilisation des pesticides soulève des problèmes identiques. Selon Alexei Yablokov, vice-président du comité du Soviet Suprême pour l'environnement, et écologiste de renom, pratiquement un tiers des pesticides utilisés en Union Soviétique est perdu au cours de l'acheminement vers les utilisateurs. L'Agence officielle de statistiques (Goskomstat) a par ailleurs révélé que les sols avaient été fortement contaminés par les pesticides en Azerbaïdjan, en Arménie, au Kirghizistan, en Moldavie, au Tadjikistan et en Ousbékistan (34).

Le rendement des récoltes est également compromis par différents polluants d'origine industrielle parmi lesquels figurent les dépôts acides, l'ozone des basses couches et les métaux lourds. Par une coïncidence malheureuse, les principales sources de pollution en Union Soviétique sont localisées dans des zones agricoles. Au premier rang des coupables figurent les centres métallurgiques. En 1988, par exemple, il a été constaté que la concentration de plomb dans le sol à proximité de Glubokoe, complexe traitant les métaux non ferreux, était vingt-deux fois supérieures au niveau autorisé, tandis que les teneurs en cobalt et en zinc étaient respectivement 10 et 100 fois supérieures aux valeurs permises. En Tchécoslovaquie, on considère que la production d'alfalfa, de céréales et de laitues est affectée par la pollution : les pertes annuelles de récoltes dues à l'anhydride sulfureux sont estimées à 3 milliards de couronnes (192 millions de dollars) (35).

Les forêts elles aussi sont en danger et l'Europe de l'Est est l'un des pays les plus touchés au monde. Le patrimoine forestier situé dans la zone brune, où se trouvent les gisements de lignite, qui couvre le sud-est de l'Allemagne, le sud de la Pologne et le nord de la Tchécoslovaquie est en voie d'extinction ou a déjà disparu, et on ne compte plus les cimes hérissées d'arbres squelettiques. En 1989, une enquête de la CEE a montré que 82 % des forêts polonaises avaient été plus ou moins endommagées. La proportion était de 78 % en Bulgarie, de 73 % en Tchécoslovaquie, de 57 % en Allemagne de l'Est, et de 36 % en Hongrie (36).

Selon le rapport déjà mentionné sur l'environnement en Union Soviétique, les rejets industriels dans l'atmosphère ont des effets de plus en plus nocifs sur les forêts. De vastes zones à proximité de plusieurs villes industrielles ont été contaminées au cours des 20 dernières années. Les émissions incriminées par ce rapport concernent l'anhydride sulfureux, les oxydes d'azote, le fluorure d'hydrogène et le gaz ammoniac. Le problème des dommages forestiers n'ayant pas jusqu'ici été pris en considération, nous manquons encore d'informations détaillées. Cependant, une photographie prise dans la région de Norilzk et montrant d'immenses étendues de souches mortes illustre de façon terrifiante la gravité de la situation (37).

L'amoindrissement de la diversité des espèces témoigne de l'ampleur de l'appauvrissement biologique global dans la région.

En Union Soviétique, une espèce d'oiseaux sur dix, une espèce de plantes et de mammifères sur cinq et une espèce d'animaux amphibies et de reptiles sur quatre est en péril. Le siècle écoulé a vu disparaître 53 espèces animales et 40 espèces végétales en Hongrie. L'Académie des Sciences de Bulgarie a annoncé que 150 espèces animales et 763 espèces végétales étaient menacées ou en voie d'extinction, en partie à cause d'empiètements excessifs sur les magnifiques réserves naturelles du pays au nom du développement (38).

Les mouvements écologiques

L'ampleur des problèmes d'environnement en Europe de l'Est et en Union Soviétique a donné naissance à de vastes mouvements écologiques (voir tableau 6.2). En deux ans à peine, le militantisme écologique est apparu en pleine lumière et est devenu partie intégrante du nouveau paysage politique. Les succès enregistrés par ce jeune mouvement sont en tous points remarquables si l'on considère les obstacles auxquels ils ont dû et doivent faire face. Jusqu'à une date récente, toute organisation indépendante et non gouvernementale était strictement illégale et toutes les informations se rapportant à l'environnement étaient considérées comme des secrets d'Etat soigneusement gardés. Cependant, la route à parcourir est encore longue, alors même que ces mouvements s'adaptent à un contexte politique qui évolue rapidement (39).

S'il n'y a que peu de temps que les écologistes soviétiques peuvent jouer officiellement un rôle politique actif, les racines de leur mouvement sont profondes. Comme beaucoup d'entre eux se plaisent à le souligner, l'Union Soviétique a ouvert la voie aux réflexions sur l'environnement dès l'ère pré-communiste. A la fin du XIXe siècle, par exemple, V.I. Vernadsky avait exposé sa vision d'un monde divisé en une biosphère et une « noosphère », cette dernière étant la partie du cadre naturel que façonnent les activités humaines. Respectés au cours des premières années du communisme, les écologistes furent attaqués dans les années 30 par les staliniens qui prônaient l'exploitation de la nature (40).

Dans les années 60, un mouvement estudiantin de protection de la nature s'est développé à l'Université d'Etat de Moscou. Il préconisait la création de parcs naturels et la sauvegarde de la diversité des espèces. Ce mouvement fut toléré dans la mesure où il se limitait à la protection de la nature sans aller jusqu'à mettre en cause la pollution industrielle, ce qui était considéré comme subversif. Au cours de la même période, un mouvement rassemblant des écrivains, des scientifiques et des intellectuels lançait une croisade en faveur du lac Baïkal. Un autre mouvement d'origine similaire prenait corps dans les années 80 pour s'opposer à un plan grandiose qui visait à renverser le cours des fleuves de Sibérie afin d'irriguer les zones arides d'Asie Centrale soviétique. En 1986, ce groupe remporta une victoire significative lorsque le nouveau Secrétaire Général, Mikhaïl Gorbatchev, enterra ce projet (41).

Tableau 6.2. **Les mouvements écologiques en Europe de l'Est et en Union Soviétique à la mi-1990**

Pays	Description
Bulgarie	Ecoglanost, qui a contribué à la chute du Premier Ministre Zhivkov, aujourd'hui actif à la fois comme groupe écologique et parti politique. A reçu récemment le plus fort taux d'avis favorables devant tous les partis politiques. Il existe également un Parti des Verts et au moins 18 autres groupes.
Tchécoslovaquie	Plusieurs groupes écologiques officiels de l'ancien régime, comme Brontosaurus et les syndicats Tchèque et Slovaque des Protecteurs de la Nature, sont maintenant indépendants et sont rejoints par nombre de groupes de moindre importance. Le Cercle Vert coiffe trois groupes principaux et 30 plus réduits. Il existe également un Parti national des Verts et un parti slovaque des Verts « Tendance du Troisième Millénaire »
Allemagne de l'Est	Le réseau ARK, qui s'est développé avant la révolution sous les auspices de l'Eglise Luthérienne, a fusionné avec d'autres groupes en 1990 pour constituer la Ligue des Verts. Un Parti des Verts a été créé fin 1989. Suite à la réunification, fusionnement des mouvements écologiques et des partis des Verts.
Hongrie	Le mouvement écologiste a pris naissance à Budapest en réaction à un barrage sur le Danube. Création d'un institut de recherches sur l'environnement appelé ISTER, en même temps qu'un Centre écologique indépendant assurant plusieurs petits partis des Verts.

Pays	Description
Pologne	Le Club écologique polonais est né de Solidarité au début des années 80. Certains de ses leaders font maintenant partie du nouveau gouvernement à des postes touchant à l'environnement. Existence de plusieurs partis des Verts et de plus de 40 groupes parmi lesquels la Fédération des Verts, Zoologie et Santé ainsi que le Mouvement Ecologique Franciscain.
Roumanie	Le MER (Mouvement écologique de Roumanie), qui agit à la fois en tant que groupe écologique et Parti des Verts, joue un rôle de premier plan. Existence de plusieurs petits partis des Verts en dehors du MER. Une estimation fait état de 112 groupes locaux rassemblant 100 000 membres.
Union Soviétique	Quatre organisations, le Syndicat socio-écologique, le Syndicat écologique, Ecologie et Paix et le Mouvement des Verts, tentent de fédérer un grand nombre de groupes locaux en un mouvement national. Partis Verts actifs en Lettonie, Lituanie, Estonie, Moldavie, Biélorussie et Ukraine.

Sources : Worldwatch Institute, d'après les sources mentionnées au renvoi 39.

Tous les animateurs de ces mouvements précurseurs appartenaient à une élite restreinte qui avait les moyens d'influencer en sous-main les détenteurs du pouvoir. Comme le dit l'écologiste russe Natalya Yourina : « Dans les années 60, seuls protestaient les individus. Aucune organisation structurée n'existait ». Tout changea avec la conjonction du désastre de Tchernobyl en avril 1986 et de la *Glasnost* d'où sortit un mouvement largement assis sur les différentes fractions de la société. Des manifestations comme on n'en avait encore jamais vu firent leur apparition à travers ce vaste pays qu'est l'Union Soviétique. D'abord de façon hésitante, puis avec une assurance grandissante au fur et à mesure qu'ils repoussaient les limites de la tolérance officielle, des milliers et parfois des dizaines de milliers de manifestants prirent fait et cause contre les centrales nucléaires, la pollution atmosphérique et celle des eaux, les fermetures de plages et toutes autres formes d'atteintes à l'environnement (42).

Dans les diverses républiques, qui pour la plupart cherchent à obtenir une certaine autonomie sinon une totale indépendance vis-à-vis de Moscou, l'écologie tend à véhiculer des sous-entendus hautement politiques. Tout au début de la *Glasnost*, les manifestations anti-pollution qui se sont déroulées dans les républiques Baltes se sont transformées rapidement en mouvements indépendantistes. Aujourd'hui même, l'écologie contribue à raviver les sentiments nationalistes aussi bien en Ukraine que dans d'autres républiques. La plupart des actuels « écologistes nationalistes » poursuivent une politique d'indépendance qui, si elle porte ses fruits, leur permettra de mettre à profit une autonomie récemment acquise pour procéder aux améliorations qu'ils préconisent (43).

Bien que la plupart des groupes écologistes d'URSS se concentrent chacun sur leurs problèmes locaux, un effort de coordination se dessine au niveau national. Le Syndicat Socio-Ecologique est une organisation qui coiffe plus de 150 organisations non gouvernementales dans 260 villes de grande et moyenne importance. On peut également citer l'Association pour le soutien aux initiatives écologiques, le Syndicat écologique, Ecologie et Paix et enfin le Mouvement des Verts qui œuvrent dans le même sens. Le degré de coopération avec le gouvernement varie d'un organisme à l'autre, certains choisissant délibérément l'affrontement tandis que d'autres tentent d'agir à l'intérieur du système. Pour l'heure, il ne s'agit encore que d'opérations placées essentiellement sous le signe de l'amateurisme, organisées au domicile de telle ou telle personne particulièrement engagée et ne disposant d'aucun budget digne de ce nom (44).

En tant que mouvement indépendant, l'écologie n'a fait son apparition en Europe de l'Est qu'au cours de ces toutes dernières années. Il existait jusque-là des clubs officiels voués à la protection de la nature mais qui ne s'attachaient qu'aux objectifs politiquement « sûrs », à savoir la protection de la faune et de la flore sauvages et des réserves naturelles. Outre ces clubs, quelques groupes dissidents avaient également inscrit l'écologie à leur programme. C'est ainsi, par exemple, que le mouvemnt tchèque de la Charte des 77 publia clandestinement en 1983 un rapport rédigé par des membres de la section écologie de l'Académie des Sciences de Tchécoslovaquie. Ce rapport, qui détaillait l'ampleur de la catastrophe écologique dont le pays était le théâtre et son impact sur la santé des populations, fut acheminé à l'Ouest par des voies détournées, et il y fut publié dans la presse avant de regagner son pays d'origine par le biais d'émissions radiodiffusées (45).

En septembre 1980, pendant la période de libéralisation qui accompagna l'essor du mouvement Solidarité, le Club Ecologique

Polonais fut fondé à Cracovie. Ce fut là le premier groupe écologique totalement indépendant à avoir été créé en Europe de l'Est. Une fois les révolutions achevées, les groupes de protection de la nature jusque-là sous la coupe officielle devinrent indépendants, d'autres sortirent de la clandestinité et un grand nombre de nouveaux groupes furent créés. Il existe aujourd'hui des mouvements écologiques indépendants dans chaque pays d'Europe de l'Est, encore que le mouvement roumain fasse état d'une certaine répression, mais partout ces groupes sont aux prises avec les mêmes problèmes d'organisation : nature des relations avec les ministères officiels de l'environnement, définition d'une plateforme, origine des fonds, pluralité ou non des mouvements selon l'approche choisie (46).

Les mouvements des Verts s'essaient également à la politique électorale. Tous les pays d'Europe de l'Est, comme d'ailleurs les républiques soviétiques de Lettonie, Lituanie, Estonie, Moldavie, Biélorussie et Ukraine, ont aujourd'hui leur parti des Verts. En Bulgarie, Ecoglasnost (qui contribua à la chute du Président Zhivkov) et le parti des Verts détiennent à eux deux 32 sièges au Parlement. Les sièges parlementaires dont disposent les seuls Verts se montent à sept en Estonie, à six en Lettonie et en Slovaquie, et enfin à neuf en Lituanie. En Roumanie, le Parti des Verts et le Mouvement des Verts réunis détiennent 23 sièges (47).

Bien que les partis des Verts n'aient pas enregistré les succès espérés aux élections du printemps 1990, leur défaite toute relative donne la mesure du succès de leurs idées. Pour un grand nombre de partis, cependant, le fait d'inclure une clause sur l'environnement dans leur plate-forme électorale n'était qu'un autre moyen de critiquer l'ancien régime. Tout novices qu'ils sont, il reste maintenant à ces mouvements écologiques à faire pression sur les gouvernements nouvellement élus pour qu'ils tiennent leurs promesses électorales (48).

Les réponses officielles

Bien que l'état de leur environnement ne le laisse pas supposer, l'Union Soviétique comme l'Europe de l'Est disposent, théoriquement, d'une législation extrêmement sévère dans ce domaine. En fait, les normes applicables à la qualité de l'air et de l'eau sont plus strictes que celles des pays de l'Ouest car elles se fondent sur la détermination scientifique du niveau requis pour prévenir l'apparition de problèmes de santé. Par ailleurs, et contrairement à ce qui se passe à l'Ouest, ces normes ne sont pas à la merci des vicissitudes politiques.

Malheureusement, ces lois n'ont été que faiblement appliquées. En effet, la majeure partie des industries continue à dépendre de l'Etat qui est donc à la fois juge et partie, ce qui engendre un formidable conflit d'intérêts. En outre, les ministères en charge de l'Industrie, de l'Agriculture et des Eaux et Forêts ont une influence bien supérieure à celle des nouveaux organismes qui sont censés faire appliquer la réglementation en matière d'environnement. Les ministères en charge de la Production parviennent dans la majorité des cas à échapper aux amendes, et les pénalités, lorsqu'elles sont infligées, n'ont que très peu d'effet : l'industrie incriminée, qui appartient à l'Etat et jouit d'un monopole, se contente de transmettre la facture au gouvernement central. De cette façon, l'objectif de production, qui constitue la règle suprême selon laquelle un directeur d'usine est récompensé ou puni, n'a subi aucune atteinte (49).

La capacité à réformer l'attitude actuelle à l'égard de l'environnement dépendra des transformations politiques globales en cours. Par exemple, l'autorité et l'efficacité des divers organes de décision seront influencées par le projet du Président Gorbatchev visant à transférer les prérogatives du parti communiste aux corps exécutifs et législatifs (Congrès des députés du peuple et Soviet Suprême) (50).

Créée au début de 1988, l'Agence soviétique pour l'environnement, Goskompriroda, est censée assurer les tâches de coordination jusqu'alors réparties entre plusieurs ministères, et a largement barre sur les autres agences. Malheureusement, la Goskompriroda s'est vue confrontée, dès l'origine, à de graves problèmes, comme la démission de son premier directeur et la réticence des autres ministères à lui abandonner leurs attributions. Des perspectives plus favorables sont apparues fin 1989 avec la nomination d'un nouveau ministre, Nicolaï Vorontsov. Ce biologiste de renom a été le premier titulaire d'un poste ministériel à ne pas être membre du Parti Communiste (51).

Le Congrès des Députés du Peuple et le Soviet Suprême jouent un rôle actif dans la réforme de la politique de l'environnement. Selon une étude récente, le nombre de Verts parmi les députés pourrait atteindre 300, soit 13 %. Lors de la première session du Congrès, 80 % des discours ont fait référence à l'environnement, ce qui a créé la dynamique nécessaire pour pousser le gouvernement à prendre le taureau par les cornes en matière de dépollution. De son côté, le Soviet Suprême comprend aujourd'hui un Comité pour l'écologie où figurent un grand nombre de scientifiques, écrivains et écologistes actifs, tous tenus en très haute estime (52).

La Goskompriroda et le Soviet Suprême ont entrepris de concert la révision des textes législatifs traitant de l'environnement. A l'automne de 1989, l'Agence a transmis au Soviet Suprême un projet de loi très important qui, selon les propres mots de M. Vorontsov, affirmait « la primauté de l'écologie sur l'économie et la prééminence des intérêts des citoyens sur ceux des ministères ». Ce projet prévoyait également l'évaluation des diverses atteintes portées à l'environnement, la participation du public à la prise de décisions et la création de taxes frappant l'utilisation des ressources naturelles. En réponse, le Soviet Suprême répondait par une résolution préconisant une série de mesures qui reprenaient l'essentiel des propositions de la Goskompriroda (53).

Tandis que se déroulent les discussions sur ces mesures à long terme, le public, lui, demande de façon de plus en plus pressante des résultats immédiats. Le gouvernement a alors choisi la solution la plus simple : fermer certaines usines. C'est ainsi qu'en 1989, 240 d'entre elles ont cessé leurs activités pour des raisons dues à l'environnement. Par voie de conséquences, la production 1990 sera amputée, entre autres, de 5,2 millions de tonnes d'engrais, 951 000 tonnes de soude, 400 000 tonnes de cellulose, 387 000 tonnes de méthanol et plus de 250 000 tonnes de caoutchouc synthétique. De telles pertes pourraient avoir des conséquences néfastes : un grand nombre d'usines produisant des médicaments essentiels ou encore du papier, qui est une denrée rare, ont dû être fermées. Lorsque à Furmal, Lettonie, l'usine Floka, usine de fabrication intégrée de pâte et de papier, qui était très polluante, fut fermée, les journaux de la république cessèrent de paraître (54).

Dans l'ensemble de l'Europe de l'Est et de l'Union Soviétique, l'énergie nucléaire est sans doute le domaine qui a entraîné les contestations les plus vives. Bien que les gouvernements en place manifestent leur intention de poursuivre le programme de construction de centrales, la révélation du désastre de Tchernobyl et la diffusion d'informations relatives à des accidents sérieux survenus en Europe de l'Est ont ébranlé l'opinion publique. Devant l'inquiétude de la population, l'avenir des programmes nucléaires est maintenant sérieusement remis en question. Depuis Tchernobyl, l'Union Soviétique a annulé ou suspendu *sine die* des projets portant sur l'édification de 30 centrales nucléaires. En Europe de l'Est, 4 réacteurs déjà opérationnels ont été arrêtés depuis décembre 1989 tandis que 14 autres, en construction ou planifiés, ont été abandonnés (55).

Les nouveaux gouvernements d'Europe de l'Est commencent, eux aussi, à formuler des stratégies plus larges en matière d'environnement. Si un grand nombre des déclarations faites par les ministères concernés et par les parlements nouvellement constitués sont impressionnantes, il reste à voir ce qu'il en adviendra face aux intérêts économiques solidement retranchés et à l'impatience de la population qui souhaite une amélioration rapide de son bien-être matériel.

Après la récente réunification allemande, l'ex-Allemagne de l'Est constitue un cas à part. La construction des usines, des cheminées ou des moteurs doit désormais répondre aux normes en vigueur dans l'ex-Allemagne de l'Ouest et les entreprises existantes ont un délai de 10 ans pour se conformer à ces normes ou disparaître. Malheureusement, les autres pays de la région n'ont pas la chance d'avoir un tel mécène, ce qui n'a toutefois pas empêché la Pologne et la Tchécoslovaquie de lancer des programmes d'assainissement ambitieux (56).

En Pologne, le nouveau ministre de l'Environnement, Bronislaw Kaminski, a déjà publié une liste noire où figurent 80 pollueurs industriels notoires. En coopération avec les autorités locales, le ministère va définir un calendrier de mise en conformité de ces entreprises vis-à-vis des normes anti-pollution, faute de quoi il sera mis un terme à leurs activités. D'autres mesures concernent la suppression des échappatoires auxquelles les pollueurs avaient jusqu'ici recours, la révision de la législation existante sur le contrôle de la pollution et un examen méthodique de l'état de l'environnement. M. Kaminski a également révélé les grandes lignes d'un programme d'investissements massifs pour la protection de l'environnement, qui sera terminé en 1995, et qui comprend, en particulier, la construction de 3 000 nouvelles stations d'épuration (57).

En Tchécoslovaquie, le Président Vaclav Havel a clairement indiqué dès le début de son mandat que l'environnement serait l'une de ses priorités. Dans son discours d'investiture en qualité de Président provisoire le 1er janvier 1990, il déclarait : « Nous avons dévasté les terres, les fleuves et les forêts que nos ancêtres nous ont légués et notre environnement est aujourd'hui le pire de toute l'Europe ». Il a immédiatement nommé des écologistes de renom à la tête des divers organismes responsables de l'environnement au niveau des Républicains Tchèques et Slovaques et au niveau fédéral (58).

Le ministre de l'environnement Josef Vavrousek a récemment défini sa politique visant à faire de la protection de l'environnement le pivot de la transition de la Tchécoslovaquie vers l'économie de marché. Son intention est de créer d'importantes incitations financières telles que taxes ou dépôts remboursables frappant les auteurs de rejets nocifs. Pour lui, ce plan anti-pollution doit absolument réussir même s'il doit entraîner un retard de l'augmentation de la consommation. Il doit à brève échéance soumettre au Parlement différents projets de loi portant sur l'évaluation des diverses atteintes à l'environnement, sur une gestion plus stricte des rejets et sur la définition d'une réglementation concernant la pollution atmosphérique. En dépit du bien-fondé de ces propositions, les écologistes craignent qu'elles ne soient battues en brèche par d'autres ministères et groupements d'intérêts. Le fait est qu'elles ne figuraient pas dans un plan économique présenté en septembre 1990 (59).

Le cours des choses est un peu moins rapide en Hongrie, en Bulgarie et en Roumanie. Le ministère de l'Environnement hongrois, qui était accolé à une agence des Eaux de type travaux publics jusqu'en 1990, n'a enregistré jusqu'ici que de très modestes succès. Il est encore trop tôt pour savoir si la séparation des deux organismes lui permettra de se montrer plus efficace. En mars 1990, le Premier ministre bulgare a présenté un plan de 1,2 milliard de dollars pour combattre la pollution industrielle mais les sceptiques doutent que le gouvernement puisse réunir une telle somme. En Roumanie, les écologistes n'ont pas tardé à tirer parti de la révolution : un nouveau ministère de l'Environnement a été créé le 28 décembre 1989, quelques jours seulement après que les partisans de Ceausescu aient cessé de se battre dans les rues de Bucarest. Malheureusement, l'instabilité politique qui continue à régner dans ce pays risque de reléguer au second plan, et pour un certain temps encore, la lutte pour la protection de l'environnement (60).

Les étapes d'une politique de réhabilitation

Compte tenu des ravages exercés sur la santé des populations et la productivité biologique par l'environnement dégradé dont sont victimes l'Europe de l'Est et l'Union Soviétique, l'assainissement de ces pays est bien plus une condition nécessaire qu'un obstacle à leur développement économique. La transformation d'une économie fondée sur l'industrie en une économie davantage orientée vers les services et les biens de consommation devrait entraîner, pour des raisons purement économiques, la fermeture des usines les plus polluantes. Au fur et à mesure de l'apparition de nouveaux investisseurs, il conviendra de répartir les fonds disponibles de façon à contribuer à la réhabilitation de l'environnement.

A court terme, cependant, l'assainissement de la région entraînera d'importants bouleversements économiques et sociaux. Selon l'Institut allemand de recherche économique pour l'écologie, il faudra 10 ans et entre 249 et 308 milliards de dollars pour que l'environnement de l'ex-RFA réponde aux normes de l'Allemagne réunifiée. En Pologne, le ministre de l'Environnement estime que les améliorations indispensables coûteront 20 milliards de dollars répartis sur les 10 à 20 années à venir. Les Tchécoslovaques chiffrent à 23,7 milliards de dollars au minimum les sommes à consacrer à la lutte anti-pollution pendant les 15 prochaines années. Il a été estimé que l'Union Soviétique devra injecter d'emblée 100 milliards de roubles (174 milliards de dollars), puis 10 milliards de roubles chaque année, pour simplement ramener la pollution atmosphérique à des normes acceptables. De plus, nombre d'emplois sont menacés : la fermeture d'une seule unité de production chimique à l'usine notoirement polluante de Bitterfeld en ex-RDA a entraîné la mise au chômage de 10 000 personnes. Le défi à relever consiste donc à définir des programmes d'assainissement procurant le maximum de bénéfices à long terme tout en entraînant le minimum de désavantages à court terme (61).

L'Europe de l'Est et l'Union Soviétique ont la chance unique de bénéficier de l'expérience acquise à l'Ouest pendant ces 20 dernières années et peuvent donc en tirer le meilleur pour résoudre leurs problèmes d'environnement. Il se pourrait même que la région se retrouve en avance sur les pays de l'Ouest, tant en matière de technologies que de stratégies, en sélectionnant parmi ces dernières celles qui se sont révélées les plus efficaces afin de rentabiliser au maximum ses investissements.

Une de ces stratégies consiste à privilégier le rendement énergétique (voir Chapitre 2). Il s'agit là en effet d'un facteur particulièrement important car la consommation d'énergie risque d'augmenter considérablement face à la demande pressante de populations longtemps privées de biens de consommation. Un bon rendement énergétique présente des avantages à la fois économiques et écologiques. Freiner la consommation diminue du même coup la pollution et il est sans doute moins onéreux d'équiper les usines existantes d'épurateurs ou autres systèmes anti-pollution que d'en construire de nouvelles (62).

Au fur et à mesure que les pays concernés évolueront vers l'économie de marché, ils utiliseront l'énergie de mieux en mieux, sous la double pression de son prix et de la recherche du profit qui incitera à l'économiser. Dans ce contexte, les industries lourdes gourmandes en énergie ne seront sans doute plus compétitives. Une politique agressive visant à remplacer les équipements démodés par des technologies plus efficaces contribuera elle aussi à accroître encore les bénéfices. Selon une étude de cas menée sous l'égide de William Chandler des laboratoires Pacific Northwest, l'Union Soviétique pourrait, au cours des 15 années à venir, réduire sa consommation d'énergie d'un montant égal à 25 % de sa consommation actuelle tout en dépensant des sommes moindres. Pour la Pologne, la diminution pourrait se monter à 40 %, tout en faisant, elle aussi, des économies. Tout ceci montre bien qu'il est plus avantageux d'investir dans des technologies économes en énergie que de construire de nouvelles centrales électriques (63).

Malheureusement, on est en train de gaspiller des occasions en or. C'est ainsi que la société américaine Overseas Private Investment Corporation a apporté son soutien financier à un projet de General Electric chiffré à 150 millions de dollars pour la modernisation de 13 usines hongroises produisant des ampoules à incandescence. Si cet argent avait été investi dans la construction d'usines produisant des lampes fluorescentes compactes, cela aurait évité au gouvernement hongrois de dépenser 10 milliards de dollars pour la construction de nouvelles centrales au charbon fortement polluantes (64).

Tableau 6.3. Répartition des déplacements urbains selon le mode de transport dans un échantillon de pays[1]

Pays	Automobile (en %)	Piétons et cyclistes (en %)	Transports publics (en %)
Union Soviétique [2]	12	–	88
Pologne [2]	15	–	85
Hongrie	11	31	58
Tchécoslovaquie	13	35	52
Allemagne de l'Est	24	48	27
Royaume-Uni	45	33	19
Suède	36	49	11
France	47	35	11
Allemagne de l'Ouest	48	40	11
Pays-Bas	45	48	5
Etats-Unis	82	10	3

1. Dernières données en date, ancienneté allant de 1978 à 1987. Répartition des modes indiquée quel que soit le motif du déplacement. Compte tenu de la variété des méthodes de comptage, le total pour un pays donné peut être différent de 100 %.
2. Données concernant uniquement les automobiles et transports publics, excluant de ce fait les piétons et cyclistes.

Source : John Pucher, « Capitalisme, Socialisme et Transports Urbains : Politiques et Modes de Déplacement à l'Est et à l'Ouest », Journal of the American Planning Association, été 1990.

Les transports offrent également la possibilité de brûler les étapes. Après deux décennies d'efforts pour assainir l'atmosphère des concentrations urbaines des pays de l'Ouest, il est clair que la pollution automobile ne peut être combattue uniquement par le biais de solutions technologiques, comme les convertisseurs catalytiques par exemple. Les améliorations qui ont pu en résulter ont été en fait balayées par l'augmentation constante du nombre d'automobiles. Devant cet état de fait, nombreux sont ceux qui, en Amérique du Nord, regrettent d'avoir laissé s'atrophier leur réseaux de transports publics (65).

En Europe de l'Est et en Union Soviétique, par contre, les transports publics forment une trame dense et drainent de très nombreux usagers. En Hongrie, par exemple, ils sont utilisés dans 58 % des cas tandis que les déplacements en automobile ne représentent que 11 %, alors que les proportions sont respective-ment de 3 % et 82 % aux Etats-Unis (voir tableau 6.3). Mais les pays de l'Est et l'Union Soviétique risquent d'évoluer dans le même sens que les Etats-Unis lorsque les consommateurs pourront enfin réaliser le rêve qui est depuis longtemps le leur : posséder une voiture. Ceci pourra être évité par une série de mesures judicieuses faisant de l'automobile un simple pion et non pas une reine sur un échiquier de moyens de transport diversifiés (voir le Chapitre 4).

Faute de prendre des mesures pour encourager le recyclage et la réduction des déchets, la quantité d'ordures ménagères dans les régions considérées risque de croître démesurément avec l'arrivée des techniques de conditionnement utilisées à l'Ouest. La république de Russie produit aujourd'hui environ 186 kilos d'ordures ménagères et commerciales par habitant et par an, à comparer aux 473 kilos d'ordures produits dans l'ex-Allemagne de l'Ouest. En ce qui concerne le secteur industriel, l'expérience acquise dans les pays occidentaux montre qu'il est moins polluant, et souvent même moins onéreux, de diminuer les déchets au sein des cycles de production, plutôt que de mettre en place des dispositifs de retenue des émissions et des effluents en bout de chaîne (voir le Chapitre 3) (66).

Il serait dommage que l'Europe de l'Est et l'Union Soviétique fassent comme les pays occidentaux et prennent le chemin d'un matérialisme débridé. La plupart des intellectuels qui ont animé les révolutions intervenues dans ces pays voient la consommation à outrance d'un œil méfiant. Dans un essai intitulé *The Power of the Powerless*, le président tchèque Vaclav Havel dénonce « la dictature omniprésente de la consommation, de la production, de la publicité, du commerce et de la culture qui les sous-tend » qui règne à l'Ouest. Mais la plupart des populations concernées, souvent démunies de produits aussi élémentaires que le savon, accueillent sans aucun enthousiasme l'idée de restreindre leur consommation. Le problème ici est de trouver un juste équilibre entre la satisfaction des besoins et l'excès de biens matériels (voir Chapitre 9) (67).

L'évolution vers une politique des prix dictée par le marché ne peut qu'être bénéfique pour l'environnement. Au fur et à mesure que les prix pratiqués pour l'énergie, l'eau et les produits industriels et agricoles refléteront davantage leur valeur marchande réelle, les populations seront incitées à économiser ces produits ou ces ressources. Toutefois, le marché n'est en aucun cas une panacée car il ne tient aucun compte des coûts liés à l'environnement. Pour éviter cet écueil, l'Europe de l'Est et l'Union Soviétique auraient sérieusement intérêt à s'inspirer de mesures actuellement en cours d'étude à l'Ouest où, par exemple, plusieurs gouvernements envisagent de recourir plus largement aux impôts verts qui frappent les activités qui polluent ou détériorent l'environnement (voir Chapitre 10) (68).

La réhabilitation de l'environnement dans ces pays dépendra pour une large part de la coopération internationale. Hors du cadre officiel, les écologistes de l'Union Soviétique et de l'Europe de l'Est entretiennent des relations de plus en plus suivies avec les organisations et les partis écologiques des pays occidentaux. C'est ainsi que plusieurs partis Verts de pays riverains de la Mer Baltique ont fondé le Centre d'Informations Balto-Scandinave afin de contraindre leurs gouvernements respectifs à respecter leurs promesses de diminuer les rejets dans cette mer. Un projet de « Maison Commune de l'Europe », qui regroupe des organismes privés d'Europe de l'Est et de l'Ouest, préconise la transformation des rivages de la Baltique en parcs naturels (69).

Au niveau gouvernemental, les programmes d'aide à l'Europe de l'Est pour la réhabilitation de l'environnement se sont considérablement multipliés au cours de l'année passée. La Banque Mondiale a accordé un prêt de 18 millions de dollars à la Pologne pour lui permettre d'améliorer ses méthodes de gestion de l'environnement. Un prêt similaire à la Hongrie est en cours de préparation. Une branche de la Banque Nordique d'Investissements, la Nordic Environmental Financing Corporation, est sur le point de donner le feu vert à ses premiers investissements en Europe de l'Est. Les 45 millions de dollars prévus sont destinés à financer des projets menés en coopération pour assainir l'atmosphère, réduire la pollution des eaux et améliorer le rendement énergétique. La nouvelle Banque Européenne pour la Reconstruction et le Développement est également susceptible d'apporter une contribution significative. Grâce à une campagne internationale menée par des organisations non officielles, cette banque a été amenée à inclure dans ses statuts un mandat en faveur de l'environnement. Il reste à voir si ce dernier sera honoré lors du début du prêt en mars 1991 (70).

A ce jour, la Communauté européenne a engagé 131 millions de dollars pour des programmes touchant à l'environnement dans l'ex-Allemagne de l'Est, la Hongrie, la Pologne, la Bulgarie et la Tchécoslovaquie. Tous ces pays doivent se joindre à la nouvelle Agence Européenne pour l'Environnement dont une des principales activités sera le recueil de données standardisées sur l'environnement à travers l'ensemble du continent. Autre aspect des efforts multilatéraux en cours, septembre 1990 a vu l'ouverture, à Budapest, d'un centre régional dont l'initiative revient aux Etats-Unis et qui a été financé conjointement par ces derniers, la Communauté européenne, l'Autriche, le Canada, la Finlande, la Hongrie, les Pays-Bas et la Norvège. Selon son directeur, Peter Hardi, ce centre a pour vocation d'harmoniser les points de vue des groupes de pression et des gouvernements locaux (71).

Les programmes bilatéraux sont également florissants. Les Etats-Unis ont fourni 40 millions de dollars à la Hongrie et à la Pologne en guise d'aide à la réhabilitation de l'environnement, la Bulgarie, la Tchécoslovaquie et la Roumanie figurant sur la liste des prochains bénéficiaires. Outre son engagement à assainir l'ex-RDA, l'Allemagne a lancé un programme de 120 millions de dollars en guise d'aide à la Pologne qui devrait également recevoir 60 millions de dollars de la Suède, 70 millions de dollars du Danemark et 35 millions de dollars de la Finlande (72).

La réticence des Etats-Unis et, jusqu'à une date récente, de l'Europe de l'Ouest à fournir une assistance financière à l'Union Soviétique signifie que, jusqu'à ce jour, l'environnement de ce pays n'a guère bénéficié de fonds officiels en provenance de l'Ouest. Cela fait cependant des dizaines d'années que les Soviétiques coopèrent avec les pays de l'ouest sans but lucratif. Un certain nombre de projets impliquant des transferts financiers paraissent aujourd'hui en bonne voie : la Communauté européenne et l'Union Soviétique travaillent de concert à un projet de sécurité nucléaire tandis que les gouvernements norvégien, finlandais et suédois envisagent de participer à la mise en place de dispositifs anti-pollution dans deux fonderies de nickel soviétiques dont les émissions acides atteignent la Scandinavie (73).

L'aide prodiguée jusqu'ici est certes utile, mais force est de constater que la part des fonds réservés à l'environnement est très

faible si on la compare au montant global de l'assistance économique. Il est donc nécessaire que l'environnement fasse partie
intégrante de toutes les discussions traitant d'aides et d'échanges.
Or, quelle est la politique suivie dans ce domaine ? Lorsqu'il s'agit
d'environnement on prête pour des projets ponctuels. Mais, dans
le même temps, on accorde des sommes beaucoup plus importantes à des projets qui touchent à l'industrie, aux transports et à
l'énergie et qui seront nuisibles à ce même environnement. Voilà ce
qui s'appelle avancer d'un petit pas pour reculer ensuite d'un pas
de géant.

Les pays occidentaux ont un rôle évident à jouer pour éviter le
« colonialisme écologique » qui consiste à exporter des méthodes
d'extraction des ressources, ou des industries, dommageables
pour l'environnement vers des pays à législation laxiste et de
surcroît avides de devises fortes. C'est ce qui se produit en ce
moment même dans la région de Tyumen, en Sibérie, où des sociétés japonaises, américaines, allemandes et italiennes construisent
un énorme complexe pétrochimique au grand dam des écologistes
soviétiques. La moindre des choses est que les sociétés concernées
fassent en sorte que ces nouvelles usines soient conformes aux
normes en vigueur à l'Ouest. La Communauté européenne envisage d'établir un code écologique auquel devront être soumis tous
les investissements faits en Europe de l'Est. La société Occidental
Petroleum a fait un premier pas prometteur en annonçant que
toutes ses nouvelles installations à l'étranger respecteront soit les
normes écologiques des Etats-Unis, soit les normes locales. Elles
choisira les plus contraignantes (74).

Compte tenu du fait que, dans les pays de l'Europe de l'Est tout
comme dans les républiques situées dans la partie occidentale de
l'Union Soviétique, les problèmes d'environnement n'ont cure des
frontières, l'établissement d'accords internationaux revêtira une
importance primordiale. Sous les auspices de la CEE, deux proto-
coles de réduction de la pollution atmosphérique ont déjà été si-
gnés et un troisième est en préparation. De surcroît, les Etats
membres de la Commission sur la Sécurité et la Coopération en
Europe ont demandé à la CEE de mettre en chantier un traité sur
la pollution transfrontière des eaux. Par ailleurs, tout traité à
venir devra tenir compte de la nécessité des transferts de technologie. On estime en effet que plusieurs pays d'Europe de l'Est
risquent de ne pas atteindre les objectifs de réduction de la pollution atmosphérique auxquels ils auront donné leur accord simplement parce que la technologie nécessaire leur fait défaut (75).

Enfin, les pays occidentaux pourraient essayer de trouver des
méthodes pour alléger le fardeau de la dette des pays d'Europe de

l'Est qui se monte, par exemple, à 42 milliards de dollars pour la Pologne et 18 milliards de dollars pour la Hongrie, soit 64 % et 65 % de leurs PNB respectifs. Il faudrait, pour cela, sortir des sentiers battus. Bien qu'aucun chiffre officiel ne soit encore publié, la Tchécoslovaquie et la Bulgarie ont elles aussi de très lourdes dettes. Une façon de sortir du bourbier seraient les « swaps dette-nature », c'est-à-dire l'échange d'une partie de la dette contre un meilleur traitement de la nature (voir Chapitre 10). Deux formules de ce genre ont déjà été négociées avec la Pologne : l'une par le gouvernement allemand qui dégagera des fonds d'un montant de 60 millions de dollars pour la réhabilitation de l'environnement, et l'autre par le World Wildlife Fund de Washington qui permettra d'affecter 50 000 dollars à un projet d'assainissement de la Vistule (76).

Les transformations politiques en cours en Europe de l'Est et en Union Soviétique présentent à la fois des perspectives positives et des embûches. Ces pays ont en effet l'occasion unique d'éviter les erreurs commises dans les pays occidentaux mais de puissants facteurs risquent néammoins de les y précipiter. Une telle issue ne pourra être évitée qu'au prix d'un effort de caractère international. Les révolutions intervenues en 1989 portent en germe un avenir meilleur qui ne pourra cependant se concrétiser que si les pays concernés s'attellent rapidement à la réhabilitation de leur environnement.

CHAPITRE 7

Faire face au problème
de l'avortement[*]

par Jodi L. Jacobson

L'une des premières mesures que le gouvernement provisoire de Roumanie a prise après l'exécution du dictateur Ceausescu en décembre 1989 a été d'abroger la loi interdisant l'avortement. Ce décret promulgué 14 ans plus tôt par Ceausescu, pour tenter en vain d'augmenter le taux de natalité de son pays, proscrivait l'usage des contraceptifs et considérait l'avortement comme une infraction pénale passible dans certains cas de la peine de mort. Malgré la sévérité de la législation, les statistiques montrent que, pendant les années 1980, le pays a pratiquement dépassé tous les autres pays européens en termes de taux d'avortements et de mortalité maternelle associée à l'avortement (1).

En légalisant l'avortement, la Roumanie a rejoint 35 autres pays qui ont opéré une mutation similaire depuis la fin des années 1970. Pendant une trentaine d'années, en effet, un vent de libéralisation a soufflé sur les lois régissant les moyens d'accès au planning familial, à savoir les contraceptifs et l'avortement, réduisant ainsi le nombre relatif de grossesses non désirées et de décès dus à l'avortement illégal dans bon nombre de pays, d'où de très grandes améliorations de la santé publique ainsi qu'une baisse de la fécondité dans le monde entier. A l'heure actuelle, toutefois, l'avortement est au cœur d'un débat public passionné sur les croyances religieuses et morales concernant le statut du fœtus et le droit d'une femme à choisir sa grossesse et sa maternité (2).

---

[*] Une version plus étendue de ce chapitre a été publiée en tant que Worldwatch Paper 97 sous le titre The Global Politics of Abortion.

Il se trouverait peu de gens pour nier que, du point de vue de l'intérêt public, une réduction du nombre de grossesses non désirées et d'interruptions de grossesses dans le monde est souhaitable. Les signes qui tendent à prouver que le chemin le plus direct pour y parvenir n'est pas de rendre l'avortement illégal, mais de l'intégrer dans une stratégie globale de santé publique et de planning familial, sont de plus en plus nombreux.

Or la politique en matière d'avortement s'est enfermée dans un conflit sans issue sur les aspects idéologiques et criminels des différentes pratiques, ce qui a conduit à une lutte féroce au sujet de lois qui n'apportent même pas un embryon de solution à la complexité de ce phénomène de société. Cette situation ne fait que reculer le jour où l'on pourra consacrer pleinement les énergies investies dans la lutte pour la liberté de procréation à l'amélioration de la santé et de la protection des femmes et des enfants dans le monde.

Il faudra sans doute longtemps avant qu'un débat sans passion sur l'avortement soit possible. La polémique actuelle témoigne d'une compréhension très limitée d'une part, du véritable rôle qu'il joue dans les tendances démographiques et l'évolution de la santé publique et, d'autre part, des contraintes sociales qui influent sur les taux d'avortements. Des questions clés restent sans réponse : Combien d'avortements sont pratiqués et combien le sont légalement ? Où observe-t-on une hausse des taux d'avortement ? Où observe-t-on une baisse ? Qui a recours à cette pratique et pourquoi ? Quel rôle joue l'avortement dans les mutations sociales ? Quel est le coût des avortements illégaux pour la société ? Comment réduire le nombre d'avortements sans contraindre les femmes à mener à terme des grossesses non désirées ?

On néglige de prendre en compte des preuves irréfutables. Des avortements sont pratiqués dans tous les pays, quelle qu'en soit la législation. L'histoire montre que les femmes déterminées à maîtriser le nombre de leurs enfants y auront recours, même si cela implique des pratiques illégales et dangereuses. On peut avancer le chiffre de 50 millions d'avortements pratiqués chaque année dans le monde, dont près de la moitié dans des conditions illégales. L'expérience de la Roumanie n'est qu'un exemple parmi d'autres qui indique que, quelles que soient les législations et les doctrines religieuses restrictives, et en dépit des obstacles financiers, logistiques et sociaux, les femmes continuent toujours et partout à interrompre des grossesses non désirées (3).

C'est sur le nombre de décès maternels, et non sur le nombre d'avortements, que les codes juridiques influent plus particulièrement. Le fait de faire de l'avortement un acte criminel, rend extrêmement dangereux l'un des actes chirurgicaux les plus sûrs en le confiant à des praticiens inexpérimentés et souvent sans scrupules. Le taux élevé de décès maternels et celui encore plus élevé de séquelles physiques définitives, outre des honoraires exorbitants, la peur d'être découvertes, l'ostracisme et la perte de revenus vitaux du fait de la maladie, ne sont que quelques-unes des réalités quotidiennes de la vie des femmes qui cherchent à mettre fin à des grossesses non désirées dans des sociétés où l'accès à l'avortement est limité. Dans les pays où l'incidence des pratiques illégales est forte, une part démesurée des rares ressources médicales disponibles est consacrée à soigner les complications. De plus, dans la mesure où l'avortement, qu'il soit légal ou illégal, joue un rôle significatif dans le passage d'une fécondité élevée à une fécondité basse, les politiques qui en restreignent l'accès ne font en fait que retarder l'évolution démographique.

Si l'on dépasse le cadre rhétorique pour observer la réalité de l'avortement, c'est-à-dire son incidence, son coût pour la société et pour la santé quand il est pratiqué illégalement, sa place dans l'évolution de la fécondité, son degré d'intégration dans la lutte plus vaste pour l'équité et l'égalité entre les hommes, il devient de toute évidence urgent d'élever le débat sur l'avortement du domaine pénal à celui de la raison.

L'évolution de la libéralisation

La libéralisation des législations sur l'avortement a véritablement pris de l'ampleur dans les années 1950 à mesure que l'on prenait conscience de la nécessité de réduire la mortalité maternelle et d'augmenter les choix face à la procréation. La justice sociale était également à l'ordre du jour. En considérant l'avortement comme une question du domaine public, on a réduit l'écart entre celles qui pouvaient se permettre des soins médicaux appropriés et celles qui étaient forcées de recourir à des praticiens peu fiables.

Cette stratégie a porté ses fruits. La France, la Pologne, la Tunisie, le Royaume-Uni et les Etats-Unis, par exemple, figurent parmi les pays qui ont enregistré, après la libéralisation, une baisse du nombre relatif des naissances dues à des grossesses non désirées, et une baisse des décès dus à des pratiques illégales. Ainsi, aux Etats-Unis, entre 1970 et 1976, la mortalité maternelle associée à l'avortement a régressé de 30 à 5 pour 100 000 naissances viables. En Pologne, une étude menée par la Commission de la Santé et de la Culture Physique a établi que la légalisation avait, notamment, contribué à éliminer l'infanticide et les suicides de femmes enceintes, et entraîné une diminution du nombre de décès associés à l'avortement (4).

Le terme « libéral » est en général appliqué à des politiques qui reconnaissent la primauté des droits d'une femme enceinte à mettre un terme à une grossesse non désirée par différents moyens sur les droits d'un embryon ou d'un fœtus en cours de formation... jusqu'à un certain stade. Dans les pays où la législation est la plus libérale, ce stade est légalement fixé à la « viabilité », c'est-à-dire le stade gestationnel à partir duquel un fœtus peut être raisonnablement considéré comme apte à vivre en dehors de l'utérus, même si c'est sous assistance médicale intensive.

Les étapes cruciales de développement du cerveau, du cœur et des poumons, qui sont les organes vitaux et jouent à ce titre un rôle déterminant dans la viabilité, commencent aux alentours de la 20e semaine de grossesse et se poursuivent rapidement jusqu'à la naissance. Dans les milieux médicaux, on admet généralement que la viabilité se situe entre la 24e et la 28e semaine de grossesse. C'est pourquoi la plupart des pays qui appliquent la règle de la viabilité interdisent strictement le droit à l'avortement au-delà de la 24e semaine, soit la fin du second trimestre. Le Royaume-Uni a adopté au début de l'année 1990 une loi qui ramène le délai légal de l'avortement de 28 à 24 semaines (5).

Les législations sur l'avortement sont le plus souvent groupées par « indications », c'est-à-dire les conditions traditionnellement appliquées pour justifier des interruptions légales de grossesses. Ces catégories sont très générales et représentent des législations très diverses (voir tableau 7.1 pour une sélection de pays pour chaque catégorie).

Dans les pays dont les législations sont les plus restrictives, les avortements sont totalement proscrits, ou bien ils sont réservés au cas où la grossesse met en péril la vie de la femme ; certains pays autorisent de telles interventions en cas de viol et d'inceste. D'autres législations prennent en compte les risques pour la santé physique et mentale ; d'autres encore, le cas d'un fœtus présentant des malformations graves. Certaines sociétés autorisent l'avortement pour des raisons dites « sociales », c'est-à-dire le cas où un enfant supplémentaire créerait une charge trop lourde pour une famille donnée. La catégorie la plus libérale est celle qui reconnaît l'échec de la contraception comme un motif valable d'avortement ou qui autorise des interventions sur simple demande (habituellement au cours du premier trimestre) (6).

La plupart des gouvernements laisse le soin des interprétations spécifiques à la discrétion des milieux médicaux. La définition de la « santé » par exemple est très variable. Dans certains pays, les médecins s'en tiennent à la définition générale de l'Organisation mondiale de la santé (OMS), à savoir « un état de total bien-être physique, mental et social, et non pas seulement l'absence de maladie ou d'infirmité » (7).

Tableau 7.1. Conditions d'autorisation des avortements. Sélection de pays – 1989

Risque pour la vie [1]	Autres indications thérapeutiques liées à la mère [2]	Indications sociales et socio-médicales [3]	Absence de conditions requises [4]
Bangladesh	Costa Rica	Argentine	Canada
Brésil	Egypte	Inde	Chine
Chili	Ghana	Pérou	Tchécoslovaquie
Colombie	Israël	Pologne	Italie
Indonésie	Kenya	Royaume-Uni	France
Irlande	Maroc	Allemagne	Pays-bas
Liban	Zimbabwe	de l'Ouest	Union
Mexique			Soviétique
Nigéria			Suède
Pakistan			Tunisie
Philippines			Etats-Unis
Soudan			

1. Cas où la poursuite de la grossesse jusqu'à son terme met en péril la vie de la femme ; certains pays de cette catégorie interdisent l'avortement sans exception. 2. Risque pour l'état de santé général de la femme et parfois en cas de malformation fœtale, de viol ou d'inceste. 3. Des facteurs sociaux, comme l'insuffisance de revenus, l'absence de logement décent ou l'état matrimonial, peuvent être pris en considération pour évaluer un « risque » pour la santé de la femme ou peuvent être considérées comme des conditions suffisantes en soi pour justifier l'interruption d'une grossesse. 4. Les pays de cette catégorie possèdent une législation libérale sur l'avortement, couramment appelée « avortement sur demande », qui met en évidence l'absence d'obstacles juridiques à l'avortement, mais pas nécessairement l'absence d'obstacles sociaux ou administratifs.

Source : Rebecca J. Cook, « Législations et politiques en matière d'avortement : défis et possibilités », *International Journal of Gynecology and Obstetrics,* Supplément 3, 1989.

Selon Rebecca Cook, professeur de droit à l'Université de Toronto, sur les 35 pays qui ont libéralisé leur législation depuis 1977, plusieurs ont créé de nouveaux groupes d'indications, comme l'adolescence, l'âge avancé de la mère ou l'infection par le virus du SIDA, susceptibles de justifier un avortement légal. Chypre, l'Italie et Taiwan par exemple ont élargi leur réglementation pour prendre en considération le « bien-être de la famille », tandis que Hong Kong a inclus l'adolescence comme motif valable (8).

La France et les Pays-Bas ont adjoint des clauses relatives à la détresse associée à la grossesse. La Hongrie, qui est l'un des premiers pays de l'Europe de l'Est à avoir libéralisé sa législation (en 1956), a étendu le droit à l'avortement aux femmes célibataires ou séparées de leur mari depuis une période pouvant atteindre six mois, aux femmes âgées de plus de 35 ans ayant déjà subi au moins trois accouchements et aux femmes se trouvant en difficulté sur le plan économique, comme l'absence de logement décent (9).

La plus grande partie de la population mondiale vit désormais dans des pays qui ont renoncé à interdire en bloc l'avortement, pour adopter une attitude plus raisonnée à l'égard de son rôle en tant que solution de secours en cas d'échec de la contraception et de grossesse non désirée. Selon le Alan Guttmacher Institute (AGI), environ 40 % de la population mondiale a théoriquement accès à l'avortement provoqué sur demande (voir tableau 7.2).

Tableau 7.2. Législations sur l'avortement dans le monde, par nombre de pays et pourcentage de la population mondiale

Conditions légales	Pays [1]	Pourcentage de la population mondiale
	(nombre)	*(en pourcentage)*
Risque pour la vie [2]	53	25
Autres indications thérapeutiques liées à la mère	42	12
Indications sociales et médico-sociales	14	23
Absence de conditions requises [3]	23	40

1. Pays comptant une population d'au moins 1 million d'habitants. 2. Techniquement, dans certains pays de cette catégorie, l'avortement est interdit sans exception. 3. Sont inclus certains pays les plus peuplés du monde (Chine, Union Soviétique et Etats-Unis).

Source : Stanley K. Henshaw, « L'avortement provoqué : étude de la situation dans le monde, 1990 », *Family Planing Perspectives*, mars/avril 1990.

D'ailleurs, les législations des pays classés dans la même catégorie sont extrêmement diversifiées. En Tunisie, l'un des rares pays musulmans doté d'une législation libérale, l'avortement est légalement possible sur demande jusqu'à la viabilité, alors qu'en France, les avortements sur demande ne sont autorisés que pendant le premier trimestre. D'autres pays à avoir adopté le même statut d'avortement sur demande à des stades gestationnels différents sont le Canada, la Chine, l'Union Soviétique, les Etats-Unis et pratiquement tous les pays d'Europe de l'Est et d'Europe occidentale (10).

Si l'on y ajoute les pays qui acceptent les indications à caractère social ou pour risque maternel, notamment l'Inde avec ses 835 millions d'habitants, on peut considérer qu'au total 75 % de la population mondiale (presque 4 milliards de personnes) est régie par des législation autorisant l'avortement pour motifs thérapeutiques ou pour des raisons sociales et économiques plus larges. Il faut noter toutefois que, dans ce second groupe, figurent des pays comme l'Ethiopie et le Costa Rica où l'avortement n'est légal qu'en cas de risque pour la santé de la femme (11).

Il y a ensuite 20 % de la population mondiale répartis dans 49 pays qui ont refusé la libéralisation et continuent d'interdire strictement l'avortement, sauf dans certains cas pour sauvegarder la vie de la femme, alors que les 5 % restants (dans quatre autres pays) sont soumis à des législations qui incluent le viol et l'inceste dans la liste restrictive des conditions à remplir. Ainsi, une femme sur quatre dans le monde n'a pratiquement pas accès à l'avortement, et elle vit, selon toute probabilité, en Afrique, en Amérique Latine ou en Asie musulmane, c'est-à-dire là où elle a aussi le moins facilement accès à des moyens de contraception sûrs et acceptables pour éviter une grossesse non désirée (12).

Les obstacles à l'avortement

L'accès à l'avortement et à d'autres moyens de planning familial, comme les soins médicaux en général, dépend de quatre variables : la législation du pays, sa politique et la façon dont elle est interprétée, les fonds investis par les pouvoirs publics dans la fourniture de ces services et les ressources personnelles, en particulier l'argent. Pour limiter l'accès aux services concernés, les opposants au droit à l'avortement s'appliquent à contrôler bon nombre de ces facteurs, qu'il s'agisse d'une pénurie forcée des équipements mis à la disposition de la population, ou de l'opinion personnelle des médecins.

L'interprétation de la loi est souvent aussi importante pour déterminer les possibilités d'accès à l'avortement que la loi elle-même. Stanley K. Henshaw, directeur adjoint de recherches à l'Institut AGI, constate que « dans la plupart des pays musulmans, ainsi qu'en Amérique Latine, le nombre d'avortements légaux pratiqués pour raisons thérapeutiques est limité, alors qu'en Israël, en Nouvelle-Zélande et en Corée du Sud, les taux d'avortements légaux (pour indications thérapeutiques) sont comparables à ceux des pays qui autorisent l'avortement sur demande » (13).

Dans de nombreux pays où les femmes devraient pouvoir se faire avorter sur demande, elles rencontrent des difficultés à faire valoir leurs droits légaux pour diverses raisons, notamment la rigueur inhabituelle des réglementations médicales, la complexité des démarches administratives requises, l'absence de fonds publics affectés au financement des services, le manque d'informations ou de structures d'accueil, le manque de personnel entraîné, la centralisation très poussée des services et, au plan local, l'opposition à la législation nationale ou la réticence à la faire appliquer.

Les conditions d'accès sont en partie déterminées par les règlements médicaux qui spécifient comment, où et par qui ces services peuvent être fournis. Dans la plupart des pays à législation libérale, les avortements doivent en général être pratiqués par des opérateurs habilités (pas nécessairement par des médecins), ce qui est un règlement propre à sauvegarder la santé publique. Certains pays vont même plus loin, exigeant que les interventions soient pratiquées dans des hôpitaux ou dans des centres spécialisés ou encore par des spécialistes ayant reçu une formation de haut niveau.

Bien souvent ces législations, comme d'autres, vont à l'encontre du but recherché qui est que les avortements soient pratiqués au stade le plus précoce possible. Les nouvelles législations appliquées aux Bermudes, au Qatar et aux Seychelles, bien que plus libérales que les précédentes, exigent d'obtenir l'autorisation de commissions hospitalières avant de pouvoir pratiquer un avortement. Dans la majorité des cas, ces réglementations, qui jouissent de l'appui massif des opposants au droit à l'avortement, n'ont d'autre effet que de retarder l'avortement jusqu'aux derniers stades de la grossesse, c'est-à-dire au moment où il est le plus dangereux et où le développement du fœtus est plus avancé. Plusieurs Etats américains envisagent malheureusement l'adoption de conditions restrictives de ce genre (14).

Dans de nombreux pays, l'obligation d'obtenir une autorisation auprès d'institutions ou de tiers a été critiquée par les instances juridiques et dans plusieurs pays, en particulier le Canada et la Tchécoslovaquie, elle a même été rejetée par les tribunaux et repoussée par le corps législatif. En 1988, la Cour Suprême du Canada a cassé la loi sur l'avortement en vigueur dans le pays, qui exigeait que les interruptions de grossesse ne soient pratiquées qu'en hôpital et que les femmes reçoivent l'autorisation d'une commission hospitalière. Entre autres conclusions, la Cour devait déclarer que les retards induits par ces exigences administratives étaient une atteinte au « droit d'une femme à l'intégrité physique et corporelle » (15).

L'inertie des gouvernements ou des organismes publics lorsqu'il s'agit de fournir ou financer des services peut gravement contrecarrer l'exercice des droits légaux. En Inde, l'avortement a été légalisé pour un vaste éventail d'indications en 1971. Mais comme les praticiens agréés sont concentrés dans les villes, les femmes des régions rurales n'ont guère accès à ces services. Les statistiques montrent que, depuis 1984, sur un total de 15 000 médecins formés aux pratiques abortives, seuls 1 000 environ vivent dans des régions rurales, alors que celles-ci regroupent 78 % de la population du pays (16).

Il n'est donc pas surprenant que, sur quelques 4 à 6 millions d'avortements estimés en Inde, à peine 388 000 aient été pratiqués légalement dans des établissements contrôlés par l'Etat. Si le gouvernement indien engageait des fonds pour augmenter le nombre d'établissements de ce genre, ce sont littéralement des millions de femmes qui pourraient éviter les risques d'interruptions de grossesse illégales (17).

En Turquie, l'avortement est théoriquement possible sur demande jusqu'à la 10e semaine de grossesse. Mais la législation turque stipule qu'un avortement ne peut être pratiqué que par un gynécologue spécialisé et entraîné ou sous son contrôle, par opposition, disons, à un médecin généraliste ou à un auxiliaire paramédical entraîné (18).

La pénurie de spécialistes entraînés, même dans les régions urbaines, limite les possibilités d'accès. Dans les régions rurales de la Turquie, où tous les centres médicaux sont, d'une manière générale, très rares, ces services sont pratiquement inexistants. De nombreuses structures d'accueil potentielles, telles que des cliniques de soins dotées d'un personnel médical, mais non d'un spécialiste formé, sont dans l'impossibilité d'offrir des services. Les femmes des régions rurales qui n'ont ni les informations, ni les ressources financières leur permettant de consulter un docteur en ville, n'ont d'autre solution que de pratiquer un avortement illégal ou de mener la grossesse à son terme.

Le cas de la Zambie, pays africain doté de l'une des législations les plus libérales, illustre bien les multiples obstacles qui entravent l'accès à l'avortement. Les avortements sont autorisés par la législation jusqu'à la 12e semaine de grossesse pour un vaste éventail d'indications, mais ils ne peuvent être pratiqués qu'en milieu hospitalier. Qui plus est, pour avoir l'autorisation d'avorter légalement, une femme doit recueillir la signature de trois médecins (dont un spécialiste) sur un formulaire qui énumère ses naissances et avortements antérieurs. Ces médecins doivent se mettre d'accord sur l'une des trois indications d'interruption de grossesse suivantes : une condition thérapeutique relative à l'état de santé soit de la femme, soit du fœtus, ou une condition non thérapeutique susceptible de justifier l'interruption de grossesse (19).

En dépit d'une législation relativement libérale, la Zambie enregistre un nombre d'avortements illégaux très nettement supérieur à celui des avortements légaux. En premier lieu, les démarches administratives à effectuer sont à la fois très peu connues et très mal comprises, en particulier parmi les femmes de milieu rural. De fait, plusieurs médecins zambiens interviewés par Renée Holt, infirmière et avocate qui étudie les tendances en matière d'avortement, pensent que « un grand nombre de femmes zambiennes n'ont (même) pas connaissance de leur droit à l'avortement et se rendent chez des avorteurs non déclarés plutôt qu'à l'hôpital ». En second lieu, les conditions elles-mêmes sont pratiquement impossibles à satisfaire : dans tout le pays, seuls trois spécialistes, dont l'un vit maintenant au Kenya, sont légalement habilités à signer les formulaires. Un seul hôpital à Lusaka pratique l'intervention ; ailleurs, il n'existe pratiquement pas d'établissements agréés, donc pas d'avortements légaux (20).

Renée Holt indique que « les obstétriciens et les gynécologues du University Teaching Hospital (Centre hospitalier universitaire, CHU) disposaient d'un temps d'opération insuffisant pour pratiquer tous les avortements demandés. Ils refusaient chaque jour la moitié des demandes. Ces femmes revenaient ensuite au CHU avec des avortements incomplets ou septiques (infectés) qui exigeaient alors un temps considérable (pour sauver la vie de la femme), d'où un cercle vicieux ». Rien d'étonnant à ce que même les femmes zambiennes, même informées de leurs droits au regard de la loi, aient recours à des praticiens illégaux (21).

A l'inverse, dans certains pays où l'avortement est en principe illégal, il est pratiqué en toute liberté. Ces pays, où la législation est devenue caduque, sont, par exemple, le Brésil, l'Egypte, l'Indonésie, le Mexique, le Nigéria et la Thaïlande. En Colombie, les avortements ne sont techniquement légaux qu'en cas de risque pour la vie de la femme. Les observateurs constatent toutefois que, dans la plupart des villes, il existe des centres sûrs, fiables et acceptables et que les journaux locaux et les panneaux d'affichage en font la publicité à titre gracieux. A Bogota, des cliniques privées proposent une vaste gamme de services médicaux, notamment des visites prénatales, des conseils sur la contraception et des moyens d'avortement. Dans une région au moins, la police locale est même prête à escorter les clientes des environs jusqu'à une clinique (22).

En Colombie, l'accès à l'avortement est facilité par la volonté tacite ou déclarée du gouvernement de ne pas tenir compte d'une législation restrictive qui lui permet d'apaiser les opposants à l'avortement légal. Il faut noter cependant qu'en Colombie, comme dans plusieurs autres pays où l'on ferme aussi les yeux, de fortes inégalités subsistent quant aux conditions d'accès des femmes à des services sûrs, et l'incidence de l'avortement illégal demeure élevée. Les femmes de milieu rural à faible revenu sont particulièrement désavantagées, car elles ne disposent pas des ressources nécessaires, c'est-à-dire qu'elles n'ont pas les relations, le niveau d'instruction et les moyens financiers qui leur permettraient d'avoir accès aux avortements légaux ou d'en être informées (23).

L'argent est l'un des facteurs les plus critiques qui conditionnent l'accès à des avortements sans danger ; notamment dans les pays dotés de législations prohibitives. Au Mexique par exemple, l'accès à des pratiques abortives sûres est limité, même lorsqu'il est légalement spécifié dans sa législation étroite, mais ambiguë. Il est en effet possible de bénéficier de services sûrs dans les villes, mais il faut en payer le prix. Le coût des avortements thérapeutiques varie entre 215 $ et 644 $. Même l'estimation la plus faible représente plus du double du salaire mensuel minimum, à savoir 103 $. Selon un rapport, « de nombreux experts estiment que l'avortement légal sans danger est désormais hors de portée de la classe moyenne » (24).

Le règlement de certaines questions actuellement au centre des débats dans le monde risque d'avoir une incidence néfaste sur le droit à l'avortement en restreignant son accès. En voici quelques exemples : quand et dans quelle mesure les programmes publics de soins médicaux doivent-ils couvrir les coûts des pratiques légales ? Faut-il obtenir le consentement du mari ou du moins l'aviser avant d'accorder un avortement à une femme mariée ? La législation doit-elle exiger que les parents d'adolescentes soient avisés ou donnent leur consentement ? Limiter l'accès à l'avortement n'est qu'un volet d'une campagne plus vaste menée contre l'avortement légalisé. Dans les coulisses de la libéralisation, d'aucuns mènent un travail de sape inexorable contre les droits récemment codifiés en matière de procréation.

Les opposants au droit à l'avortement, effrayés par l'ampleur de la légalisation, ont mis au point une stratégie sur trois fronts. En premier lieu, ils tentent de réinstaurer des politiques restrictives dans les pays où elles ont été libéralisées, c'est-à-dire le Canada, la France, l'Italie, la Pologne, l'Espagne, les Etats-Unis et l'Allemagne, pour n'en citer que quelques-uns. En second lieu, ils visent à maintenir ou à rétablir les réglementations restrictives dans le Tiers Monde en encourageant la montée de mouvements parallèles dans ces régions. En troisième lieu, ils utilisent tous les moyens juridiques et économiques pour colmater toute brèche ouverte dans la barrière qui restreint l'accès aux services. Ce mouvement a enregistré quelques succès importants depuis 1977, en particulier dans des pays où la législation a été rendue encore plus restrictive.

La Finlande et Israël, par exemple, ont rendu leur législation libérale plus restrictive, tandis que l'Iran et l'Irlande ont purement et simplement interdit l'avortement. Au Honduras, une loi autorisant l'avortement pour sauvegarder la vie et la santé de la mère, ainsi qu'en cas de viol et de malformation du fœtus, a été rejetée, car elle a été jugée contraire aux dispositions de la constitution stipulant que le « droit à la vie est inviolable ». Les constitutions de l'Equateur (1978) et des Philippines (1986) ont été amendées pour inclure des dispositions octroyant le droit à la vie « dès le stade de la conception » (25).

En juillet 1989, les Etats-Unis, qui sont dotés de l'une des politiques les plus libérales du monde, ont fait marche arrière en ce qui concerne les droits en matière de procréation. Le jugement de la Cour Suprême des Etats-Unis dans l'affaire *Webster* contre *Reproductive Services* a en effet donné le feu vert aux Etats qui souhaitaient adopter une réglementation stricte des pratiques d'avortement. Dans l'affaire *Webster*, la Cour a rejeté la règle trimestrielle de la viabilité établie en 1973 lors de la décision de *Roe* contre *Wade*, qui avait fait époque et qui autorisait les Etats à réglementer les avortements uniquement après le premier trimestre, et à ne les interdire que pendant le dernier trimestre (26).

Le jugement s'inscrivait dans la ligne de la législation de l'Etat du Missouri, selon laquelle les médecins devaient effectuer des tests très complets de viabilité avant de pratiquer des avortements au-delà de 20 semaines. En outre, *Webster* restreignait considérablement l'accès aux services dans cet Etat en confirmant l'interdiction qui est faite dans le Missouri d'utiliser des établissements publics pour ces interventions. Depuis lors, les corps législatifs de divers Etats ont essayé de faire voter des lois plus au moins restrictives, mais seules quelques-unes ont été adoptées.

L'évolution des politiques en matière d'avortement dans le monde est, à la fois, reflétée et alimentée par la situation aux Etats-Unis. Le jugement américain dans l'affaire *Webster*, qui a constitué un succès considérable pour ce qu'on appelle le mouvement pour la vie, a eu des répercussions dans les rangs des militants d'Europe occidentale. Le débat sur l'avortement a été beaucoup moins passionné dans ces pays qu'aux Etats-Unis, mais il tend à se polariser de plus en plus. Les Européens des deux camps ont décrit ce jugement comme un « vent venu de l'ouest » (27).

La lutte autour du droit à l'avortement est désormais une question de portée internationale, pour laquelle capitaux et manifestants anti-avortement américains traversent l'Atlantique. En outre, le groupe Human Life International, qui est basé aux Etats-Unis et a établi des antennes dans 31 pays, tente de coordonner sous sa bannière un effort plus vaste à l'échelle mondiale pour annuler ou restreindre le droit à l'avortement. L'objectif qu'il poursuit dans les pays en voie de développement est davantage axé sur la restriction de l'avortement que sur la fourniture aux couples de moyens d'éviter des grossesses non désirées. Or des études montrent que des millions de couples dans le Tiers Monde n'ont toujours pas accès aux contraceptifs. Il n'est donc pas étonnant que l'on enregistre déjà chez les femmes pauvres de ces pays les taux de mortalité les plus élevés dus aux complications consécutives à une grossesse et à un avortement illégal.

Un ordre de grandeur

D'une manière générale, les taux d'avortements varient en fonction des pressions culturelles et économiques exercées sur la dimension de la famille dans une société donnée, ainsi que de l'ensemble des législations et des politiques qui conditionnent l'accès au planning familial. Qu'il s'agisse du rapport entre le nombre de pratiques illégales et le nombre de pratiques légales dans un pays, du degré d'utilisation de l'interruption de grossesse pour réguler la fécondité, ou de la structure démographique des groupes qui ont principalement recours à cette méthode, tous sont le résultat, d'une part, de pressions sociales et économiques qui tendent à limiter ou retarder la grossesse et, d'autre part, de la disponibilité et de la fiabilité des contraceptifs ainsi que de l'environnement juridique, culturel et politique qui entoure les centres qui pratiquent l'avortement (28).

Le taux d'avortements tend à être faible dans les pays où les grandes familles sont bienvenues et où le taux de fécondité n'est limité que par des pratiques traditionnelles, comme le recours à l'allaitement maternel et l'abstinence postpartum. En revanche, dans des sociétés en voie de modernisation rapide, la condition de la femme, les niveaux d'éducation et de revenus et la composition de la population active, entre autres, connaissent des changements qui entraînent des modifications tout aussi rapides de la dimension souhaitée de la famille.

A mesure que les couples désirent limiter leur descendance, ils recherchent des moyens d'éviter ou d'interrompre des grossesses non désirées. Le taux d'avortements tend alors à augmenter rapidement (quel que soit le statut juridique), notamment s'il n'existe pas de tradition bien ancrée d'utilisation des contraceptifs ou si ceux-ci ne sont pas largement disponibles. C'est à ce stade de la transition que l'incidence de l'avortement sur le taux de natalité est la plus forte.

Bien que les taux d'utilisation des contraceptifs et de l'avortement puissent augmenter de pair pendant un certain temps, le dernier finit par stagner avant de commencer à baisser. En Corée du Sud par exemple, ces deux taux ont augmenté rapidement depuis la fin des années 1960 et tout au long des années 1970, signe d'un désir de plus en plus fort de réduire la dimension des familles. Mais entre 1979 et 1985, le taux d'utilisation de contraceptifs a continué à progresser, alors que le taux d'avortements revenait à son niveau de 1973. Il est clair que l'avortement provoqué a exercé une influence déterminante dans le ralentissement de la fécondité en Corée du Sud : sans lui, le taux de natalité pendant cette période aurait été de 22 % supérieur à ce qu'il a été (29).

Ainsi, l'avortement a joué un rôle fondamental, mais variable, dans la transition d'une fécondité élevée à une fécondité basse, et ce dans la quasi-totalité des pays où le taux de fécondité atteint aujourd'hui le seuil de renouvellement (environ deux enfants par famille). La transition vers des taux d'avortements et de natalité plus faibles est plus lente dès lors que l'accès aux informations et aux moyens de planning familial est limité.

Comme on pouvait s'y attendre, l'incidence de l'avortement a diminué plus rapidement dans les pays où l'avortement légalisé a été intégré dans un réseau étendu de structures de planning familial volontaire, parmi lesquels le Danemark, la France, l'Islande, l'Italie et les Pays-Bas. Mais par contre dans les sociétés d'Afrique, d'Asie, et d'Amérique Latine qui se trouvent au point d'inflexion de la courbe ou dans la phase de transition, le recours à l'avortement illégal pour limiter la dimension de la famille est désormais largement utilisé, malgré le coût considérable que cela représente en termes de vie et de santé des femmes (30).

D'après les données dont on dispose sur les interventions légales, l'avortement se place, semble-t-il, au quatrième rang des méthodes de régulation des naissances, derrière la stérilisation féminine, les dispositifs intra-utérins et les contraceptifs par voie orale. Toutefois, le recours à ces autres méthodes se pratique principalement en Chine, en Inde et dans les pays industrialisés, alors que l'avortement est universellement utilisé (31).

En règle générale, les estimations du nombre d'avortements illégaux et de décès maternels dans certains pays en voie de développement sont dérivées d'études menées par les hôpitaux ou les communautés de base qui n'offrent qu'un descriptif fragmentaire de la réalité. Au Bangladesh et au Brésil, par exemple, les études démographiques révèlent que 20 à 35 % des grossesses se terminent par un avortement. Or, à cause des législations restrictives, de l'indifférence bureaucratique et de la désapprobation sociale, l'avortement dans ces pays est le plus souvent non enregistré et clandestin (32).

En fait, les pays qui établissent des statistiques précises sur l'avortement sont si rares que cette négligence a en soi des implications politiques d'importance considérable. Si la société ignore le nombre de pratiques légales par rapport au nombre de pratiques illégales, si le nombre de femmes qui meurent ou qui souffrent de séquelles physiques du fait d'avortements illégaux demeure inconnu, si aucun calcul des coûts en termes de santé et de productivité n'est effectué (sans parler de la liberté individuelle), alors il n'existe aucun fondement empirique qui permette de contester la position des adversaires du droit à l'avortement. En effet, la qualité tragiquement médiocre des données rétrécit le débat sur la nature des priorités sociales et individuelles qui devraient prévaloir.

Malgré le manque de données chiffrées rigoureuses, plusieurs chercheurs ont dressé, sur la base de celles qui sont disponibles, des estimations dont on peut tirer certaines conclusions sur l'évolution à l'échelle mondiale et régionale. Les démographes estiment qu'entre un tiers et la moitié des femmes en âge de procréer subissent au moins un avortement provoqué au cours de leur vie. D'après les calculs de Stanley Henshaw du Alan Guttmacher Institute, environ 36 à 51 millions d'avortements ont été pratiqués en 1987 dans le monde. Il évalue le nombre annuel de pratiques illégales à 10-20 millions, ce qui laisse de 26 à 31 millions de pratiques légales. Selon d'autres estimations, le nombre total d'avortements se situe entre 40 et 60 millions. Dans les deux cas de figure, cela revient à dire qu'il y a près d'un avortement provoqué pour deux ou trois naissances dans le monde (33).

La comparaison des tendances nationales et internationales repose sur les taux d'avortements, c'est-à-dire le nombre d'interventions pour 1 000 femmes en âge de procréer. Là encore, le manque de données pour un grand nombre de pays rend difficile toute comparaison valable. Mais si l'on se réfère aux chiffres fournis par des pays disposant de statistiques fiables, ainsi qu'à des chiffres corrigés pour tenir compte des avortements illégaux dans des pays ne disposant pas de données, on peut dresser un tableau des tendances régionales et nationales.

Dans de nombreux pays, l'avortement est devenu la principale méthode de planning familial en conséquence directe des politiques de gouvernements (ou de leur absence) qui ont pour effet de limiter l'accès à la contraception. Ce lien est mis clairement en évidence par la situation en Europe de l'Est et en Union Soviétique où un « rideau de fer contraceptif » a été tendu pendant des décennies (34).

A l'exception de l'Albanie (qui maintient des politiques restrictives) et de l'ancienne Allemagne de l'Est et de la Yougoslavie (qui ont libéralisé leur législation dans les années 1970), la plupart des pays d'Europe de l'Est ont modifié leur législation sur l'avortement au cours des années 1950, légalisant ainsi une pratique qui était déjà monnaie courante. Parmi ces gouvernements, toutefois, seul un petit nombre a fait le nécessaire pour informer le public sur la contraception et lui donner les moyens de la pratiquer. Par conséquent, les couples ont continué à recourir à des méthodes moins efficaces, comme le retrait, n'utilisant l'avortement qu'en solution de secours (35).

Ce mode de comportement s'est maintenu alors que les maux sociaux, les difficultés économiques, à en juger par la pénurie de logements, et les longues files d'attente pour obtenir des rations alimentaires de base, ainsi que la dégradation de l'environnement renforçaient le désir profond des Européens de l'Est de limiter leur descendance. Comme il n'existait pratiquement qu'une seule façon d'atteindre cet objectif, les taux d'avortements provoqués enregistrés pendant les années 1960 et 1970 dans cette région ont été les plus élevés du monde. Aujourd'hui encore, dans la plupart des pays de l'Europe de l'Est, les taux d'avortements sont élevés, et ce pendant toute la vie procréative des femmes (voir tableau 7.3) (36).

Le manque de contraceptifs efficaces en Union Soviétique a conduit la population à recourir massivement à l'avortement. Bien qu'il compte quelques 70 millions de femmes en âge d'enfanter, ce pays ne possède pas une seule usine de fabrication de contraceptifs modernes, à l'exception de préservatifs de mauvaise qualité, affublés partout du terme péjoratif de « galoches ». Dans un article de la revue soviétique *Ogonyok*, Andrei Popov, chercheur en matière de santé, écrit que « la seule façon d'éviter [des grossesses non désirées] est bien connue... l'avortement, l'abandon d'enfant [et] l'infanticide » (37).

Tableau 7.3. Taux d'avortements légaux. Sélection de pays d'Europe de l'Est, 1987

Pays	Avortements
(pour mille femmes âgées de 15 à 44 ans)	
Bulgarie	65
Tchécoslovaquie	47
Allemagne de l'Ouest [1]	27
Hongrie	38
Roumanie [2]	91
Yougoslavie [1]	71

1. Données relatives à l'année 1984.
2. Tient compte des estimations officielles du nombre d'avortements illégaux.

Source : Stanley K. Henshaw, « L'avortement provoqué : étude de la situation dans le monde, 1990 », *Family Planning Perspectives*, mars/avril 1990.

En Union Soviétique, les avortements sont possibles sur demande et pour un prix très bas. La femme soviétique moyenne qui pratique entre cinq et sept interruptions de grossesse pendant ses années procréatives fera vraisemblablement appel au système à une époque ou à une autre. Cependant, des barrières administratives et technologiques, auxquelles s'ajoute la désapprobation publique, incitent la majorité des femmes à recourir à des pratiques essentiellement illégales qu'elles doivent payer de leur poche. Nombre d'entre elles répugnent à demander des avortements financés par l'Etat, car la législation exige que l'intervention soit consignée dans les dossiers professionnels et sanitaires (38).

Il est clair que l'Union Soviétique représente une part importante du nombre total d'avortements dans le monde ; ce qui est moins clair, c'est précisément à quoi correspond cette part. D'après les statistiques officielles, le nombre d'interruptions de grossesse est passé à près de 7 millions en 1987, chiffre qui est très supérieur aux 6 millions de naissances vivantes enregistrées ; en 1985, les taux officiels étaient de 100 pour 1 000 femmes en âge de procréer. Les estimations faites par des chercheurs indépendants laissent penser que ces chiffres sont en réalité beaucoup plus élevés. Henshaw évalue à quelques 11 millions le nombre d'avortements pratiqués chaque année. Le démographe Tomas Frejka, se référant à un chiffre estimatif de 13 millions d'interventions illégales, prétend que le chiffre réel pourrait atteindre les 20 millions, se rapprochant ainsi de celui avancé par Murray Feshbach, chercheur à Georgetown University sur la santé en Union Soviétique (39).

Trois pays d'Europe de l'Est, la Tchécoslovaquie, l'ancienne Allemagne de l'Est et la Hongrie, sont, semble-t-il, parvenus à maintenir leur taux d'avortements à un niveau relativement faible en encourageant la pratique de la contraception à une vaste échelle. La Hongrie, par exemple, a mis en œuvre une campagne qui avait pour but de généraliser l'utilisation des contraceptifs modernes et d'informer les gens sur la façon de s'en servir. Entre 1966 et la fin des années 1970, le pourcentage de femmes hongroises utilisant des contraceptifs modernes a fortement progressé, entraînant une baisse significative des interruptions de grossesse. Selon les mots mêmes de Henry David, Directeur du Transnational Family Research Institute (Institut transnational de recherche sur la famille) implanté aux Etats-Unis, la Hongrie est passée d'« une culture de l'avortement » à une culture fondée sur l'information et l'utilisation des contraceptifs modernes (40).

En Amérique Latine, les taux d'avortements sont restés uniformément élevés pendant plus de deux décennies malgré des législations extrêmement restrictives et l'opposition inébranlable de l'Eglise catholique à toute forme de planning familial moderne. En réalité, cette région du monde est marquée par une longue tradition d'avortements provoqués. En 1551, le roi d'Espagne était informé que la population indigène de sa colonie vénézuélienne pratiquait l'avortement provoqué en utilisant des plantes médicinales afin d'éviter à leurs enfants de naître en esclavage (41).

Au cours des années 1970, l'International Planned Parenthood Federation (Fédération pour la maternité et la paternité planifiées) estimait que les taux d'avortements en Amérique Latine et aux Caraïbes étaient supérieurs à ceux de toute autre région en développement : selon les estimations, un quart des femmes enceintes pendant cette période en Amérique Latine optait volontairement pour l'avortement, contre des estimations de moins de 10 % en Afrique et de 15 à 20 % en Asie du Sud et du Sud-Est (42).

Les taux de fécondité ont diminué depuis les années 1960, mais le désir de limiter encore davantage la descendance est très fort dans l'ensemble de la région. Les résultats de la World Fertility Survey (étude sur la fécondité dans le monde) menée dans les années 1970 ont montré que, si la famille moyenne comptait au moins quatre enfants, plus de la moitié des femmes interrogées souhaitaient n'en avoir qu'entre deux et quatre. En outre, dans l'ensemble des pays d'Amérique Latine, à l'exception du Paraguay, plus de la moitié des femmes qui avaient trois enfants ne souhaitaient pas en avoir plus (43).

En raison de l'opposition des autorités politiques et religieuses qui a réduit les centres de contraception au minimum, le nombre d'avortements illégaux est élevé et ne semble pas devoir diminuer dans un proche avenir. Aux dires des experts, le nombre total d'avortements est supérieur à 5 millions, mais, selon certains, le Brésil dépasse à lui seul les 4 millions (44).

Il est pour le moins difficile de suivre la trace des avortements illégaux en Amérique Latine. Tomas Frejka indique qu'« une forte proportion des avortements provoqués est pratiquée en violation de la législation en vigueur et que les [opérateurs] ont tout intérêt à ne pas en faire mention. Même après l'intervention, les femmes ont tendance à nier avoir subi un avortement, et le personnel médical, qui soigne des complications post-abortives, à signaler moins de cas qu'il n'en a traité... pour éviter des complications avec la justice ». Ainsi, une étude menée dans des hôpitaux de Campinas au Brésil a révélé que 40 % des décès maternels dûs à l'avortement n'avaient pas été enregistrés (45).

A l'heure actuelle, l'avortement provoqué continue de représenter un quart environ des moyens de régulation de la fécondité en Amérique Latine. Si l'emploi des contraceptifs a progressé régulièrement depuis les années 1960, il demeure relativement limité et les moyens offerts sont toujours inégalement répartis dans la région. Les conditions d'accès aux services sont inégales : les femmes les plus exposées à une grossesse non désirée, à savoir les adolescentes, les célibataires et les femmes à faibles revenus, sont précisément celles qui ont le plus difficilement accès à des contraceptifs et à des services d'avortement sûrs. Les taux d'échec de la contraception demeurent également élevés. Frejka prétend que « l'incidence de l'avortement provoqué en Amérique Latine restera élevée, du moins pendant les années 1990, même si sa législation continue d'être restrictive. (Cette) situation pose de sérieux problèmes à un grand nombre de femmes, ainsi qu'à leurs familles, tant sur le plan de la santé que sur le plan économique et social » (46).

Une évolution comparable se dessine en Afrique où, selon toute vraisemblance, le nombre d'avortements provoqués, et les coûts que représentent en matière de santé et au plan social les pratiques illégales ou clandestines qui vont avec, ne cesseront de croître, du moins pendant la prochaine décennie. La population à prédominance jeune est caractérisée par une fécondité élevée et de faibles taux d'utilisation des moyens anticonceptionnels. L'accès, tant aux contraceptifs qu'à des services d'avortements sûrs, est limité en raison des contraintes géographiques et des niveaux de revenus. Si les taux de fécondité en Afrique sont parmi les plus élevés du monde, le désir de limiter la dimension de la famille tend à s'étendre.

Pourtant, en Afrique, les législations qui limitent les droits en matière de procréation et qui sont héritées des gouvernements coloniaux, demeurent pour l'essentiel inchangées. Parmi les anciennes colonies britanniques, par exemple, seule la Zambie a libéralisé sa législation. Dans l'Afrique francophone, le retard est encore plus important. Outre la criminalisation de l'avortement, la législation française de 1920 proscrit la vente, la distribution et la publicité de tous contraceptifs. Parmi les pays francophones, seuls le Burundi, le Togo et les Seychelles ont libéralisé leur législation à un degré suffisant pour autoriser les avortements pour indications sociales (47).

Les contraintes sociales et culturelles qui pèsent sur les femmes africaines constituent un facteur tout aussi important et peuvent s'avérer beaucoup plus difficiles à changer que les législations. Nolwandle Nozipo Mashalaba, médecin de famille privé installé au Botswana, considère que le manque de communication entre les couples africains sur les questions de la sexualité et le désir de maintenir la domination du mâle au foyer sont les principaux obstacles à la prévention de grossesses que les femmes elles-mêmes peuvent ne pas souhaiter. Elle indique que dans les régions où « les hommes migrent... pour leur travail, ils maintiennent la femme dans un état permanent de grossesse et d'allaitement de manière à limiter au minimum son (éventuelle) infidélité » (48).

Des études montrent que ces contraintes peuvent, entre autres, entraver l'utilisation de contraceptifs malgré une parfaite connaissance des méthodes modernes. Selon une enquête réalisée en 1984 au Botswana, plus de 70 % des femmes de milieux ruraux et urbains connaissaient au moins une méthode moderne de planning familial ; une enquête plus récente effectuée au Zimbabwe a révélé que 9 femmes sur 10 connaissaient au moins une méthode et que la majorité en connaissaient au moins cinq. Mais un certain nombre de facteurs, notamment les difficultés d'accès aux cliniques, la peur et l'anxiété concernant les effets secondaires, un service de conseils peu efficace et l'absence de programmes destinés aux hommes, contribuent à maintenir les taux d'utilisation de contraceptifs nettement en deçà de 15 % dans la plupart des pays africains. L'avortement illégal est, aux dires de Mashalaba, « la seule solution » (49).

En Asie, les taux d'avortements sont élevés, quelle que soit la législation. L'Indonésie offre un exemple classique du conflit inévitable entre des valeurs sociales en pleine mutation et des codes juridiques restrictifs. D'après les chercheurs indonésiens Ninuk Widyantoro et Sarsanto W. Sarwono, dans leurs pays, les taux d'avortements et les taux d'utilisation des moyens anticonceptionnels augmentent rapidement, preuve que « les couples souhaitent des familles beaucoup moins nombreuses que ne le voulait la tradition ». Selon eux, le nombre d'avortements pratiqués chaque année se situe entre 750 000 et 1 million (50).

Le statut juridique de la pratique abortive est longtemps resté très flou en Indonésie. Une profusion de lois et de morales concernant l'avortement et d'autres méthodes de planning familial reflète la diversité de l'héritage national, fondé sur les traditions de groupes ethniques indigènes auxquelles s'ajoutent les mœurs et les pratiques du bouddhisme, du christianisme, de l'hindouisme, de l'islam et des anciens colons hollandais. Pendant les années 1970, les taux élevés de maladie et de décès maternels dûs à des interventions dangereuses ont incité les milieux médicaux à tenter de mettre de l'ordre dans le fouillis d'ordonnances édictées par la Haute Cour d'Indonésie (51).

Bien qu'à l'époque, l'avortement n'ait pas été libéralisé sur le plan technique et que son statut n'ait pas évolué depuis, la décision de la Cour selon laquelle « les interventions ne pouvaient pas être considérées comme illégales si elles étaient réalisées dans le cadre de la pratique médicale courante par des spécialistes et des médecins » a ouvert la voie à un accroissement du nombre de praticiens formés. Aujourd'hui, l'accès à des services sûrs s'est amélioré. De nombreux médecins, quoique concentrés dans des régions urbaines, ont reçu une formation sur l'utilisation d'appareils d'aspiration sous vide et en ont été pourvus. Le gouvernement indonésien a par ailleurs déployé des efforts considérables pour accroître l'accès aux informations et aux moyens de contraception. Pourtant Widyantoro et Sarwono estiment que, de par l'inégalité des conditions d'accès, de l'ambivalence qui est celle de la société à l'égard de l'avortement et du manque d'information sur les services, on peut établir à quelques 800 000 le nombre d'avortements illégaux pratiqués chaque année, « sans compter les échecs d'interruptions de grossesses qui passent inaperçus ». Par conséquent, les taux de complications et de suites mortelles demeurent élevés (52).

Si l'on considère la répartition des avortements provoqués dans différents pays selon l'âge, l'état matrimonial, le niveau d'éducation et la dimension actuelle de la famille, on peut connaître les groupes démographiques où le nombre de grossesses non désirées est le plus fort, ainsi que les types de personnes qui ont le moins facilement accès à des contraceptifs efficaces, acceptables et d'un prix raisonnable. Ainsi, dans la plupart des pays industriels, comme le Canada et les Etats-Unis, les taux d'avortements tendent à être les plus élevés chez les adolescentes et les femmes âgées de 20 à 24 ans, c'est-à-dire des groupes qui cherchent à différer une grossesse soit en raison de leur état matrimonial (célibataires) soit pour d'autres raisons, comme le désir de terminer leurs études (voir tableau 7.4).

Si l'on améliore l'accès de ces groupes à une éducation sexuelle et à des moyens contraceptifs, on parvient à réduire leur taux d'avortements. Le Transnational Family Research Institute a comparé les programmes de planning familial menés au Danemark et aux Etats-Unis pour déterminer l'incidence de stratégies différentes sur les taux de grossesses non désirées et d'avortements dans des groupes démographiques particuliers (53).

Tableau 7.4. Taux d'avortements légaux par tranches d'âge de la population féminine, sélection de pays, année la plus récente

Pays	19 ans ou moins	20-24	25-29	30-34	35-39	40 ans et plus
(avortements légaux pour mille femmes par tranche d'âge)						
Canada	15	19	12	8	5	2
Allemagne de l'Est	17	26	31	31	24	11
Angleterre/Pays de Galles	21	24	16	11	7	3
Hongrie	26	45	47	46	41	22
Tunisie	1	13	27	36	31	16
Etats-Unis	46	52	31	18	10	3

Source : Stanley K. Henshaw, « L'avortement provoqué : étude de la situation dans le monde, 1990 », *Family Planning Perspectives,* mars/avril 1990.

Cet institut a constaté que le manque de ressources financières limite l'accès aux contraceptifs dans des proportions plus grandes aux Etats-Unis qu'au Danemark, notamment parmi les groupes les plus exposés à une grossesse non désirée. Faute d'être couvertes par l'assurance maladie, les femmes ont principalement recours à des médecins privés pour obtenir des contraceptifs et nombre d'entre elles sont désavantagées par suite de contraintes financières, du fait qu'elles n'ont pas droit à une aide publique ou par suite de leur lieu de résidence (54).

Les données montrent que 17 % des femme américaines qui se situent dans les tranches de faible revenu ne bénéficient d'aucun type d'assurance maladie ; ce groupe est composé d'un quart de femmes de moins de 25 ans, d'un quart de femmes célibataires et d'un tiers de femmes dont les revenus sont inférieurs à 150 % du seuil de pauvreté fédéral – autant de groupes où les taux de grossesses non désirées et d'avortements sont les plus élevés. Bon nombre de ces femmes n'ont pas les moyens d'acheter des contraceptifs. Au Danemark, par contre, le système national d'assurance maladie offre à tous et sans considération de revenus des moyens contraceptifs, des conseils et un suivi médical prénatal et postnatal (55).

Il existe bien aux Etats-Unis des cliniques de planning familial financées par le gouvernement fédéral, mais l'absence d'initiative de la part du pouvoir politique a réduit leurs budgets à la portion congrue, d'où un temps d'accueil limité, un délai très long pour obtenir un rendez-vous et un éventail de services plus restreint. En outre, la qualité des services a baissé par suite des dernières restrictions budgétaires : ces cliniques ont reçu pour l'année budgétaire 1989 moitié moins de crédits qu'en 1981 (56).

Les programmes de planning familial mis en place au Danemark sont principalement axés sur la plus grande prévention possible des grossesses non désirées en offrant des services de contraception à tous, même aux adolescentes. Les résultats parlent d'eux-même. De nos jours, les taux de grossesse relevés chez les adolescentes danoises sont inférieurs de moitié à ceux enregistrés aux Etats-Unis. Les taux d'avortements chez les femmes âgées de 15 à 19 ans ont été réduits de 50 %, ou presque, entre 1977 et 1985 (voir tableau 7.5).

La situation des adolescentes américaines du point de vue de l'accès aux contraceptifs est très différente. Les propositions faites pour mettre en œuvre aux Etats-Unis des programmes comparables à ceux du Danemark se heurtent à une vive contestation. Les taux de grossesse et d'avortements chez les adolescentes américaines dépassent donc très nettement ceux des autres pays industriels, même si les âges auxquels les adolescentes ont leurs premières relations sexuelles sont comparables (57).

La disparité croissante entre les faibles taux d'utilisation des moyens anticonceptionnels et un désir plus grand de limiter la taille de la famille, qui témoigne clairement du besoin insatisfait de mettre en place un système de planning familial dans le Tiers Monde, est le plus sûr moyen de favoriser la progression des taux d'avortements illégaux. Des enquêtes régionales indiquent que 50 à 60 % des couples en Amérique Latine, 60 à 80 % dans les pays d'Asie à faible revenu (à l'exception de la Chine), 75 % au Moyen-Orient et en Afrique du Nord et 90 % en Afrique subsaharienne n'utilisent aucune forme de contraception moderne. Ces mêmes études montrent d'autre part qu'une majorité de couples en Amérique Latine et en Asie et un pourcentage croissant d'entre eux au Moyen-Orient et en Afrique souhaitent échelonner leurs enfants ou en limiter le nombre (58).

Tableau 7.5. Taux d'avortements chez des adolescentes, Etats-Unis et Danemark, 1977-85

Année	Etats-Unis	Danemark
(avortements pour mille femmes âgées de 15 à 19 ans)		
1977	37	25
1978	40	24
1979	42	22
1980	43	23
1981	43	20
1982	43	18
1983	43	18
1984	43	17
1985	44	16

Source : Henry P. David et *al.* : « Etats-Unis et Danemark : différentes politiques en matière de soins médicaux et de planning familial », *Etude sur le planning familial,* janvier/février 1990.

Dans la plupart des pays en développement, les taux d'avortements les plus élevés sont enregistrés chez les femmes mariées qui ont plusieurs enfants et qui n'ont guère les moyens de prévenir d'autres grossesses non désirées. En Amérique Latine, les taux d'avortements chez les femmes de plus de 35 ans sont deux fois plus élevés que ceux des femmes de 20 à 34 ans ; chez les femmes qui ont cinq enfants ou plus, ce chiffre est deux fois plus élevé que chez les femmes qui n'en ont qu'un. Une étude réalisée dans des cliniques à Allahabad, en Inde, a révélé qu'une grande majorité des femmes souhaitant avorter étaient mariées, qu'elles étaient âgées de 20 à 29 ans et que, dans la plupart des cas, elles avaient déjà plusieurs enfants. Des études menées en Indonésie ont donné des résultats pratiquement identiques, à savoir que la majorité des clientes étaient mariées, avaient entre deux et trois enfants et étaient âgées de plus de 25 ans (59).

On admet généralement qu'en Afrique l'avortement est plus courant chez des femmes jeunes, entre 15 et 25 ans, qui souhaitent différer la grossesse. Cette hypothèse cadre avec la structure sociale et démographique des zones urbaines par exemple où l'élévation du niveau d'éducation des femmes et l'élargissement des possibilités qui leur sont offertes stimulent leur désir de reculer l'échéance du mariage et de la maternité. Des données relatives à Nairobi le confirment : selon une étude menée en milieu hospitalier, 79 % des avortements provoqués étaient le fait de jeunes célibataires (60).

Cependant, d'autres données mettent en évidence une extension du recours à l'avortement non seulement dans ce groupe de femmes, mais aussi chez des femmes plus âgées qui ont déjà plusieurs enfants, notamment en milieu rural. Ainsi, en Tunisie, les taux relevés sont les plus élevés chez les femmes âgées de 25 à 39 ans. Au Nigéria, une analyse par échantillonnage a montré que, dans un hôpital, 30 % des complications post-abortives concernaient des femmes de plus de 25 ans ; sur l'ensemble de cette population, 52 % avaient deux enfants ou plus (61).

De la même manière, il ressort d'une étude réalisée au Kenya que 46 % des femmes qui désiraient avorter avaient entre un et trois enfants, 22 % en avaient entre quatre et six et 7 % en avaient sept ou plus. Sous les pressions sociales et économiques de plus en plus pesantes, un nombre croissant de femmes mariées recourent à l'avortement comme principal moyen de régulation des naissances. Voilà une constatation qui a de quoi nous faire réfléchir car elle laisse entendre qu'il y a, en Afrique, un besoin de planning familial qui n'est pas satisfait et qui est sans doute beaucoup plus pressant qu'on ne l'admet généralement. Si tel est le cas, la nécessité d'améliorer l'accès aux contraceptifs, la sécurité des services d'avortement et l'ensemble des soins médicaux qui touchent à ce domaine – notamment pour parer à une hausse brutale des interventions illégales sans parler de réduire la fécondité – est encore plus impérieuse que ne l'indiquent les priorités de la plupart des gouvernements africains en matière de dépenses et de politique gouvernementale (62).

On sait quelles sont les pressions à la baisse qu'exercent sur les taux de natalité la croissance économique et la montée des revenus. Les pays du Tiers Monde n'échapperont pas à cette loi si telle était la situation, et on pourrait en déduire l'évolution de l'avortement. Or il apparaît de plus en plus clairement qu'un processus tout à fait différent est en cours. Une proportion croissante de la population mondiale vit dans la pauvreté, et les inégalités de revenus, de logements et d'accès aux services sociaux se creusent. Cette évolution a été renforcée par la persistance d'un niveau élevé de la dette internationale, par une extension de la dégradation de l'environnement et par un schéma de développement qui a implacablement ignoré les besoins et les priorités des femmes.

Un fléau invisible

D'après l'OMS, plus d'un demi-million de femmes dans le monde meurent chaque année de complications consécutives à une grossesse. Près de 200 000 d'entre elles meurent des suites d'un avortement illégal, pratiqué le plus souvent par un personnel inexpérimenté dans de mauvaises conditions d'hygiène, ou bien encore par elles-mêmes à l'aide de fils de fer, d'aiguilles à tricoter, de tisanes aux herbes toxiques, et autres. En termes purement numériques, plus de la moitié des décès associés à l'avortement dans le monde sont enregistrés en Asie du Sud et du Sud-Est, suivies par l'Afrique subsaharienne, puis par l'Amérique Latine et les Caraïbes. Par ailleurs, pour chaque cas de décès maternel, 30 à 40 femmes souffrent de graves problèmes de santé, souvent à vie : hémorragies, infections, perforations abdominales ou intestinales, troubles rénaux, stérilité définitive et autres, qui affectent leur capacité à subvenir à leurs besoins ou à ceux des enfants qu'elles ont déjà (63).

Là encore, les pouvoirs publics ne peuvent pas prendre aisément la mesure des problèmes relatifs à la santé des femmes, faute de données précises pour évaluer et faire connaître au public la portée réelle du problème. Seuls quelques pays possèdent des statistiques fiables sur l'incidence de l'avortement provoqué et des taux de mortalité maternelle qui y sont associés, les Etats-Unis et la plupart des pays européens étant de ceux qui tiennent les statistiques à jour. Même les données de l'OMS sont incomplètes.

Le plus affligeant en matière de décès et de maladies associés à l'avortement est que, pour la grande majorité des complications qui en sont responsables, une prévention est tout à fait possible. Si tant de femmes dans le monde sont condamnées à mourir ou à subir des séquelles physiques, ce n'est pas faute d'une technologie appropriée, mais faute d'accorder une valeur suffisante à la vie des femmes. Des moyens technologiquement simples, peu onéreux et faciles à utiliser, qui permettent de pratiquer un avortement précoce en toute sécurité, sont bien connus et largement utilisés dans certains pays. Mais l'intransigeance sociale, l'intolérance religieuse, les intérêts économiques personnels et l'apathie politique se conjuguent pour rétrécir l'éventail des possibilités offertes à des millions de femmes. Le message que la société adresse à ces femmes tient en effet en quelques mots : « assumez cette grossesse non désirée ou risquez votre vie pour y mettre un terme ».

En raison des stigmates sociaux de l'avortement, la diffusion des techniques médicales propres à garantir des pratiques sûres est freinée, même si des progrès sont accomplis dans d'autres domaines médicaux. D'après Julie DeClerque des International Projects Assistance Services (IPAS), « les données sur la mortalité infantile et les hospitalisations pour complications post-abortives, recueillies à Santiago, au Chili, sur une période de 20 ans, montrent que, si la mortalité infantile a régressé de plus de la moitié, les hospitalisations pour complications post-abortives ont augmenté de plus de 60 % » (64).

Tout aussi troublant est le silence retentissant qu'observent les organisations internationales chargées des questions de santé et de développement, comme la Banque mondiale et l'Agence américaine pour le développement international, pour n'en citer que deux, sur les coûts humains et économiques de l'avortement illégal. Les décès et les maladies associés à l'avortement sont à leurs yeux un fléau invisible.

Le nombre de décès dus à l'avortement est le reflet direct de l'accès à des services sûrs et sans danger. Les études de l'OMS, menées dans différents milieux, révèlent que la proportion de décès maternels dus à l'avortement provoqué varie entre 7 % et plus de 50 %. En moyenne, entre 20 et 25 % de la mortalité maternelle sont imputables à l'avortement illégal ou clandestin. En Amérique Latine, les complications consécutives à un avortement illégal sont considérées comme la cause principale de décès chez les femmes âgées de 15 à 39 ans (65).

Les décès associés à l'avortement sont, selon les estimations, de l'ordre de 1 000 pour 100 000 avortements illégaux dans certaines régions d'Afrique, contre moins de 1 décès pour 100 000 pratiques légales aux Etats-Unis. Le nombre d'hospitalisations dans des villes africaines, qui est pratiquement le seul indicateur disponible des tendances à l'avortement, augmente de pair avec le recours à l'avortement comme méthode de régulation des naissances. Khama Robo, docteur en médecine et professeur à l'Université de Nairobi, indique que, pendant la dernière décennie, le nombre d'hospitalisations de femmes pour complications consécutives à un avortement illégal enregistré à l'Hôpital national Kenyatta de Nairobi a progressé de 600 à 800 %. Il estime qu'en 1990 plus de 74 000 femmes africaines sont décédées des suites d'une interruption de grossesse illégale (66).

Selon Rogo, plus de 20 % du nombre total de décès maternels en Afrique de l'Est et en Afrique centrale sont dûs à des complications d'avortements provoqués, ce pourcentage atteignant 54 % en Ethiopie. Il pense que le chiffre de 10 % seulement établi à l'issue d'études menées dans plusieurs hôpitaux d'Afrique de l'Ouest sur les taux de décès maternel dûs à l'avortement est sans doute imputable à un « sous-enregistrement massif » des cas d'avortement (67).

Dans un grand nombre de pays en voie de développement, les hôpitaux sont littéralement envahis par des femmes qui cherchent à se faire soigner pour des complications dues à un avortement illégal. Dans les services gynécologiques et obstétriques de la plupart des hôpitaux urbains d'Amérique Latine, plus de 30 % des lits sont occupés par des femmes qui souffrent de complications postabortives. A l'hôpital Mama Yemo de Kinshasa au Zaïre et à l'hôpital national Kenyatta de Nairobi au Kenya, environ 60 % des cas gynécologiques relèvent de cette catégorie. Enfin à l'hôpital d'Accra au Ghana, entre 60 et 80 % des actes chirurgicaux mineurs sont liés aux suites d'avortements illégaux ; en 1977, la moitié des réserves de sang de cet hôpital a été utilisée pour des transfusions associées à ces interventions (68).

L'existence de services d'avortement sûrs permettrait de prévenir entre un cinquième et la moitié des décès maternels dans le monde. Aucun effort en ce sens n'est en vue à l'échelle internationale, bien que, dans quelques pays, des associations isolées s'efforcent de fournir des moyens et une formation techniques en vue de soigner ne serait-ce que les complications avec une plus grande efficacité. L'IPAS s'est notamment donné pour but en Afrique subsaharienne de former des cliniciens à une utilisation sûre de la technique manuelle d'aspiration sous vide. L'utilisation de cette technique pour soigner des avortements incomplets a réduit le temps de traitement des femmes qui souffrent d'interventions pratiquées dans des conditions médiocres, et a diminué les risques hémorragiques et infectieux. Selon Ann Leonard de l'IPAS, des projets pilotes menés dans des hôpitaux au Kenya et au Nigéria ont permis « des économies considérables au niveau des ressources de santé » (69).

Chaque obstacle à tout avortement sûr a un effet multiplicateur sur le coût social de pratiques illégales. Les avortements illégaux épuisent les ressources de santé. Les complications qui leur sont associées nécessitent des traitements qui n'existent qu'en quantité limitée. Une étude menée sur 617 femmes admises dans 10 hôpitaux du Zaïre par suite de complications post-abortives a révélé que 95 % d'entre elles nécessitaient des antibiotiques, 62 % des anesthésiques et 17 % des transfusions. Bien souvent, les réserves de médicaments des hôpitaux africains sont si maigres que les femmes doivent se rendre à la pharmacie locale pour acheter elles-mêmes leurs antibiotiques ou, à défaut, se passer de traitements. L'extension des rivalités autour de la répartition des ressources médicales consécutive à l'augmentation du nombre d'avortements illégaux en Afrique va rendre encore plus difficile la lutte contre une autre crise de santé sur ce continent, le SIDA (70).

Le calcul des dépenses des Etats et des dépenses fédérales engagées au titre du conseil et des moyens en matière de contraception, que le Alan Guttmacher Institute a fait récemment, donne une idée du coût social considérable des naissances non désirées. Cet institut a estimé que chaque dollar dépensé pour la fourniture de services de contraception à des femmes pour qui il serait difficile ou impossible de se les procurer sans aide permettrait une économie de 4,40 $. En 1987, les gouvernements des Etats et le gouvernement fédéral ont investi au total 412 millions de dollars dans le planning familial. Les auteurs de l'étude ont calculé que, sans ces crédits, on aurait enregistré dans ce pays environ 1,2 million de grossesses non désirées supplémentaires, avec pour conséquence 509 000 naissances inopportunes ou non désirées et 516 000 avortements. La prévention de ces grossesses non désirées a permis d'économiser 1,8 milliard de dollars qu'il aurait fallu sinon consacrer au financement de services médicaux et alimentaires et de la prévoyance sociale (71).

Du domaine pénal à celui de la raison

L'impact d'une grossesse non désirée concerne l'individu, mais il s'étend également à d'autres domaines pour englober des objectifs plus vastes, comme la lutte des femmes pour devenir des partenaires à part égale dans la société, et les efforts qui visent à améliorer la santé des femmes et des enfants. Le rôle que joue l'avortement dans la transition d'une fécondité élevée à une fécondité basse, bien que moins facilement admis, est tout aussi important.

D'ores et déjà, il existe un consensus international au sein des différents corps de responsables politiques sur les effets néfastes que la croissance démographique rapide a sur la prospérité économique, l'environnement, la protection de la famille, la santé et la stabilité politique. Pour des raisons politiques, nombre d'entre eux refusent ou feignent d'ignorer le rôle de l'avortement dans le ralentissement des taux de natalité. Pourtant, comme l'indiquent Stephen Mumford et Elton Kessel qui effectuent des recherches sur la santé publique, « tout pays qui souhaite réduire sa croissance à moins de 1 % ne peut espérer y parvenir sans le recours généralisé à l'avortement ». Les politiciens qui réclament un ralentissement de la croissance démographique tout en restant muets sur la question de l'accès à des techniques d'avortement sans danger sont prêts à payer un prix élevé en termes de vie des femmes pour atteindre cet objectif (72).

On ne peut nier les avantages sociaux considérables que l'on recueillerait en éliminant les avortements illégaux. En premier lieu, on pourrait réduire d'au moins 25 % la mortalité maternelle associée à l'avortement et dans des proportions encore plus grandes les maladies qui en résultent. Une baisse du nombre d'avortements illégaux et de grossesses non désirées permettrait d'économiser des milliards en termes de coûts sociaux et médicaux et d'affecter ces ressources ainsi libérées à d'autres fins.

Ce n'est qu'en élargissant l'accès à l'information sur le planning familial ainsi qu'aux services et aux moyens existants, ce n'est qu'en offrant aux couples des possibilités de contraception plus diversifiées et plus sûres, et en développant des services médicaux de procréation de qualité, que l'on parviendra à réduire le nombre d'avortements. Certains pays ont déjà choisi cette approche, qui est celle du bon sens. L'Italie, par exemple, impose aux autorités locales et régionales chargées de la santé de promouvoir des services de contraception et d'autres mesures destinées à réduire la demande d'avortements. En Tchécoslovaquie, la législation vise à prévenir les interventions de grossesse en proposant une éducation sexuelle dans les écoles et les établissements de santé et en fournissant gratuitement des contraceptifs et des soins médicaux appropriés. Certains pays réclament désormais des structures de conseil et une éducation sur la contraception post-abortive ; dans d'autres pays, la mise sur pied de programmes destinés à la population masculine est également obligatoire (73).

Ces efforts ont très souvent abouti à des succès rapides. Ainsi, sur l'Ile Gotland en Suède, les avortements ont pratiquement été réduits de moitié grâce à un programme intensif mené pendant trois ans et destiné à fournir des informations en matière de planning familial et à améliorer la qualité des services. Des résultats comparables ont été enregistrés en France et dans d'autres pays (74).

La voie à suivre pour étendre ces avantages à l'échelle mondiale est toute tracée. Une dépénalisation et une clarification des législations sur l'avortement permettraient de garantir les droits des couples dans le monde à planifier et à échelonner leur descendance en toute sécurité. L'adoption de politiques qui intègreraient l'avortement dans le cadre de la santé publique et du planning familial réduirait immédiatement l'incidence des interventions illégales. La suppression des obstacles administratifs, financiers et géographiques qui entravent l'accès à des avortements sûrs et à des services de planning familial en général abaisserait le taux global d'avortements et améliorerait par ailleurs la santé publique.

Si la méthode est simple, la volonté fait défaut. Ce qui manque, c'est l'initiative politique. Les partisans naturels d'une telle politique – les groupes qui se préoccupent de défense des droits des femmes, de la dégradation de l'environnement, du planning familial, de la santé et de la croissance démographique – ne sont pas parvenus à concerter leurs efforts en vue de chasser les mythes de l'avortement. Malgré les preuves accablantes du coût humain et social élevé imposé par des législations restrictives, les politiques en matière d'avortement restent soumises à des priorités étriquées qui ne reflètent qu'un type de croyances et d'attitudes. Le respect de la diversité éthique autant que de la réalité des faits est une condition préalable à une politique véritablement « publique » sur la question de l'avortement.

La réforme des législations restrictives risque de déclencher des manifestations d'opposition. L'absence de réforme fait peser sur la société une lourde charge émotionnelle et économique, et condamne un nombre incalculable de femmes dans le monde à une fin prématurée.

CHAPITRE 8

Les militaires et l'environnement

par Michael Renner

Il y a plus de trente ans, le Président Dwight D. Eisenhower lançait un avertissement : « le problème de la défense est de déterminer jusqu'où vous pouvez aller sans détruire de l'intérieur ce que vous êtes en train d'essayer de défendre de l'extérieur ». Comprise à l'époque comme une mise en garde contre la création d'un complexe militaro-industriel tout puissant, cette déclaration d'Eisenhower s'applique tout aussi bien à un problème auquel le monde commence à peine à se frotter : la guerre que font les militaires à l'environnement (1).

La fin de la confrontation Est-Ouest et une prise de conscience de plus en plus grande des problèmes de l'environnement se sont combinées pour focaliser plus étroitement notre attention sur quelques difficultés longtemps considérées comme annexes par la géopolitique. Sam Nunn, Président de la Commission des Forces Armées du Sénat américain, a établi récemment un lien explicite entre les forces armées et l'environnement, proposant que les ressources technologiques du ministère de la Défense soient utilisées pour aborder les problèmes écologiques. Cependant, loin d'être les sauveurs de la biosphère, les forces armées mondiales sont très probablement le plus grand pollueur de toute la planète (2).

L'art de la guerre moderne entraîne une dévastation à grande échelle de l'environnement, comme le démontrent amplement les conflits du Vietnam, de l'Afghanistan, de l'Amérique Centrale et du Golfe Persique. Dans quelques cas, une modification de l'environnement a été sciemment employée comme une arme. Et il est généralement admis que la guerre nucléaire représente la menace ultime qui plane sur l'environnement mondial (3).

Mais même en « temps de paix » – temps où l'on se prépare à la guerre – les militaires contribuent, et dans quelques cas, lourdement, à l'épuisement des ressources et à la dégradation de l'environnement. La production, les essais et la maintenance des armes conventionnelles, chimiques, biologiques et nucléaires génèrent d'énormes quantités de substances toxiques et radioactives, et contaminent le sol, l'air et l'eau de la planète. La nécessité d'entretenir des troupes prêtes au combat lève un lourd tribut sur de grandes étendues de terres souvent fragiles.

La relation entre les forces armées et l'environnement, qui est une source d'inquiétude, prend de plus en plus d'importance aux yeux du monde pour un certain nombre de raisons. Le gachis et les déchets d'origine militaire font, à la lettre, surface. Par exemple, les effets de la profonde indifférence dont l'industrie des armes nucléaires fait preuve, depuis des décennies, à l'égard de l'environnement ne peuvent manifestement plus être cachés au public. La guerre froide, brusquement disparue, ne fournit plus un écran de fumée commode pour détourner les préoccupations du public. Au fur et à mesure que les troupes des superpuissances sont retirées des pays étrangers et que leurs bases dans ces pays sont démantelées, des découvertes déplaisantes sont faites. Et avec l'amélioration spectaculaire des relations Est-Ouest, les gens commencent à se demander pourquoi des manœuvres massives et des vols à basse altitude d'avions à réaction sont encore nécessaires. Une prise de conscience de plus en plus grande de l'environnement a sensibilisé les citoyens ordinaires à des sujets qui étaient négligés auparavant, tandis qu'un flot de révélations choquantes à propos de destructions de l'environnement effectuées dans le passé par les militaires est en train de forcer les gouvernements à reconnaître les problèmes et à commencer à s'y attaquer.

Les données qui permettraient de brosser un tableau réellement complet de l'usage des ressources par les militaires, et de ses effets sur la santé et l'environnement sont, dans l'ensemble, indisponibles. Protégés par le manteau de « la sécurité nationale », les forces armées et les contractants militaires soit ont été dispensés de respecter les règlements concernant l'environnement, soit les ont ignorés.

Le gros des données concerne les Etats-Unis, lesquels publient, de loin, le plus d'informations. Les autres gouvernements s'enveloppent de silence et de dénégations, ou laissent filtrer des données insuffisantes et contradictoires. Les références fréquentes aux exemples américains dans ce chapitre peuvent paraître orientées, mais il faut se souvenir que les Etats-Unis et l'Union Soviétique (pour laquelle nous ne disposons que de données partielles) sont responsables de la grande majorité des activités militaires mondiales.

Les informations à propos du Tiers Monde sont particulièrement rares. Comme la part des pays en voie de développement en ce qui concerne les dépenses militaires mondiales est passée de 6 % en 1965 à près de 20 % au milieu des années 80, leur consommation en énergie et en matériaux a dû augmenter en termes à la fois absolus et relatifs. Et bien que la plupart d'entre eux ne produisent pas d'armements d'importance majeure, leurs importations d'armes modernes suggèrent qu'ils affrontent quelques-uns des mêmes problèmes, au moins en ce qui concerne les déchets dangereux, que les Etats-Unis (4).

La terre et l'air : les champs de bataille sur le sol national

Les forces armées modernes exigent de grandes étendues de terres et d'espace aérien. Non seulement les arsenaux de beaucoup de nations se sont développés jusqu'à atteindre des proportions simplement phénoménale, mais encore la quantité d'espace nécessaire pour faire manœuvrer des chasseurs à réaction agiles, des chars rapides, d'immenses porte-avions et des sous-marins géants a incroyablement augmenté (voir tableau 8.1). Une étude des Nations Unies de 1982 a noté que « les besoins militaires en étendues terrestres ont augmenté constamment tout au long de ce siècle du fait de l'accroissement de la taille des forces armées permanentes et, plus particulièrement, de l'allure rapide des avancées technologiques dans la fabrication des systèmes d'armes ». Ce même rapport prédisait la continuation de la croissance des besoins militaires en terrains (5).

Pendant la Seconde Guerre mondiale, un bataillon américain d'infanterie mécanisée qui comptait environ 600 soldats avait besoins de moins de 16 kilomètres carrés pour manœuvrer ; une unité similaire, de nos jours, doit disposer d'un espace plus de 20 fois plus grand. Un chasseur de la Seconde Guerre mondiale avait besoin d'un rayon de manœuvre d'environ 9 kilomètres, qu'il faut comparer aux 75 kilomètres nécessaires à nos chasseurs actuels et aux 150-185 kilomètres envisagés pour la prochaine génération d'avions à réaction. Au-delà des impératifs apparents des développements technologiques, les bureaucraties militaires ont montré une propension certaine à élargir leurs contrôles sur les ressources de la société (6).

Tableau 8.1. Croissance historique des besoins d'espace des forces armées

Evénement	Zone de front requise (en kilomètres carrés pour 100 000 soldats)
Anciens temps	1
Guerres Napoléonniennes (fin XVIIIe – début XIXe siècle)	20
Première Guerre mondiale (1914-1918)	248
Seconde Guerre mondiale (1939-1945)	3 000
Guerre du Kippour (1973)	4 000
Manœuvres de l'Otan en Allemagne Fédérale	55 500

Source : Paul J.M. Vertegaal, « Impact sur l'environnement des activités militaires hollandaises » *Envionmental Conservation*, printemps 1989.

Les estimations mondiales d'utilisation directe de terrains par les militaires, en dehors du temps de guerre, sont, au mieux, sommaires. En 1981, 13 nations industrielles évaluaient cette utilisation directe à 1 % de leur territoire total, et l'on pense qu'elle serait dans la gamme des 0,5 à 1 % au plan mondial (soit, approximativement, de 750 000 à 1,5 million de kilomètres carrés). Cela peut paraître peu de chose, mais représente une surface, en gros, de la taille de la Turquie ou de l'Indonésie. Pour parvenir à une mesure réellement globale, il faudrait, en fait, ajouter l'espace occupé par les entreprises productrices d'armes au terrain contrôlé par les forces armées proprement dites. Malheureusement, il apparaît qu'aucune donnée ne permet un calcul même grossier de l'étendue de cet ensemble (7).

Dans un monde dramatiquement à court de terres cultivables, tout usage improductif et destructif du territoire semble relever d'une priorité mal placée. L'appétit dont les militaires font preuve en matière de territoire entre de plus en plus en conflit avec d'autres besoins, comme l'agriculture, la protection des espaces naturels, les loisirs et le logement. Il est ironique de voir qu'au nom de la défense de l'intégrité territoriale de la nation contre des menaces extérieures, des zones de plus en plus étendues sont abandonnées aux forces armées, les soustrayant ainsi à l'accès du public.

En plus des terrains qui appartiennent formellement au domaine militaire, il existe des zones encore plus étendues qui sont utilisées, à divers degrés, par les forces armées. Bien qu'elles puissent ne pas être interdites aux civils, elles sont souvent endommagées ou rendues dangereuses ou inutilisables par un usage militaire même occasionnel. Les manœuvres répandent la dévastation bien au-delà des limites des bases militaires. Les chars qui roulent à travers des champs fertiles déciment les récoltes, et les avions à réaction, qui volent bas, prennent les zones résidentielles comme objectifs d'attaques simulées. Les manœuvres militaires laissent un long couloir de mort et de destruction sur leur passage. Par exemple (on a pu établir à partir de données vérifiées et quantifiables, que les manœuvres de l'OTAN, effectuées au cours d'une année normale, dans ce qui était alors la République Fédérale d'Allemagne avaient causé 100 millions de dégats au moins aux récoltes, au forêts et aux propriétés privées (8).

C'est pour les Etats-Unis que l'on a les meilleures informations sur l'utilisation des terrains par les militaires. Le ministère de la Défense est propriétaire diret de 100 000 kilomètres carrés, ce qui est, *grosso modo*, l'équivalent de l'Etat de Virginie. Une féroce opposition des citoyens a forcé le Pentagone, en septembre 1990, à suspendre indéfiniment un plan d'acquisition de 18 000 kilomètres carrés supplémentaires, une surface supérieure à celles des Etats du Connecticut et de Rhode Island réunis (9).

Les militaires ont aussi accès à d'autres terrains. Les services armés louent, au total, environ 80 000 kilomètres carrés à d'autres agences fédérales, et une superficie inconnue de terrains appartenant aux Etats est consacrée à des besoins militaires. Le complexe d'armes nucléaires du ministère américain de l'Energie, d'autre part, s'étend sur plus de 10 000 kilomètres carrés. Au total, au moins 200 000 kilomètres carrés – 2 % du territoire américain – sont consacrés à des besoins militaires. De plus, le Pentagone contrôle environ 8 100 kilomètres carrés de terrain à l'extérieur des Etats-Unis. Une étendue de 700 kilomètres carrés aux Philippines, dont la plus grande partie est laissée en jachère, fait des militaires américains les plus grands propriétaires de terres cultivables de ce pays (10).

La taille gigantesque de l'appareil militaire soviétique suggère que cette nation réserve aussi de grandes étendues de terres à ses forces armées. Uniquement au Kazakhstan (la seconde république en superficie), quelques 200 000 kilomètres carrés de territoire leur sont consacrés, plus qu'il n'en est utilisé pour faire pousser du blé. Le terrain d'essais nucléaires de Semipalatinsk, au Kazakhstan oriental, par exemple, occupe en gros 2 000 kilomètres carrés (11).

L'utilisation directe de terrains par les militaires en Europe Occidentale est évaluée entre 1 et 3 % de la surface totale ; cependant, l'utilisation indirecte ou l'usage non exclusif tendent à être beaucoup plus élevés. Aux Pays-Bas, par exemple, l'utilisation directe se monte à 1,15 % de la superficie du pays, mais l'on pense que l'usage indirect à la fois de zones terrestres et maritimes de surface (ainsi que de l'espace aérien qui se trouve au-dessus) ajoute un autre 10,5 %. Au moins un tiers de la Waddensee, écologiquement unique mais fragile, et la moitié du secteur hollandais de la Mer du Nord sont utilisés par les militaires (12).

En Allemagne Fédérale, lorsqu'elle était encore une nation séparée, les forces armées (y compris celles d'autres pays de l'OTAN) avaient l'accès exclusif à une zone estimée à 6 000 kilomètres carrés, qui représentait 2 % de la superficie totale de ce pays, ou encore presque trois fois la surface combinée de toutes les réserves naturelles. Des « Zones de Protection » entourant les installations militaires avaient porté l'utilisation directe et indirecte de terrains par les militaires à 14 000 kilomètres carrés, soit 5,6 % du territoire. Quelques 5 000 manœuvres ont lieu chaque année sur des surfaces représentant jusqu'à un quart du territoire national. Dans ce qui était jusqu'à présent l'Allemagne de l'Est, on nous dit que les militaires soviétiques contrôlaient à eux seuls 4 % de la superficie totale du pays, alors que les installations du pays lui-même n'en occupaient que 0,5 %. Les limites adoptées pour une armée allemande unifiée et le retrait de beaucoup de troupes étrangères diminueront, jusqu'à un certain point, ces utilisations de terrains (13).

Du fait de sa violence orchestrée, le militaire détruit de grandes étendues du terrain qu'il est supposé protéger. Le terrain utilisé pour les manœuvres est condamné à supporter de sévères dégradations. Les manœuvres détruisent la végétation naturelle, perturbent l'habitat de la faune et de la flore sauvage, érodent et compactent le sol, envasent et font déborder les cours d'eau. Le bombardement des champs de tir transforme le terrain en une sorte de désert lunaire, parsemé de cratères ; les tirs dans les polygones réservés aux chars et à l'artillerie contaminent le sol et la nappe phréatique avec du plomb et d'autres résidus toxiques. Certains obus anti-chars, par exemple, contiennent des barreaux d'uranium. La préparation de la guerre ressemble à une politique de la terre brûlée menée contre un ennemi imaginaire (14).

Dans des environnements désertiques fragiles, la reconstitution des systèmes naturels peut prendre des milliers d'années. Le désert situé au sud de la Californie porte encore les cicatrices des manœuvres de chars commandées par le Général George S. Patton au début des années quarante. Et les dommages sont encore plus graves en Libye, où, pendant la Seconde Guerre mondiale, les armées britanique et allemande se sont livrées leurs plus grandes batailles (15).

Ce sont les grandes étendues de terrain parsemées de bombes non explosées qui constituent l'un des héritages les plus durables et les plus dangereux de la préparation à la guerre. En novembre 1989, le Pentagone devait interdire l'accès de quelques 275 kilomètres carrés de terrain public au Nevada, après avoir découvert 1 389 bombes, 56 tonnes d'obus et 28 136 cartouches de munitions tombées accidentellement à l'extérieur d'un terrain d'entrainement au bombardement de l'Armée de l'Air. Robert Stone, adjoint au ministre adjoint de la Défense et principal responsable des terrains au Pentagone, a reconnu que tout terrain utilisé pour l'entraînement au bombardement devait être fermé à toute activité humaine d'une manière permanente parce que, même malgré des efforts intensifs, il n'était pas possible de localiser toutes les bombes non explosées (16).

Les forces armées ont un accès à l'espace aérien bien plus important qu'à l'espace au sol, ce qui a été, en particulier, le cas dans l'ancienne Allemagne Fédérale, peut-être le pays le plus intensivement utilisé par les militaires. Pratiquement, l'espace aérien du pays entier était ouvert aux avions à réaction militaires, et les deux tiers de cet espace aérien, aux vols à basse altitude. Chaque année, de 700 000 à 1 million de sorties ont eu lieu, ce qui représente, approximativement, 15 % de tout le trafic aérien dans les cieux de la nation. Jusqu'à quel point cet état de chose sera modifié à la suite de la réunification reste à déterminer (17).

La majeure partie des vols militaires, aux Etats-Unis, se déroulent au-dessus des espaces relativement ouverts de l'Ouest. Par exemple, quelques 90 000 sorties d'entrainement par an, dont un cinquième à très basse altitude, survolent 47 000 kilomètres carrés du désert de Mojave qui appartient à l'Etat de Californie. Selon Alerte Citoyens, une organisation populaire du Nevada, 180 000 kilomètres carrés d'espace aérien, soit environ 70 % de l'espace aérien total de l'Etat, sont soit désignés par le vocable « utilisation spéciale », soit effectivement utilisés dans des buts d'entraînement. Pour l'ensemble des Etats-Unis, au moins 30 % et peut-être jusqu'à 50 % de l'espace aérien sont exploités militairement, d'une manière ou d'une autre (18).

Il est possible que le Canada ait l'espace aérien du monde le plus utilisé pour des besoins militaires. La zone assignée à la base aérienne de Goose Bay, sur la côte nord-est du Labrador, s'étend sur plus de 100 000 kilomètres carrés, une superficie plus grande que celle de la province voisine du Nouveau Brunswick toute entière. Entre 1976 et 1987, le nombre total des vols d'avions canadiens et de l'OTAN qui ont lieu dans cette zone a été multiplié par cinq, pour atteindre 10 000 ou presque, et il est prévu qu'il atteindra 30 000 vers 1996. Le champ de tir des systèmes d'armes aériens de Cold Lake, en Alberta et au Saskatchewan couvre quelques 10 000 kilomètres carrés, mais la zone totale de vol qui y est disponible s'étend sur plus de 450 000 kilomètres carrés (19).

Les vols supersoniques à basse altitude sont l'aspect de l'aviation militaire le plus dangereux et le plus préjudiciable à la santé. Leurs effets n'ont pas encore été suffisamment étudiés, mais il est sûr qu'ils lèvent un lourd tribut sur la santé et la psychologie des individus, et qu'ils diminuent l'habitabilité de certaines zones. Un avion volant à 75 mètres d'altitude engendre des niveaux de bruits qui peuvent aller jusqu'à 140 décibels, intensité à laquelle des dommages auditifs aigus peuvent survenir. Un avion à réaction F-18 volant à une vitesse supersonique pendant 10 minutes, par exemple, peut faire entendre son « boom » sur une zone de plus de 5 000 kilomètres carrés. Surpris par un boom sonique auquel il ne s'attend pas, le corps humain libère de l'adrénaline, entraînant une pression sanguine élevée, une augmentation de la vitesse de battement du cœur et des troubles des voies intestinales et autres organes. Ce que l'Armée de l'Air américaine appelle le « son de la liberté » est effrayant pour tous ceux qui sont forcés de le supporter, notamment les enfants (20).

En butte à une opposition politique croissante aux vols à basse altitude, l'Armée de l'Air de l'Allemagne Fédérale avait dû déplacer ses manœuvres aériennes vers le Canada et la Turquie. Le Canada continue d'ignorer les protestations, non seulement des mouvements pacifistes et défenseurs de l'environnement, mais aussi des Innus, les indigènes du Ntesinan (Labrador), relatives à l'exploitation illégale de leurs terres. Leurs moyens d'existence sont mis en péril parce que ces exercices dérangent la migration et le comportement alimentaire des troupeaux de caribous. Ces intrusions, dont les populations se passeraient volontiers, se produisent aux Etats-Unis, où les entraînements en vol se font sur les territoires de 14 nations américaines autochtones. Ainsi, au nom de la défense de la liberté et du style de vie d'une société, la liberté et le style de vie d'une autre sont mis en péril (21).

Une ponction sur les ressources énergétiques

Avions à réaction qui rugissent dans le ciel, chars de combat qui grondent à travers champs et forêts, navires de guerre qui parcourent les mers, les forces armées utilisent manifestement de grandes quantités d'énergie (voir tableau 8.2). Un avion à réaction F-16 décollant pour une mission d'entraînement de routine consommera probablement jusqu'à 3 400 litres de carburant avant de retourner à sa base. En moins d'une heure donc, l'avion utilise presque deux fois plus de carburant que l'automobiliste américain moyen pendant une année. Les dispositifs de post-combustion triplent la vitesse d'un réacteur pour l'amener à des niveaux supersoniques, mais aussi multiplie par vingt la consommation. Et la consommation en carburant d'un char de combat moderne est si importante qu'il vaut mieux la mesurer en litres par kilomètres qu'en litres aux cent kilomètres (22).

Tableau 8.2. Etats-Unis : consommation en énergie de quelques matériels militaires

Matériel	Durée de fonctionnement	Consommation (en litres de carburant)
Char Abrams M-1, usage moyen	1 kilomètre	47
Avion à réaction F-15, à poussée maximum	1 minute	908
Char Abrams M-1, à vitesse maximum	1 heure	1 113
Chasseur-bombardier F-4 Phanton	1 heure	6 359
Bateau de guerre	1 heure	10 810
Bombardier B-52	1 heure	13 671
Porte-avion non nucléaire	1 heure	21 300
Groupe de bataille du porte-avion	1 jour	1 589 700
Division blindée de 348 chars	1 jour	2 271 000

Source : « Defending the Environment, The Record of the US Military », *The Defense Monitor*, Vol. 18, n° 6, 1989 ; Tom Cutler, « Myths of Military Oil Supply Vulnerability », *Armed Forces Journal International*, juillet 1989 ; Greg Williaams, « The Army's M-1 Tank : Has it Lived up to Expectations ? » *Project on Government Procurement*, Washington DC, 12 juin, 1990 : Centre pour le désarmement, *Economic and Social Consequences of the Arms Race and Military Expenditures*, Séries d'études sur le désarmement, n° 11 (New York : Nations Unies).

Malheureusement, peu de statistiques d'ensemble sont disponibles. Les produits pétroliers représentent en gros les trois quarts de toute l'énergie utilisée par les forces armées au plan mondial, mais le plus important est de loin le carburant pour avions à réaction. Sur l'ensemble du monde, presque un quart de tout le carburant pour réacteur – quelques 42 milions de tonnes par an – est utilisé pour des besoins militaires. La part des militaires s'élève de 27 % aux Etats-Unis, à 34 % en Union Soviétique. Elle était de 50 % en Allemagne Fédérale (voir tableau 8.3) (23).

Encore une fois, ce sont les données pour les Etats-Unis qui sont le plus aisément disponibles. Le Département de la Défense

Tableau 8.3. Utilisation par les militaires de produits dérivés du pétrole, Etats-Unis et Union Soviétique : 1987

Produits pétroliers	Etats-Unis		Union Soviétique	
	Usage militaire (en millions de tonnes)	Part de l'utilisation totale (en %)	Usage militaire (en millions de tonnes)	Part de l'utilisation totale (en %)
Carburant pour réacteurs	18,6	26,9	11,8	33,9
Distillats pour diésels	4,4	3,0	3,8	4,9
Fioul résiduel	0,5	0,9	n.c.	n.c.
Essence	0,3	0,1	1,4	1,7
Autres[1]	0,7	0,4	0,3	0,4
Total pour les militaires	28,1[2]	3,4	17,4[3]	3,9

1. Comprend les lubrifiants, les graisses, les produits raffinés et le combustible de raffinerie
2. Comprend 3,6 millions de tonnes achetés pour stockage. Au moins un tiers du total est utilisé dans les bases américaines à l'étranger.
3. Le total ne correspond pas à l'addition des éléments le constituant du fait que ceux-ci ont été arrondis.

Source : Worldwatch Institute, d'après Tom Cutler, « Myths of Military Oil Supply Vulnerability », *Armed Forces Journal International*, Juillet 1989.

consomme environ 37 millions de tonnes d'équivalent pétrole par an. Cela représente de 2 à 3 % de la demande totale d'énergie des Etats-Unis et de 3 à 4 % de leur demande de pétrole, mais serait quelque peu plus élevé si les activités du ministère de l'Energie et de la NASA concernant la défense étaient incluses. Le Pentagone est le plus grand consommateur d'énergie du pays, et, très probablement, du monde. Ou, si l'on veut, il utilise, en 12 mois, autant d'énergie qu'il en faut pour faire fonctionner le système entier de transport de masse urbain des Etats-Unis pendant près de 14 ans. En temps de guerre, la part des militaires dans la consommation américaine d'énergie pourrait atteindre de 15 à 20 %. Pendant la Seconde Guerre mondiale, la part du Pentagone dans l'utilisation de l'énergie nationale a fait un bond qui l'a portée de 1 % en 1940 à 29 % en 1945 (24).

Les données relatives à d'autres pays sont plus difficiles à obtenir et souvent moins fiables. Les chiffres officiels pour l'Allemagne Fédérale, lorsqu'elle était une nation séparée, indiquaient que les besoins de la Bundeswher (les forces armées) représentait juste un peu moins de 1 % de la demande totale d'énergie du pays, alors que les calculs d'un groupe d'études privé portaient ce pourcentage à 1,44 entre 1981 et 1988 (aucun de ces chiffres ne semble inclure la consommation en énergie des troupes de l'OTAN, stationnées en Allemagne Fédérale). La consommation d'énergie liée au militaire, aux Pays-Bas, est évaluée entre 2 et 5 % de la demande nationale. En 1985, les militaires britanniques ont acheté 4,8 % de la production de produits pétroliers de ce pays, 1,6 % de son électricité et 0,9 % de son charbon et de son coke (25).

Ces chiffres peuvent ne pas paraître exceptionnels si on les compare avec la part des militaires dans le produit national brut, mais ils seraient considérablement plus élevés si l'énergie utilisée dans la fabrication des armes y était incluse. A cet égard, des données récentes sont, pratiquement indisponibles. En 1971, la production des armes avait consommé, aux Etats-Unis, environ 47 millions de tonnes d'équivalent pétrole. Laissons de côté la question de l'intensité énergétique. Si l'on prend, d'une part, les données de 1971 dont nous venons de parler, si l'on prend, d'autre part, les dépenses en achats d'armes américaines et les revenus tirés des exportations d'armes en 1989, on obtient , pour cette même année, ce chiffre d'environ 68 millions de tonnes d'équivalent pétrole, presque le double de celui de l'utilisation directe d'énergie par les forces armées (26).

Au plan mondial, l'utilisation d'énergie pour la production de systèmes d'armes est probablement relativement plus faible parce que la plupart des pays n'ont pas une industrie d'armement assez importante. Mais là encore, la part du secteur militaire dans l'utilisation totale de pétrole et d'énergie pourrait bien être le double de la part d'utilisation directe des forces armées qui est de 3 à 4 %. Si ces hypothèses sont correctes, le monde entier utilise environ autant de produits pétroliers pour ses besoins militaires que le Japon, qui est la seconde puissance économique mondiale, n'en consomme pour toutes ses activités (27).

Avec des statistiques plus complètes sur l'emploi de l'énergie par les militaires, il devrait être possible de dresser un tableau de la contribution des militaires à la pollution de l'air. Mais il faudrait, aussi, disposer d'informations sur les caractéristiques des moteurs des avions à réaction et des chars pour savoir dans quelle mesure ils génèrent les polluants concernés. Du fait que les équipements militaires sont manifestement conçus pour avoir des performances au combat maximales (et non pour un rendement énergétique maximum), il semble raisonnable de supposer que la part des militaires dans la pollution dépasse sa part d'énergie consommée. Toute évaluation devrait aussi prendre en compte la pollution créée lors de la fabrication des armes, démarche qui est gênée par le fait que les statistiques d'émissions industrielles ne font aucune distinction entre sources civiles et sources militaires.

Selon une estimation de 1983 émanant de Gunar Seitz, un écrivain écologiste allemand, les émissions provenant des opérations des seules forces armées représentent au moins 6 à 10 % de la pollution totale de l'air. L'Institut de Recherche pour une politique de Paix, de Starnberg, en Allemagne, estimait que de 10 à 30 % de toutes les dégradations mondiales de l'environnement sont dues à des activités liées aux forces armées. D'autres ont calculé que la contribution des forces armées de l'Allemagne Fédérale à la pollution de l'air a été de 6,5 % des émissions de monoxyde de carbone, de 5,4 % de celles d'oxydes d'azote, de 3,9 % de celles d'hydrocarbones et de 1,3 % des émissions de dioxyde de souffre. Puisque l'essentiel de l'utilisation militaire du pétrole revient aux avions de guerre, le calcul de leurs émissions de polluants atmosphériques nous donne l'essentiel du pourcentage de la pollution due aux militaires (voir tableau 8.4). Encore une fois, en Allemagne Fédérale, les avions à réaction militaires ont émis 58 % des polluants atmosphériques engendrés par l'ensemble du trafic aérien au-dessus du territoire de ce pays (28).

Peu de travaux ont été effectués jusqu'à présent sur la contribution des militaires à l'épuisement de l'ozone et au réchauffement mondial. En 1988, les activités du Pentagone ont eu pour résultat de libérer environ 46 millions de tonnes d'émission de carbone, soit, en gros, 3,5 % des émissions totales américaines. Si les

Tableau 8.4. Appareils militaires : consommations en carburants et évaluation des émissions polluant l'air, pays sélectionnés et monde : fin des années 80

Pays	Consommation de carburant		Emissions[1]			
	Totale (en millions de tonnes)	Part (en %)	CO	Hydro-carbones	NO_X	SO_2
Etats-Unis	18,6	44,1	381	78	157	17,9
Union soviétique	11,8	28,1	244	50	100	11,4
Allemagne Fédérale[2]	1,5	3,5	31	6	13	1,4
Monde	42,2	100,0	865	178	357	40,6

1. Valeurs mondiales. Les données relatives aux émissions américaines et soviétiques sont calculées sur la base des données relatives à l'Allemagne Fédérale, c'est-à-dire, en supposant des caractéristiques des moteurs d'avions et des programmes de vol similaires. Les émissions sont données pour le monoxyde de carbone, les oxydes d'azote, et le dioxyde de soufre.
2. Avions à réaction de l'Armée de l'Air allemande et ceux des contingents de l'OTAN stationnés sur le territoire de l'ancienne Allemagne de l'Est, y compris les avions américains dont la consommation de carburant est comprise dans le total américain

Source : Worldwatch Institute, d'après Olaf Achilles : « Militär, Rüstung und Klima », MOP Studies VII, AFMOP, Bonn, Allemagne Fédérale, juin 1990, et Rom Cutler « Myths of Military Oil Supply Vulnerability », *Armed Forces Journal International*, juillet 1989.

approximations de l'utilisation de l'énergie dans la production des armes sont correctes, la quantité totale de carbone libérée par des activités liées aux forces armées pourrait s'élever jusqu'à 10 % (29).

L'estimation d'un chiffre global pour les émissions de carbone dues aux forces armées est chargée d'incertitude. La libération de carbone due à la consommation de carburant par les seuls réacteurs militaires arrive à 37 millions de tonne. Si la part américaine des dépenses militaires mondiales – juste un peu moins d'un tiers – peut être considérée comme une indication, alors les émissions de carbone des forces armées américaines devraient être triplées pour arriver à une estimation mondiale grossière. Le résultat de ce calcul approximatif donnerait environ 150 millions de tonnes : presque 3 % du total mondial, ou presque la même chose que les émissions annuelles de carbone du Royaume-Uni. Encore une fois, si la consommation d'énergie des industries d'armement était incluse, ces chiffres pourraient bien doubler (30).

Lorsqu'on cherche à évaluer l'utilisation par les militaires des substances qui appauvrissent l'ozone, on trouve partout la même disette d'informations. Le ministère de la Défense américain est un des principaux utilisateurs de Halon-1211 et du CFC-113, avec, respectivement, 76 % et juste un peu moins de 50 % de l'utilisation américaine totale de ces deux composants. Ensemble, ces deux produits chimiques sont responsables de 13 % de l'épuisement mondial de l'ozone. Les militaires sont partie prenante, pour une part beaucoup plus faible, dans les autres substances impliquées dans ce problème mondial (31).

D'un autre côté, les forces armées utilisent des substances qui détruisent l'ozone et qui n'ont aucune contrepartie civile. Par exemple, le bombardier furtif B-2 compte sur un additif de combustion pour réduire son émission de particules et ainsi sa visibilité sur les écrans radar. La quantité d'additif utilisée ainsi que son aptitude à entamer la couche d'ozone ne sont pas clairement établies. De plus, la combustion des propergols solides utilisés dans des missiles tactiques et stratégiques ainsi que sur la navette américaine de l'espace (dont quelques missions sont de nature militaire), libère de l'acide chlorhydrique gazeux qui endommage la couche d'ozone. Selon Lenn Siegel, directeur du Centre d'Etudes du Pacifique, en Californie, chaque lancement de navette dépose 56 tonnes de chlore dans l'atmosphère supérieure (32).

Sans de meilleures données, il reste difficile de tracer un tableau réaliste de l'utilisation de l'énergie et de la pollution liées aux forces armées. Même si la contribution du secteur militaire peut ne pas sembler importante par comparaison avec d'autres activités humaines, elle n'en est pas moins substantielle, étant donné que les opérations militaires ne contribuent en rien directement au bien être social et économique des individus.

Mais ce n'est pas sur les combustibles fossiles que l'impact du secteur militaire est le plus grand. C'est sur d'autres minéraux et d'autres matériaux. Le fer et l'acier constituent traditionnellement l'essentiel de toute machine militaire. Actuellement, quelques 9 % de la consommation totale de fer, ou en gros, 60 millions de tonnes, vont à des objectifs militaires. La construction et le déploiement d'un seul missile intercontinental mobile basé au sol exige 4 450 tonnes d'acier, 1 200 tonnes de ciment, 50 tonnes d'aluminium, 12,5 tonnes de chrome, 750 kilogrammes de titane et 120 kilos de bérylium (en 1987, les deux superpuissances contrôlaient presque 2 400 missiles basés à terre et 1600 embarqués) (33).

Puisque l'accent sur la course aux armements s'est mué en recherche d'avancées qualitatives, l'importance relative du fer et de l'acier a décliné, tandis que celle de matériaux plus « exotiques » a augmenté. Beaucoup de ces derniers sont des ingrédients essentiels dans la composition d'alliages hautes températures recherchés pour leur bonne résistance à la rupture ainsi que pour leur extrême résistance à la chaleur, à l'usure et à la corrosion.

Le titane, par exemple, entre, de nos jours, pour quelques 20 à 30 % dans le poids d'un avion de combat sophistiqué, alors qu'il n'entrait que pour 8 à 10 % dans celui d'un avion des années cinquante. Le titane est aussi un composant important des coques de sous-marins. La fabrication d'un seul moteur à réaction de F-16 demande presque 5 tonnes de matériaux, y compris 2 044 kilos de titane, 1 715 de nickel, 573 de chrome, 330 de colbat et 267 d'aluminium. Un moteur de char M-1, en comparaison, n'a besoin que de 150 kilos de matériaux (34).

Les chiffres mondiaux, en l'absence de données fiables, sont une fois encore nécessairement des estimations grossières (voir tableau 8.5). De plus, le manque d'intérêt pour cette question pendant les années quatre vingt signifie que la plupart des informations disponibles sont très anciennes. Il apparaît, quand même, que l'utilisation mondiale estimée d'aluminium, de cuivre, de nickel et de platine pour des besoins militaires dépasse la demande de l'ensemble du tiers monde pour ces matériaux (35).

Ayant pris la tête dans le domaine des armes de haute technologie, les Etats-Unis représentent de loin la part la plus importante de la consommation militaire de ces matières premières, qui sont précieuses. La portion du Pentagone dans l'utilisation totale aux Etats-Unis de minéraux autres que les combustibles fossiles, va généralement de 5 à 15 %, mais s'élève jusqu'à 25-40 % pour le bérylium, le cobalt, le germanium, le thorium, le thallium et le titane. La consommation militaire soviétique des matières premières « stratégiques » est estimée comparable en termes relatifs, mais est sans aucun doute plus faible en quantité absolues. Pour la Chine et l'Europe, la part est estimée se situer dans la gamme des 3 à 7 % (36).

Tableau 8.5. Consommation militaire de quelques minéraux autres que fossiles évaluée en tant que part de la consommation totale mondiale, début des années 80

Minéraux	Part (en %)
Cuivre	11,1
Plomb	8,1
Aluminium	6,3
Nickel	6,3
Argent	6,0
Zinc	6,0
Spath-Fluor	6,0
Platine et platinoïdes	5,7
Etain	5,1
Minerais de fer	5,1
Mercure	4,5
Chrome	3,9
Tungstène	3,6
Manganèse	3,1

Source : Samuel S. Kim « The Quest for a just World Order », (Boulder, Colorado : Westview Press, 1984).

Les opérations minières d'extraction de ces minéraux sont un lourd fardeau pour l'environnement, et beaucoup de ces matériaux sont hautement toxiques (voir Chapitre 3). Certains de ces matériaux sont très largement utilisés à des fins civiles, mais d'autres, comme le titane, sont tellement chers qu'ils sont extraits avec l'idée de les faire servir essentiellement à des applications militaires.

La fin de la guerre froide laisse penser que les forces armées pourraient commencer enfin à revendiquer une moindre part des ressources rares de la planète. Cela est certainement vrai dans la mesure où le nombre des armes diminue. Mais en même temps, il n'y a aucune indication qui montre que la recherche de technologies encore plus sophistiquées va se ralentir, encore moins qu'elle va s'arrêter. Cette tendance va contrebalancer, du moins en partie, toute baisse de la demande de matériaux qui résulterait de plus faibles quantités d'armement.

Les substances toxiques : un danger public

« Nous ne pouvons plus cultiver nos jardins, nous ne pouvons plus nous baigner en sécurité, et nous n'avons plus d'eau à boire. » Lorraine Hufstutler et ses co-résidents de Mountainview, au Nouveau Mexique, paient cher le fait de vivre dans l'ombre de la base aérienne voisine de Kirtland. Les déchets dangereux provenant de la base sont en train de contaminer l'alimentation en eau de la communauté. Le sort de Mountainview est partagé par des milliers d'agglomérations et de villes sur toute la superficie des Etats-Unis (voir tableau 8.6) et par un nombre incalculable de communautés dans d'autres pays (37).

Toujours à la recherche de plus de puissance et d'une meilleure préparation au combat, les forces armées sont en train d'empoisonner le territoire et les gens qu'elles sont censées protéger. Les substances toxiques d'origine militaire polluent l'eau destinée à la boisson ou à l'irrigation, tuent les poissons, polluent l'air et rendent de vastes étendues de terrain inutilisables par les générations à venir. Après avoir été, pendant des décennies, des dépotoirs pour un mélange mortel de matériaux dangereux, les bases militaires sont devenues, pour notre santé, des bombes à retardement qui se mettent à éclater comme dans un film passé au ralenti.

La production, la maintenance et le stockage de systèmes d'armes conventionnels, chimiques et nucléaires, ainsi que d'autres éléments d'équipements militaires, engendre de grandes quantités de déchets préjudiciables à la santé humaine et à la qualité de l'environnment. Ces déchets comprennent des carburants, des peintures, des solvants, des métaux lourds, des pesticides, des biphényls polychlorés, des cyanures de phénols, des acides, des bases, des propergols et des explosifs (38).

Notre connaissance des effets de ces substances sur la santé, reste limitée, mais l'on pense que le contact de l'homme avec ces matières par la boisson, l'absorption cutanée ou l'inhalation peut entraîner des cancers, des défauts à la naissance, avoir des effets nocifs sur les chromosomes, ou sérieusement altérer les fonctions du foie, des reins, du sang ou du système nerveux central d'un individu. Selon une étude de l'Institut National américain du Cancer, 14 500 employés civils de la base aérienne de Hill, dans l'Utah, en contact avec du tétrachlorure de carbone, du trichloréthylène et d'autres solvants vers le milieu des années cinquante, ont été victimes d'un taux de mortalité plus élevé, dû à des myelomes multiples ou à certains lymphomes, que d'autres civils du même groupe d'âge (39).

Tableau 8.6. Etats-Unis : sélection de sites militaires contenant des déchets dangereux

Emplacement	Remarques
Base aérienne d'Otis, Mass.	Eaux souterraines contaminées par du tri-chloréthylène (TCE), carcinogène connu, et par d'autres toxines. Dans les villes voisines, taux de cancers des poumons et de leucémies 80 % au-dessus de la moyenne de l'Etat.
Arsenal de Picatinny, N.J.	Eaux souterraines du site avec des niveaux de TCE à 5 000 fois les normes de l'Agence pour la protection de l'environnement (EPA) ; polluées par du plomb, du cadmium, des biphényls polychlorés (utilisé dans les installations radar et pour isoler les équipements électriques), des phénols, des furanes, du chrome, du sélénium, du toluène et du cyanure. Principale couche aquifère de la région contaminée.
Terrain d'essais d'Aberdeen, Md	Pollution de l'eau pourrait menacer un refuge naturel national et des habitats critiques pour des espèces en danger.
Chantier de constructions navales de Norfolk, Va	Niveaux élevés de cuivre, de zinc, et de chrome. Contamination de l'Elizabeth River, et des baies de Willoughby et de Chesapeake.
Base aérienne de Tinker, Okla	Concentrations de tetrachloréthylène et de chlorure de méthylène dans l'eau destinée à la boisson, à des niveaux excédant nettement les limites fixées par l'EPA. Concentration en TCE la plus élevée jamais enregistrée dans les eaux de surface américaines.
Arsenal des Montagnes Rocheuses, Colo.	125 produits chimiques déversés pendant 30 ans de production de gaz innervant et de pesticides. Le plus grand de tous les sites sérieusement contaminés, appelé « le kilomètre carré le plus contaminé sur terre » par les soldats du Génie de l'Armée de terre.

Emplacement	Remarques
Base aérienne d'Hill, Utah	Contamination très sérieuse des eaux souterraines de la base, comprenant jusqu'à 27 000 parties par milliard (ppM) de composés organiques volatils, jusqu'à 1,7 million de ppM de TCE, 1 900 ppM de chrome et 3 000 ppM de plomb.
Base aérienne McClellan, Calif.	Niveaux inacceptables de TCE, d'arsenic, de baryum, de cadmium, de chrome et de plomb trouvés dans le système de puits municipaux desservant 23 000 personnes.
Base aérienne McChord, Wash.	Du benzène, un carcinogène, trouvé sur la base à des concentrations aussi élevées que 503 ppM, soit 1 000 fois la limite définie par l'Etat (0,6 ppM).

Source : Worldwatch Institute

Les militaires américains sont très probablement les plus grands générateurs de déchets dangereux des Etats-Unis et du monde, en rivalité seulement avec les forces armées soviétiques. Dans les années récentes, le Pentagone a engendré entre 400 000 et 500 000 tonnes de produits toxiques par an, plus que les cinq plus grandes sociétés chimiques américaines réunies.Il faut y ajouter les dizaines, si ce n'est les centaines de milliers de tonnes que ses contractants ont produites, et ces chiffres ne comprennent même pas les grandes quantités de produits toxiques crachées par le complexe de fabrication d'armes nucléaires du ministère de l'Energie (40).

Evaluer le degré de contamination par les produits toxiques revient à ouvrir la boite de Pandore : le nombre de sites américains sur lesquels des problèmes ont été détectés s'est multiplié rapidement pour passer de 3 526 sur 529 bases militaires, en 1986, à 14 401 sur 1 579 installations en 1989. En outre, plus de 7 000 anciennes propriétés militaires sont en cours d'investigation. Quelques 96 bases sont si profondément polluées qu'elles sont déjà inscrites sur la liste des priorités du programme de superfinancement. Mais Gordon Davidson, directeur adjoint du groupe de travail sur la conformité des installations fédérales de l'Agence pour la protection de l'environnement, croit qu'au moins 1 000 sites militaires pourraient éventuellement être ajoutés à la liste des priorités. Le « nettoyage » avance à une allure d'escargot et apparaît comme étant conçu essentiellement pour prévenir toute détérioration ultérieure. En attendant, de nouveaux déchets sont générés chaque jour, bien que le Pentagone ait dit qu'il voulait en réduire le volume de moitié d'ici 1992 (41).

Le degré de pollution des 375 bases du ministère de la Défense situées à l'extérieur des Etats-Unis reste enveloppé de mystère. En violation d'une décision présidentielle de 1978, le Pentagone n'a ni un programme ni un budget pour la dépollution de ses bases d'outre-mer. La publication d'une étude de 1986 du Bureau de la comptabilité générale qui reconnaissait que des bases américaines d'Italie, du Royaume-Uni et d'Allemagne Fédérale étaient victimes d'une contamination importante, a été interdite par le Pentagone et le Département d'Etat. L'on s'attend à ce qu'un second rapport du même bureau, terminé à l'automne de 1990, soit lui aussi classé secret, parce qu'il pourrait se révéler embarrassant, et parce qu'il pourrait pousser les pays concernés à exiger le retrait des troupes américaines (42).

Les installations militaires américaines à l'étranger ne tombent ni sous le coup de la loi américaine sur l'environnement ni, grâce à des accords particuliers, sous celui des lois de la nation d'accueil concernée. Mais les gouvernements des pays d'accueil commencent à exiger que les troupes américaines se conforment à leur réglementation sur l'environnement. Comme les militaires américains se préparent à se retirer de quelques-unes de leurs bases européennes, la question de savoir qui supportera les coûts de la dépollution va prendre de plus en plus d'importance (43).

La moitié des bases américaines à l'étranger sont situées dans la partie occidentale de la nouvelle Allemagne. Une étude informelle, et très probablement incomplète, a révélé que l'Armée de terre américaine à elle seule y détient 300 sites contaminés. Mais elle envisage de restituer ces installations sans avoir vraiment tenté de les dépolluer. L'Armée de l'air, quant à elle, reconnait que, partout en Europe où elle a des terrains d'aviations, le sol et la nappe phréatique ont été pollués. Au Japon aussi, le peu que l'on connait des effets toxiques des activités militaires américaines confirme ce que nous venons de dire. Des métaux lourds tels que le plomb et le mercure ont été détectés dans un dépotoir de la station aérienne et navale d'Atsugi, près de Tokyo. L'air et le sol sont pollués par les usines industrielles installées sur la base. Quant à l'eau, ce sont les navires de guerre américains qui s'en sont chargés (44).

On en sait encore moins sur les conditions des installations américaines dans le Tiers Monde, si ce n'est que la contamination y est probablement considérable. La pollution par les biphényls po-lychlorés (BPC) atteint les bases américaines de l'Ile de Guam, de Corée du Sud et des Philippines. A Guam, l'Armée de l'Air et la Marine américaines ont déversé de grandes quantités de trichlo-réthylène (TCE) et de solutions antigel non traitées sur le sol et dans des fossés d'évacuation des eaux d'orage, contaminant la couche aquifère qui fournit l'eau de boisson aux trois quarts de la population de l'île. Des tests ont montré que le taux de TCE à certains endroits de la nappe phréatique était de six fois la limite permise (45).

Un voile de secret entoure la situation des installations mili-taires dans la plupart des autres pays, bien que des bribes et des morceaux d'information soient disponibles. Les forces armées de l'ancienne Allemagne Fédérale, par exemple, ont incinéré quelques 100 millions de tonnes de déchets solides chaque année, et utilisé environ 500 tonnes de produits chimiques toxiques, y compris de 50 à 90 tonnes de fongicides et d'herbicides. Quelques 12 millions de mètres cubes de déchets liquides, sur un volume annuel de 30 millions, ont été déversés dans des cours d'eau locaux ou dans les eaux souterraines (46).

A mesure que les forces soviétiques se retirent d'Europe Orien-tale, il devient clair que les bases qu'elles occupaient ont terrible-ment besoin d'être dépolluées. De plus, du carburant, des détritus et des munitions non explosées ont été déversées dans beaucoup d'emplacements non signalés à l'extérieur des bases. Les eaux souterraines en dessous de Frenstat, en Moravie septentrionale (Tchécoslovaquie), sont si contaminées, dit le vice-ministre de l'Environnement Jaroslav Vlcek, que « si vous perciez un puits, je suis pratiquement sûr que vous trouveriez du gasoil ». A Vysoke Myto, en Bohême centrale, des tests effectués sur la nappe phréa-tique ont révélé des concentrations de produits toxiques de l'ordre de 30 à 50 fois les taux permis. 8 000 kilomètres carrés – 6 % de la superficie de la Tchécoslovaquie – ont été pollués ou dévastés (47).

En Hongrie, des portions du Parc national de Kishunsag ont été utilisées comme champs de tir et comme dépotoirs de munitions. Dans l'ancienne Allemagne de l'Est, 90 installations soviétiques, au moins, sont sévèrement polluées. A la base aérienne de Lärz, dans le Mecklembourg, par exemple, plus de 50 000 tonnes de combustibles ont fui dans le sol. Environ 10 % de la superficie de l'Allemagne de l'Est ont été dévastés au cours des opérations militaires soviétiques. En août 1990, les inspecteurs polonais de l'environnement ont pu pénétrer librement sur les bases sovié-tiques installées dans leur pays : les premiers sondages ont été fait sur la base navale de Swinoujscie, près de Stettin, où la couche aquifère est suspectée d'avoir été polluée par des déversements de carburant, et sur des aérodromes près de Chojno et de Kluczewo (48).

On en sait encore moins sur les produits toxiques utilisés dans l'industrie des armements et sur l'exposition des ouvriers à ces produits. Le secret militaire a entravé les efforts pour contrôler et renforcer la sécurité dans les usines aérospaciales et autres. Il est indiscutable, toutefois, que la fabrication des explosifs, des matériaux composites et des composants électroniques peut mettre en danger la santé humaine. La production des explosifs et des systèmes de propulsion, par exemple, entraîne une possible exposition à des émissions de produits aussi dangereux que le chlore gazeux, la dibenzodioxine et le dibenzofurane (49).

Les matériaux composites comme les fibres de carbone et les fibres de verre qui rendent les avions militaires plus légers, plus solides et moins visibles sur les écrans radar, sont suspectés d'empoisonner les techniciens qui les manipulent. Les produits chimiques utilisés pour lier ces matériaux, entre eux, y compris le formaldéhyde du phénol et la dianiline de méthylène, sont supposés être la cause de cancers lorsqu'ils sont inhalés, ou absorbés à travers la peau, tandis que des fragments de fibres peuvent endommager les poumons et être, aussi, à l'origine de cancers. Les ouvriers des usines concernées par des projets top secret comme celui du chasseur à réaction furtif F-117, ne sont pas autorisés à expliquer complètement, même à leur propre médecin, les circonstances qui peuvent être à l'origine de leur maladie. Les inspecteurs de l'Administration pour la sécurité et la santé des travailleurs (ASST) ont besoin d'autorisations particulières pour pouvoir visiter certaines installations de production d'armements. Entre 1985 et 1989, les employés de Lockheed, en Californie, qui étaient tombés malades, ont déposé 352 plaintes contre leur société, l'accusant de ne jamais les avoir informés des dangers qui les attendaient. En juin 1989, la direction a accepté de payer 1,4 million de dollars en indemnités pour 440 violations des règles de sécurité relatives aux postes de travail (50).

La production des semiconducteurs et d'autres composants électroniques fait appel à beaucoup de matériaux hautement toxiques. Aux Etats-Unis, 20 % de la production de cette industrie ont été achetés par le Pentagone en 1987. Il y a des ouvriers qui sont exposés aux solvants, aux bases et aux métaux utilisés pour les opérations d'électrolyse, de gravure, de décapage, de soudage et de dégraissage. Les autres sont exposés aux vapeurs de phosphine et d'arsine, au phosgène gazeux, ainsi qu'à des formes de radiations ionisantes et non ionisantes. Le danger vient surtout de l'exposition prolongée à une multitude de substances qui sont suspectées d'être carcinogènes, tératogènes ou mutagènes. Mais notre connaissance de la gamme complète des effets n'en est encore qu'à son tout premier balbutiement (51).

Ce que le public connaît des produits toxiques militaires, notamment sur les lieux de travail, représente, probablement, un peu plus que la pointe de l'iceberg. Comme les résidents de Mountainview, au Nouveau Mexique, l'ont découvert, la reconnaissance du problème n'est qu'un tout petit premier pas sur la longue route qui mène jusqu'au moment où l'on pourra venir à bout des dangers que ce problème porte en lui.

Dépotoir nucléaire

L'impact des activités militaires sur la santé humaine et l'environnement se fait sentir de bien des façons, mais ce sont la production et les essais des armes nucléaires dont les conséquences sont les plus graves et les plus durables. Alors que l'effet des déchets toxiques est relativement localisé, les dégats dus au nucléaire peuvent s'étendre au monde entier. Et si nous sommes condannés à vivre en compagnie de certaines substances dangereuses pendant des générations, le plutonium, lui, a une période de 24 000 ans. Même si les arsenaux nucléaires étaient supprimés demain, leurs déchets, eux seraient toujours là.

En février 1955, Thomas E. Murray, un membre de la Commission pour l'Energie Atomique (CEA), l'organisme gouvernemental en charge du programme des systèmes d'armes nucléaires américains, déclarait : « Nous ne devons permettre à rien d'interférer avec cette série d'essais (nucléaires), à rien. » Faite à huis clos, cette déclaration traduit bien les priorités de l'époque aussi bien à l'Est qu'en Occident. Il s'agissait de mener rondement la mise sur pied d'arsenaux nucléaires, depuis l'extraction de l'uranium jusqu'à la conception et la fabrication des têtes nucléaires, leurs essais et leur déploiement. Ces projets avaient, sans aucune ambiguïté, le pas sur la santé et la sécurité des travailleurs, des soldats, et des résidents. Pendant des décennies et au nom de la sécurité nationale, des responsables ont soumis leurs propres concitoyens, aux dangers de la radioactivité. Si les citoyens ne se doutaient de rien, les responsables, eux, savaient fort bien ce qu'ils faisaient (52).

Le gouvernement américain n'a reconnu que récemment que les doses de radiations émanant de son usine de production de plutonium de Hanford, dans l'Etat de Washington, dans les années quarante et cinquante, étaient suffisantes pour être à l'origine de cancers. De même, ce n'est qu'en 1989 que les autorités soviétiques ont finalement confirmé qu'un accident fatal s'était produit dans une usine de traitement du plutonium, 32 ans auparavant. Dès les années soixante, les officiels locaux soviétiques étaient au courant des risques pour la santé dus aux essais des systèmes d'armes nucléaires effectués dans la péninsule de Chukotka, en Sibérie, mais avaient négligé d'en informer le public (53).

Obtenir une compensation pour des préjudices subis est un rêve inaccessible pour les citoyens soviétiques. Aux Etats-Unis, des crédits gouvernementaux, totalisant à peine la somme misérable de 200 millions de dollars, ont été débloqués en 1985 et en 1990 pour des groupes de victimes bien déterminés. Mais il y a longtemps que le gouvernement prétend que son « immunité souveraine » le protège contre toutes responsabilités supplémentaires (lesquelles pourraient bien aller jusqu'aux milliards de dollars). Et les grandes sociétés contractantes qui assurent le fonctionnement des installations de fabrication d'armes nucléaires sont protégées contre toute responsabilité et toute condamnation pénale, bien que des efforts soient faits actuellement pour modifier cet état de fait (54).

Comme un réacteur nucléaire qui atteint sa masse critique, les deux années passées ont vu, aux Etats-Unis, un déluge d'articles à la une, d'investigations officielles et de témoignages qui ont abreuvé le public de révélations nouvelles choquantes concernant le complexe militaro-industriel des armes nucléaires. Bien que beaucoup de détails restent encore à mettre à jour, ce qui en a émergé est une histoire qui va d'une négligence grossière et d'un sens excessif du secret, à une tromperie omniprésente et une conduite carrément criminelle. Malgré toutes les différences idéologiques, ce sont là des caractéristiques partagées par les fabricants de bombes, à l'Ouest comme à l'Est. Alors que quelques-unes des pires pratiques semblent appartenir au passé – un certain nombre d'usines de fabrication de systèmes d'armes nucléaires, aux Etats-Unis comme en Union Soviétique, sont fermées, au moins temporairement, pour des raisons politiques ou de sécurité – le péril dû aux déchets hautement radioactifs « pourrait exister pendant des siècles ou des millénaires », selon les termes d'une étude interne de Du Pont, un contractant du gouvernememt américain (55).

La taille de l'industrie des armes nucléaires est vraiment colossale. Depuis les années quarante, les Etats-Unis ont dépensé à eux seuls près de 300 milliards de dollars de 1990, pour concevoir, tester et fabriquer des ogives nucléaires. Pendant cette période, approximativement 60 000 ogives ont été produites dans un complexe de plus de 100 usines s'étalant sur 32 Etats et employant quelques 600 000 techniciens. Soit stockés, soit assemblés dans les ogives, il y a de 90 à 100 tonnes de plutonium et 500 tonnes d'uranium hautement enrichi. Les stocks, en Union Soviétique, sont supposés être, *grosso modo*, du même ordre de grandeur, alors que ceux des autres pays qui reconnaissent eux-mêmes être puissances nucléaires – la Chine, la France et le Royaume-Uni – sont beaucoup plus faibles (56).

Chaque étape dans le processus de fabrication de la bombe constitue une grave menace à l'égard de l'environnement. A l'usine Purex de la réserve Hanford, dans l'Etat de Washington, qui est maintenant fermée, la production d'un seul kilo de pluto-nium engendrait environ 1 300 litres de déchets liquides haute-ment radioactifs, corsés de produits chimiques dangereux, plus de 200 tonnes de détritus de niveaux faiblement ou moyennement radioactifs, et presque 10 millions de litres d'eau de refroidisse-ment contaminée. Aux Etats-Unis, les réacteurs nucléaires mili-taires sont, en volume, responsables d'environ 97 % de tous les déchets nucléaires de niveaux de radiation élevés, et de 78 % de tous les déchets nucléaires de niveaux de radiation faibles. Mesurée en curies, toutefois, la portion militaire tombe respecti-vement à 6 et 74 %. Le stock des déchets liés aux forces armées et qui présentent des niveaux de radiation élevés a été estimé à environ 1,4 milliards de curies (Une curie mesure l'intensité de radiation et est égale à $3,7 \times 10^{10}$ désintégrations par seconde ; à titre de comparaison, environ 50 millions de curies ont été libérées lors de l'accident de Tchernobyl) (57).

En 1989, plus de 3 200 sites sur environ 100 emplacements appartenant au ministère américain de l'Energie (qui a repris le travail de la Commission pour l'Energie Atomique) avaient été identifiés comme ayant pollué le sol ou les eaux souterraines, ou parfois les deux. Les dernières décennies, avec l'émission ou le rejet délibérés ou accidentels de matières radioactives ou de substances toxiques, contiennent tous les ingrédients d'un film d'épouvante moderne (voir tableau 8.7). Plus de 50 bombes de la taille de celle de Nagasaki pourraient être fabriquées à partir des déchets qui ont fui hors des citernes souterraines d'Hanford. A Rocky Flats, il s'est accumulé, dans les conduits de ventilation, suffisamment de plutonium pour faire sept bombes nucléaires. En 1969, après un grand incendie, les enquêteurs y ont trouvé la concentration en plutonium la plus élevée jamais mesurée près d'une zone urbaine, y compris autour de Nagasaki (58).

Un danger supplémentaire se dessine, provenant des déchets qui ne se sont pas faufilés dans l'environnement – du moins, pas

Tableau 8.7. Etats-Unis : contamination radioactive et toxique dans les principales installations de production d'armes nucléaires

Installation (Tâche principale)	Remarques
Centre de Production des Matériaux d'Alimentation, Fernald, Ohio (transforme l'uranium en lingots de métal)	Depuis l'ouverture de l'usine, au moins 250 tonnes d'oxyde d'uranium (et peut-être six fois plus) ont été rejetées dans l'air. La surface et les eaux souterraines à l'extérieur du site contaminées par de l'uranium, du césium et du thorium. Niveaux élevés de radon gazeux émis.
Réserve de Hanford, Wash. (recycle l'uranium et extrait le plutonium)	Depuis 1944, 760 milliards de litres d'eaux contaminées (assez pour créer un lac de 12 mètres de profondeur, de la taille de Manhattan) ont été déversés dans les eaux souterraines et la Columbia River ; 4,5 millions de litres de déchets hautement radioactifs ont fui des citernes souterraines. Les responsables, sciemment et quelquefois délibérément, ont exposé le public à de grandes quantités de radiations véhiculées par l'air au cours de la période 1943-1956.
Savannah River, S.C. (produit du plutonium et du tritium)	Des substances radioactives et des produits chimiques trouvés dans la nappe phréatique de Tuscaloosa à des niveaux 400 fois plus élevés que ceux que le gouvernement considère comme sans risques. Des millions de curies de tritium gazeux libérées dans l'atmosphère depuis 1954.
Rocky Flats, Colo. (assemble des « allumettes » de plutonium)	Depuis 1952, 200 feux ont contaminé la région de Denver avec des quantités inconnues de plutonium. Strontium, césium, et produits chimiques cancérigènes ont fui dans les eaux souterraines.
Réserve d'Oak Ridge, Tenn. (produit du deutériure de lithium et de l'uranium hautement enrichi)	Depuis 1943, des tonnes d'uranium envoyées dans l'atmosphère. Des déchets radioactifs et dangereux ont sévèrement pollué les cours d'eau locaux affluents de la Clinch River. Le réservoir de Watts Bar, un lac de loisirs, est contaminé. Il contient au moins 175 000 tonnes de mercure et de césium.

Sources : « Status of Major Nuclear Weapons Production Facilities : 1990 » *PRS Monitor*, septembre 1990 ; Robert Alvarez and Arjun Makhijani, « Hidden Legacy of the Arms Race : Radioactive Waste, *Technology Review*, août-septembre 1989, et autres sources.

encore. Selon un groupe de conseillers du gouvernement certaines citernes de stockage, à Savannah River et à Hanford, qui contiennent des sous-produits du plutonium comme le césium, le strontium et l'iode, risquent, apparamment, d'exploser. Si une telle explosion se produit à Savannah River, les résidents proches pourraient contacter jusqu'à 20 000 cancers supplémentaires (59).

Les radiations sont connues pour être à l'origine de cancers, de leucémies, de myélomes multiples, de tumeurs du cerveau, de désordres thyroïdiens, de stérilité, de fausses couches et de malformations chez le nouveau-né. Les dommages causés au corps humain dépendent de l'importance et du type de la dose de radiations, ainsi que de la rapidité avec laquelle elle a été absorbée. Il est difficile, toutefois, d'établir un lien de cause à effet entre une exposition à une radiation particulière et des effets préjudiciables à la santé à cause des périodes de latence qui sont, quelquefois, longues, de la possibilité que la maladie soit causée par d'autres facteurs, et du fait que la plupart des statistiques gouvernementales sur ce sujet soient encore secrètes. Des études récentes ont conclu que les risques dus à une radiation ionisante sont trois fois plus élevés qu'on ne le pensait précédemment, et beaucoup de scientifiques croient qu'il n'existe aucun niveau d'exposition à une radiation qui soit « sans danger » (60).

On croit que quelques 30 000 individus, soit la moitié de ceux qui ont travaillé, à une époque quelconque, dans le complexe américain de fabrication des systèmes d'armes nucléaires, ont été affectés par une exposition à des radiations. Une étude, portant sur presque 4 000 travailleurs de l'usine de Rocky Flats, a trouvé, chez eux, une proportion élevée de tumeurs du cerveau, de mélanomes malins, de cancers respiratoires et d'aberrations chromosomiques, même si les personnes en question n'avaient été exposées qu'à des milliardièmes de curie de radioactivité. Des centaines de travailleurs de Hanford absorbaient, tous les six mois, une quantité de plutonium égale à la limite actuelle permise pour une vie entière (61).

Le ministère américain de l'Energie a commencé à publier des données sur la santé des travailleurs. Les dossiers sont loin d'être complets, toutefois, et ne permettent pas d'aboutir à des conclusions fermes en ce qui concerne les effets réels sur la santé. De plus, le système, mis au point par le ministère de l'Energie pour diffuser, auprès du ministère de la Santé et des chercheurs indépendant, les données qu'il recueille sur la santé des individus, continuera sans doute d'empêcher le public d'accéder aux données essentielles. Le ministère de l'Energie gardera aussi, dans le futur, la responsabilité exclusive du recueil et de la publication des statistiques sur la santé des communautés et des travailleurs (62).

Les gens qui vivent près de la réserve de Hanford, sur la côte nord-ouest du Pacifique, ont reçu, pendant une longue période, quelques-unes des plus grandes quantités de radiations du monde. Plus de 400 000 curies d'iode radioactif – 26 000 fois la quantité libérée à Three Mile Island en 1979 – ont été émises uniquement entre 1944 et 1947, contaminant plus d'un quart de million de personnes qui ne se doutaient de rien. Près de 14 000 résidents, environ 5 %, ont reçu des doses de 33 rads (*radiation absorbed dose*), qui mesure la quantité de radiations absorbée par le corps humain mais non les dommages biologiques causés par elles. Cette valeur représente 1 200 fois le niveau actuellement considéré comme sans risque par le gouvernement fédéral. Quelques résidents ont même été exposés à des doses allant jusqu'à 2 900 rads. On trouve chez les personnes qui vivent près de Hanford un nombre anormalement élevé de cancers divers, de fausses couches et autres affections (63).

La *Glasnost* a donné au monde les premiers aperçus des conséquences du programme d'armes nucléaires soviétiques. Bien qu'encore très limité, le tableau qui en émerge est celui d'une énorme contamination. A Kyshtym, dans l'Oural oriental (l'équivalent soviétique de Hanford), 6 000 travailleurs ou peut-être plus, ont été exposés à des doses de radiation de plus de 100 rem (cette mesure reconnait que différents types de radiations ont différents effets biologiques. Un rem est, en gros, l'équivalent de sept ou huit rayons X. Une dose de 500 rem est, normalement, fatale, alors que des doses comprises entre 100 et 200 rem pourraient être à l'origine de cancers à long terme). Du césium, du strontium, et d'autres déchets radioactifs liquides ont été déversés, depuis la fin des années quarante, dans le fleuve Techa, lequel est devenu si pollué que des traces de radioactivité ont été trouvées dans l'Océan Arctique, à 1 000 kilomètres de son embouchure, ou presque. Les personnes qui vivaient le long du Techa ont dû être évacuées (64).

A partir de 1952, des déchets nucléaires ont été déversés dans le lac Karachay, qui se trouve à côté ; la chaleur des radionucléides a commencé à assécher l'étendue d'eau de 10 kilomètres carrés. Vers 1988, elle contenait 120 millions de curies de strontium 90, de césium 137, de plutonium résiduel et d'autres isotopes à longue durée de vie, deux fois et demi plus que ce qui a été libéré à Tchernobyl. Le lac est maintenant couvert par une épaisse couche de ciment (65).

En septembre 1957, une explosion chimique a eu lieu dans des déchets nucléaires à niveau élevé de radiations, stockés à Kyshtym. L'accident a sévèrement contaminé 15 000 kilomètres carrés de terrains où vivait plus d'un quart de millions de personnes, obligeant d'en évacuer 10 000. L'explosion a libéré environ un tiers des radiations libérées à Tchernobyl (66).

L'essai des têtes nucléaires est la phase finale de la mise au point des armes nucléaires, et c'est l'activité qui a suscité les premiers soucis concernant la santé. De 1945 à 1989, plus de 1 800 bombes ont explosé sur plus de 35 sites à travers le monde, tous ces sites étant, pratiquement, situés sur le territoire de peuples autochtones colonisés ou soumis d'une manière ou d'une autre, qu'il s'agisse des Shoshones occidentaux, des Kazakhs, des Uygurs, des aborigènes australiens ou de insulaires du Pacifique (67).

En gros, un quart de tous ces essais, dont la plupart ont eu lieu avant 1963, ont été effectués dans l'atmosphère, injectant dans celle-ci beaucoup plus de déchets radioactifs que n'en a libéré l'accident de Tchernobyl. Les retombées pourraient avoir été à l'origine de 86 000 naissances défectueuses pour l'ensemble de la planète, et, selon une estimation de 1977 de l'ONU, de quelques 150 000 morts prématurées. Bien que les essais souterrains aient supprimé une partie des radiations, quelques-unes s'échappent encore dans l'atmosphère, et d'autres sont suspectées de se dissoudre dans les eaux souterraines. Plus d'un tiers des essais souterrains américains et un nombre inconnu d'explosions soviétiques ont ainsi donné lieu à des fuites dans l'atmosphère (68).

Aux Etats-Unis, les individus exposés aux retombées nucléaires comprennent 400 000 « vétérans atomiques » – soldats qui ont reçu l'ordre d'observer les essais dans l'atmosphère –, 100 000 travailleurs des sites d'essais et un nombre similaire de résidents vers lesquels le vent pousse les retombées nucléaires, et qui vivent dans certaines parties du Nevada, de l'Arizona et de l'Utah. Cependant, on pense que des millions supplémentaires d'Américains portent la trace, dans leurs tissus et leurs organes, des quantités de plutonium qu'ils ont absorbées. Depuis 1961, des cas de leucémie ont commencé à apparaître avec une fréquence croissante dans les communautés américaines vivant sous le vent des sites d'essai. De nos jours, les cancers de la thyroïde et des os sont, dans la partie sud-ouest de l'Utah, respectivement 8 et 12 fois plus nombreux que la moyenne nationale (69).

Des niveaux élevés de radioactivité dans le sol et les récoltes vivrières ont rendu l'atoll de Bikini, dans le Pacifique, inhabitable depuis 1954. Dans l'île voisine de Rongelap, un grand nombre de résidents souffrent de tumeurs de la thyroïde. L'étendue totale de la contamination radioactive due aux 160 essais nucléaires français effectués depuis 1966 sur deux autres atolls du Pacifique, Muruora et Fangataufa, est inconnue. En 1981, un typhon a dispersé dans l'océan d'immenses quantités de détritus nucléaires, dont 10 à 20 kilogrammes de plutonium. Depuis le début des années quatre-vingt, une augmentation des cas de leucémie, de tumeurs au cerveau et de cancers de la thyroïde a été enregistrée en Polynésie française (70).

En 1989, l'Académie Soviétique des Sciences médicales est arrivée à la conclusion que les résidents de Semipalatinsk, près du principal site d'essais du Kazakstan, étaient sujets à des taux inhabituels de cancers, de maladies génétiques et de mortalité infantile, du fait de leur exposition à des radiations remontant aux tests atmosphériques d'avant 1963. En 1988, l'importance des cancers était de 70 % au-dessus de la moyenne nationale. Les activistes Kazakhs déclarent que l'espérance de vie, dans leur république, a diminué d'environ quatre ans au cours des deux dernières décennies, et que le nombre de personnes qui souffrent de maladies du sang a doublé depuis 1970. S'inclinant devant la forte pression populaire, le gouvernement soviétique a supprimé 11 essais en 1989 et décidé, en mars 1990, de ne plus effectuer d'essais nucléaires près de Semipalatinsk après 1993 (les essais, bien que moins nombreux, pourraient continuer dans l'île de Novaya Zemlya, dans l'Arctique) (71).

Faire la paix avec l'environnement

Comme la confrontation Est-Ouest s'est évanouie, la question de l'héritage écologique de la guerre froide vient lentement à l'ordre du jour. Le coût de la réparation des dommages entraînés par une préparation permanente à la guerre sera énorme.

En ce qui concerne les Etats-Unis, le Bureau de la Comptabilité Générale a calculé, en 1988, que les coûts de décontamination nucléaire se situaient entre 100 à 130 milliards de dollars, ce qui représentait 2 millions de dollars pour chacune des têtes nucléaires que la nation avait produites. Des évaluations plus récentes font état de 200 milliards de dollars. Les estimations des sommes nécessaires pour traiter les déchets toxiques des bases militaires américaines ont monté en flèche, passant de 500 millions de dollars en 1983 à 20 à 40 milliards aujourd'hui. Il est sûr qu'elles vont encore grimper, à mesure que d'autres sites toxiques sont identifiés et que les travaux de dépollution progressent. De plus, il faudrait que les forces américaines stationnées en Europe occidentale dépensent au moins 580 millions de dollars pour réduire la pollution de l'air et de l'eau sur leurs bases (72).

Le coût de la dépollution des bases soviétiques en Tchécoslovaquie a été estimé à 2 millions de dollars par site, soit près de 300 millions pour l'ensemble des 132 installations. En Hongrie, la note de la dépollution pourrait s'élever à plusieurs dizaines de millions de dollars. Ces montants peuvent difficilement être dégagés dans ces pays financièrement étranglés. Il a été estimé que, aux Etats-Unis, il pourrait en coûter 250 millions de dollars pour réhabiliter un kilomètre carré de terrain mitraillé et bombardé (73).

Le financement est encore très en retard sur les besoins établis. Par exemple, le budget pour les programmes qui ont trait à l'environnement des installations militaires américaines, est passé de pratiquement rien au début des années quatre-vingt à environ 600 millions de dollars en 1990, et il est prévu qu'il sera de 850 millions de dollars pour 1991. Cependant, le « Programme de restauration de l'environnement de la Défense » ne représente que 0,2 % du budget militaire annuel. La part du budget du ministère américain de l'Energie qui est prévue pour faire face aux problèmes que pose la contamination du complexe de fabrication des armes nucléaires, a plus que quadruplé entre 1986 et 1991, pour atteindre 4,3 milliards de dollars, mais il est encore minuscule si on le compare aux dépenses du ministère pour la poursuite de la production des systèmes d'armes (74).

Au-delà des aspects proprement financiers, nous trouvons les coûts sociaux qui, s'ils sont moins facilement quantifiables, sont loin d'être insignifiants. Les personnes qui, au nom de la sécurité nationale, sont mortes d'avoir été exposées à la pollution, ou ont vu leur santé irrémédiablement endommagée, ont déjà payé et continuent à payer un tribut élevé à la rivalité géopolitique du dernier demi-siècle. Et il pourrait bien se faire que l'on doive mesurer en décennies et en générations le temps nécessaire pour dépolluer les sites contaminés par les déchets toxiques et radioactifs. Les zones les plus sévèrement empoisonnées pourraient se révéler impossibles à dépolluer ou à réhabiliter de quelque manière que ce soit. Clôturées et totalement inutilisables, il pourrait se faire qu'elles deviennent des « zones de sacrifice national », monuments effrayants élevés à la guerre froide. La destruction de l'environnement est assurée d'être l'héritage le plus durable de la rivalité Est-Ouest.

Le secteur militaire s'est longtemps considéré comme étant au-delà de la portée des lois et des règlements concernant l'environnement. La sensibilisation du public aux problèmes écologiques, qui découlent des activités militaires, n'aura de valeur que si les agences gouvernementales et leurs contractants privés qui sont à l'origine des dommages sont susceptibles d'être tenus davantage responsables.

En 1978, le Président Carter signait une ordonnance exigeant que toutes les installations fédérales américaines se conforment aux réglements gouvernementaux concernant l'environnement. Mais l'administration de Reagan devait laisser au Pentagone le soin de se contrôler lui-même le rendant seul responsable de la dépollution des bases. John Dingell, député du Michigan, déclarait en 1989 : « tantôt le ministère de la Défense se plie à la loi sans grand enthousiasme, tantôt il l'ignore volontairement » (75).

Pendant ce temps, les pouvoirs qui devraient permettre à l'Agence pour la Protection de l'Environnement (EPA) de renforcer l'application des lois sur l'environnement dans les bases militaires sont sévèrement circonscrits, comme le sont ceux de l'OSHA, (Occupational Safety and Health Administration). Le ministère de la Justice a empêché l'EPA de poursuivre d'autres agences fédérales, de leur imposer des décrets de dépollution sans leur consentement, ou de leur infliger des amendes. Il est allé plusieurs fois devant les tribunaux pour empêcher les agences des Etats d'infliger des amendes à des installations fédérales. En conséquence, l'EPA a dû se décider à négocier des « accords de respect volontaire des normes » d'une valeur douteuse avec les militaires. Deux projets de loi en discussion au Congrès devraient renforcer les pouvoirs de l'EPA et permettre aux Etats de sanctionner les pollueurs fédéraux (76).

Une évaluation des lois allemandes relatives à l'environne-ment, y compris celles qui réglementent l'utilisation des terrains, l'élimination des déchets et les émissions de polluants, a montré que pratiquement chacune de ces lois contenait des échappatoires qui accordaient aux forces armées des privilèges spéciaux. Et, exemple classique du renard qui garde le poulailler, la Bundes-wehr a seule le droit, depuis 1986, de vérifier sa propre conformité avec les lois fédérales en ce qui concerne les émissions de nature à polluer l'air. Il est probable que des conditions semblables existent aussi dans d'autres pays (77).

La question de la pollution et de la dégradation liées aux forces armées est de nature à unir les mouvements écologistes et paci-fistes. Aux Etats-Unis, la Campagne Nationale contre les produits toxiques et la Citizen's Clearinghouse for Hazardous Wastes (organisation qui se charge de l'enlèvement des déchets dange-reux) assistent les communautés qui sont confrontées à la pollution militaire jusque dans leurs propres arrière-cour. Au plan national, de conserve avec d'autres groupes, ces organismes travaillent pour faire adopter une législation qui rendrait les installations militaires sujettes aux mêmes exigences concernant l'environnement et aux mêmes amendes que les pollueurs privés, et réclament la mise sur pied d'un « Fonds de Sécurité de l'Environnement » qui fournirait automatiquement de l'argent pour la recherche et la dépollution des installations militaires contaminées par les substances toxiques. Dans le même temps, une autre organisation réunit les groupes qui, dans tout le pays, se préoccupent des effets de la production des armes nucléaires (78).

En Allemagne Fédérale, des citoyens, rendus furieux par le stress permanent dû aux vols à basse altitude, ont exigé qu'il soit mis fin à cet entrainement. Dans les deux parties de l'Allemagne nouvellement unifiée, la contamination par des produits toxiques, notamment dans les bases occupées par leurs anciennes superpuissances protectrices, devient rapidement une question « brûlante ». Au Kazakhstan, en Union Soviétique, un grand mouvement populaire opposé à tout essai nucléaire a surgi pratiquement en une nuit et a su, tout de suite, se faire entendre. Soutenu par le syndicat des mineurs de charbon, le mouvement « Nevada-Semipalatinsk » (comme il s'appelle lui-même, pour souligner le fait que les Américains et les Soviétiques partagent le même destin) a réussi à obliger les autorités à supprimer la plupart des essais prévus pour 1989 et à décréter la fin de tous les essais pour 1993 (79).

Ces exemples montrent qu'une forte pression publique peut réussir à modifier l'attitude des militaires envers l'environnement. Mais pour être plus efficaces dans leur lutte, les mouvements populaires ont besoin d'outils appropriés. L'un de ces outils est une législation concernant le « droit de savoir », telle que celle qui est en cours d'application aux sociétés américaines qui polluent le domaine civil. Perçant le rideau de fumée de la sécurité nationale, une telle législation pourrait exiger, que non seulement les agences de défense mais aussi les contractants militaires, préparent des rapports détaillés sur les substances dangereuses qu'ils ont manipulées et rejetées dans l'environnement, et mettent ces données à la disposition du public. Demander une évaluation de l'impact sur l'environnement de tout futur projet militaire, évaluation déjà exigée des forces armées américaines et canadiennes, est un moyen important d'identifier les impacts potentiels défavorables avant qu'ils ne deviennent une réalité (80).

Contrairement à ce qui se passe dans le domaine civil, cependant, exiger des normes d'émission plus strictes pour des usines de fabrication de bombes, ou des citernes de carburant plus étanches, n'a que peu de sens ; l'essence de toutes les opérations militaires est d'obtenir une marge de supériorité sur les adversaires réels ou supposés, à n'importe quel coût, écologique ou autre. L'incompatibilité fondamentale entre les militaires et l'environnement a été mise en évidence récemment, lorsqu'une communauté de Virginie a entendu le commandant d'une base militaire américaine lui déclarer : « Notre mission n'est pas de protéger l'environnement, mais de protéger la nation » (81).

Un monde qui veut faire la paix avec son environnement ne peut pas continuer à se battre dans des guerres ou à sacrifier la santé de l'humanité et les écosystèmes de la planète en se préparant à ces guerres. La qualité de l'environnement rejoint une longue liste de solides raisons pour se diriger vers le désarmement. Saper et dévaster les systèmes naturels qui sont essentiels pour que la vie et l'activité puissent exister sur la planète sont un prix exorbitant à payer pour la liberté et la souveraineté nationale.

CHAPITRE 9

Le juste milieu

par Alan Durning

Au début de l'époque d'abondance qui a suivi la Seconde Guerre mondiale, un analyste américain de la vente au détail nommé Victor Lebow déclarait : « Notre économie énormément productive... exige que nous fassions de la consommation notre façon de vivre, que l'achat et l'utilisation des biens deviennent des rites, que nous recherchions la satisfaction spirituelle, la satisfaction de notre moi, dans la consommation... Ce qu'il nous faut c'est consommer les choses, les brûler, les user, les remplacer et les mettre au rebut à un rythme toujours croissant. » Les Américains ont répondu à l'appel de Monsieur Lebow, et la majeure partie du monde a suivi (1).

La consommation est devenue un des principaux piliers de la vie dans les pays industrialisés, et elle est même profondément ancrée dans les valeurs sociales. Des études d'opinion effectuées dans les deux plus importantes économies du monde – le Japon et les Etats-Unis – montrent que les définitions du succès qui reflètent les pires aspects de la société de consommation prévalent de plus en plus. A Taïwan, un panneau d'affichage pose la question : « Pourquoi n'êtes vous pas encore millionnaire ? » alors que les Japonais parlent des « trois trésors sacrés » qu'ils ont découverts il n'y a pas si longtemps : la télévision couleur, la climatisation et l'automobile (2) .

Le style de vie des sociétés riches, qui est né aux Etats -Unis, est copié par ceux qui de par le monde, peuvent se le permettre. Et beaucoup le peuvent : l'individu moyen, aujourd'hui, est quatre fois et demi plus riche que ne l'étaient ses arrière-grands-parents, à la fin du dix-neuvième et au début du vingtième siècles. Est-il besoin de dire que la nouvelle richesse mondiale n'est pas également répartie entre les habitants de la terre. Un milliard d'individus vivent dans un luxe sans précédent, un autre milliard vit dans le dénuement. Les enfants américains ont même plus d'argent de poche – 230 dollars l'an – que le demi-milliard de personnes les plus pauvres n'en ont pour vivre (3).

La surconsommation à laquelle se livrent les nantis de ce monde est un problème écologique extrêmement sérieux qui n'a aucun équivalent, si ce n'est peut-être celui de la croissance de la population. L'exploitation effrénée des ressources de la planète par les populations riches menace d'épuiser ou de défigurer définitivement les forêts, les sols, l'eau, l'air et le climat. Quant au plan humain, il semble bien que là aussi la surconsommation ait ses mauvais côtés. Ces valeurs traditionnelles que sont la probité, le travail bien fait, l'amitié, la famille, le sens de la communauté ont été souvent sacrifiées dans la ruée vers les richesses. C'est ainsi que beaucoup de personnes, dans les pays industrialisés, ont le sentiment que leur monde d'abondance est, par bien des côtés, un monde creux, et que, aveuglés par une culture de consommation à outrance, ils se sont efforcés, sans succès, de satisfaire par des choses matérielles des besoins qui sont essentiellement psychologiques, spirituels et sociaux (4).

Naturellement, l'opposé de la surconsommation, la pauvreté, n'est une solution ni aux problèmes écologiques ni aux problèmes humains. Non seulement elle est infiniment pire pour les gens mais elle est mauvaise, aussi, pour la nature. Les paysans dépossédés se taillent un chemin à coups d'incendies à travers les forêts pluviales d'Amérique latine, alors qu'en Afrique, des nomades affamés lancent leurs troupeaux sur des terrains de parcours fragiles qu'ils transforment en désert. Que les gens en aient trop ou pas assez, il semble bien que le résultat soit toujours le même : la destruction de l'environnement. Alors une question se pose : où est le juste milieu ? Quel est le niveau de consommation que la terre peut supporter ? Avoir plus ajoute-t-il toujours quelque chose à la satisfaction humaine ? Quand cela cesse-t-il d'être vrai ?

Il est impossible de répondre à ces questions de façon définitive, mais il est essentiel que chacun d'entre nous se les pose, nous qui faisons partie des privilégiés. En effet, ou nous finirons par comprendre que plus n'est pas toujours synonyme de mieux, ou nos efforts pour prévenir le déclin écologique finiront par être submergés par nos appétits.

La société de consommation

Notre époque est essentiellement marquée par une consommation qui monte en flèche. L'avance irrésistible de la technologie, des revenus qui ne cessent de monter, et, par voie de conséquence, des biens matériels moins chers, ont élevé la consommation globale à des niveaux auxquels l'on n'aurait jamais osé rêver il y a un siècle. La tendance est visible dans les statistiques relatives à n'importe quel indicateur par habitant. Sur l'ensemble du monde, depuis le milieu du siècle, la demande du cuivre, d'énergie, de viande, d'acier et de bois a, approximativement, doublé ; le nombre de voitures et la consommation de ciment ont quadruplé, l'emploi des matières plastiques, quintuplé. La consommation d'aluminium a été multipliée par sept, et le nombre des voyages aériens par 32 (5).

Ce sont les régions riches qui connaissent la plus grande vague de consommation depuis 1950. Aux Etats-Unis, la première société de consommation du monde, les gens possèdent aujourd'hui en moyenne deux fois plus de voitures, parcourent deux fois et demi plus de kilomètres en voiture, vingt-cinq fois plus de kilomètres en avion et utilisent vingt et une fois plus de plastic que ne le faisaient leurs parents en 1950. Si 15 % des foyers avaient la climatisation en 1960, ils sont maintenant 64 %. Quant à la télévision en couleur, les chiffres sont passés de 1 à 93 %. Rien qu'au cours des années quatre-vingt, les fours à micro-ondes et les magnétoscopes se sont introduits dans presque les deux tiers des familles américaines (voir figure 9.1) (6).

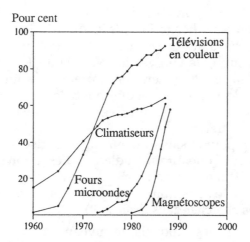

Source : Bureau du Recensement, ministère américain de l'Energie.

Figure 9.1.   Evolution du nombre d'appareils électro-ménagers possédés par les familles américaines, 1960-1988

Les années 1980 ont été une période où les Américains ont vraiment dépensé sans compter. Jamais, depuis le grand boom des années 1920, la consommation ostentatoire n'avait été aussi unanimement applaudie. Entre 1978 et 1987, les ventes automobiles Jaguar augmentaient de huit fois, et l'âge moyen auquel les personnes achetaient leur premier manteau de fourrure passait de 50 à 26 ans. Le nombre des membres du club des millionnaires américains, club select s'il en fut, faisait plus que doubler et passait de 600 000 à 1,5 million au cours de la décennie, tandis que le nombre des milliardaires américains atteignait 58 en 1970 (7).

Le Japon et l'Europe occidentale ont montré des tendances parallèles. Par personne, les Japonais d'aujourd'hui consomment plus de quatre fois plus d'aluminium, presque cinq fois plus d'énergie et vingt-cinq fois plus d'acier que leurs compatriotes ne le faisaient en 1950. Ils possèdent aussi quatre fois plus de voitures, et mangent presque deux fois plus de viande. En 1972, un million de Japonais ont voyagé hors de leur pays ; en 1990, l'on s'attendait à ce que ce nombre se monte à 10 millions. Comme aux Etats-Unis, les années quatre-vingt ont été, au Japon, une décennie particulièrement marquée par la consommation à outrance, avec des ventes d'automobiles BMW multipliées par 10 en 10 ans. Ironiquement, en 1990, un *reja bumu* (boom des loisirs) s'est combiné avec un regain d'intérêt envers la nature pour créer deux nouveaux symboles de statut social : la Range Rover à quatre roues motrices importée d'Angleterre, et la cabane en rondins importée d'Amérique (8).

Cependant, le Japon n'est pas venu à cette éthique de forte consommation sans hésitation. Beaucoup de Japonais âgés s'en tiennent encore à leurs principes traditionnels de frugalité. Yorimoto Katsumi, de l'université Waseda de Tokyo, écrit : « Les membres de la vieille génération... prennent soin d'économiser chaque bout de papier et chaque bout de ficelle en vue d'une utilisation future. » Un courant récent de dépenses qui atteignent des hauteurs effarantes – tasses à café de 350 dollars et manteaux de vison pour chiens – ont amené une crise des valeurs dans la société. Voici ce que dit un étudiant : « Les Japonais sont à l'aise matériellement, mais pas au fond d'eux-mêmes... Nous n'avons jamais le temps de nous trouver nous-mêmes, ou de trouver ce que nous devrions chercher dans la vie » (9).

Comme celui des Japonais, le niveau de consommation des habitants de l'Europe occidentale n'est que d'un cran inférieur à celui des Américains. Pris ensembles, la France, la République fédérale d'Allemagne et le Royaume-Uni ont, par habitant, et depuis le milieu du siècle, presque doublé leur utilisation d'acier, plus que doublé leur demande de ciment et d'aluminium , et triplé leur consommation de papier. Au cours de la première moitié des années quatre-vingt, la consommation par habitant de plats préparés surgelés – avec leur emballage excessif – s'est élevée de plus de 30 % dans chacun des pays de l'Europe occidentale, à l'exception de la Finlande ; en Suisse, elle a fait un bond de 180 %. A mesure que les barrières douanières s'abaisseront dans la perspective du marché unique européen de 1992, il est probable que les prix diminueront et que la promotion des produits se fera plus agressive, propulsant la consommation encore plus vers le haut (10).

Entre temps, l'effondrement des gouvernements socialistes de l'Europe de l'Est transformait en raz de marée la demande des consommateurs, demande qui était restée insatisfaite dans une région où l'économie contrôlée par l'Etat était depuis longtemps figée. Un jeune homme avait très bien saisi l'état d'esprit de son pays lorsqu'il déclarait à un reporter occidental, dans un bar de Budapest : « Les gens, en Occident, pensent que nous autres, en Hongrie, nous ne savons pas comment ils vivent. Mais nous savons trés bien comment ils vivent, et nous voulons vivre de cette façon, nous aussi ». Voici ce que disait le banquier allemand Ulrich Ramm : « Les Allemands de l'Est veulent des voitures, des magnétoscopes et des Marlboros ». 70 % des personnes qui vivent dans l'ancienne Allemagne orientale espèrent entrer bientôt dans la classe mondiale des propriétaires de voiture ; rien que dans la première moitié de 1990, les Allemands de l'Est ont acheté 200 000 voitures occidentales d'occasion. Les plans des fabricants d'automobiles occidentaux pour l'Europe de l'Est lui promettent que, de toutes les régions du globe, c'est là que l'on construira le plus grand nombre d'usine de fabrication automobile (11).

La fin des années quatre-vingt a vu quelques-uns de pays pauvres aborder la transition vers la société de consommation. En Chine, la montée soudaine des dépenses dans le domaine des biens de consommation durables, est clairement mise en évidence par les données en provenance du Bureau d'Etat des Statistiques : entre 1982 et 1987, le nombre de foyers qui avaient la télévision en couleur est passé de 1 à 35 % ; en ce qui concerne les machines à laver il est passé de 16 à 67 %, et pour les réfrigérateurs il est passé de 1 à 20 % (12).

Pendant ce temps, en Inde, un certain nombre de facteurs se sont conjugués pour faire exploser les ventes de tous les articles, depuis les automobiles et les motos jusqu'aux postes de télévisions et aux repas surgelés : émergence d'une classe moyenne qui compte peut-être 100 millions d'individus, libération du marché de la consommation et introduction des achats à crédit. Le *Wall Street Journal* jubile : « l'Indien traditionnel et conservateur qui croit en la modestie et aux proverbes est en train de laisser graduellement la place à une nouvelle génération qui pense aussi librement qu'elle dépense » (13).

Qui pourrait reprocher à quiconque de profiter des avantages simples qui consiste à conserver sa nourriture au froid ou à laver ses habits mécaniquement. La question est plutôt que même les nations non occidentales, dont les traditions remontent le plus loin dans l'histoire, se mettent de plus en plus à imiter le style de vie qui consiste à consommer à outrance. Il est difficile de résister à l'attirance des choses « modernes » : la boisson non alcoolisée Coca-Cola est vendue dans plus de 160 pays, et « Dallas », la série télévisée qui met en scène la classe américaine la plus riche, est avidement suivie dans beaucoup des nations les plus pauvres du monde (14).

Toutefois, longtemps avant que tous les peuples de la planète aient pu réaliser le rêve américain, le monde sera réduit à l'état de désert. Il y a un milliard d'individus, mangeurs de viande et conducteurs de voitures, qui gaspillent allègrement les ressources de la planète et qui sont responsables de la plus grande partie des dommages causés au patrimoine commun. Tout d'abord, pour que les riches puissent s'adonner à leur style de vie, il faut faire venir des ressources de très loin. Prenons, par exemple, la quantité de nourriture, de bois, de fibres naturelles et autres produits du sol que consomme un Hollandais. La superficie totale de terres qui lui est consacrée se répartit de la façon suivante : un sixième en Hollande, cinq sixièmes à l'étranger, en particulier dans les pays du Tiers Monde. Les nations industrialisées utilisent près des deux tiers de l'acier exploité dans le monde.

Les populations qui composent le cinquième de l'humanité le plus riche ont construit plus de 99 % des ogives nucléaires du monde. C'est leur appétit pour le bois qui a conduit à la destruction des forêts pluviales tropicales et à la disparition d'un nombre considérable d'espèces (voir Chapitre 5). Ce sont leurs économies qui, au cours du siècle passé, ont déversé dans l'atmosphère les deux tiers des gaz à effet de serre qui menacent le climat de la planète, et c'est l'énergie qu'ils utilisent chaque année qui libère peut-être les trois quarts des oxydes de soufre et d'azote qui sont à l'origine des pluies acides. Leurs industries engendrent la plupart des déchets chimiques dangereux du monde, et leurs climatiseurs, leurs bombes d'aérosols et leurs usines libèrent presque 90 % des chlorofluorocarbones qui détruisent la couche d'ozone qui protège la terre. Pour parler clair, un milliard de consommateurs qui gaspillent allègrement les ressources de la planète, c'est déjà trop (16).

Au-delà de ce que ce besoin du toujours plus coûte à l'environnement, est-il sage de faire d'une consommation élevée un but personnel et national ? Certaines conclusions des spécialistes des sciences sociales nous laissent perplexes et sont de nature à jeter le doute sur ce point : les sociétés riches n'ont guère eu de succès lorsqu'elles ont voulu faire de la consommation un moyen de réalisation personnelle. Par exemple , les enquêtes auxquelles se livre régulièrement le *National Opinion Research Center* de l'université de Chicago révèlent que le nombre d'Américains qui déclarent aujourd'hui qu'ils sont « très heureux » n'est pas plus grand qu'en 1957. Le pourcentage fluctue autour d'un tiers depuis cette date, malgré un doublement des dépenses de consommation personnelle par habitant. Les Américains ont beau acheter, il ne semble pas que ce soit suffisant (17).

De la même façon, une étude importante a révélé, en 1974, que les Nigérians, les Philippins, les Panaméens, les Yougoslaves, les Japonais, les Israëliens et les Allemands de l'Ouest disaient tous se situer près du milieu de l'échelle du bonheur. Confondant par avance toute tentative d'établir une corrélation entre l'opulence et le bonheur, il s'est avéré que les Cubains pauvres comme les Américains riches étaient considérablement plus heureux que la norme, alors que les habitants de l'Inde et de la République Dominicaine l'étaient moins. Comme l'écrit un psychologue d'Oxford, Michael Argyle : « D'après ce que l'on sait, il y a très peu de différences entre les niveaux de bonheur dans les pays riches et les pays très pauvres » (18).

Depuis 1950, la population mondiale a consommé autant de biens et de services, mesurés en dollars constants, que toutes les générations précédentes réunies. Comme on l'a noté au chapitre 3, la quantité de ressources de la planète que les Américains ont utilisée depuis 1940 est aussi grande que celle que le reste du monde avait utilisée auparavant. Si l'on admet que ce type de consommation est un moyen discutable de parvenir à l'épanouissement personnel, peut-être que les préoccupations concernant l'environnement pourront nous aider à redéfinir nos objectifs (19).

A la recherche du juste milieu

En simplifiant, la totalité du fardeau que l'économie fait peser sur les systèmes écologiques qui la sous-tendent est fonction de trois facteurs : l'importance de la population, la consommation moyenne, et le vaste éventail de technologies – depuis les banales cordes à linge jusqu'aux systèmes de télécommunication par satellite les plus sophistiqués – que l'économie emploie pour fournir les biens et les services.

En modifiant, entre autres, les modes d'exploitation agricole, les systèmes de transport, la conception des villes et l'utilisation de l'énergie on pourrait réduire radicalement l'ensemble des dommages causés à l'environnement par les sociétés de consommation, tout en permettant à ceux qui sont au bas de l'échelle économique de s'élever, sans produire des effets aussi néfastes. Le Japon, par exemple, utilise un tiers de l'énergie dont a besoin l'Union Soviétique pour produire l'équivalent d'un dollar en biens et en services, et les Norvégiens emploient, par personne, la moitié du papier et du carton qu'utilisent leurs voisins suédois, bien qu'ils soient leurs égaux en termes de connaissances et plus riches qu'eux en termes d'argent (20).

Tôt ou tard, cependant, il faudra bien que le progrès technologique soit accompagné d'une réduction des besoins matériels. José Goldemberg, de l'université de São Paulo, et une équipe internationale de chercheurs ont effectué une étude rigoureuse de la possibilité de réduire la consommation de combustibles fossiles grâce à un rendement énergétique plus élevé et l'emploi d'énergies renouvelables. La population entière du globe, conclut Goldemberg, pourrait vivre avec la qualité des services que connaissent maintenant les Européens de l'Ouest : des maisons modestes mais confortables, des réfrigérateurs pour leur nourriture, et un accès faible aux transports publics, avec, en plus, un emploi limité de l'automobile (21)…

La conclusion implicite de l'étude, toutefois, est que le monde entier ne pourrait absolument pas vivre selon le style des Américains, avec leurs grandes maisons, quantité de gadgets électriques, et des systèmes de transport centrés sur l'automobile. Le progrès technologique et les forces politiques qui doivent l'orienter détiennent un potentiel extraordinaire, mais sont finalement limités par la force qui nous pousse à consommer. Si l'argent économisé grâce à une utilisation frugale des matériaux et de l'énergie est tout simplement dépensé pour acheter des avions à réaction privés afin d'effectuer des excursions de fin de semaine dans l'Antarctique, quel espoir y a-t-il pour la biosphère ? Finalement, l'aptitude de la terre à faire vivre des milliards d'êtres humains dépend de la question de savoir si nous continuerons à confondre consommation et épanouissement de la personnalité.

Quelques idées directrices sur ce que la terre peut endurer émergent de l'examen des modèles actuels de consommation de par le monde. Pour trois des types de consommation les plus importants écologiquement parlant – le transport, les habitudes alimentaires et l'utilisation des matières premières – la population mondiale est distribuée d'une manière très inégale sur un large éventail. Ceux qui sont au plus bas de l'échelle tombent clairement en dessous de la ligne du « trop peu », alors que ceux qui sont tout en haut, dans ce que l'on pourrait appeler la classe « voitures viande et produits jetables », consomment manifestement beaucoup trop.

Même s'ils prennent parfois l'autobus ou se déplacent à dos d'âne, ils sont un milliard d'individus à voyager surtout à pied, et la plupart d'entre eux ne s'écartent pas de plus de 100 kilomètres de l'endroit où ils sont nés. Dans l'incapacité de gagner facilement leur lieu de travail, d'aller à l'école ou de se rendre jusqu'aux bureaux de l'administration pour y faire état de leurs doléances, ils sont sérieusement gênés par le manque de choix dans les moyens de transport (22).

L'énorme classe moyenne mondiale qui compte quelque 3 milliards de personnes, voyage par bus ou à bicyclette. Au kilomètre parcouru, la bicyclette est meilleur marché que n'importe quel autre véhicule. Elle coûte, neuve, moins de 100 dollars dans la plus grande partie du Tiers Monde, et n'exige aucun combustible. La classe de ceux qui utilisent l'automobile est relativement restreinte : seulement 8 % de l'humanité, environ 400 millions de personnes, possèdent une voiture. Ces véhicules sont directement responsables, au plan mondial, d'environ 13 % des émissions de dioxyde de carbone qui proviennent des combustibles fossiles. Il faut ajouter la pollution de l'air, les pluies acides et un quart de million d'accidents mortels de la route par an (23).

Les individus qui ont choisi la voiture comme moyen de transport portent, indirectement, la responsabilité que leur choix a dans un grand nombre de domaines. L'automobile devient indispensable : les villes s'étalent, les transports publics s'atrophient, les centres commerciaux se multiplient, les lieux de travail se dispersent (voir Chapitre 4). A mesure que les banlieues s'étendent, les familles ont besoin d'une voiture pour chaque conducteur. Un cinquième des foyers américains possèdent trois véhicules ou davantage, plus de la moitié en possèdent au moins deux, et 65 % des nouvelles maisons américaines sont construites avec un garage pour deux voitures. De nos jours, un travailleur américain passe neuf heures par semaine derrière son volant. La voiture devient un prolongement de la maison. Pour la rendre plus confortable, 90 % des nouveaux véhicules sont dotés de la climatisation, ce qui double leur contribution aux modifications du climat et augmente les émissions de chlorofluorocarbones qui détruisent la couche d'ozone (24).

De par le monde, la grande réalisation du marketing de l'industrie automobile a été de transformer ses machines en symboles culturels. Le philosophe français Roland Barthes dit quelque part que, aujourd'hui, les voitures sont presque l'équivalent exact des grandes cathédrales gothiques... la création suprême d'une époque, conçue avec passion par des artistes inconnus. Elles sont consommées par toute une population qui se les approprie comme des objets purement magiques (25).

Quelques-uns de ceux qui appartiennent à la classe des propriétaires d'une automobile sont aussi membres d'un groupe plus fermé : la clientèle des jets. Bien qu'environ 1 milliard de personnes voyagent par air chaque année, l'écrasante majorité de ces déplacements sont le fait d'un petit groupe d'individus. Les 4 millions d'Américains qui représentent 41 % des déplacements par avion à l'intérieur des Etats-Unis, par exemple, couvrent cinq fois plus de kilomètres par an que l'Américain moyen. De plus, étant donné que chaque kilomètre parcouru en avion utilise plus d'énergie que le même kilomètre parcouru en voiture, la clientèle des jets consomme six fois et demi plus d'énergie pour ses transports que les autres automobilistes (26).

L'échelle mondiale de consommation de nourriture comporte trois niveaux. Au premier niveau, les 630 millions de personnes les plus pauvres du monde sont, si l'on en croit les dernières estimations de la Banque mondiale, dans l'incapacité de se procurer de quoi constituer une alimentation saine. Au deuxième niveau, les 3,4 milliards de mangeurs de céréales de la classe moyenne mondiale disposent d'assez de calories et d'une quantité largement suffisante de protéines végétales, ce qui fait que leur alimentation de base est la plus saine de toute la population mondiale. Ils recoivent, en moyenne, moins de 20 % de leurs calories des corps gras, ce qui représente un niveau suffisamment faible pour les protéger des conséquences d'un excès de graisse alimentaire (27).

Le sommet de l'échelle est occupé par les mangeurs de viande, ceux qui tirent près de 40 % de leurs calories des corps gras. Ces 1,25 milliard de personnes mangent trois fois plus de graisses par personne que les 4 autres milliards, principalement parce qu'ils mangent trop de viande rouge (voir tableau 9.1). La classe des mangeurs de viande paie le prix de son alimentation en taux de mortalité élevés dus à ce que l'on appelle les maladies de l'opulence : malaises cardiaques, attaques et certains types de cancer (28).

Tableau 9.1. Consommation de viande rouge par habitant, sélection de pays, 1989

Pays	Viande rouge[1] (kilogrammes)
Allemagne de l'Est	96
Etats-Unis	76
Argentine	73
France	66
Union soviétique	57
Japon	27
Brésil	22
Chine	21
Egypte	12
Inde	1

1. Bœuf, veau, porc, agneau, mouton et chèvre, en équivalents de poids de carcasse.

Source : Service de l'Agriculture Etrangère, ministère américain de l'Agriculture. « World Livestock Situation ».

En 1990, le gouvernement américain faisait officiellement siennes les recommandations formulées depuis longtemps par les professions médicales, pressant les Américains de limiter leur consommation de corps gras au maximum à 30 % de leurs calories. Pendant ce temps, les premiers résultats de la plus grande étude jamais effectuée sur l'alimentation et la santé, étude qui a porté sur des milliers de villageois chinois, ont apporté la preuve incontestable que l'alimentation la plus saine pour les humains est un régime presque végétarien, contenant de 10 à 15 % de calories en provenance des corps gras (29).

La terre, elle aussi, subit les conséquences de cette alimentation à haute teneur en graisse. Indirectement, le quart de l'humanité qui mange de la viande consomme presque 40 % des céréales produites dans le monde, céréales qui servent à engraisser le bétail qui donne la viande. C'est à la production de la viande que l'on doit une bonne part des tensions que supporte l'environnement et qui sont induites par l'actuel système mondial d'agriculture, depuis l'érosion du sol jusqu'à l'épuisement des eaux souterraines par pompage excessif. Dans le cas extrême du bœuf de boucherie américain, la production d'un kilogramme de viande nécessite 5 kilogrammes de grain et une quantité d'énergie égale à celle de 9 litres d'essence, sans mentionner tout ce qui va avec : l'érosion du sol, la consommation d'eau, les pesticides et les engrais entraînés par les eaux de ruissellement, l'épuisement de la nappe phréatique et les émissions de méthane, qui est l'un des gaz à effet de serre (30).

Par-delà les effets de production de viande, l'alimentation des populations riches a d'autres conséquences de par sa très forte dépendance à l'égard des transports à longue distance. Les Européens du Nord mangent des laitues transportées par camion depuis la Grèce et décorent leurs tables de fleurs venues en avion du Kenya. Les Japonais mangent des dindes importées des Etats-Unis et des autruches d'Australie. Un quart des raisins mangés aux Etats-Unis a été cultivé à 11 000 kilomètres de là, au Chili, et la bouchée moyenne de nourriture américaine a parcouru 2 000 kilomètres, depuis la ferme jusqu'à l'assiette du consommateur. Ce système agro-alimentaire qui lance ses tentacules aux quatres coins du pays ou du monde, n'est que partiellement le produit des forces agronomiques. Il est aussi le résultat de politiques agricoles et de normes de santé qui favorisent les grands producteurs, de subventions gouvernementales massives en faveur des eaux d'irrigation dans l'Ouest, et d'un réseau national d'autoroutes qui rend le transport par camion économique en transférant le poids des impôts des routiers vers les autres usagers des autoroutes (31).

Le traitement des denrées et le conditionnement font que la façon de manger des riches coûte encore plus cher en ressources de la planète. L'emballage systématique de la nourriture est glouton en énergie, et même la préparation de nourritures en apparence simple nécessite une suprenante quantité d'énergie : gramme pour gramme, mettre du maïs en boîte à la disposition du consommateur requiert 10 fois plus d'énergie que de lui fournir du maïs frais, en saison. Le maïs surgelé, s'il est laissé longtemps dans le congélateur, absorbe encore plus d'énergie. Il est sûr que les légumes en boîte ou surgelés facilitent une alimentation saine, même au coeur de l'hiver. La nouvelle génération de plats instantanés qu'il suffit de passer au four micro-ondes pose un plus grand problème. Accompagnés de plats de cuisson jetables et de plusieurs couches d'emballages, la ponction qu'ils font sur les ressources est incommensurablement plus élevée que si l'on préparait ces mêmes plats à la maison, à partir des ingrédients bruts (32).

La consommation mondiale de boissons révèle un schéma similaire. Les 1,75 milliard de personnes du bas de l'échelle sont nettement brimées : elles n'ont d'autre option que de boire une eau qui est souvent contaminée par des déchets humains, animaux et chimiques. Le groupe suivant, en l'occurence près de deux milliards de personnes, boit de l'eau potable qui entre pour 80 % dans sa consommation liquide. Le reste se répartit entre des boissons commerciales comme le thé, le café et, pour les enfants, le lait. Etant donné les quantités consommées, ces boissons posent peu de problèmes écologiques : elles n'ont qu'un minimum d'emballage, et les besoins en énergie de leur transport sont faibles parce qu'elles ne sont transportées que sur de courtes distances ou sous une forme non liquide (33).

Dans la classe supérieure, nous trouvons encore une fois le milliard d'individus qui vivent dans les pays industrialisés. A une allure croissante, ils boivent des boissons non alcoolisées, de l'eau en bouteille, et d'autres boissons commerciales préparées, emballées dans des récipients utilisés une seule fois, et transportées sur de grandes distances, parfois même par-delà les océans. Ironiquement, là où l'eau du robinet est la plus pure et la plus accessible, son usage en tant que boisson est en train de décliner ; elle ne représente plus, généralement de nos jours, qu'un quart des boissons consommées dans les pays industrialisés. Dans le cas extrême des Etats-Unis, la consommation par tête d'habitant de boissons non alcoolisées a grimpé à 176 litres en 1989 (presque sept fois la moyenne mondiale), à comparer à une consommation d'eau de 141 litres. Les Américains, aujourd'hui, boivent davantage de soda que d'eau du robinet de la cuisine (34).

On retrouve le même modèle dans la consommation des matières. Environ 1 milliard de ruraux vivent de la biomasse locale, qu'ils tirent de l'environnement immédiat. La plus grande partie de ce qu'ils utilisent chaque jour – environ un demi-kilogramme de céréales, 1 kilogramme de bois à brûler, et du fourrage pour leurs animaux – sont théoriquement des ressources renouvelables. Malheureusement, du fait que ces personnes sont souvent poussées, par le manque de terres cultivables et la croissance de la population, vers des écosystèmes fragiles et improductifs, leurs besoins minimums ne sont pas toujours assurés (35).

Ce milliard de personnes dont nous venons de parler fait partie d'un groupe plus important qui ne profite pas beaucoup des avantages fournis par un usage modéré des ressources non renouvelables, notamment des biens durables comme les radios, les réfrigérateurs, les tuyaux d'amenée d'eau, les outils de grande qualité et les chariots équipés de roues légères à roulements à billes. Plus de 2 milliards de personnes vivent dans des pays où la consommation par habitant d'acier, le matériau moderne le plus fondamental, est de moins de 50 kilogrammes par an. Dans ces mêmes pays, l'utilisation d'énergie par tête d'habitant – un excellent indicateur indirect de l'utilisation globale des matériaux – est de moins de 20 gigajoules par an(voir tableau 9.2) (36).

Tableau 9.2. Consommation d'acier et d'énergie par habitant, sélection de
             pays, 1987

Pays	Viande rouge[1] (kilogrammes)	Energie (Gigajoules)
Etats-Unis	417	280
Union Soviétique	582	194
Allemagne de l'Ouest	457	165
Japon	582	110
Mexique	93	50
Turquie	149	29
Brésil	99	22
Chine	64	22
Indonésie	21	8
Inde	20	8
Nigéria	8	5
Bangladesh	5	2

Source : Bureau Américain du recensement, *Statistical Abstract of the United States* : 1990
(Washington, D.C. : U.S. Governement Printing Office, 1990) ; World Resources Institute,
World Resources 1990-91 (New York : Oxford University Press, 1990).

En gros, 1,5 milliard de personnes font partie de la classe
moyenne des utilisateurs de matériaux. Fournir à chacune de ces
personnes, chaque année, des biens de consommation durables
nécessite de 50 à 150 kilogrammes d'acier et de 20 à 50 gigajoules
d'énergie. Au sommet de la pile se trouve la classe de ceux qui se
livrent à un incroyable gaspillage des matières premières. Les
habitants du quart industrialisé du monde consomment, en
moyenne, 15 fois plus de papier, 10 fois plus d'acier et 12 fois plus
de carburant que les habitants du Tiers Monde. Le cas extrême est
encore celui des Etats-Unis où, en moyenne, chaque individu
consomme, chaque jour, la presque totalité de son poids en
matériaux de base : 18 kilogrammes de pétrole et de charbon,
13 kilogrammes d'autres minéraux, 12 kilogrammes de produits
agricoles et 9 kilogrammes de produits de la forêt (37).

Dans l'économie du gaspillage, l'emballage devient une fin en
soi, les produits jetables prolifèrent et la durabilité en souffre (voir
Chapitre 3). Aux Etats-Unis, 4 % de ce que le consommateur
dépense vont à l'emballage, soit 225 dollars par an. De la même
façon, les Japonais emploient, chaque année, 30 millions d'appareils de photo « jetables », à un seul rouleau de pellicule, et les
Britanniques mettent au rebut 2,5 milliards de couches pour bébé.
Les Américains jettent chaque année à la poubelle 180 millions de

rasoirs, suffisamment d'assiettes et de tasses en papier ou en plastisque pour servir un pique-nique au monde entier six fois par an, et suffisamment de boites en aluminium pour construire 6 000 DC-10 (38).

Là où le fait que l'objet soit jetable et l'obsolescence planifiée ne réussissent pas à accélérer le transfert depuis sa sortie de chez le marchand jusqu'au dépotoir, la mode, quelquefois, y réussit. La plupart des habits passent de mode bien avant qu'ils ne soient usés : récemment, le royaume de la mode a même colonisé les chaussures de sport. Kevin Ventrudo, directeur financier de la Los Angeles Gear, basée en Californie, qui a vu ses ventes multipliées par 50 en quatre ans, disait au Washington Post : « Si vous parlez performances des chaussures, vous n'avez besoin que d'une paire ou deux ; si vous parlez mode, alors il n'y a pas de limite » (39).

Au fur et à mesure que la consommation en matière de transport, d'alimentation et de matières premières augmente, le gaspillage en fait autant, que ce soit dans le domaine des ressources ou de la santé. Les bicyclettes et les systèmes de transport public sont des options de transport moins chères, plus efficaces et plus saines que les automobiles. Une alimentation qui s'appuie sur les éléments de base que sont les céréales et l'eau, est douce à la terre et au corps. Et un style de vie qui utilise à plein les matières premières pour la fabrication de biens de consommation durables, sans succomber à la mentalité de la société du gaspilllage, est écologiquement sain tout en offrant encore une bonne partie du confort que permettent les inventions modernes. Cependant, en dépit de ces arguments en faveur d'une consommation modérée, peu de personnes qui peuvent s'offrir des niveaux élevés de consommation choisissent de vivre simplement. Qu'est-ce qui nous incite donc à consommer autant ?

Cultiver les besoins

« La cupidité de l'humanité est insatiable » écrivait Aristote il y a 23 siècles, en décrivant comment, à mesure que chacun de nos désirs est satisfait, un nouveau désir semble apparaître à sa place. Cette observation, sur laquelle toutes les théories économiques sont fondées, fournit la réponse la plus évidente à la question qui est de savoir pourquoi les gens ne semblent jamais satisfaits de ce qu'ils ont. Si nos désirs sont insatiables, alors le mot « assez » ne fait pas partie du vocabulaire humain (40).

Bien des choses confirment cette vue de la nature humaine. Le philosophe romain Lucrèce écrivait, un siècle avant Jésus-Christ : « Nous avons perdu notre goût pour les glands. Nous avons abandonné les couches faites d'herbes et de feuilles. Se vêtir de la peau des bêtes sauvages n'est plus de mode aujourd'hui... Des peaux hier, de la pourpre et de l'or aujourd'hui – tels sont les colifichets qui remplissent la vie des hommes d'amertume et de ressentiment ». Près de 2 000 ans plus tard, le romancier russe Léon Tolstoï faisait écho à Lucrèce : « Cherchez parmi les hommes, du mendiant au millionnaire, un individu qui soit satisfait de son sort, et vous n'en trouverez pas un sur mille... Aujourd'hui, ce sont un pardessus et des bottes en caoutchouc dont nous avons besoin, demain, ce sera, une montre et sa chaîne ; le jour suivant, nous voudrons un appartement qui devra s'orner d'un sofa et d'une lampe de bronze ; puis il nous faudra des tapis et des robes de velours ; puis une maison, des attelages, des tableaux et des intérieurs décorés » (41).

Ce qui distingue les habitudes de consommation modernes des habitudes auxquelles s'intéressaient Lucrèce et Tolstoï, c'est tout simplement que nous sommes beaucoup plus riches que nos ancêtres, et que par conséquent, le résultat de nos actions est beaucoup plus néfaste pour la nature. C'est du moins ce que diraient certains. Il y a, sans aucun doute, une grande part de vérité dans cette façon de voir, mais il y a aussi des raisons de croire que certaines forces, dans le monde moderne, encouragent les gens à assouvir leur désir de consommation comme ce fût rarement le cas auparavant. Cinq facteurs manisfestement modernes semblent jouer un rôle dans l'entretien ou la création d'appétits particulièrement voraces : l'influence des pressions sociales dans les sociétés de masse, la publicité, la *shopping culture*, c'est-à-dire dans le contexte présent, la culture propre à la grande distribution et à sa clientèle, certaines politiques gouvernementales, et l'entrée du marché de masse dans le domaine traditionnel de la famille et de l'autosuffisance locale.

Dans les sociétés de masse anonymes des nations industrielles avancées, les interactions quotidiennes avec l'économie ne présentent pas le caractère de face à face qui prévaut dans les communautés locales qui ont survécu. Les vertus traditionnelles telles que l'intégrité, l'honnêteté, et le savoir-faire sont trop difficiles à mesurer pour être un élément d'appréciation de la valeur sociale de l'individu. A défaut, elles sont graduellement supplantées par un simple et unique indicateur : l'argent. Comme le déclarait carrément un banquier de Wall Street au *New York Times* : « Valeur nette égale valeur personnelle ». D'après cette définition, la consommation devient une sorte de galère, où, pour évaluer son statut social, chacun se demande qui est devant lui et qui est derrière lui (42).

Des données psychologiques en provenance de plusieurs pays confirment que la satisfaction tirée de l'argent ne vient pas simplement du fait d'en avoir. Elle vient du fait d'en avoir plus que les autres, et d'en avoir plus cette année que l'an passé. Ainsi, le gros des données de l'étude révèle que les classes supérieures de quelque société que ce soit sont davantages satisfaites de leur existence que les classes inférieures, mais elles ne sont pas plus satisfaites que ne le sont les classes supérieures de pays beaucoup plus pauvres, ni que ne l'étaient les classes supérieures dans un passé moins opulent (43).

Plus frappant, peut-être, la plupart des données psychologiques montrent que les principaux éléments qui déterminent le bonheur dans la vie n'ont rien à voir avec la consommation. Ceux qui prédominent sont une vie familiale satisfaisante, surtout du point de vue du couple, suivie par la satisfaction que l'on retire du travail et des loisirs, et l'amitié. En fait, dans une vaste enquête sur les relations entre l'opulence et la satisfaction, Jonathan Freedman, un journaliste spécialisé dans les questions sociales, note : « Au-dessus du niveau de pauvreté, la relation entre le revenu et le bonheur est remarquablement faible » (44).

Cependant, lorsque d'autres façons de mesurer le succès ne sont pas disponibles, le besoin profond qu'a l'homme d'être apprécié et respecté par les autres trouve dans la consommation le moyen de s'exprimer. Acheter des choses devient à la fois une preuve de l'estime que l'on a de soi (« je le mérite » chante un slogan publicitaire) et un moyen d'être accepté par le milieu social. C'est un signe de ce que l'économiste du tournant du siècle Thorstein Veblen appelait *pecuniary decency* ou, si l'on veut, du fait que l'on jouit d'une situation pécunaire digne de son rang (45).

Par-delà des pressions sociales, les riches vivent entourés de messages publicitaires en faveur de la consommation. Le « baratin » publicitaire est toujours le même. Un analyste estime que l'Américain moyen est exposé, tous les matins avant neuf heures, à 50 ou 100 spots publicitaires. Dans le cadre de leur régime hebdomadaire de 22 heures de télévision, les jeunes Américains qui ont entre 10 et 20 ans subissent en moyenne 3 à 4 heures de publicité télévisée par semaine, ce qui représente, au total, au moins 100 000 flashes publicitaires entre leur naissance et le moment où ils quittent le lycée (46).

Les spécialistes de la commercialisation ont trouvé encore davantage de moyens de pousser leurs produits. Aux Etats-Unis, les messages publicitaires utilisent les canaux de plus de 10 000 stations de radio et de télévision. Ils sont remorqués par des avions, collés sur des panneaux d'affichage et dans les stades, tandis que des satellites les renvoient un peu partout sur la planète. On les retrouve sur les poteaux des remonte-pentes des stations de ski, aux arrêts d'autobus et dans les stations de métro, où ils défilent sous nos yeux grâce à des circuits fermés de télévision et, dans les centres commerciaux, sur d'énormes écrans vidéo, de la taille d'un mur (47).

Les annonces publicitaires s'introduisent dans les salles de classe et les cabinets médicaux, elles se glissent dans les intrigues des longs métrages, on les retrouve sur les jeux de société, sur les cabines de douches. A l'aéroport de Kansas City, on peut les entendre au téléphone, entre deux sonneries. Même l'approvisionnement en nourriture pourrait bientôt devenir un moyen de communication de masse : la société Viskase de Chicago offre, maintenant, d'imprimer des slogans publicitaires mangeables sur des hots dogs, et Eggverts International emploie une technique similaire pour diffuser sa publicité sur des milliers d'œufs en Israël (48).

La publicité a été, pendant le demi-siècle écoulé, l'une des industries qui s'est développée le plus rapidement. Aux Etats-unis, les dépenses de publicité sont passées de 198 dollars par habitant en 1950 à 498 dollars en 1989. Entre temps, les dépenses totales mondiales de publicité sont passées d'environ 39 milliards de dollars en 1950 à 237 milliards de dollars en 1988, augmentant beaucoup plus vite que la production économique. Pendant la même période, les dépenses de publicité par personne sont passées de 15 à 46 dollars (voir figure 9.2). Dans les pays en voie de développement, les augmentations ont été étonnantes. En Inde, dans les années quatre-vingt, les notes de publicité ont été multipliées par cinq, et l'industrie publicitaire de Corée du Sud s'est récemment développée au rythme de 35 à 40 % par an (49).

La prolifération des centres commerciaux a, elle aussi, par un moyen détourné, accentué tout ce qui, en nous, nous pousse à consommer. Un grand nombre de critiques croient que la conception des centres commerciaux encourage, par elle-même, les impulsions qui nous conduisent à acquérir toujours plus de produits de consommation. La concentration des commerces en un même lieu, que de soit dans un centre commercial proprement dit ou le long d'une grande route, attire la clientèle loin du centre ville et des magasins de quartier. Faire son marché par les transports en commun ou à pied devient difficile, la circulation automobile s'accroit et la ville s'étale de plus en plus.

Finalement, les squares et les rues des villes se voient dépouillés de leur vitalité. Mis à part les centres commerciaux qui ont lancé la façon de faire les courses que nous connaissons, les gens se retrouvent avec moins d'endroits attirants où aller. Peut-être par défaut, les centres commerciaux sont devenus des lieux où l'on vient volontiers pour se donner de l'exercice. Avia, un des premiers fabricants de chaussures de sport, a mis sur le marché une chaussure conçue pour affronter les rigueurs de la marche dans les centres commerciaux (50).

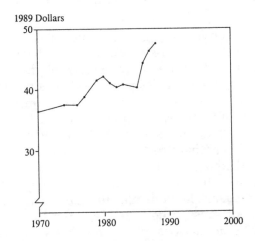

Sources : Association Internationale de Publicité, Bureau du Recensement, Bureau de Références Populaires.

Figure 9.2.   Dépenses mondiales de publicité, par habitant, 1970-88

Particulièrement aux Etats-Unis, faire ses courses semble être devenu une activité culturelle essentielle. D'une façon ou d'une autre, les Américains passent 6 heures par semaine à faire différents types d'achats, et ils vont au centre commercial, en moyenne une fois par semaine, plus souvent qu'ils ne vont à l'église ou à la synagogue. Quelques 93 % des jeunes filles américaines entre 10 et 20 ans, interrogées en 1987, ont déclaré que aller dans les magasins était leur passe-temps favori. En 1987, les 32 563 centres commerciaux que comptait le pays étaient plus nombreux que les lycées. Rien qu'entre 1986 et 1989, l'espace total réservé, dans ces centres, au commerce de détail, a augmenté de 65 millions de mètres carrés, soit 20 %. De nos jours, aux Etats-Unis, les centres commerciaux drainent 55 % des ventes au détail, alors qu'ils n'en représentent que 16 % en France et 4 en Espagne (51).

Les centres commerciaux sont en train de pousser comme des champignons dans le paysage de beaucoup de pays industrialisés. L'on s'attend à ce que les quelques 90 centres espagnols triplent en nombre d'ici 1992. En Grande-Bretagne, la cohorte des super-magasins où l'on trouve de tout a doublé le nombre de ses établissements pendant les années quatre-vingt, pour atteindre les 500. En Italie, malgré une longue tradition de marchands de quartier, les contrôles concernant le développement des centres commerciaux ont été récemment rendus plus souples, ce qui conduit à prévoir que ces centres commerciaux pourraient passer en 5 ans de 35 à 100 (52).

D'innombrables politiques gouvernementales jouent aussi un rôle, à la fois en favorisant une consommation élévée et en aggravant son impact écologique. L'aménagement des villes et des transports, favorise les véhicules privés – et plus particulièrement les véhicules à moteur – et exclue les modes de transport plus propres. Le code des impôts britannique encourage les entreprises à acheter des milliers de grosses voitures de société à l'usage de leurs employés (voir Chapitre 4). La plupart des gouvernements, aussi bien en Amérique du Nord que dans celle du Sud, subventionnent la production du bœuf de boucherie sur une très grande échelle. Aux Etats-Unis, la loi fiscale autorise des déductions d'impôts pratiquement sans limite pour des achats de maison : plus une famille achète de maisons, plus elle voit ses impôts diminuer. En conséquence de cet état de fait, du moins en partie, 10 millions d'Américains ont, aujourd'hui, deux maisons ou plus, tandis qu'ils sont au moins trois cent milles à ne pas avoir de toit (53).

Dans la majeure partie du monde, les politiques concernant l'utilisation des terres et des matériaux sous-estiment les ressources renouvelables, ignorent les services naturels rendus par les écosystèmes, et sous-facturent les matières premières extraites du domaine public (voir Chapitres 3 et 5). Plus fondamentalement, les objectifs économiques de la nation sont établis en partant de l'hypothèse que plus est l'équivalent de mieux. Les statistiques nationales, par exemple, parlent plus souvent de consommateurs que de citoyens. Etant donné qu'elle se fonde sur le système de comptabilité partielle, qui est celui de la théorie économique moderne, la politique économique interprète comme une croissance saine ce qui n'est souvent qu'une surconsommation fébrile et débilitante (voir Chapitre 1).

Finalement, comme l'illustre très bien l'histoire américaine, l'invasion par le marché commercial de masse de domaines autrefois dominés par les membres d'une famille et l'esprit d'entreprise locale a fait que la consommation est devenue une source de gaspillage bien plus grande que par le passé. L'économie moderne de la consommation est née aux Etats-Unis dans les années vingt, lorsque les noms des marques sont devenus des mots familiers, lorsque les aliments préemballés ont fait leurs débuts sur une grande échelle, et lorsque l'automobile a pris sa place au centre de la culture américaine.

Après la Seconde Guerre mondiale, la société de consommation a atteint sa majorité. En 1946, le magazine Fortune célébrait l'arrivée « d'une époque de rêve... Le Grand Boom Américain est là ». Les subventions du gouvernement pour les prêts au logement et la construction des grandes routes déclenchèrent la suburbanisation du pays : la migration des habitants des centres villes vers les banlieues, que connurent les années cinquante touchèrent cinq fois plus de personnes que l'arrivée sans précédent des immigrants européens, dans la première décennie du siècle. Les agglomérations se mirent à pousser un peu partout dans la campagne, enfermant les gens dans une façon de vivre qui ne pouvait que conduire à un gaspillage d'énergie et de matériaux. La ville se retrouva atomisée en une multitude de pavillons de banlieue indépendants, qui abritaient chacun une seule famille, ce qui donna une nouvelle impulsion aux rivalités qu'engendrent le statut social (54).

Au cours du siècle passé, le marché de masse a récupéré un nombre croissant de tâches productives autrefois effectuées au sein de la cellule familiale. De plus en plus, la bourse bien garnie mais pressés par le temps, les foyers optent pour des « facilités » contestables : plats préparés, aliments préemballés, produits de nettoyage miracles et toutes sortes d'objets jetables, depuis les couches pour enfant jusqu'aux rideaux de douche. Toutes ces choses, tout en économisant le temps des membres de la famille, coûtent cher à la planète. Par ailleurs, la cellule familiale n'est plus l'unité économique fondamentale. Elle est devenue une entité passive, tout juste bonne à consommer. En faisant sortir de la sphère familiale une activité économique après l'autre, on donne assurément un coup de pouce au produit national brut (PNB), mais il s'agit là, en grande partie, d'un artifice de comptabilité, d'un tour de passe-passe économique (55).

Comme la cellule familiale, l'économie fondée sur les liens de voisinage s'est atrophiée ou a été démembrée sous la poussée aveugle de l'économie monétaire. Les centres commerciaux, les autoroutes, les zones commerciales le long des grandes voies routières, ont remplacé les petits magasins du coin, les restaurants locaux et les théâtres de quartier, ces choses mêmes qui, dans une zone donnée, contribuent au sentiment d'avoir une identité commune et d'appartenir à une communauté. Au Japon, les poissonneries et les étalages de légumes traditionnels laissent la place aux supermarchés et aux magasins de proximité modernes : de même, les mousses de polystyrène et les films plastiques ont remplacé les journaux de la veille pour emballer le poisson. Même en France, où la passion des produits frais est légendaire, le micro-onde et les grandes surfaces sont en train de marginaliser les boulangeries, les laiteries et les marchés où les maraîchers et les agriculteurs viennent vendre leurs produits (56).

Les habitudes de recyclage du passé se fondaient sur une économie des matériaux qui connaissait la valeur des choses, et ces habitudes transformaient cette valeur en institutions. Il n'y a pas longtemps dans les pays occidentaux – et encore de nos jours dans les régions non industrialisées – les chiffonniers, les ferrailleurs, les ramasseurs de vieux papiers et les marchands de produits laitiers réinjectaient les matières mises au rebut et les récipients vides dans le circuit économique. Aux Etats-Unis, où la disparition des économies locales est plus avancée, un grand nombre de quartiers ou d'agglomérations ne sont guère autre chose qu'un endroit où dormir. Les Américains déménagent, en moyenne, tous les cinq ans et ne montrent que peu d'attachement envers ceux qui vivent dans leur voisinage (57).

La recherche du statut social, dans nos sociétés de masse et anonymes, les messages publicitaires omniprésents, la culture propre à la grande distribution et qui chasse petit à petit toute possibilité d'une consommation plus frugale, la tendance des gouvernements à favoriser la consommation, l'intrusion du marché commercial dans la plupart des aspects de la vie privée, autant de choses qui alimentent le désir du toujours plus qui est en chacun d'entre nous. Comment nous opposer à ces forces ? Sommes-nous capables en tant qu'individus et en tant que citoyens d'unir nos efforts et de passer à l'action ?

Une culture du durable

Lorsque Moïse descendit du Mont Sinaï, il pouvait compter sur ses dix doigts les règles de conduite destinées à son peuple. Dans l'économie mondiale complexe de cette fin du vingtième siècle, dans laquelle le simple geste de mettre en route un climatiseur envoie, dans l'atmophère, des gaz qui participent à l'effet de serre, les règles d'un mode de vie écologiquement viable se comptent par centaines. La règle de base d'une société viable, c'est-à-dire l'équivalent écologique de la Règle d'Or, est simple : chaque génération devrait répondre à ses besoins sans mettre en danger la possibilité des générations futures à répondre aux leurs. Ce qui manque, c'est une véritable connaissance pratique – à tous les niveaux de la société – de ce que signifie vivre selon ce principe (58).

La morale, après tout, n'existe que dans la pratique, dans la fine toile de nos décisions quotidiennes. Arisote disait : « En morale, la décision repose sur la perception ». Lorsque la plupart des gens, en voyant une grosse automobile, penseront d'abord à la pollution de l'air dont elle est la cause plutôt qu'au statut social dont elle est le symbole, alors l'âge de la morale écologique sera arrivé. Dans la biosphère fragile, le sort ultime de la société dépend peut-être du fait de savoir si nous sommes capables de cultiver des sources plus profondes d'accomplissement personnel, fondées sur une éthique largement acceptée de limitation volontaire de la consommation. Sommes-nous capables de découvrir un autre mode d'enrichissement que l'enrichissement matériel ? De plus, ce n'est que lorsqu'une éthique est profondément inscrite dans la mémoire, l'expérience et la sagesse collectives d'une société qu'elle touche suffisamment de gens pour réprimer un comportement antisocial (59).

Pour un individu, la décision de se satisfaire d'un confort modeste – de trouver sa propre réponse à la question : « Où est le juste milieu ? » – c'est commencer un processus hautement personnel dont le but est de remettre la consommation à sa vraie place parmi les nombreuses sources d'accomplissement personnel, et de trouver des façons de vivre qui ne dépassent pas les possibilités de la planète. Une grande source d'inspiration dans la poursuite de cette quête, c'est la sagesse accumulée qui nous a été transmise à travers les âges.

Le matérialisme a été dénoncé par tous les sages, de Bouddha à Mahomet (voir tableau 9.3). « Ces fondateurs de religion », observait l'historien Arnold Toynbee, « n'étaient pas d'accord sur ce qu'ils disaient être la nature de l'univers, la nature de la vie spirituelle, la nature de la réalité ultime. Mais ils étaient tous d'accord sur leurs principes de morale... Ils ont tous dit d'une seule voix que si nous faisions de la recherche du bien-être matériel notre but suprême, cela conduirait au désastre ». La Bible se fait l'écho de l'essentiel de la sagesse humaine lorsqu'elle demande : « A quoi sert à l'homme de gagner l'univers s'il vient à perdre son âme ? » (60).

Les tentatives faites pour vivre selon des recettes non matérialistes du succès ne sont pas nouvelles. Le chercheur en sciences sociales, Duane Elgin, estimait en 1981 – peut-être avec optimisme – que 10 millions d'Américains adultes étaient en train d'adopter, volontairement et « de tout cœur », un mode de vie simple. L'Inde, les Pays-Bas, la Norvège, l'ancienne Allemagne occidentale et le Royaume-Uni ont de petits segments de leur population qui essaient d'adhérer à une conception de la vie plus frugale. Pour ces adeptes, motivés par le désir de vivre d'une manière juste dans un monde injuste, de traiter la planète avec douceur, d'éviter la frénésie, l'entassement, la confusion et les faux-semblant de la vie moderne, les buts recherchés ne sont pas l'abnégation et l'ascétisme. Ce qu'ils recherchent, c'est l'acccomplissement personnel. Ils pensent tout simplement que consommer davantage n'est pas le meilleur moyen d'y arriver (61).

Tableau 9.3. **Enseignements des religions du monde et des principales cultures concernant la consommation**

Religion ou Culture	Enseignement et source
Indien américain	« Tout misérables que nous paraissions à tes yeux, nous nous considérons nous-mêmes... comme beaucoup plus heureux que toi, en ce sens que nous sommes très contents du peu que nous avons ». (Chef Micmac)
Bouddhisme	« Quiconque, dans ce monde, maîtrise ses passions égoïstes voit ses douleurs l'abandonner, comme des gouttes d'eau tombant d'un fleur de lotus ». (Dhammapada, 336)
Christianisme	Il est « plus facile pour un chameau de passer par le chas d'une aiguille que pour un homme riche d'entrer dans le royaume de Dieu ». (Matthieu, 19 : 23-24)
Confucianisme	« L'excès et l'insuffisance sont tous deux des défauts ». (Confucius, XI, 15)
Grec Ancien	« L'excès ne mène à rien ». (Inscription de l'oracle de Delphes)
Hindouisme	« Toute personne dont la vie est complètement exempte de désirs, sans regret... atteint la paix ». (Bhagavad-Gita, II.71)
Islam	« La pauvreté est ma fierté ». (Mahomet)
Judaïsme	« Donne moi ni pauvreté ni richesse » (Proverbes, 30, 8)
Taoïsme	« Celui qui sait qu'il a assez est riche ». (Tao Te Ching)

Source : Compilation du Worldwatch Institute.

Cependant, faire passer l'accent de la satisfaction matérielle à la satisfaction non matérielle n'est pas si facile.

Cela signifie essayer non seulement de réfréner ses appétits personnels, mais aussi de résister à la marée de forces extérieures qui poussent à la consommation. Le Mahatma Gandhi témoigne de la difficulté de vivre frugalement : « Je dois vous confesser que les progrès, au début, étaient lents. Et maintenant, lorsque je me rappelle ces jours de lutte, je me souviens que les débuts ont été aussi douloureux... Mais, à mesure que les jours passaient, je me suis rendu compte que je devais jeter par-dessus bord beaucoup d'autres choses que j'avais l'habitude de considérer comme miennes, et puis vint le temps où renoncer à ces choses devint pour moi une véritable joie » (62).

Beaucoup de gens découvrent qu'une vie plus simple porte en elle-même sa propre récompense. Ils se rendent compte qu'il devient possible de réfléchir, de prendre son temps, que la vie peut être plus spontanée, qu'elle peut même y gagner une sorte d'élégance qui se passe fort bien d'artifices. Vicki Robin, Président de la *New Road Map Foundation*, basée à Seattle et qui offre des cours sur la manière de sortir du cercle infernal où plus est l'équivalent de mieux, note que ceux qui réussissent sont toujours ceux qui, dans la vie, ont un but qui va au-delà de leurs propres besoins et de leurs propres désirs. Pour beaucoup, ce but consiste à œuvrer pour favoriser l'avènement d'un monde plus juste et plus viable. Comme l'écrivait le romancier français Albert Camus : « Sans travail, toute vie devient corrompue, mais quand le travail n'a pas d'âme, la vie s'étouffe et meurt » (63).

D'autres décrivent comment des technologies plus simples ajoutent des qualités inattendues à la vie. Quelques-uns en viennent à penser, par exemple, que les cordes à linge, les stores et les bicyclettes ont une élégance utilitaire dont sont dépourvus les sèche-linge, les climatiseurs et les automobiles. Ces dispositifs modestes sont silencieux, actionnés à la main, sans danger pour l'ozone et le climat, aisément réparés et bon marché. Bien que, certainement, moins « commodes », ils demandent un degré de prévision et d'attention au climat qui enracine la vie dans l'espace et dans le temps (64).

Soyons réalistes, il est peu probable que la simplicité volontaire gagne rapidement du terrain face aux attaques massives des valeurs de la société de consommation. Comme nous le rappelle l'historien David Shi du Davidson College, en Caroline du Nord, l'appel à une vie plus simple a toujours été présent dans l'histoire de l'Amérique du Nord, depuis les Puritains de la baie du Massachusetts jusqu'aux partisans du retour à la terre des années soixante-dix. Aucun de ces mouvements n'a jamais rassemblé plus qu'une faible minorité d'adhérents. Ailleurs, des nations entières, comme la Chine ou le Vietnam, ont juré de remodeler la personnalité humaine – quelquefois en faisant appel à des techniques brutales – et de la couler dans un moule moins égocentriste, mais partout leurs succès se sont limités à une poignée de leurs citoyens (65).

Il serait naïf de croire que des populations entières vont, brusquement, connaître un réveil moral et renoncer à la cupidité à l'envie et au besoin d'amasser. Ce que l'on peut espérer, c'est un affaiblissement graduel de la propension des sociétés riches à consommer à outrance. Le défi lancé à l'humanité consiste à faire de tout ce qui touche à l'environnement une affaire de culture, et la création d'une culture viable – ou encore, d'une culture du durable – est une tâche qui prendra plusieurs générations. Tout comme le fait de fumer a perdu son cachet social aux Etats-Unis en l'espace d'une décennie, la consommation ostentatoire pourrait finir, à la longue, par céder en partie sous la pression sociale.

Pour finir, la discipline personnelle n'aura que peu d'effet si elle n'est pas accompagnée par des mesures politiques audacieuses à l'encontre des forces qui encouragent la consommation. Outre le programme souvent répété de réformes sociales et écologiques nécessaires pour rendre notre monde plus viable – comme la révision des systèmes énergétiques, la stabilisation de la population et la suppression de la pauvreté – une action est nécessaire pour limiter les excès de la publicité et ceux de la culture propre à la grande distribution, abolir les politiques qui encouragent la consommation. Il faudrait aussi revitaliser ces aspects de l'économie qui sont fondés sur la cellule familiale et les liens de voisinage. Ils constitueraient une alternative à l'échelle humaine à ce qui est le propre de notre civilisation : la consommation à outrance. De tels changements sont susceptibles de favoriser à la fois l'environnement, par la réduction du fardeau que fait peser sur lui la surconsommation, et notre paix de l'esprit, en domptant les forces qui nous laissent insatisfaits de notre sort.

L'industrie de la publicité est un formidable ennemi qui envahit le monde entier. Mais elle est déjà vulnérable là où elle s'applique à promouvoir des produits manifestement dangereux pour la santé humaine. Les spots publicitaires pour le tabac sont ou seront bientôt bannis des télévisions partout en Occident, et la publicité pour l'alcool est l'objet d'attaques comme elle ne l'a jamais été auparavant. On pourra émousser encore plus l'influence des publicitaires en limitant les possibilités qu'ils ont de toucher le public le plus vulnérable. Par exemple, à la fin de 1990, le Congrès américain a eu la sagesse d'imposer de strictes limites aux spots publicitaires destinés aux enfants, et les normes définies par les pays de la Communauté Européenne, pour l'Europe d'après 1992, imposent des règles tout aussi strictes à un certain type de publicité (66).

Au plan populaire, la *Media Foundation*, installée à Vancouver, se lance dans une entreprise audacieuse. Son but est de créer un mouvement qui réorienterait la télévision et en ferait un instrument de non-consommation. Le premier spot de leur campagne « High on the Hog »[*] montre un gigantesque porc folâtrant sur une carte de l'Amérique du Nord tandis qu'un narrateur déclare : « 5 % de la population mondiale consomment *un tiers* des ressources de la planète... ces 5 %, c'est nous ». Le cochon fait un rot retentissant (67).

Toute question d'irrévérence mise à part, la *Media Foundation* va dans la bonne direction. Dans une culture du durable, la télévision commerciale aura besoin d'une réorientation fondamentale. Comme le dit l'historien des religions Robert Bellah : « Toutes les religions et toutes les philosophies de l'humanité nient que l'acquisition sans limite de biens matériels soit un moyen d'atteindre le bonheur. C'est cependant le message que tous les foyers américains ne cessent de recevoir sur leurs écrans de télévision » (68).

Quelques pays ont résisté à l'avance de la culture de la grande distribution, bien que leur motivation n'ait été que rarement l'opposition à la société de consommation proprement dite. L'Angleterre et le Pays de Galles limitent l'exercice du commerce le dimanche depuis 400 ans, et les groupes travaillistes ont réussi à faire repousser les plus récentes propositions faites pour lever ces restrictions. De la même façon, les ceintures vertes protégées qui existent autour des cités britanniques, ont ralenti l'allure du développement des centres commerciaux de banlieue. Comme dans la plus grande partie de l'Europe, les magasins allemands doivent fermer chaque soir à 18 heures et respecter un nombre d'heures limité d'ouverture pendant les fins de semaine. Au Japon, la majeure partie des achats continue à se faire dans des petites rues commerçantes de quartier, lesquelles sont fermées au trafic automobile pendant certaines heures pour devenir *hokoosha tengoku*, littéralement, des « paradis pour piétons » (69).

Tout ce que nous venons de décrire, aide à lutter contre l'influence du marketing sur la forme et l'esprit de l'espace public, influence qui pousse à la consommation à outrance. Il est probable

---

[*] NDT – (hog = cochon) de to eat/live high on the hog – mener une vie de nabab mener la belle vie.

que le fait de faire ses courses deviendra beaucoup moins une fin en soi si, au lieu d'avoir lieu dans des concentrations massives et insulaires de magasins de détails, dont chacune est soigneusement planifiée pour stimuler les tendances dépensières des individus, il a lieu dans des magasins qui font partie de la trame même de la communauté. C'est la façon dont les sociétés se structurent qui modèle la culture humaine.

Les incitations directes à la surconsommation sont aussi des cibles essentielles pour les réformes à venir. Si les prix des biens reflétaient d'un peu plus près ce que leur production coûte à l'environnement, ce qui pourrait se faire au moyen de systèmes de taxes et de subventions révisés, le marché lui-même guiderait les consommateurs vers des formes moins dommageables de consommation. Les produits jetables et les emballages verraient leur prix augmenter par rapport à celui des biens durables et qui nécessitent moins d'emballage. Les produits alimentaires locaux non traités verraient leur prix diminuer par rapport à celui des produits pré-traités et apportés par camion de fort loin.

L'effet net pourrait être aussi une consommation d'ensemble plus faible dans la mesure où le pouvoir d'achat réel des gens diminuerait. Telles qu'elles sont actuellement constituées, malheureusement, les économies pénalisent les pauvres lorsque la consommation d'ensemble se réduit. Le chômage décolle en flèche et les inégalités croissent. Ainsi se pose un des plus grands défis pour une économie viable dans les sociétés riches : trouver le moyen d'assurer une possibilité d'emploi minimum pour tous sans avoir constamment à activer la croissance du PNB.

Enfin, des efforts pour revitaliser l'économie familiale et l'économie basée sur les liens de voisinage pourraient s'avérer être l'élément décisif dans nos tentatives pour créer une culture moins portée sur la consommation. Au plan personnel, la recherche d'un épanouissement qui ne soit pas basé sur l'acquisition des biens matériels est une chose difficile à réaliser sans le soutien de la famille, des amis et des voisins. Au plan politique, des institutions locales considérablement renforcées sont peut-être seules capables de faire contrepoids au colosse des avantages acquis qui tire aujourd'hui bénéfice d'une consommation effrénée et qui va de la station d'essence aux conglomérats internationaux de commercialisation.

En dépit de l'énormité inquiétante du défi, il pourrait y avoir beaucoup plus de personnes disposées à dire « assez » que ne le laisse penser l'opinion courante. En premier lieu il faut bien dire qu'une bonne partie de ce que nous consommons est gaspillée ou, encore, que nous nous en serions volontiers passés. Quant à ces emballages que nous jetons chaque jour à la poubelle familiale – 78 kilos par famille aux Pays-Bas – est-ce que ce ne serait pas mieux s'il y en avait beaucoup moins ? Un autre problème est celui de ces terres agricoles qui disparaissent chaque année en lotissements, en zones industrielles et en centres commerciaux de toutes sortes – 23 kilomètres carrés par jour aux Etats-Unis. Quelle quantité de ces terres pourrions-nous sauver si nous exigions pour chacune de nos villes un plan d'utilisation des sols bien conçu (70) ?

La masse de publicité que chacun d'entre nous reçoit chaque jour dans son courrier représente, aux Etats-Unis, 87 % de ce courrier. Elle encombre nos boîtes au lettres, elle nous irrite. Combien ira directement au panier ? Pour la consommation de leurs boissons, les Japonais utilisent chaque année 18 kilogrammes de bouteilles non reprises. Ne serait-il pas tout aussi facile de les réutiliser si la possibilité de le faire existait ? La publicité a envahi nos journaux, dont elle occupe aux Etats-Unis 65 % des pages. Quelle joie pour nous, lecteurs, s'il pouvait y en avoir moins ! Les habitants de l'ancienne Allemagne fédérale parcourent chaque année une moyenne de 6 160 kilomètres en voiture. Lequel d'entre nous ne souhaiterait pas utiliser beaucoup moins sa voiture ? Mais il faudrait pour cela que les quartiers où il fait bon vivre soient plus proche du lieu de travail, que nous ayons moins de distance à parcourir pour faire nos courses, que les rues soient plus sûres pour les piétons et les cyclistes, et que les transports en commun soient plus rapides et plus faciles d'accès (71).

Sous bien des aspects, nous serions sans doute plus heureux avec moins. En dernière analyse, accepter de modérer ses besoins au lieu de vivre dans l'excès des biens matériels offre la possibilité de revenir à ce qui, culturellement parlant, constitue l'environnement qui a, depuis toujours, permis à l'homme de s'accomplir : la famille, l'appartenance à une communauté, le travail bien fait, le sentiment d'avoir eu une vie bien remplie. Il faut redonner à celui qui connaît bien son métier et à son œuvre la place éminente qui leur revient. Il faut revenir au vrai matérialisme, à celui qui ne se contente pas de vouloir des choses, mais les traite aussi avec soin. Il nous faut aussi recréer des communautés qui donnent à ceux qui les composent envie d'y passer leur vie entière. Henry David Thoreau avait sans doute raison lorsqu'il griffonnait dans son carnet à côté de l'étang de Walden : « Un homme est riche en proportion des choses auxquelles il peut se permettre de ne pas toucher » (72).

Pour les plus heureux d'entre nous, une vie humaine comprend peut-être une centaine de voyages autour du soleil. Le sentiment d'accomplissement personnel qui est le nôtre au cours de ce périple – mis à part la foi religieuse de l'individu – dépend de vertus qui sont éternelles : discipline, espoir, respect des principes, volonté et détermination. La consommation en elle-même n'a pas grand chose à voir avec la joyeuse camaraderie des jeunes, les liens d'amour et d'amitiés qui sont l'essentiel de la vie d'adulte, et les souvenirs précieux qui soutiennent l'homme dans sa vieillesse. Les choses qui font que la vie vaut la peine d'être vécue, qui donnent à l'existence profondeur, générosité et abondance de véritables biens sont justement celles où nous pouvons puiser indéfiniment sans jamais faire courir de risque à notre patrimoine commun.

CHAPITRE 10

Remodeler l'économie mondiale

par Sandra Postel et Christopher Flavin

Pendant une bonne partie de ce siècle, les débats économiques ont porté sur la question de savoir si le capitalisme ou le socialisme sont la meilleure forme d'organisation d'une économie industrielle moderne. Ce type d'argumentation paraît aujourd'hui dépassé, alors que les nations d'Europe orientale s'orientent en douceur vers des mécanismes de marché, et que l'économie soviétique vacille au bord de l'effondrement. Pourtant, avant même que les turbulences politiques causées par ces transformations ne se soient apaisées, une nouvelle question, plus fondamentale, a émergé : comment concevoir une économie vigoureuse et dynamique qui ne détruise pas les ressources naturelles et les systèmes écologiques dont elle dépend ?

La vaste échelle et la croissance rapide de l'économie mondiale, qui pèse 20 billions de dollars, sont saluées comme de grands accomplissements de notre époque. Mais à mesure que le rythme de dégradation de l'environnement s'accélère, les conséquences du fait que l'on n'ait pas comblé le fossé qui se creuse entre le fonctionnement des systèmes économiques et celui des systèmes naturels n'apparaissent que trop clairement (1).

La croissance de la consommation matérielle, amplifiée par une augmentation sans précédent du nombre des êtres humains, s'est traduite par une accumulation de tensions sur les systèmes locaux, régionaux et mondiaux qui permettent à la vie d'exister. La stabilité de l'atmosphère est l'un des principaux éléments sinistrés. Alimentée par les combustibles fossiles, la multiplication par cinq de l'économie mondiale depuis 1950 a fait monter la concentration en gaz carbonique (CO_2) de 40 parties par million, alors qu'il avait fallu les deux siècles précédents pour qu'elle s'accroisse de 30 parties par million. Les scientifiques pensent aujourd'hui que, au cours des quelques décennies à venir, cette agression dont l'atmosphère est victime, et dont les effets se font rapidement sentir, rendra le globe plus chaud qu'il ne l'avait été depuis des milliers d'années (2).

Pendant les années quatre-vingt-dix, la planète comptera 1 milliard d'individus de plus, qui aspireront tous à une vie matériellement satisfaisante. Cette augmentation interviendra, pour une large part, dans des régions du monde en développement qui glissent vers la faillite écologique, notamment dans une bonne partie de l'Afrique, dans certaines zones d'Amérique Latine et dans le sous-continent indien. Les perspectives ont de quoi faire reculer, étant donné qu'en 1989, quelque 1,2 milliard d'individus, soit 23 % de la population mondiale, vivaient dans une situation misérable qualifiée de pauvreté absolue, où leurs besoins les plus fondamentaux en nourriture, vêtements et logement n'étaient pas satisfaits. Au cours des années quatre-vingt, le revenu par habitant a baissé dans plus de quarante pays pauvres (3).

Malgré ce que peuvent impliquer les principaux indices économiques, on ne peut pas dire qu'une économie réussit lorsque sa prospérité est conquise au détriment des générations futures et quand les rangs des pauvres continuent de s'épaissir. Etant donné que les faits montrent de plus en plus que la dégradation de l'environnement et le déclin économique s'alimentent l'un l'autre, nous pouvons maintenant dire que le destin des pauvres et le sort de la planète sont inextricablement mêlés.

Une réorientation de l'économie mondiale vers la recherche d'un environnement viable exige des réformes fondamentales au plan national et international. A une époque où le déboisement opéré dans un pays diminue la richesse biologique de toute la planète, où les produits chimiques rejetés sur un continent peuvent induire des cancers de la peau sur un autre, et où les émissions de CO_2, où qu'elles interviennent, accélèrent partout le changement climatique, l'élaboration de la politique économique n'est pas exclusivement une affaire nationale.

Deux des principales forces qui régissent les perspectives actuelles des pays en développement sont l'écrasante charge de leur dette et les dizaines de milliards de dollars d'aide au développement qu'ils reçoivent. En 1989, la dette extérieure du Tiers Monde se montait à 1,2 billions de dollars, soit 44 % de la totalité de son produit national brut (PNB). Dans certains pays, les taux étaient beaucoup plus élevés. En Egypte et au Zaïre il était de 140 %, tandis qu'au Mozambique il atteignait le chiffre incroyable de 400 %. Cette année-là, les nations en développement ont déboursé 77 milliards de dollars en intérêts sur la dette et remboursé 85 milliards de dollars en principal. Depuis 1984, le flux traditionnel de capitaux du Nord vers le Sud s'est inversé : les pays pauvres payent aux pays riches des sommes plus importantes que celles qu'ils reçoivent en retour, et cette hémorragie nette dépasse aujourd'hui 50 milliards de dollars par an (4).

Le manque de capitaux a pratiquement interdit aux pays en développement d'investir assez d'argent dans la protection des forêts, la préservation des sols, l'amélioration de l'irrigation, dans les technologies plus économes en énergie, ou des dispositifs anti-pollution. Pire encore, la croissance de la dette les a obligés à brader des ressources naturelles, qui étaient souvent leur seule source de devises étrangères. Tout comme un consommateur contraint de mettre au clou l'héritage familial pour payer la note de sa carte de crédit, les pays en développement pillent les forêts, déciment les pêcheries et épuisent les ressources en eau – sans considération pour les conséquences à long terme. Malheureusement, aucun mont-de-piété mondial ne conserve cet héritage jusqu'à ce que le monde ait les moyens de le racheter. Un fort allègement de la charge de la dette est donc une condition préalable à une économie mondiale qui serait écologiquement viable.

Une très faible fraction des sommes versées à titre d'aide aux pays en développement par les gouvernements et les institutions internationales de prêt soutient un développement écologiquement sain. La Banque mondiale, source de financement la plus importante, manque d'une vision cohérente de ce qu'est une économie viable, et ses priorités de prêt vont ainsi fréquemment à l'encontre de l'instauration d'une telle économie. Les organismes d'aide bilatéraux, à quelques exceptions près, ne font guère mieux. En outre, le volume total des prêts reste très loin de ce qui serait nécessaire pour que le Tiers Monde échappe à la pauvreté, au surpeuplement et au déclin écologique, autant de pièges dont l'ensemble forme un cercle vicieux.

Au plan national, on trouve, au cœur du dilemme, l'incapacité des économies d'intégrer les coûts subis par l'environnement dans les décisions privées, ce qui conduit la société dans son ensemble à supporter ces coûts, souvent de façon imprévue. Les automobilistes ne payent pas l'intégralité des coûts entraînés par la pollution atmosphérique locale ou le changement climatique à long terme lorsqu'ils remplissent leur réservoir d'essence, et les agriculteurs ne règlent pas toute la facture liée aux risques que l'utilisation de pesticides fait peser sur la santé et l'environnement. Cette vision a œillères des dépenses sociales a fait que de nombreuses nations doivent, maintenant, faire face au paiement d'énormes factures d'assainissement de l'environnement. Aux Etats-Unis, par exemple, la dépollution de milliers de décharges dangereuses abandonnées coûtera sans doute 500 milliards de dollars. Et l'on chiffre aujourd'hui à 358 milliards de dollars, soit 14 % du PNB de 1988, la note totale que l'Union Soviétique devra payer pour l'accident nucléaire de Tchernobyl (5).

De nombreuses nations industrielles consacrent aujourd'hui 1 à 2 % de leur produit économique global à la lutte contre la pollution, et ce chiffre augmentera dans les années à venir. Le fait de dépenser d'aussi larges sommes pour capter les agents polluants à la sortie de la chaîne, s'il est nécessaire, illustre bien, dans une certaine mesure, l'incapacité des économies à encourager des pratiques qui réduisent la pollution à la source. Les gouvernements imposent des pots catalytiques, mais négligent des systèmes de transport économes en énergie qui diminueraient la dépendance envers l'automobile. Ils imposent des méthodes dispendieuses de traitement des déchets dangereux, mais font peu de choses pour inciter les industries à réduire la production de déchets (6).

Parmi les nombreux instruments que les gouvernements peuvent utiliser pour réorienter les comportements économiques, les impôts liés à l'environnement paraissent les plus prometteurs. Conçus pour que les prix reflètent mieux les coûts véritables, ils contribueraient à garantir que ceux qui endommagent l'environnement en payent le prix, au lieu que ce soit la société tout entière. En outre, une diminution des incitations publiques, qui favorisent involontairement la destruction des ressources, et l'instauration d'incitations, qui encourageraient des pratiques salubres pour l'environnement, sont essentielles si l'on veut que les économies nationales empruntent vite une voie stable.

Un grand nombre de ces changements n'interviendront que si les responsables remplacent la croissance par la viabilité comme objectif central. Alors que le PNB s'accroît au prix de massifs rejets de gaz à effet de serre dans l'atmosphère, d'un déboisement effréné, et d'une pollution atmosphérique dangereuse pour la santé, il n'est plus raisonnable, comme il a été souligné au chapitre 1, d'assimiler cet indicateur général au progrès. Quand la viabilité devient l'étalon de mesure, ce qui compte n'est plus la croissance économique, mais le fait que les besoins sont satisfaits sans détruire la base de ressources. Sous cet angle, il devient clair que la viabilité ne pourra être atteinte que grâce à un ralentissement puis à un arrêt de la croissance démographique, et à une diminution de la consommation de biens matériels qui est celle des nantis de la planète.

Non seulement les menaces qui pèsent sur l'environnement mondial limitent aujourd'hui l'activité économique, mais elles soulèvent la question déchirante de savoir si le monde dont nos enfants hériteront pourra satisfaire leurs besoins aussi bien qu'il satisfait les nôtres. Jamais auparavant les responsables de la politique économique n'ont dû se préoccuper autant des générations futures. Un certain nombre d'objectifs totalement nouveaux est venu s'ajouter aux objectifs traditionnels qui étaient la création d'emplois, l'encouragement de la croissance, et l'affectation efficiente des ressources.

Une aide à un développement viable

Après dix ans de déclin économique et écologique, de nombreux pays en développement se trouvent à un carrefour dangereux. A moins de pouvoir investir des resssources suffisantes dans des choses telles que la préservation des sols, l'amélioration de l'efficacité énergétique, et la fourniture de services de planning familial à la majorité appauvrie de la population, les nations pauvres verront leurs systèmes écologiques se détériorer irrémédiablement. Et comme les problèmes de l'environnement acquièrent, de plus en plus, une dimension planétaire, l'ensemble du monde a de plus en plus de raisons de s'assurer que l'effort de développement qui sera fait dans le Tiers Monde ne sera pas nuisible à l'environnement.

L'aide bilatérale non militaire des pays riches aux nations pauvres a atteint un total net de 41 milliards de dollars en 1989. La même année, les prêts de la Banque mondiale et des banques de développement régionales ont représenté globalement 28 milliards de dollars, empruntés pour la plupart sur les marchés commerciaux. Pour cinquante nations, les sommes nettes reçues annuellement ont dépassé de 10 % leur PNB (7).

A vrai dire, l'aide américaine a baissé en termes réels, pour n'être plus que de 7,7 milliards de dollars en 1989, alors que le Japon est apparu comme le plus grand donateur du monde, avec près de 9 milliards de dollars cette même année (voir tableau 10.1). Mesurées en fractions du PNB, les différences dans les niveaux de l'aide sont appréciables : les sommes versées vont de 0,2 % du PNB aux Etats-Unis à plus de 1 % en Norvège (8).

L'Organisation pour la coopération et le développement économiques (OCDE) a fixé comme objectif de porter l'aide annuelle à 0,7 % du PNB de chaque pays membre, ce qui doublerait l'assistance fournie actuellement et la porterait à plus de 80 milliards de dollars par an. Malheureusement, dans de nombreux pays donateurs, le montant de l'aide baisse. En outre, la réorientation de l'aide vers les priorités d'un développement viable, telles que le reboisement, le planning familial ou une utilisation efficace de l'énergie, progresse lentement, à supposer même que ce soit le cas. Par exemple, seulement 7 % des fonds de l'aide bilatérale sont consacrés à des projets concernant la démographie et la santé (9).

Tableau 10.1. L'aide au développement consentie par diverses nations industrielles en 1989

Pays	Aide (en milliards de dollars)	Part du PNB (en pourcentage)
Norvège	0,92	0,98
Pays-Bas	2,09	0,93
France	7,45	0,79
Canada	2,32	0,43
Italie	3,61	0,42
Allemagne	4,95	0,41
Australie	1,02	0,36
Japon	8,95	0,32
Royaume-Uni	2,59	0,31
Etats-Unis	7,66	0,15

Source : OCDE, *Development Cooperation* (Paris, sous presse).

Pas moins des deux tiers de l'aide versée par certains pays sont liés à des achats de biens et services nationaux, et prennent essentiellement la forme d'une promotion des exportations. En outre, l'Union Soviétique et les Etats-Unis accordent l'essentiel de leur assistance à une petite poignée de nations considérées comme stratégiquement importantes. L'aide soviétique diminue désormais rapidement, et Washington attribue 39 % de son aide autre que militaire à Israël, à l'Egypte et au Salvador, qui ne comptent à eux tous que 1,2 % de la population mondiale. Heureusement, d'autres pays donateurs d'Europe et d'ailleurs tendent à disséminer plus largement leur assistance au développement (10).

Les programmes d'aide ont donc grandement besoin d'une révision complète. La Norvège, qui est à bien des égards le chef de file mondial en matière d'assistance au développement, pourrait servir de modèle. Non seulement cette petite nation verse une aide qui représente une fraction de son PNB plus forte que pour tout autre pays, mais cette aide, comme le Parlement en a décidé en 1987, va de plus en plus à un développement viable. L'agriculture et la pêche reçoivent 19 % de l'assistance norvégienne au développement, et l'éducation 8 %. Par ailleurs, un fonds spécial de l'environnement a versé, en 1990, plus de 10 millions de dollars aux pays en développement. Les principaux bénéficiaires de l'aide norvégienne sont les pays les plus nécessiteux, comme, par exemple, la Tanzanie, le Bangladesh et l'Inde. Si le monde dans son ensemble faisait siennes les priorités qui sont celles du budget d'aide de la Norvège, les réformes écologiques seraient beaucoup plus avancées qu'elles ne le sont (11).

La Banque mondiale et les trois banques régionales de développement sont bien placées pour contribuer à un développement viable du Tiers Monde. Leur influence dépasse même ce que les 28 milliards de dollars qu'elles ont prêtés en 1989 pourrait laisser entendre, puisque leurs conceptions se reflètent dans les comportements de prêt des banques commerciales et dans les priorités d'investissement de nombreuses nations pauvres. Une stratégie de développement viable qui serait clairement exprimée par la Banque mondiale fournirait, à l'ensemble du monde, une ligne directrice intellectuelle qui fait cruellement défaut (12).

Pour l'instant, la Banque mondiale poursuit ses prêts en faveur de grands projets à forte intensité capitalistique, comme la construction de routes, l'édification de barrages et des projets d'irrigation, ceci constitue le fond de sa politique traditionnelle. Ce qui en fait souvent aussi, dans des pays qui n'ont même pas les moyens de vérifier quels sont les dommages infligés à l'environnement, la complice de catastrophes écologiques : rivières polluées, forêts pluviales brûlées, vastes zones livrées à l'exploitation minière à ciel ouvert. Dans de nombreux cas, les projets aidés par la Banque font désormais l'objet d'une opposition véhémente de la part des populations locales, le plus souvent de la part des pauvres ruraux qui sont les plus concernés (13).

De sérieux efforts pour réformer la Banque ont lentement pris corps dans les années quatre-vingt sous la pression de groupes d'écologistes du monde entier. Dans un discours de 1987, le président de la Banque, Barber Conable, a reconnu les problèmes de l'institution et promis de nouvelles initiatives. Ce discours a été suivi par la création d'un département central et de quatre divisions régionales de l'environnement. Pourtant, aujourd'hui encore, les effectifs des spécialistes de l'environnement ne dépassent pas 54 personnes, aidées par 23 consultants, alors que l'effectif total du personnel spécialisé de la Banque mondiale est supérieur à 4 000 (14).

Parmi les réalisations vantées par les dirigeants de la Banque mondiale, on compte 11 prêts « autonomes » à l'environnement en 1990. De fait, certains sont louables, comme les 237 millions de dollars accordés pour l'assainissement, le drainage et des améliorations dans l'approvisionnement en eau à plusieurs villes indonésiennes. Mais ils comprennent aussi un projet « d'exploitation forestière viable » en Côte d'Ivoire qui a des chances d'aboutir à une accélération de l'abattage des arbres et du déboisement. La prétention de la Banque selon laquelle la moitié de ses prêts intègre désormais « des composantes liées à l'environnement » est encore plus suspecte. Ce classement n'est souvent rien de plus, ou presque, qu'une nouvelle étiquette pour d'anciens projets (15).

Barber Conable n'a pas eu de mal à faire rédiger des rapports de nature à soulever un réel intérêt, mais il lui a été plus difficile de motiver les personnes qui continuent à pondre en série des prêts pour les barrages et les routes. Les personnels de la Banque sont rémunérés en fonction de la quantité et non de la qualité des prêts qu'ils traitent. La Banque souffre aussi d'une culture de secret et d'arrogance qui la rend résistante, à la fois, à ses propres réformateurs internes et aux pressions externes exercées par les gouvernements et les organisations non gouvernementales (ONG). Les membres du personnel qui poussent à une accélération des réformes et à l'adoption de réformes plus fondamentales se sont parfois retrouvés affectés à des postes moins importants (16).

Bien que de nouvelles priorités, comme une utilisation plus efficace de l'énergie, soient recommandées dans les documents qui définissent la politique de la Banque, elles manquent encore cruellement de financements. Les projets de fourniture d'énergie, tels que les centrales au charbon et les barrages hydro-électriques, constituent le domaine privilégié des prêts de la Banque. Ces dernières années, ils ont reçu entre 16 et 18 % du total des prêts. Par contre, les prêts destinés à promouvoir une utilisation efficace de l'énergie représentent encore moins de 3 % du total des prêts que la Banque consent en faveur de l'énergie et de l'industrie (17).

Une procédure d'évaluation de l'environnement a également été instituée pour examiner les effets potentiels des projets proposés. Mais son efficacité est sapée par le fait que les pays emprunteurs, anxieux d'obtenir des prêts, sont responsables de l'évaluation. Ils n'ont souvent ni les personnels ni les compétences nécessaires pour effectuer le travail. En conséquence, des projets destructeurs continuent à progresser et ne se sont vu imposer que des restrictions mineures (18).

Une partie du problème tient à ce qu'à l'intérieur de cette énorme bureaucratie, le nouveau Département de l'environnement occupe une position faible : il est annexé au complexe qui a la responsabilité de la politique économique, de la recherche et des affaires extérieures, et n'a rien à voir, du moins directement, avec les opérations de prêt. Il faudra renforcer le département et accorder au personnel de la Banque une maîtrise plus serrée sur la procédure d'évaluation de l'environnement si l'on veut réduire la liste des désastres écologiques qui ont été favorisés par la Banque mondiale (19).

Le moment est venu d'une deuxième génération de réformes fondamentales à la Banque mondiale, de réformes qui s'attaquent à la résistance au changement de l'institution et qui fixent véritablement de nouvelles priorités. Même un Département de l'environnement renforcé ne suffirait pas. En l'absence d'une vision cohérente de ce qu'est un développement sans danger pour l'environnement, la Banque continuera de trébucher d'un problème écologique à l'autre.

La restructuration des programmes de prêt implique de s'attaquer à des questions épineuses. La conception et la surveillance du portefeuille actuel des prêts de la Banque mondiale, qui sont consentis en faveur de grands projets à forte intensité capitalistique, nécessitent moins de temps de la part des personnels que n'en exigerait un programme de prêts de plus faible ampleur. Cela permet à l'institution de financer ses prêts sur la faible marge qui sépare ses propres coûts d'emprunt et les taux qu'elle prélève sur les pays en développement, taux inférieurs à ceux de prêts commerciaux comparables. Pour soutenir des projets plus petits et faisant davantage appel à la main-d'œuvre, comme des boisements communautaires, une gestion intégrée de la lutte contre les ennemis des cultures par les petits agriculteurs, des industries rurales de production de cuisinières, ou des fabriques urbaines de bicyclettes, il faudra mettre en place de nouveaux mécanismes de financement.

Une possibilité consiste à modifier l'équilibre entre les prêts accordés à des projets et les prêts consentis au titre de la politique économique. Cette dernière catégorie représente actuellement entre 20 et 30 % du portefeuille de prêts de la Banque et sert à satisfaire les besoins de financement des gouvernements, y compris les prêts à l'ajustement structurel qui ont été récemment utilisés pour réduire les subventions et introduire d'autres rationalisations dans les gouvernements du Tiers Monde. Les prêts consentis au titre de la politique économique entraînent moins de frais généraux que les prêts accordés à des projets. Si leur part augmentait, les prêts accordés aux projets pourraient être consentis à des taux d'intérêt plus faibles, et il serait possible de financer des projets de développement de plus faible ampleur, faisant plus appel à la main-d'œuvre. Toutefois, il importe que, simultanément, les prêts consentis au titre de la politique économique soient réorientés de façon à encourager un développement sans danger pour l'environnement, les prêts à l'ajustement structurel servant efficacement à favoriser les réformes qui touchent à l'environnement aussi bien que les réformes économiques. Le prélèvement de taxes sur la pollution, par exemple, ou une diminution des subventions en faveur des pesticides, contribueraient à assainir la situation budgétaire des gouvernements du Tiers Monde et à réduire leurs problèmes d'environnement (20).

Du côté des prêts accordés à des projets, une banque de développement soucieuse de l'environnement pourrait, du moins les premières années, offrir plus de prêts mais moins d'argent. La Banque devrait insister plus sur la nature et les effets de ses prêts que sur la quantité d'argent déboursée. Elle pourrait soutenir des projets portant sur l'amélioration de l'efficacité des systèmes d'irrigation, la construction d'usines qui produiraient des ampoules électriques plus performantes, et la formation de travailleurs à des activités aussi diverses que la plantation d'arbres ou l'installation de collecteurs solaires. L'orientation d'une fraction même modique des prêts vers des établissements tels que la Banque Grameen du Bangladesh, qui accorde des « microprêts » aux ruraux pauvres, pourrait susciter une myriade de petits projets enracinés dans les communautés locales (21).

Pour qu'un développement viable devienne la première priorité, il est essentiel que les banques de développement fassent un effort supplémentaire pour impliquer les populations locales dans la prise des décisions. Cela nécessiterait qu'on lève un peu le lourd secret qui empêche actuellement aussi bien le public concerné que les directeurs de la Banque eux-mêmes d'avoir connaissance des détails essentiels concernant les projets proposés. Idéalement, la Banque mondiale deviendrait une force d'ouverture et offrirait de larges voies de participation au public. De nombreux groupes du Tiers Monde sont déjà en mesure de s'impliquer dans une telle démarche, et prêts à le faire (22).

En dehors d'une réforme de l'aide et des prêts, il est essentiel de réduire la dette pour aboutir à un progrès économique viable dans de nombreux pays en développement. Même si la première mesure pour sortir du marasme consiste à ce que les nations pauvres poursuivent leurs réformes économiques fondamentales, les pays riches ont leur propre responsabilité dans la contribution qu'ils peuvent apporter à la réduction des dettes du Tiers Monde, dont une bonne partie s'est accumulée avec leurs encouragements. Malheureusement, les efforts réalisés à ce jour n'ont fait qu'effleurer le problème. Ni le plan Baker du milieu des années quatre-vingt, ni le plan Brady, qui a suivi, n'ont réduit la charge de la dette de façon appréciable, bien qu'ils aient donné un répit suffisant aux banques commerciales pour qu'elles voient se réduire leur risque de non-remboursement (23).

L'inversion de la crise de l'endettement exigera plus qu'un rééchelonnement des remboursements ou l'octroi de nouveaux prêts. Il faudra presque certainement que les institutions financières internationales et les banques commerciales qui détiennent l'essentiel des engagements en cours réduisent le montant de nombreuses dettes et en annulent totalement d'autres. Les gouvernements du Canada, de l'Allemagne, du Royaume-Uni et des Etats-Unis ont déjà renoncé au remboursement d'un total de plus de 5 milliards de dollars de prêts publics aux pays d'Afrique subsaharienne. C'est la bonne démarche, mais il faudra aussi que les prêts commerciaux fassent l'objet de la même mesure (24).

On a lancé diverses propositions pour réduire la dette du Tiers Monde. Ces propositions font preuve d'imagination, mais l'unité de direction indispensable pour les mettre en œuvre a fait jusqu'ici défaut. Par définition, toute stratégie fructueuse de réduction de la dette doit ramener l'endettement du Tiers Monde à un niveau compatible avec le rétablissement d'un développement écologiquement viable. Pour atteindre cet objectif, il pourrait se révéler nécessaire de diminuer la dette de l'ordre de 60 %, ce qui la ramènerait de 1,2 billions à 500 milliards de dollars. Comme plusieurs économistes l'ont suggéré, il est logique d'incorporer des incitations en faveur de la protection de l'environnement dans une stratégie de réduction de la dette (25).

A une échelle plus modeste, le biologiste américain Thomas Lovejoy a imaginé un concept de financement de l'environnement connu sous le nom de « debt-for-nature swaps», c'est-à-dire l'échange d'une partie de la dette contre un meilleur traitement de la nature. Selon les termes de sa proposition, un organisme de préservation de l'environnement achète une fraction des engagements souscrits par un débiteur auprès d'une banque commerciale sur le marché libre, généralement pour un montant limité à 15 ou 30 % de leur valeur faciale. La banque centrale du pays en développement émet alors des obligations en monnaie locale, pour un montant un peu inférieur à la valeur de la dette initiale, dont le produit est utilisé par un groupe local d'écologistes à des fins de préservation de l'environnement (26).

En août 1990, 15 swaps dette-nature avaient vu le jour dans huit pays, dont la Bolivie, Madagascar et la Pologne. L'un des plus importants, et dont la portée est la plus large, a consisté en l'achat par le gouvernement hollandais d'une dette de 33 millions de dollars du Costa Rica en échange de 10 millions de dollars d'investissements locaux dans le reboisement, la gestion des bassins versants et la préservation des sols. La valeur faciale de la dette supprimée de cette façon se monte jusqu'ici à moins de 100 millions de dollars, soit un pour dix mille de la dette totale. Ce n'est pas, de toute évidence, une solution au problème de l'endettement, mais c'est une source de financement importante pour les ONG concernées par l'environnement et pour un éventail plus large de programmes de développement viable. Si d'autres gouvernements, ou même des banques privées suivaient la démarche hollandaise, les sommes beaucoup plus importantes qui en découleraient, pourraient réduire la dette de façon significative tout en contribuant à placer un plus grand nombre de pays sur la voie d'un développement viable (27).

Une autre idée de financement dont l'heure est peut-être venue consiste à instituer un ou plusieurs fonds internationaux de l'environnement. Ceux-ci fourniraient des ressources permettant de s'attaquer à des préoccupations mondiales telles que la modification du climat ou le rétrécissement de la couche d'ozone. C'est, en effet, le genre de problèmes que les pays, pris individuellement, ne cherchent pas à résoudre, car ils n'y sont pas suffisamment poussés. L'essentiel des fonds irait aux nations pauvres qui manquent de capitaux à investir.

L'idée d'un fonds international de l'environnement avait été émise par l'ancien Premier ministre de l'Inde, Rajiv Gandhi, en 1989, et a été reprise par le gouvernement français et le Directeur du Programme des Nations Unies pour l'Environnement (PNUE), Mostafa Tolba. Ce fonds pourrait être alimenté soit par des contributions provenant des divers gouvernements, tels que les capitaux qui servent à reconstituer les fonds de la Banque mondiale et d'autres organisations des Nations Unies, soit par le prélèvement d'une nouvelle taxe sur l'environnement, peut-être sur le carbone émis lors de l'utilisation de combustibles fossiles. La création d'un nouveau mécanisme de financement de ce type aura une priorité élevée dans l'ordre du jour de la Conférence des Nations Unies sur l'environnement et le développement qui se tiendra au Brésil en 1992 (28).

En septembre 1989, la communauté internationale s'est mise d'accord pour créer un fonds de l'environnement, qui sera géré par la Banque mondiale en coopération avec le Programme des Nations Unies pour le développement et le PNUE, et qui sera mis en place au début de 1991. Bien que la réputation d'efficacité de la Banque ait conduit les gouvernements à y placer leurs fonds, certaines ONG concernées par l'environnement s'y sont opposées, au vue des médiocres performances de la Banque dans ce domaine.

Le nouveau fonds sera consacré à quatre grandes priorités : la protection de la couche d'ozone, la limitation des émissions de gaz à effet de serre, la préservation de la diversité biologique et la protection des ressources en eau internationales. Le financement initial destiné à la partie du programme concernant l'ozone a été fixé à 240 millions de dollars lors de la conférence consacrée à la révision du Protocole de Montréal qui s'est tenue en juin 1990 à Londres. D'autres engagements des divers gouvernements sont en cours de discussion et devraient, nous dit-on, atteindre un montant total de plus d'un milliard de dollars pour les trois premières années. En novembre 1990, le gouvernement des Etats-Unis, qui s'opposait à la création de ce fonds, a finalement accepté de le financer si certaines conditions étaient remplies (30).

Jusqu'ici, la communauté mondiale a eu beaucoup de mal à mobiliser les ressources financières nécessaires pour enrayer la dégradation de l'environnement mondial. Les questions centrales portent sur la façon de réduire la charge de la dette, sur la manière d'accroître et de réorienter l'aide au développement, et sur les moyens de surmonter les préjugés systématiques et l'inertie de la Banque mondiale et des autres prêteurs multilatéraux. Si les nations ne s'attaquent pas aux problèmes jumeaux de l'aggravation de la pauvreté dans le Tiers Monde et de l'accroissement de l'injustice internationale, le déclin économique et la dégradation de l'environnement du globe ne pourront que s'accélérer.

La réorientation des incitations gouvernementales

Au niveau national, les gouvernements utilisent une grande diversité d'instruments pour modeler l'activité économique et sociale. Malheureusement, et de façon assez surprenante, de nombreuses mesures délibérément adoptées par les gouvernements vont carrément à l'encontre de la viabilité. La construction de routes, une réglementation des services d'intérêt général tendancieuse, le subventionnement des services d'irrigation, et des ventes de bois à un prix inférieur à son coût de revient ne sont qu'un échantillon des nombreux programmes publics qui endommagent l'environnement. Souvent, là où des impôts seraient justifiés pour réduire une activité nuisible, des subventions publiques l'encouragent. Collectivement, les gouvernements dépensent des dizaines de milliards de dollars chaque année pour soutenir des politiques économiques dangereuses pour l'environnement.

Les subventions publiques aux pesticides, qui prennent la forme d'exemptions fiscales ou de ventes inférieures au coût de revient par des distributeurs contrôlés par les pouvoirs publics, offrent un exemple de ce type d'incitations perverses. Examinant les politiques de neuf pays en développement – trois en Asie, trois en Afrique et trois en Amérique Latine – Robert Repetto, du World Resources Institute (l'Institut des ressources mondiales) de Washington, a trouvé que les subventions aux pesticides allaient, au début des années quatre-vingt, de 19 % du prix de vente au détail non subventionné (en Chine) à 89 % (au Sénégal). La subvention médiane était celle de la Colombie, avec 44 %. En Egypte, des subventions égales à 83 % des coûts complets au détail prélevaient sur le Trésor des sommes dépassant 200 millions de dollars par an. Les sommes que le gouvernement égyptien a dépensées, en 1982, par habitant pour les pesticides ont dépassé celles qu'il dépense aujourd'hui pour la santé (31).

En maintenant les prix des pesticides à un bas niveau, les gouvernements visent à aider les agriculteurs à réduire les dommages causés par les ennemis des cultures, et à accroître de ce fait les rendements des récoltes. Mais cela pousse aussi les paysans à utiliser trop de pesticides et à aggraver la multitude de risques liés aux produits toxiques employés dans l'agriculture. Et les subventions sapent le développement et la mise en œuvre d'une gestion intégrée de la lutte phytosanitaire (integrated pest management – IPM), qui comprend un ensemble de mesures destinées à mener cette lutte selon des modalités plus sûres et écologiquement plus saines. Pour ne citer que quelques succès, l'IPM s'est révélée efficace en ce qui concerne le soja au Brésil, le coton en Chine, au Nicaragua et au Texas, le manioc en Afrique équatoriale et le riz en Indonésie. Souvent, l'utilisation des pesticides a ainsi été réduite de plus de moitié. De massives subventions aux produits chimiques empêchent ces méthodes prometteuses de prévaloir (32).

De même, les forêts ont souffert dans les pays riches et pauvres des efforts qu'ont déployés les gouvernements pour « développer » leur économie et favoriser la croissance. De nombreux gouvernements subventionnent en fait une destruction massive des forêts, et cette pratique coûte aux Trésors publics de vastes sommes chaque année. Accablés par l'endettement et recherchant

des recettes rapides, de nombreux gouvernements des pays tropicaux – souvent aidés par des donateurs internationaux – ont institué des crédits d'impôt et autres incitations fiscales pour encourager la conversion de forêts en pâturage, en champs réservés à
des cultures commerciales et en terres servant à d'autres usages
susceptibles de rapporter des profits à court terme, mais qui se
révèlent rarement viables sur les médiocres sols tropicaux. Des
contrats d'exploitation excessivement favorables aux forestiers
ont alimenté des « booms du bois » qui ont non seulement détruit
ou dégradé les forêts, mais qui ont aussi donné aux paysans qui
s'implantaient à leur place accès à des terres dont le sol était souvent impropre à une agriculture permanente (voir Chapitre 5) (33).

Le Brésil, l'Indonésie et les Philippines comptent au nombre des
pays qui perdent chaque année entre 500 millions et plus d'un milliard de dollars à cause de mesures de politique économique de ce
genre. Une bonne partie du déboisement du bassin de l'Amazone
au Brésil, qui portait globalement, en 1989, sur quelque 40 millions
d'hectares (une superficie supérieure à celle du Japon), peut être
reliée à la construction de routes par l'Etat, aux schémas de repeuplement et à diverses mesures concernant le budget ou le régime
d'exploitation des terres. Une incitation particulièrement puis-
sante concerne les crédits d'impôts sur le revenu particulièrement
intéressants – atteignant dans certains cas jusqu'à 50 %. Ils
s'appliquaient lorsque l'épargne qui en résultait était investie dans
la région amazonienne. Une bonne partie de cet argent a servi à
défricher des terres pour y faire des pâturages pour les éleveurs de
bétail. Un bon nombre de ces ranches ne produisent aujourd'hui
qu'une faible fraction de la production qui avait été prévue.
Certains de ces pâturages ne produisent même plus rien du
tout (34).

L'évolution récente du déboisement au Brésil montre à quel
point la suppression des subventions peut entraîner un changement rapide. L'ancien président José Sarney a mis fin, en 1988, à la
plupart des crédits d'impôt qui incitaient au défrichement de la
forêt et la nouvelle administration de Fernando Collor de Mello
les a encore réduits. Les observations par satellite révèlent que le
déboisement de l'Amazonie a culminé en 1987 avec 8 millions
d'hectares, avant de tomber à 4,8 millions d'hectares en 1988 et à
3 millions en 1989. L'essentiel du brûlage intervient pendant la saison sèche. En 1989, une saison sèche anormalement pluvieuse,
associée à un renforcement de l'application des mesures visant le
brûlage illégal, a contribué à diminuer les pertes. Mais il semble
que la suppression des incitations financières ait joué un rôle pri-
mordial (35).

En dehors des avantages immédiats pour l'environnement, la réduction de ce type de subventions élimine souvent, en partie, une source d'inégalité sociale et libère des fonds pour des programmes qui profitent aux pauvres. Les subventions existantes enrichissent souvent aujourd'hui les individus politiquement puissants et relativement bien nantis, qui peuvent exercer avec succès des pressions pour obtenir des faveurs économiques. Les subventions aux pesticides et à l'irrigation, par exemple, ne font rien pour les agriculteurs qui exploitent des terres semi-arides (aridoculture), et qui, pour ces diverses raisons, n'ont pas accès à ces moyens de production. De même, les subventions à l'élevage et à l'exploitation forestière passent à côté de ceux qui se trouvent en bas de l'échelle économique (36).

La suppression des incitations qui conduisent à la destruction de l'environnement contribue à garantir que les individus et les industries payent les coûts complets de leurs activités. Un remodelage des économies, assez rapide pour éviter l'effondrement de systèmes écologiques essentiels, exige toutefois un ensemble nettement différent d'incitations. Ces dernières doivent rémunérer, et donc rendre attractives, des pratiques sans danger pour l'environnement. Ces incitations ne devraient pas subsister indéfiniment, mais donner un nouveau départ à l'économie en la plaçant rapidement sur un chemin viable.

Il n'y a pratiquement pas de limites à l'innovation quand il s'agit de canaliser les investissements et de les amener à travailler pour le bien de l'environnement. Mais cela exige un examen systématique de la façon dont les réglementations et les incitations actuelles modèlent les comportements et de la manière dont on pourrait les modifier pour qu'elles favorisent des décisions judicieuses.

Aux Etats-Unis, par exemple, le Programme de mise en réserve de terres à des fins de conservation donne aux agriculteurs un motif économique d'agir en ce sens. En acceptant de planter des arbres ou de l'herbe pendant dix ans sur celles de leurs terres qui s'érodent le plus facilement, les agriculteurs reçoivent une rente annuelle de 120 dollars à l'hectare. En 1990, 14 millions d'hectares, ou presque, étaient entrés dans ce programme vieux de cinq ans, et l'érosion excessive des sols de la nation avait été réduite de près d'un tiers, passant de 1,6 milliard de tonnes à 1,1 milliard (37).

Une réforme des modalités qui réglementent les services de distribution pourrait libérer les vastes possibilités d'économies monétaires que recèle une utilisation efficace de l'énergie tout en ralentissant le réchauffement de la planète, en diminuant les pluies acides et en réduisant la pollution atmosphérique dans les villes. Par suite des réglementations les plus fréquentes, les profits des services de distribution augmentent avec les ventes d'électricité. Alors que la mise sur pied de programmes pour économiser l'énergie – par exemple, éclairages économes en énergie, pommes de douches à faible débit, isolation des logements et des bureaux – coûterait nettement moins cher que la fourniture d'énergie supplémentaire, ces entreprises ne sont pas incitées à le faire (38).

En Californie, à New York, dans l'Orégon et cinq Etats de la Nouvelle Angleterre, de nouveaux programmes sont en train de découpler les profits et les ventes d'électricité. Ces programmes accordent par ailleurs une incitation financière directe aux entreprises concernées pour qu'elles investissent dans une utilisation efficace de l'énergie. En Californie, une proposition formulée par les trois plus grandes compagnies de distribution d'électricité, approuvée en août 1990 par la Commission des services d'intérêt général, lie les bénéfices aux économies d'énergie. Si les objectifs d'économie d'énergie sont atteints, l'une de ces compagnies pourra fixer des tarifs d'électricité qui procureront un rendement annuel de 14,6 % sur les investissements relatifs aux économies d'énergie, c'est-à-dire un rendement très supérieur aux taux de 10,7 % qu'obtiendrait l'entreprise si elle investissait ces fonds dans une nouvelle centrale. Les deux autres compagnies recevront des profits compris entre 15 et 17 % de la valeur des économies d'énergie qu'elles assureront aux clients. Globalement, les programmes visant une utilisation efficace de l'énergie coûteront des sommes estimées à 500 millions de dollars pour les deux prochaines années, mais ils devraient diminuer les factures d'électricité de plus du double de ce montant (39).

La consommation d'énergie par habitant est bien plus faible dans les pays en développement que dans les nations industrielles. Bien souvent, un approvisionnement accru est une condition essentielle de l'amélioration des niveaux de vie. Mais les possibilités qu'offre l'amélioration du rendement énergétique sont, ici comme ailleurs, énormes, et sont encore à exploiter. Par exemple, l'analyste de l'énergie Howard Geller a trouvé qu'au cours des deux prochaines décennies, le Brésil pourrait réduire de moitié la progression de sa consommation d'électricité, et la ramener de 5,2 % par an à 2,6 %, en promouvant des technologies économes en énergie. De fait, en utilisant des incitations économiques pour encourager les économies d'énergie et les investissements qui les favorisent, au lieu de subventionner la consommation d'énergie, les pays en développement pourraient, au cours des vingt prochaines années, éviter des coûts d'approvisionnement en énergie supérieurs à 1,4 billion de dollars. Ils économiseraient ainsi des capitaux rares tout en améliorant l'environnement (40).

Des incitations pourraient aussi donner une impulsion bien nécessaire aux efforts de planning familial dans le Tiers Monde, qui ont été malheureusement négligés pendant les années quatre-vingt (voir Chapitre 1). Là aussi, il faudrait faire preuve d'imagination. L'instauration de comptes d'épargne-éducation pour les enfants des couples qui limiteraient la taille de leur famille et la fourniture de services gratuits de planning familial ne sont que quelques-unes des incitations possibles (41).

Des programmes d'encouragement bien conçus sont efficaces par rapport à leurs coûts, puisque les dépenses consacrées à la réduction des taux de fécondité évitent aux services sociaux de débourser plus tard des sommes encore plus importantes. Au Mexique, par exemple, chaque peso dépensé pour le planning familial par le système de sécurité sociale urbain entre 1972 et 1984 a économisé neuf pesos, qui auraient été déboursés en services de santé maternelle et infantile. En fournissant des contraceptifs à près de 800 000 femmes, le programme a évité 3,6 millions de naissances non désirées et entraîné une économie nette d'environ 318 milliards de pesos (2 milliards de dollars) (42).

On n'a accordé qu'assez peu d'attention aux effets sur l'environnement des politiques commerciales, mais ils sont incontestablement aussi sérieux qu'ils sont difficiles à juguler. Les règles et les accords commerciaux sont l'un des principaux facteurs qui déterminent de quelle façon les ressources naturelles sont utilisées, quelles sont les pressions qui s'exercent sur l'environnement, et quels sont les bénéficiaires des fonds massifs – 3 billions de dollars par an aujourd'hui – qui traversent les frontières à l'occasion des échanges de marchandises (43).

Du point de vue de la seule efficacité économique, les distorsions commerciales – comme les contingents à l'importation, les droits de douane, les subventions à l'exportation et les systèmes de soutien des prix intérieurs – ne sont pas souhaitables, puisqu'elles limitent la concurrence sur le marché mondial. C'est le système commercial d'avant la Deuxième Guerre mondiale, grevé par toutes ces dispositions, qui a suscité l'adoption de l'Accord général sur les tarifs douaniers et le commerce (le GATT). Celui-ci a commencé à fonctionner en 1948 et couvre aujourd'hui près de 90 % du commerce mondial. Plusieurs vagues de négociations, qui ont amendé le GATT, ont laissé subsister de nombreuses restrictions, notamment dans des domaines politiquement sensibles comme l'agriculture. Ces dernières années, les barrières commerciales érigées par les nations riches, et les systèmes de soutien des prix agricoles intérieurs établis pour des denrées telles que le sucre, ont coûté au Tiers Monde une perte de revenu agricole dont le montant est estimé à 30 milliards de dollars par an ; ils ont dans le même temps coûté aux consommateurs des pays industriels quelque 245 milliards de dollars, sous la forme de majorations des prix et des impôts (44).

Cependant, une libéralisation des échanges n'aiderait pas nécessairement les populations les plus pauvres du Tiers Monde, et n'entraînerait pas forcément un avantage net pour l'environnement. Beaucoup de choses dépendent, par exemple, du point de savoir qui profiterait des recettes accrues à l'exportation – les paysans ou les riches propriétaires fonciers. Beaucoup de choses dépendent également du fait de savoir si l'ouverture des marchés mondiaux détournerait des terres et une eau rares des cultures de subsistance au profit des cultures d'exportation, au détriment des pauvres et de l'autosuffisance alimentaire (45).

En outre, une libéralisation des échanges pourrait pousser les nations vers le plus petit dénominateur commun en matière de protection de l'environnement et saper les efforts qui sont faits pour le protéger. Une proposition américaine visant à « harmoniser » les normes de salubrité alimentaire internationales dans le cadre du GATT pourrait contraindre des pays qui ont imposé des limites strictes aux résidus des pesticides présents dans les aliments à abaisser ces limites pour respecter les normes internationales établies. La suppression de la prérogative qu'une nation a de fixer des restrictions pourrait éliminer d'importants instruments de préservation de l'environnement, comme l'interdiction d'importer de l'ivoire, qui a été instaurée pour contribuer à protéger les éléphants africains, ou l'interdiction d'exporter du bois brut instituée par l'Indonésie, les Philippines et la Thaïlande dans le but d'aider à la préservation des forêts (46).

Quand le gouvernement danois a décidé que toutes les bières et boissons non alcoolisées, qu'elles soient produites dans le pays ou importées, devraient être vendues dans des bouteilles réutilisables, il a été traduit devant la Cour de Justice de la Communauté européenne, pour le motif que cette obligation restreignait la liberté des échanges. Etablissant ce qu'on peut considérer comme un précédent majeur, la Cour a confirmé le droit du Danemark de refuser d'importer des boissons en boîte au nom de la protection de l'environnement. Mais le fait même que l'initiative danoise ait été contestée souligne la nécessité de garantir que les règles commerciales autorisent explicitement les nations à fixer des normes élevées et à poursuivre librement leurs objectifs en matière d'environnement. Malheureusement, à la date de novembre 1990, alors que l'Uruguay Round devait se terminer en décembre, les négociateurs du GATT n'avaient pas considéré sérieusement les conséquences de leurs propositions sur l'environnement (47).

Dans l'établissement d'une structure complète d'incitations visant à promouvoir la viabilité, les gouvernements pourraient désormais envisager une recommandation de portée plus générale : pas de dommage écologique net. Cela écarterait des projets qui détruisent les forêts, ajoutent du carbone dans l'atmosphère, ou recouvrent des terres agricoles de ciment et de bitume, tant que des investissements supplémentaires ne seraient pas réalisés pour compenser les dommages causés. L'application d'une telle disposition serait, c'est le moins qu'on puisse dire, politiquement difficile. On a toutefois suggéré une ou deux mesures modestes qui vont dans ce sens.

Les Pays-Bas ont lancé un projet consistant à planter des arbres sur 125 000 hectares dans cinq pays d'Amérique Latine au cours des 25 prochaines années afin de compenser les émissions de carbone qui seront, d'après les estimations, rejetées par une centrale thermique hollandaise au charbon dont la construction doit intervenir dans les années quatre-vingt-dix. Il est évident que, dans l'idéal, la centrale au charbon ne devrait même pas être construite. Les Hollandais auraient préféré faire face aux nouvelles demandes d'énergie en améliorant le rendement énergétique et en ayant recours à des sources d'énergie renouvelable. Mais puisque les arbres absorbent le carbone de l'atmosphère par photosynthèse, le fait d'en planter un plus grand nombre peut contrebalancer les émissions liées aux combustibles fossiles et contribuer à atténuer le risque d'un réchauffement dû à l'effet de serre (48).

Le fait de rendre ces investissements compensatoires obligatoires, aussi bien pour les investisseurs publics que privés, garantirait que ceux qui profitent du « développement » réinjectent certains de leurs gains anticipés dans la sauvegarde du système naturel qu'ils menacent. Cette idée n'est pas plus radicale que celle qui veut que les investisseurs remboursent leurs créanciers. Ici, le créancier, c'est l'écosystème mondial.

Des impôts verts

Peut-être l'instrument le plus puissant pour réorienter les économies nationales dans le sens de la viabilité de l'environnement est-il la fiscalité. La taxation des produits et des activités qui polluent, épuisent ou dégradent d'une façon ou d'une autre les systèmes naturels, est un moyen de s'assurer que les coûts supportés par l'environnement sont pris en compte dans les décisions privées : va-t-on, par exemple, se rendre à son travail en voiture ou à bicyclette, tirer son électricité du charbon ou de la lumière du soleil ? Chaque producteur et chaque consommateur décide de la façon de s'adapter à l'augmentation des coûts. Une taxe sur les émissions dans l'atmosphère conduira certaines usines à augmenter leurs dispositifs antipollution, d'autres à modifier leurs processus de production, d'autres encore à revoir la conception des produits pour diminuer les rejets. En collectant une large fraction de leurs recettes par l'intermédiaire de ces « impôts verts » et en diminuant les impôts sur le revenu ou autres en guise de compensation, les gouvernements pourraient rapidement contribuer à placer les économies sur un chemin viable.

Les impôts ont beaucoup d'attrait parce qu'ils offrent un moyen efficace de pallier le fait que le marché omet de prendre en compte les servitudes qu'il impose à l'environnement. Si l'atmosphère est un réceptacle gratuit pour les déchets, les industries pollueront massivement et la société dans son ensemble en supportera les coûts sous la forme de soins médicaux, d'une perte de production agricole, et d'un changement de climat. De même, si les agriculteurs ne payent rien lorsqu'ils comptent sur les cours d'eau du voisinage pour emporter les résidus des pesticides, ils utiliseront une quantité plus grande de ces produits chimiques que ne le voudrait la société, et les gens des campagnes en payeront le prix en buvant une eau contaminée (40).

Jusqu'ici la plupart des gouvernements qui s'efforcent de corriger ces défaillances du marché se sont tournés vers des normes réglementaires, édictant les mesures à prendre pour satisfaire les objectifs relatifs à l'environnement. Cette démarche a nettement amélioré l'environnement dans de nombreux cas, et elle revêt une importance toute particulière là où il n'y a guère de place à l'erreur, comme pour l'évacuation des déchets fortement radioactifs ou la sauvegarde d'espèces menacées. Mais elle s'est souvent révélée être une façon coûteuse et compliquée d'aboutir à un changement général. Les impôts sont un moyen efficace d'aider à atteindre de larges objectifs en matière d'environnement, parce qu'ils ajustent les prix et laissent ensuite au marché le soin de faire le reste (50).

De nombreux pays ont déjà institué des impôts verts. Une enquête réalisée auprès des pays membres de l'OCDE a mis à jour plus de cinquante taxes liées à l'environnement, y compris des droits sur la pollution de l'eau et de l'atmosphère, sur les déchets et sur le bruit, à côté de taxes sur divers produits, comme les engrais et les batteries. Mais, le plus souvent, ces droits ont été fixés à un niveau trop bas pour induire de grands changements dans les comportements, et ils ont plutôt servi à collecter des recettes modestes pour financer un programme relatif à l'environnement ou à d'autres fins spécifiques. La surtaxe norvégienne sur les engrais et les pesticides, par exemple, collecte des fonds pour des programmes de promotion d'une agriculture viable – ce qui est certes une cause valable – mais cette surtaxe est trop faible pour réduire fortement la quantité de produits chimiques que les agriculteurs utilisent dans l'immédiat (51).

Il existe toutefois des exceptions notables. Au Royaume-Uni, une taxe plus élevée sur l'essence avec plomb a accru la part du marché de l'essence sans plomb de 4 % en mars 1989 à 30 % en mars 1990. Et, à la fin de 1989, le Congrès des Etats-Unis a voté une taxe sur la vente des chlorofluorocarbones (CFC) qui entament la couche d'ozone, afin de hâter leur élimination, que la nation s'est engagée à réaliser d'ici la fin de la décennie, et afin de se saisir des profits exceptionnels auxquels on s'attend du fait de la hausse du prix des produits chimiques. Les CFC les plus largement utilisés sont taxés au départ de 3,02 dollars par kilogramme (1,37 dollars par livre), ce qui double pratiquement le prix actuel. La taxe passera à 6,83 dollars par kilogramme en 1995 et à 10,80 dollars par kilogramme en 1999. Pendant les cinq premières années, on prévoit que cela rapportera des recettes égales à 4,3 milliards de dollars (52).

Un système complet de taxes liées à l'environnement, conçu dans le cadre d'une restructuration plus large de la politique fiscale, pourrait agir beaucoup plus pour faire progresser l'économie sur la voie de la viabilité. La plupart des gouvernements tirent le plus gros de leurs recettes de l'imposition des revenus, des profits et de la valeur ajoutée aux biens et services. Cela a pour effet pervers de décourager le travail, l'épargne et l'investissement – toutes choses généralement bonnes pour une économie. Si les Etats prélevaient des taxes sur la pollution, les déchets et l'épuisement des ressources pour remplacer une bonne partie des impôts actuels, les conséquences pourraient être bénéfiques pour l'environnement comme pour l'économie.

Un changement complet d'assiette fiscale ne serait pas souhaitable, parce que les impôts sur le revenu peuvent être conçus de façon à s'assurer que les riches payent une part proportionnellement plus élevée, alors que, l'un dans l'autre, les impôts verts ne serviraient pas cet objectif d'équité. A vrai dire, pour compenser tout effet régressif, il faudrait abaisser les taux de l'impôt sur le revenu pour les personnes relativement pauvres, qui souffriraient, par exemple, de la hausse du prix des combustibles de chauffage. Des allocations publiques pourraient être versées aux plus pauvres, qui, aujourd'hui, ne payent peut-être aucun impôt sur le revenu, mais qui pourraient souffrir d'une hausse du coût de la vie à la suite de l'adoption d'un code des impôts assis sur l'environnement. En outre, comme les recettes tirées des impôts verts diminueraient à mesure que les modes de production et de consommation s'écarteraient des activités taxées, elles ne seraient pas une source de rentrées de fonds aussi régulière que les impôts sur le revenu. Pour toutes ces raisons, la meilleure solution paraît être une combinaison de différents impôts.

L'un des impôts susceptibles de procurer le plus de recettes est sans doute une taxe sur les émissions de carbone liées à l'utilisation de combustibles fossiles, taxe dont le besoin est urgent, si l'on veut ralentir le rythme du réchauffement de la planète. Prélevé sur la teneur en carbone du charbon, du pétrole et du gaz naturel, cette taxe devrait, pour être efficace, être suffisamment élevée pour que les émissions de gaz carbonique diminuent, comme c'est désormais l'objectif officiel de plus d'une dizaine de nations industrielles. Des taxes sur le carbone sont entrées en application en Finlande et aux Pays-Bas au début de 1990 et on prévoit que la Suède fera la même chose en janvier 1991. Malheureusement, aucune d'entre elles ne paraît assez forte pour entraîner des changements majeurs dans l'utilisation de l'énergie (53).

A la fin du mois de septembre 1990, les douze ministres de l'environnement de la Communauté européenne se sont réunis à Rome pour discuter de la possibilité d'instaurer des impôts verts communautaires. S'ils ne sont pas parvenus à un accord, leur réunion a nettement inscrit la question des taxes liées à l'environnement à l'ordre du jour politique de l'Europe. La Commission européenne est elle-même partisane d'un impôt communautaire sur les émissions de carbone, de même que la Belgique, le Danemark, la France et l'Allemagne. Cependant, les pays moins riches de la Communauté craignent qu'un impôt harmonisé ne soit trop élevé, et compromette ainsi leur croissance, alors que les Pays-Bas s'inquiètent du fait qu'il pourrait être trop faible. Cependant, même si des impôts communautaires ne sont pas institués, il semble probable que, au cours des quelques années à venir, de nombreux pays les prélèveront eux-mêmes directement (54).

Aux Etats-Unis, on a proposé plusieurs impôts sur l'énergie, et en particulier une hausse des taxes sur l'essence, de nouveaux droits sur le pétrole importé et des taxes sur la teneur en carbone des combustibles fossiles. Parmi tous ces impôts, la taxe sur le carbone – prélevée à la mine pour le charbon, à la sortie du champ pétrolifère ou au dock pour le pétrole, et à la tête du puits pour le gaz – serait la plus efficiente et réduirait efficacement les émissions de CO_2. Une étude réalisée par l'Office du budget du Congrès des Etats-Unis (Congressional Budget Office – CBO), publiée en août 1990, a examiné les effets d'une introduction par étapes d'une taxe sur le carbone pendant les dix années à venir. En 1991, au départ, elle s'élèverait à 11 dollars par tonne de carbone et atteindrait 110 dollars par tonne en l'an 2000 (en dollars de 1988). Une fois totalement mise en œuvre, la taxe rapporterait des recettes annuelles estimées à 120 milliards de dollars, soit 30 % des recettes fédérales tirées des impôts sur le revenu des personnes en 1988 (55).

Le CBO estime qu'un prélèvement de 110 dollars par tonne de carbone majorerait les prix du pétrole et du gaz naturel d'environ de moitié par rapport aux prix actuellement projetés pour l'an 2000, et le prix du charbon – le combustible fossile le plus riche en carbone – de 256 %. Cela pousserait les industriels et les consommateurs à investir dans des mesures destinées à économiser l'énergie et à se tourner vers des sources d'énergie à base autre que le carbone (56).

Le modèle utilisé par le CBO qui reflète le mieux les réactions des entreprises et des consommateurs à des variations du prix de l'énergie montre que les émissions de carbone seraient inférieures de 3 % à celles qui sont prévues aujourd'hui pour l'an 2000, tandis que le rendement énergétique national connaîtrait une amélioration de 23 % (voir tableau 10.2). Le pays respecterait ainsi l'objectif international dont on parle beaucoup et qui consiste à réduire d'ici l'an 2005 les émissions de CO_2 de 20 % par rapport à leur niveau de 1988. Le modèle prévoit une chute de 45 milliards de dollars dans le PNB de l'an 2000, soit une perte modeste de 0,6 %, qui pourrait facilement être évitée si on associait à la taxe sur le carbone des réductions dans l'impôt sur le revenu ou dans d'autres impôts (57).

Un code complet d'impôts liés à l'environnement modifierait l'activité économique dans bien d'autres domaines. Il pourrait pénaliser l'utilisation de matières vierges, la production de déchets toxiques, les émissions de polluants qui engendrent des pluies acides, et les prélèvements excessifs dans les nappes phréatiques. Une équipe de chercheurs de l'Umwelt Und Prognose Institut (Institut d'évaluation de l'environnement) de Heidelberg avait proposé d'instituer dans l'ancienne Allemagne occidentale un ensemble divers de taxes qui aurait permis de collecter globalement plus de 210 milliards de deutschemarks (136 milliards de dollars). Les chercheurs ont analysé plus de 30 « éco-taxes » possibles, et déterminé des niveaux d'imposition susceptibles de modifier substantiellement les modes de consommation de chaque produit concerné. Dans certains cas, il fallait doubler ou tripler les prix pour parvenir à une réduction notable de la consommation. Par exemple, pour diminuer de moitié l'utilisation de pesticides, il faudrait une taxe se montant à environ 200 % de leur prix actuel (58).

Tableau 10.2. Etats-Unis : estimation des effets d'une taxe de 110 dollars par tonne de carbone en l'an 2000 [1]

	Consommation d'énergie *(en quadrillions de BTU)*	Efficacité énergétique *(en 1 000 BTU par dollar de PNB de 1988)*	Emissions de gaz carbonique *(en milliards de tonne de carbone)*	PNB réel [2] *(en milliards de dollars de 1988)*
An 2000 sans la taxe	90	13	1,6	7 137
An 2000 avec la taxe	69	10	1,0	7 092
	(en pourcentage)			
Ecart	– 23	– 23	– 37	– 0,6

1. Avec l'hypothèse d'une introduction progressive de la taxe, à partir d'un niveau de 11 dollars par tonne métrique en 1991.
2. Sans aucune réduction compensatrice des impôts sur le revenu.
Source : U.S. Congressional Budget Office, *Carbon Charges as a Response to Global Warming : the Effects of Taxing Fossil Fuels* (Washington, D.C. : U.S. Government Printing Office, 1990).

Aucune étude aussi complète n'a encore été réalisée pour les Etats-Unis. Mais une liste restreinte à huit impôts verts possibles suggère qu'ils offrent de vastes possibilités de collecte de recettes tout en favorisant la protection de l'environnement (voir tableau 10.3). La détermination de taux corrects d'imposition – qui réduiraient les dommages causés à la santé des êtres humains et à l'environnement sans nuire à l'économie – est une tâche compliquée : les chiffres cités ici ne le sont qu'à des fins d'illustration. En outre, les données relatives aux activités qui seraient taxées ne sont pas toutes à jour. L'estimation de l'épuisement des nappes phréatiques, par exemple, date de 1980, et les ventes de pesticides sont celles de 1988. Il est impossible de dire quel serait le niveau d'activité une fois que l'impôt serait totalement appliqué (59).

Tableau 10.3. Etats-Unis : impôts verts potentiels

Description de l'impôt	Volume d'activité taxé	Impôt postulé [1]	Recettes annuelles correspondantes [2] (en milliards de dollars)
Teneur en carbone des combustibles fossiles	1,3 milliard de tonnes	$ 100 la tonne	130,0
Déchets dangereux produits	266 millions de tonnes	$ 100 la tonne	26,6
Papier et carton produits à partir de pulpe vierge	61,5 millions de tonnes	$ 64 la tonne	3,9
Ventes de pesticides	7,38 milliards de dollars	50 % des ventes totales	3,7
Emissions de gaz sulfurique [3]	21 millions de tonnes	$ 150 la tonne	3,2
Emissions d'oxydes d'azote [3]	20 millions de tonnes	$ 100 la tonne	2,0
Production de chlorofluorocarbones [4]	225 millions de kilogrammes	$ 5,83 le kilogramme	1,3
Epuisement des nappes phréatiques	20,4 millions de pieds-acres	$ 50 par pied-acre	1,0

1. *Les montants qui sont mentionnés ici sont purement illustratifs et sont fondés simplement sur ce qui apparaît raisonnable au vu des prix et des coûts existants. Dans certains cas, il existerait plusieurs impôts pour une même catégorie afin de refléter différents degrés de dommages. L'impôt sur les déchets dangereux figurant ici serait, par l'exemple, le montant moyen de la taxe.* 2. *Comme les recettes diminueraient à mesure que la taxe modifierait les systèmes de production et de consommation, et comme certains impôts ont plusieurs effets simultanément, on ne peut pas sommer les chiffres de la colonne des recettes pour obtenir une estimation des recettes totales.* 3. *La loi sur l'air pur votée en octobre 1990 exige que les émissions de gaz sulfurique des entreprises d'intérêt général diminuent de 10 millions de tonnes et les émissions d'oxydes d'azote de 2 millions de tonnes d'ici la fin de la décennie.* 4. *Cet impôt existe déjà. Les recettes figurant ici sont celles qui sont prévues pour 1994.*

Source : Worldwatch Institute.

Comme certains impôts ont plusieurs effets (une taxe sur le carbone, par exemple, réduirait les émissions de gaz sulfurique en diminuant la consommation de combustibles fossiles), et comme le niveau des activités taxées baisserait avant même que l'impôt ne soit pleinement mis en place, il est impossible de sommer les recettes qui figurent sur le tableau 10.3. Mais il semble probable qu'on pourrait tirer plus de 100 milliards de dollars des seuls impôts mentionnés ici. Il y en a huit.

Une introduction de chaque impôt étalé sur 5 ou 10 ans atté-
nuerait les effets économiques et permettrait un ajustement pro-
gressif. Les pays qui désireraient maintenir au même niveau la
charge fiscale globale de façon à éviter un ralentissement de l'activité économique pourraient réduire certains impôts sur le revenu,
ou autres, proportionnellement à l'accroissement des recettes.
D'autres pourraient choisir d'utiliser certaines recettes tirées des
impôts verts pour combler des besoins budgétaires insatisfaits, par
exemple, aux Etats-Unis, pour diminuer le déficit du budget fédéral. Partout où des taxes liées à l'environnement seront prélevées,
il faudra ajuster d'autres impôts afin de garantir une structure fiscale globalement progressive.

En dehors du rôle qu'ils sont susceptibles de jouer dans le remodelage des économies nationales, les impôts verts peuvent procurer des fonds pour des initiatives mondiales qui exigent des transferts des pays riches vers les nations pauvres. Ces transferts
permettraient de commencer à rembourser la dette écologique que
les pays industriels ont contractée en causant le plus gros des dommages que l'environnement mondial a subis jusqu'ici. Une taxe
supplémentaire de 10 dollars par tonne de carbone émise dans les
pays industriels (à l'exclusion de l'Europe orientale et de l'Union
Soviétique) fournirait au départ 25 milliards de dollars par an à un
fonds mondial (60).

La politique budgétaire est un domaine politiquement très
sensible. Les sondages d'opinion montrent qu'une bonne partie du
public estime qu'il faudrait dépenser plus pour protéger l'environnement, mais la plupart des gens éprouvent une forte aversion
pour des majorations d'impôts. En prenant la décision d'asseoir
une partie de l'impôt sur les activités dommageables pour l'environnement plutôt que sur le revenu, les gouvernements pourraient
refléter les nouvelles priorités sans accroître la charge fiscale
globale (61).

De la croissance au progrès viable

Même si l'aide au développement est réorientée, si les incitations publiques sont restructurées et si des impôts verts sont institués – afin de favoriser des activités économiques sans danger
pour l'environnement – il reste un épineux problème d'échelle. A
écouter la plupart des économistes et des politiciens, une expansion indéfinie de l'économie paraît non seulement possible mais
souhaitable. Les dirigeants politiques voient dans la croissance la
réponse au chômage, à la pauvreté, aux industries en déclin, aux

crises budgétaires et à une foule d'autres maux de la société. Mettre en question la sagesse de la croissance est presque blasphématoire, tellement elle fait partie intégrante de l'idée que les populations se font du fonctionnement du monde.

Mais accepter que la création d'une économie écologiquement viable est nécessaire, c'est aussi admettre que des limites sont inévitables pour certaines formes de croissance, notamment celle de la consommation des ressources matérielles. Les modèles des manuels décrivent souvent l'économie comme un système clos, l'argent circulant entre les consommateurs et les entreprises en une boucle fermée. Cependant, dans la réalité, l'économie n'est pas un monde isolé. Elle fonctionne dans le cadre d'un écosystème mondial dont les capacités de produire de l'eau pure, de créer de nouvelles couches de terre arable et d'absorber la pollution sont limitées. En tant que sous-système de la biosphère, l'économie ne peut sortir de ses limites physiques tout en restant intacte (62).

Avec un produit annuel de 20 billions de dollars, l'économie mondiale fabrique aujourd'hui en 17 jours ce qui, en 1900, exigeait une année entière. Déjà, l'activité économique a dépassé de nombreux seuils locaux, régionaux et mondiaux, ce qui a entraîné l'extension des déserts, l'acidification des lacs et des forêts, et l'accumulation de gaz à effet de serre. Si la croissance se poursuit comme lors des dernières décennies, la pression sera telle qu'elle provoquera l'effondrement des systèmes mondiaux. Ce n'est qu'une question de temps (63).

Un indice intéressant de la taille de l'économie par rapport à la capacité de la terre de permettre à la vie d'exister est la part du produit de la photosynthèse de la planète qui est désormais consacrée à l'activité humaine. La « production primaire nette » est la quantité d'énergie solaire fixée par les plantes vertes par photosynthèse, diminuée de l'énergie consommée par ces plantes elles-mêmes. Elle constitue fondamentalement la ressource alimentaire totale de la planète, l'énergie biochimique qui permet à toutes les formes de vie animale d'exister, depuis les vers de terre jusqu'aux êtres humains.

Le biologiste Peter Vitousek, de l'Université Stanford, et ses collègues estiment que 40 % de la production annuelle primaire nette des terres émergées servent aujourd'hui directement à satisfaire les besoins des êtres humains ou sont indirectement utilisés ou détruits par l'activité humaine. Il reste donc 60 % de cette production pour les millions d'autres espèces qui vivent sur les terres émergées et qui partagent la planète avec les êtres humains. Alors qu'il a fallu toute l'histoire passée de l'humanité pour en arriver là, le taux pourrait doubler et atteindre 80 % en 2030 si les taux de croissance de la population et de la consommation se maintiennent. Une augmentation de la consommation par habitant pourrait fortement réduire ce délai. Chemin faisant, alors que les gens usurperont une fraction toujours plus large de l'énergie qui soutient la vie sur terre, les systèmes naturels se détérioreront plus vite. Il est impossible de dire exactement quand des seuils vitaux seront franchis de manière irréversible. Mais, comme le disent Vitousek et ses collègues, ceux « qui croient que les limites de la croissance sont si lointaines qu'elles n'ont pas à être prises en considération par les responsables des décisions actuelles semblent ne pas avoir conscience de ces réalités biologiques » (64).

Pour que l'humanité évite l'effondrement complet des systèmes naturels, il ne suffira pas que le nombre des humains cesse d'augmenter. Il faudra passer de la poursuite de la croissance à la recherche d'un progrès viable – à une amélioration du sort de l'humanité qui ne se fasse pas au détriment des générations futures. La première étape de la transition, qui est la plus facile, est d'accroître fortement l'efficacité avec laquelle l'eau, l'énergie et les matières sont utilisées, ce qui permettra de satisfaire les besoins de la population avec moins de ressources et moins de dommages pour l'environnement. Cette transition est déjà en cours, mais elle progresse à un rythme terriblement lent par rapport à ce qui serait nécessaire.

La Californie offre un exemple de ce qu'il faudrait faire. Une nouvelle politique de l'énergie y a favorisé les investissements en économie d'énergie des compagnies de distribution d'électricité : la consommation d'électricité par habitant y a baissé de 0,3 % entre 1978 et 1988, alors qu'elle a augmenté de 11 % dans le reste des Etats-Unis. Les Californiens n'ont pour autant souffert d'aucune baisse dans leur niveau de vie. Leur bien-être global s'est même amélioré puisque leurs factures d'électricité ont diminué et que leurs besoins en électricité (cuisine, éclairage et autres) ont été satisfaits tout en sacrifiant moins la qualité de l'air (65).

Une production de biens et services aussi économe en ressources que possible et qui utilisera les technologies disponibles les moins dommageables pour l'environnement permettra aux sociétés de faire de grands progrès en direction de la viabilité, mais elle ne leur permettra pas de l'atteindre. La poursuite de la croissance de la consommation des biens matériels – du nombre de voitures et d'installations d'air conditionné, de la quantité de papier utilisée, etc. – finira par submerger les gains dus à une politique de conservation des ressources. L'utilisation de ces ressources continuera globalement à augmenter et il en ira de même des dommages qu'elle entraîne pour l'environnement. Une réduction de moitié des émissions polluantes des voitures particulières, par exemple, n'améliorera pas beaucoup la qualité de l'air si la distance totale parcourue double, comme cela a été le cas aux Etats-Unis depuis 1965 (66).

Cet aspect de la transition qui mène de la croissance à la viabilité est donc beaucoup plus délicat, parce qu'il se situe au cœur des modes de consommation de la population (voir aussi chapitre 9). Dans les pays pauvres, la simple satisfaction des besoins fondamentaux d'une population en croissance exigera une augmentation de la consommation d'eau, d'énergie et de produits forestiers, même si ces ressources sont utilisées avec le plus grand soin. Mais les riches pays industriels – particulièrement la dizaine de nations qui ont stabilisé leur population, comme l'Autriche, l'Allemagne, l'Italie, la Norvège, la Suède et la Suisse – sont dans la situation la meilleure pour commencer à satisfaire leurs besoins sans dégradation nette de la base des ressources. Ces pays pourraient être les premiers à profiter du constat selon lequel une certaine croissance coûte plus cher que les avantages qu'elle procure, et selon lequel la taille optimale d'une économie n'est pas la taille maximale (67).

Le PNB devient un indice obsolète du progrès dans une société qui s'efforce de satisfaire les besoins de la population tout en économisant les ressources le plus possible et tout en causant le moins de dommages possibles à l'environnement. Ce qui compte, ce n'est pas la croissance de la production, mais la qualité des services rendus. Par exemple, la bicyclette et le trolley sont des formes de transport qui consomment moins de ressources que l'automobile, et leur contribution au PNB est moins forte. Mais le passage aux transports en commun et à la bicyclette pour la plupart des déplacements individuels améliorerait la vie urbaine en éliminant les embouteillages, en réduisant le smog, et en rendant les villes plus sûres pour les piétons. Le PNB baisserait, mais le bien-être global augmenterait. Autant de points qui soulignent la nécessité de nouveaux indices du progrès (voir Chapitre 1) (68).

De même, si l'on veut satisfaire les besoins en eau avec moins de dommages pour l'environnement, il faut investir dans des appareils et des systèmes d'irrigation économes en eau, au lieu de construire encore plus de barrages ou de canaux de dérivation. Comme des projets hydrologiques massifs consomment plus de ressources que des investissements visant à économiser l'eau, le PNB tendrait à diminuer. Mais la qualité de la vie s'améliorerait. Il devient clair que les efforts qui visent à accroître le PNB sont souvent inappropriés et contre-productifs. Comme le déclare l'écologiste et philosophe Garrett Hardin, « le fait, pour un homme d'Etat, de vouloir maximiser le PNB est à peu près aussi raisonnable que le fait, pour un compositeur, de vouloir maximiser le nombre de notes dans une symphonie » (69).

L'abandon de la croissance en tant qu'objectif prédominant ne signifie pas que l'on oublie les pauvres. L'augmentation des revenus et de la consommation des biens matériels est essentielle pour améliorer le bien-être dans la majeure partie du Tiers Monde. Mais contrairement à ce que les dirigeants politiques laissent entendre, la croissance économique mondiale, telle qu'elle est actuellement conçue, n'est pas la solution à la pauvreté. Malgré la multiplication par cinq de la production mondiale depuis 1950, 1,2 milliard de personnes, c'est-à-dire plus que jamais auparavant, vivent actuellement dans la pauvreté absolue. La poursuite d'une croissance selon les formes qu'elle a prises au cours des dernières décennies ne sauvera pas les pauvres. Le seul moyen d'y parvenir est un nouvel éventail de priorités (70).

Des obstacles pour ainsi dire insurmontables se dressent sur la voie qui conduit de la croissance pure et simple à ce qui devrait être l'objectif central de la politique économique : le vrai progrès. La vision qu'évoque la croissance, c'est-à-dire la vision d'un amoncellement de plus en plus grand de richesses, est un instrument politique puissant et commode, parce qu'elle permet d'éluder les redoutables questions de l'inégalité des revenus et d'une distribution des richesses dont nous savons bien qu'elle est faussée. Les gens partent du principe que, tant que la croissance prévaut, il y a un espoir d'améliorer la vie des pauvres sans sacrifices pour les riches. Mais, dans la réalité, il n'est pas possible de parvenir à une économie écologiquement viable si les nantis ne limitent pas leur consommation pour laisser du champ libre à l'augmentation de celle des pauvres.

Avec la fin de la guerre froide et l'évanouissement des barrières idéologiques, une possibilité est offerte d'édifier un monde nouveau fondé sur la paix. Une économie viable ne représente rien d'autre qu'un ordre social supérieur, qui se soucierait des générations futures au même titre qu'il se soucie de la nôtre, et pour qui l'acquisition des biens matériels et la puissance militaire auraient moins d'importance que la salubrité de la planète et la pauvreté qui sévit un peu partout dans le monde. Cette entreprise est fondamentalement nouvelle et comporte bien des incertitudes, mais nous ne pouvons pas continuer à faire comme si de rien n'était, car le risque serait encore plus grand.

Les ingrédients de base qui sont nécessaires pour se lancer dans l'aventure ne sont pas un mystère. Tous les outils, toutes les technologies et tous les instruments du changement existent déjà. Mais il nous faut prendre la décision de nous engager sur une nouvelle voie, et c'est là le véritable défi. Cet engagement, c'est chacun d'entre nous qui doit le prendre. Cette nouvelle voie, c'est tous ensemble que nous devons nous y engager.

Notes

Chapitre 1. Un nouvel ordre mondial

1. Pour une présentation plus détaillée de cette période de changements, voir Charles William Maynes, "America Without the Cold War", *Foreign Policy*, Spring 1990, and Paul H. Nitze, "America : An Honest Broker", and Robert Tucker, "1989 and All That", both in *Foreign Affairs*, Fall 1990.

2. Jean-Paul Lanly, *Tropical Forest Resources* (Rome : U.N. Food and Agriculture Organization (FAO), 1982) ; H.E. Dregne, *Desertification of Arid Land* (New York : Harwood Academic Publishers, 1983) ; U.N. Environment Programme, *General Assessment of Progress in the Implementation of the Plan of Action to Combat Desertification 1978-1984* (Nairobi : 1984) ; species loss from E.O. Wilson, ed., *Biodiversity* (Washington, D.C. : National Academy Press, 1988) ; U.N. Department of International Economic and Social Affairs (DIESA), *WorldPopulation Prospects 1988* (New York : 1989) ; Lester R. Brown and Edward C. Wolf, *Soil Erosion : The Quiet Crisis in the World Economy*, Worldwatch Paper 60 (Washington, D.C. : Worldwatch Institute, September 1984).

3. Denis Hayes, "Earth Day 1990 : Threshold of the Green Decade", *Natural History*, April 1990.

4. Pour une discussion plus approfondie des différences entre économistes et écologistes, voir les œuvres de Hazel Henderson, l'un des pionniers dans ce domaine et spécialement *The Politics of the Solar Age : Alternatives to Economics* (Indianapolis, Ind. : Knowledge Systems, Inc., rev. ed., 1988).

5. Earth Day 1990 participants and countries based on Christina L. Dresser, Earth Day 1990 Executive Director, San Francisco, Calif., private communication, October 1, 1990.

6. Data in Table 1-1 based on the following : gross world economic output in 1990 from the 1988 gross world product from Central Intelligence Agency (CIA), *Handbook of Economic Statistics, 1989* (Washington, D.C. : 1989), with Soviet and Eastern Europe gross national products extrapolated

from Paul Marer, *Dollar GNP's of the USSR and Eastern Europe* (Baltimore : Johns Hopkins University Press, 1985), with adjustments to 1990 based on growth rates from International Monetary Fund (IMF), *World Economic Outlook* (Washington, D.C. : October 1990), and CIA, *Handbook of Economic Statistics*, and with the composite deflator from Office of Management and Budget, *Historical Tables, Budget of the United States Government, Fiscal Year 1990* (Washington, D.C. : U.S. Government Printing Office, 1989) ; historical estimates based on Angus Maddison, *The World Economy in the 20th Century* (Paris : Organisation for Economic Co-operation and Development, 1989) ; international trade increase is Worldwatch Institute estimate based on IMF, *International Financial Statistics*, October 1990, and *Yearbook* (Washington, D.C. : 1990) ; U.S. Department of Commerce, Bureau of Economic Analysis, "Standard and Poor Index of 500 Widely Held Stocks", Washington, D.C., 1990 ; Tokyo Stock Exchange, *Monthly Statistics Report*, June 1990 ; deforestation figure from FAO, which is in the midst of preparing a new global forest assessment, according to "New Deforestation Rate Figures Announced", *Tropical Forest Programme* (IUCN Newsletter), August 1990 ; Brown and Wolf, *Soil Erosion* ; Dregne, *Desertification of Arid Land* ; carbon dioxide estimate based on Gregg Marland et al., *Estimates of CO_2 Emissions from Fossil Fuel Burning and Cement Manufacturing, Based on the United Nations Energy Statistics and the U.S. Bureau of Mines Cement Manufacturing Data* (Oak Ridge, Tenn. : Oak Ridge National Laboratory, 1989), on Gregg Marland, private communication and printout, Oak Ridge National Laboratory, Oak Ridge, Tenn., July 6, 1989, and on British Petroleum (BP), *BP Statistical Review of World Energy* (London : 1990).

7.   IMF, *International Financial Statistics*.

8.   International Labour Organization, *Economically Active Population Estimates, 1950-80, and Projections, 1985-2025, Vol. 5* (Geneva : 1986).

9.   U.S. Department of Commerce, "Standard and Poor Index of 500 Widely Held Stocks ;" Tokyo Stock Exchange, *Monthly Statistics Report*.

10.   FAO, "New Deforestation Rate Figures Announced" ; Erik P. Eckholm, *Losing Ground : Environmental Stress and World Food Prospects* (New York : W.W. Norton & Co., 1976) ; World Resources Institute, *World Resources, 1990-91* (New York : Oxford University Press, 1990) ; FAO, *Production Yearbook* (Rome : various years).

11.   Dregne, *Desertification of Arid Land*.

12.   Worldwatch Institute estimate based on Marland et al., *Estimates of CO_2 Emissions*, on Marland, private communication and printout, and on BP, *BP Statistical Review* ; James E. Hansen, Goddard Institute for Space Studies, National Aeronautics and Space Administration (NASA), "The Green House Effect : Impacts on Current Global Temperature and Regional Heat Waves", Testimony before the Committee on Energy and Natural Resources, U.S. Senate, Washington, D.C., June 23,1988 ; James E. Hansen et al., "Comparison of Solar and Other Influences on Long-Term Climate", Proceedings of Goddard conference, NASA, 1990 ; P.D. Jones, Climatic Research Unit, University of East Anglia, Norwich, U.K., "Testimony to the U.S. Senate on Global Temperatures", before the Commerce Committee, U.S. Senate, Washington, D.C., October 11, 1990.

13. U.N. Environment Programme and World Health Organization, *Assessment of Urban Air Quality* (Nairobi : Global Environment Monitoring System, 1988) ; W. Martin Williams et al., Office of Pesticide Programs, U.S. Environmental Protection Agency (EPA), *Pesticides in Ground Water Data Base : 1988 Interim Report* (Washington, D.C. : 1988) ; Stanley J. Kabala, "Poland : Facing the Hidden Costs of Development", *Environment*, November 1985.

14. Ariel E. Lugo, "Estimating Reductions in the Diversity of Tropical Forest Species", in Wilson, *Biodiversity*.

15. Herman E. Daly, "Sustainable Development : From Concept and Theory Towards Operational Principles", *Population and Development Review* (Proceedings of Hoover Institution Conference on Population and Development), forthcoming special issue.

16. U.N. Development Programme (UNDP), *Human Development Report 1990* (New York : Oxford University Press, 1990) ; Herman E. Daly and John B. Cobb, Jr., *For the Common Good : Redirecting the Economy Toward Community, the Environment, and a Sustainable Future* (Boston : Beacon Press, 1989).

17. UNDP, *Human Development Report 1990*.

18. *Ibid.* ; le produit intérieur brut corrigé par habitant est exprimé en dollars 1987 des Etats-Unis. Noter que les chiffres qui ne sont pas corrigés pour refléter le pouvoir d'achat peuvent différer considérablement. Au Sri Lanka par exemple le chiffre non corrigé est de $400.

19. Daly and Cobb, *For the Common Good*.

20. *Ibid.* ; Figure 1-2 is based on Clifford W. Cobb and John B. Cobb, Jr., revised Index of Sustainable Economic Development, according to C.W. Cobb, Sacramento, Calif., private communication, September 28, 1990.

21. World Bank, *World Development Report 1990* (New York : Oxford University Press, 1990) ; U.S. Department of Agriculture (USDA), Economic Research Service (ERS), *World Grain Database* (unpublished printouts) (Washington, D.C. : 1990). Basé sur l'expérience personnelle de l'auteur : pour éviter l'inanition, l'être humain a besoin d'environ une livre (453 g) de céréales par jour, 13 onces (368 g) suffisent pour assurer sa survie avec une activité physique minimale.

22. FAO, *Produce and Protect : Soil Conservation for Development* (Rome : 1983) ; FAO, *Production Yearbook*.

23. Joyce R. Starr and Daniel C. Stoll, *U.S. Foreign Policy on Water Resources in the Middle East* (Washington, D.C. : Center for Strategic & International Studies, 1987) ; Joyce R. Starr and Daniel C. Stoll, eds., *The Politics of Scarcity : Water in the Middle East* (Boulder, Colo. : Westview Press, 1988) ; Philip P. Micklin, "The Water Management Crisis in Soviet Central Asia", final report to the National Council for Soviet and East European Research, Washington, D. C., February 1989 ; Carl Widstrand, ed., *Water Conflicts and Research Priorities* (Elmsford, N.Y. : Pergamon Press, 1980) ; Raj Chengappa, "India's Water Crisis", *India Today*, May 31, 1986, excerpted in *World Press Review*, August 1986 ; James Nickum and

John Dixon, "Environmental Problems and Economic Modernization", in Charles E. Morrison and Robert F. Dernberger, *Focus : China in the Reform Era*, Asia-Pacific Report 1989 (Honolulu : East-West Center, 1989) ; Edwin D. Gutentag et al., *Geohydrology of the High Plains Aquifer in Parts of Colorado, Kansas, Nebraska, New Mexico, Oklahoma, South Dakota, Texas, and Wyoming*, U.S. Geological Survey Paper 1400-B (Washington, D.C. : U.S. Government Printing Office, 1984) ; *Water Market Update, Vols. 2-3* (Santa Fe, N.M. : Shupe & Associates, 1988-1989) ; Elizabeth Checchio, *Water Farming : The Promise and Problems of Water Transfers in Arizona* (Tucson : University of Arizona, 1988).

24. James J. MacKenzie and Mohamed T. El-Ashry, *Ill Winds : Airborne Pollution's Toll on Trees and Crops* (Washington, D.C. : World Resources Institute, 1988) ; EPA, Environmental Research Laboratory, *The Economic Effects of Ozone on Agriculture* (Washington, D. C. : 1984) ; USDA, Foreign Agricultural Service (FAS), *World Grain Situation and Outlook*, Washington, D.C., various issues.

25. Duane Chapman and Randy Barker, *Resource Depletion, Agricultural Research, and Development* (Ithaca, N.Y. : Cornell University, 1987) ; International Rice Research Institute, *Work Plan for 1990-1994* (Manila, Philippines : 1989).

26. FAO, *Fertilizer Yearbook* (Rome : various years) ; FAO, *Production Yearbook*.

27. FAO, *Fertilizer Yearbook*, various years, and The Fertilizer Institute, *Fertilizer Facts and Figures, 1990* (Washington, D.C. : 1990), with Worldwatch Institute estimates for 1990 ; USDA, ERS, *World Grain Database*.

28. K.F. Isherwood and L.M. Maene, "The Medium Term Outlook for the Supply and Demand of Fertilizer and Raw Materials", International Fertilizer Industry Association Annual Conference, Vancouver, May 1990.

29. USDA, ERS, *World Grain Database*.

30. *Ibid.*, with updates for 1990 harvest.

31. *Ibid.*

32. USDA, ERS, "CRP up to 34 Million Acres", *Agricultural Outlook*, Washington, D.C., March 1990 ; USDA, ERS, *Agricultural Resources : Cropland, Water and Conservation Situation and Outlook Report*, Washington, D.C., September 1990 ; USDA, ERS, *World Grain Database*.

33. USDA, ERS, *World Grain Database*.

34. Francis Urban and Michael Trueblood, *World Population by Country and Region, 1950-2050* (Washington, D.C. : USDA, ERS, 1990) ; USDA, ERS, *World Grain Database*.

35. USDA, ERS, *World Grain Database* ; Urban and Trueblood, *World Population*.

36. USDA, FAS, *World Grain Situation and Outlook*, Washington, D.C., October 1990.

37. *Ibid.*

38. *Ibid.*

39. Timothy C. Weiskel, Harvard Divinity School, "Cultural Values and Their Environmental Implications : An Essay on Knowledge, Belief, and Global Survival", The North American Conference on Religion and Ecology, Washington, D.C., May 15-17, 1990.

40. U.N. DIESA, *World Population Prospects* ; Population Reference Bureau, *World Population Data Sheet* (Washington, D.C. : 1990).

41. Thomas R. Malthus, "An Essay on the Principle of Population" (1798), in Garrett Hardin, ed., *Population, Evolution & Birth Control : A Collage of Controversial Readings* (San Francisco : W.H. Freeman and Company, 1964).

42. Pour plus ample information sur le problème de la pénurie de bois de chauffage, voir *Beforesting the Earth* de Sandra Postel et Lori Heise, Worldwatch Paper 83 (Washington, D.C. : Worldwatch Institute, April 1988).

43. Based on FAO, *Production Yearbook*, and on U.N. DIESA, *World Population Prospects*.

44. National Family Planning and Reproductive Health Association, "The 1980s : Decade of Disaster for Family Planning", Washington, D.C., April 1990.

45. Mary Kent, Population Reference Bureau, Washington, D.C., private communication, October 23, 1990.

46. Malcolm W. Browne, "93 Nations Agree to Ban Chemicals That Harm Ozone", *New York Times*, June 30, 1990.

47. "Germany and the Greenhouse : A Closer Look", *Global Environmental Change Report*, August 17, 1990.

Chapitre 2. Concevoir un système énergétique viable

1. "Cost of Change Could Be Great", *Financial Times*, October 13, 1989.

2. Worldwatch Institute estimates based on U.S. Department of Energy (DOE), Energy Information Administration (EIA), *International Energy Outlook 1990* (Washington, D.C. : 1990) ; Frank Barnaby, "World Energy Prospects", *Ambio*, Vol. 18, N° 8, 1989.

3. British Petroleum (BP), *BP Statistical Review of World Energy* (London : 1990).

4. Estimate for 1990 world economic output based on 1988 gross world product from Central Intelligence Agency (CIA), *Handbook of Economic Statistics, 1989* (Washington, D.C. : 1989), with Soviet and East European gross national product extrapolated from Paul Marer, *Dollar GNP's of the USSR and Eastern Europe* (Baltimore : Johns Hopkins University Press, 1985), with adjustment to 1990 based on growth rates from International Monetary Fund, *World Economic Outlook* (Washington, D.C. : October 1990), and CIA, *Handbook of Economic Statistics*, and with the composite deflator from Office of Management and Budget, *Historical Tables, Budget of the United States Government, Fiscal Year 1990* (Washington, D.C. : U.S. Government Printing Office, 1989) ; carbon emissions estimate from

Worldwatch Institute, based on Gregg Marland et al., *Estimates of CO_2 Emissions from Fossil Fuel Burning and Cement Manufacturing, Based on the United Nations Energy Statistics and the U.S. Bureau of Mines Cement Manufacturing Data* (Oak Ridge, Tenn. : Oak Ridge National Laboratory, 1989), and on BP, *BP Statistical Review*.

5. Christopher Flavin, *Reassessing Nuclear Power : The Fallout from Chernobyl*, Worldwatch Paper 75 (Washington, D.C. : Worldwatch Institute, March 1987) ; "Wackersdorf Finally Dies", *Nature*, June 8, 1989 ; Radio Liberty, "Ban on Nuclear Construction in RSFSR", June 29, 1990 ; "Soviet Nuclear Power Plant Programme Marks Time", *Nature*, January 26, 1989 ; Marie Leone, "New Powerplant Projects", *Power*, August, 1990 ; Usha Rai, "Unique Protest Against Big Dams, *Times of India*, September 29, 1989 ; Kavita Singh, "Harsud Says No !" *Times of India*, October 8, 1989.

6. United Nations, *World Energy Supplies 1950-1974* (New York : 1976) ; United Nations, *1988 Energy Statistics Yearbook* (New York : 1990).

7. DOE, EIA, "Weekly Petroleum Status Report", Washington, D.C., October 12, 1990 ; BP, *BP Statistical Review* ; American Petroleum Institute (API), *Basic Petroleum Data Book, Vol. 5* (Washington, D.C. : 1985) ; DOE, EIA, *Monthly Energy Review* (Washington, D.C. : various issues) ; 1990 oil price from DOE, EIA, "Weekly Petroleum Status Report", Washington, D.C., November 9, 1990.

8. International Energy Agency (IEA), *Energy Policies and Programmes of IEA Countries, 1989 Review* (Paris : Organisation for Economic Co-operation and Development (OECD), 1990) ; DOE, EIA, *International Energy Annual 1989* (Washington, D.C. : 1990) ; BP, *BP Statistical Review*.

9. Thomas W. Lippman, "Saudis Come Up with Major Oil Find", *Washington Post*, 15 octobre 1990 ; BP, *BP Statistical Review* (diverses années). L'expression "Réserves prouvées" signifie les quantités de pétrole existant dans des gisements identifiés dont l'exploitation est possible dans l'état actuel de la technique à des conditions économiques acceptables. Ces réserves augmentent avec la découverte de nouveaux gisements et diminuent avec l'exploitation des puits.

10. BP, *BP Statistical Review* ; DOE, EIA, *Monthly Energy Review, May 1990* (Washington, D.C. : August 1990) ; oil well production is Worldwatch Institute estimate based on BP, *BP Statistical Review*, and on API, *Basic Petroleum Data Book, Vol. 10* (Washington, D.C. : 1990) ; Matthew L. Wald, "Effect of Fall in Soviet Oil Output", *New York Times*, September 6, 1990 ; A.L. Johnson, "Soviet Oil Outlook Less Promising in 1990s", *Oil & Gas Journal*, September 17, 1990.

11. Indian data from Philip K. Verleger, "The Energy Crisis of 1990", Testimony before the Committee on the Budget, U.S. House of Representatives, Washington, D.C., October 24, 1990.

12. BP, *BP Statistical Review* ; United Nations, Department of International Economic and Social Affairs, *Global Estimates and Projections of Population by Sex and Age*, 1988 Edition (New York : 1989).

13. Worldwatch Institute estimates based on Marland et al., *Estimates of CO_2 Emissions*, and on BP, *BP Statistical Review* ; Intergovernmental

Panel on Climate Change (IPCC), "Policymakers'Summary of the Potential Impacts of Climate Change", Report from Working Group II, undated.

14. Worldwatch Institute estimates based on Marland et al., *Estimates of CO_2 Emissions*, and on BP, *BP Statistical Review*.

15. IPCC, "Policymakers'Summary of the Scientific Assessment of Climate Change", Report from Working Group I, June 1990 ; Roger Milne, "Pressure Grows for US to Act on Global Warming", *New Scientist*, June 2, 1990.

16. "Germany and the Greenhouse : A Closer Look", *Global Environmental Change Report*, August 17, 1990 ; "East Germany : Country will Comply with CFC Ordinance of West Germany, Seeks Smaller CO_2 Cut", *International Environment Reporter*, July 1990 ; "Japan to Stabilize Greenhouse Gas Emissions by 2000", *Global Environmental Change Report*, July 20,1990 ; "Switzerland to Announce Stabilization Goal at Second World Climate Conference", *Global Environmental Change Report*, August 3, 1990 ; "The Netherlands Sets CO_2 Emissions Tax for 1990", *Global Environmental Change Report*, December 22, 1989 ; "Country Profiles : Denmark", *European Energy Report*, May 1990 ; The Ministry of Environment and Energy, *Action for a Common Future : Swedish National Report for Bergen Conference, May 1990* (Stockholm : 1989) ; U.K. plan from U.K. Department of the Environment, *This Common Inheritance : Britain's Environmental Strategy* (London : 1990) ; "New Zealand Announces CO_2 Reduction Target", *Global Environmental Change Report*, August 17, 1990 ; "Canada to Stabilize CO_2 Emissions at 1990 Levels by 2000", *Global Environmental Change Report*, June 22, 1990 ; Gunnrr Mathisen, Secretariate for Climate Affairs, Ministry of the Environment, Oslo, Norway, private communication, January 30, 1990 ; "Austria to Reduce CO_2 Emissions 20 % by 2005", *Global Environmental Change Report*, September 14, 1990 ; Emmanuele D'Achon, First Secretary, Embassy of France, Washington, D.C., private communication, October 10, 1990 ; Ron Scherer, "Australia to Press for Worldwide Gas-Emissions Limits", *Christian Science Monitor*, October 18, 1990 ; IPCC, "Policymakers' Summary of the Scientific Assessment of Climate Change ; "Ministerial Declaration of the Second World Climate Conference", Geneva, November 7, 1990.

17. Christopher Flavin, *Slowing Global Warming : A Worldwide Strategy*, Worldwatch Paper 91 (Washington, D.C. : Worldwatch Institute, October 1989) ; Worldwatch Institute estimates based on J.M.O. Scurlock and D.O. Hall, "The Contribution of Biomass to Global Energy Use", *Biomass*, N° 21, 1990, on BP, *BP Statistical Review*, on Marland et al., *Estimates of CO_2 Emissions*, and on Nigel Mortimer, "Proposed Nuclear Power Station Hinckley Point C", Proof of Evidence, Friends of the Earth U.K., London, undated.

18. Gregg Marland, "Carbon Dioxide Emission Rates for Conventional and Synthetic Fuels", *Energy*, Vol. 8, N° 12, 1983 ; BP, *BP Statistical Review*.

19. Marland, "Carbon Dioxide Emission Rates" ; BP, *BP Statistical Review*.

20. Christopher Flavin, "Decline of Nuclear Power : The Worldwide Prospect" (draft), Worldwatch Institute, August 1990.

21. IEA, *Energy Policies and Programmes, 1989* ; William U. Chandler et al., "Energy for the Soviet Union, Eastern Europe and China", *Scientific American*, September 1990.

22. Christopher Flavin and Alan Durning, *Building on Success : The Age of Energy Efficiency*, Worldwatch Paper 82 (Washington, D.C. : Worldwatch Institute, March 1988) ; Arnold P. Fickett et al., "Efficient Use of Electricity", *Scientific American*, September 1990 ; California Energy Commission, *Conservation Report, 1990*, Staff Draft (Sacramento, Calif. : 1990) ; Rick Bevington and Arthur H. Rosenfeld, "Energy for Buildings and Homes", *Scientific American*, September 1990.

23. José Goldemberg et al., *Energy for a Sustainable World* (Washington, D.C. : World Resources Institute, 1987) ; Amulya K.N. Reddy et al., "Comparative Costs of Electricity Conservation : Centralised and Decentralised Electricity Generation", *Economic and Political Weekly*, June 2, 1990.

24. Meridian Corporation, "Characterization of U.S. Energy Resources and Reserves", prepared for Deputy Assistant Secretary for Renewable Energy, DOE, Alexandria, Va., June 1989 ; Idaho National Engineering Laboratory (INEL) et al., *The Potential of Renewable Energy : An Interlaboratory White Paper*, prepared for the Office of Policy, Planning and Analysis, DOE, in support of the National Energy Strategy (Golden, Colo. : Solar Energy Research Institute (SERI), 1990) ; DOE, EIA, *Annual Energy Review 1989* (Washington, D.C. : 1990).

25. Scurlock and Hall, "The Contribution of Biomass to Global Energy Use". Le décompte norvégien est tiré de *Natural Resources and the Environment 1989*, (Oslo 1990), publié par le Bureau Central des Statistiques de Norvège. L'énergie hydroélectrique y entre pour 45 % du total, la biomasse pour 5 %.

26. INEL et al., *The Potential of Renewable Energy* ; Christopher Flavin and Rick Piltz, *Sustainable Energy* (Washington, D.C. : Renew America, 1989) ; DOE, *Energy Technologies & the Environment* (Washington, D.C. : 1988) ; Peggy Sheldon, Luz International Limited, Los Angeles, Calif., private communication and printout, August 28, 1990 ; Susan Williams and Kevin Porter, *Power Plays* (Washington, D.C. : Investor Responsibility Research Center, 1989) ; Nancy Rader et al., *Power Surge* (Washington, D.C. : Public Citizen, 1989) ; "Country Profiles : Denmark" ; "Spain Resurrects Funding Programme", *European Energy Report*, July 13, 1990 ; "West Germany Announces $3bn Plan for Research and Technology", *European Energy Report*, March 9, 1990.

27. Low-temperature heat is Worldwatch Institute estimate based on Amory B. Lovins, *Soft Energy Paths : Toward A Durable Peace* (Cambridge, Mass. : Ballinger Publishing Company, 1977), on John Hebo Nielsen, "Denmark's Energy Future", *Energy Policy*, January/February 1990, and on DOE, EIA, *Annual Energy Review 1989* ; Bevington and Rosenfeld, "Energy for Buildings and Homes" ; Solar Technical Information Program, *Energy for Today : Renewable Energy* (Golden, Colo. : SERI, 1990).

28. Cynthia Pollock Shea, *Renewable Energy : Today's Contribution, Tomorrow's Promise*, Worldwatch Paper 81 (Washington, D.C. : Worldwatch Institute, January 1988) ; Joyce Whitman, *The Environment in Israel*

(Jerusalem : Environmental Protection Service, Ministry of the Interior, 1988) ; Mark Newham, "Jordan's Solution Circles the Sky", *Energy Economist*, June 1989 ; Eric Young, "Aussies to Test Novel Solar Energy Collector", *Energy Daily*, May 3, 1990 ; Solar Technical Information Program, *Energy for Today : Renewable Energy*.

29. Sheldon, private communication and printout ; Don Logan, Luz International Limited, Los Angeles, Calif., private communication, September 26, 1990 ; U.S. Bureau of the Census, *Statistical Abstract of the United States : 1990* (Washington, D.C. : U.S. Government Printing Office, 1990).

30. INEL et al., *The Potential of Renewable Energy*.

31. Steven Dickman, "The Sunny Side of the Street...", *Nature*, May 3, 1990 ; "Sanyo Develops Solar Cell Shingles", *Independent Energy*, April 1989.

32. DOE, *Energy Technologies and the Environment* (Washington, D.C. : 1988) ; DOE, *Photovoltaic Energy Program Summary* (Washington, D.C. : 1990) ; Ken Zweibel, *Harnessing Solar Power : The Photovoltaics Challenge* (New York : Plenum Publishing, 1990) ; Meridian Corporation and IT Power Limited, "Learning from Success : Photovoltaic-Power Water Pumping in Mali", prepared for U.S. Committee on Renewable Energy Commerce and Trade, Alexandria, Va., February 20, 1990 ; Maheshwar Dayal, Secretary, Department of Non-Conventional Energy Sources, New Delhi, India, private communication, July 13, 1989 ; "Indonesia Installs First Solar Village, Schedules Total of 2,000", *International Solar Energy Intelligence Report*, February 9, 1990 ; Sri Lanka from "A New Group of Sun Worshippers", *Asiaweek*, October 12, 1990.

33. Zweibel, *Harnessing Solar Power* ; INEL et al., *The Potential of Renewable Energy*.

34. Flavin and Piltz, *Sustainable Energy* ; INEL et al., *The Potential of Renewable Energy* ; Danish experience from Paul Gipe, "Wind Energy Comes of Age", Gipe & Assoc., Tehachapi, Calif., May 13, 1990.

35. U.S. Windpower, Inc., "The Design Specifications for a Wind Power Plant in Patagonia Using U.S. Wind Turbines", Livermore, Calif., January 1989 ; "Minnesota Resource Greater than Previously Reported", *Wind Energy Weekly* (American Wind Energy Association), July 5, 1990.

36. PJ. de Groot and D.O. Hall, "Biomass Energy : A New Perspective", prepared for the African Energy Policy Research Network, University of Botswana, Gaborone, January 8, 1990.

37. Lester R. Brown, *The Changing World Food Prospect : The Nineties and Beyond*, Worldwatch Paper 85 (Washington, D.C. : Worldwatch Institute, October 1988) ; Sandra Postel, *Water for Agriculture : Facing the Limits*, Worldwatch Paper 93 (Washington, D.C. : Worldwatch Institute, December 1989).

38. Biofuels and Municipal Waste Technology Program, Office of Renewable Energy Technologies, DOE, *Five Year Research Plan : 1988-1992, Biofuels : Renewable Fuels for the Future* (Springfield, Va. : National Technical Information Service, 1988) ; Norman Hinman, SERI, Golden, Colo., private communication, August 25, 1989.

39. P.P.S. Gusain, *Cooking Energy in India* (Delhi : Vikas Publishing House, 1990) ; Eric D. Larson et al., "Biomass Gasification for Gas Turbine Power Generation", in T.B. Johansson et al., *Electricity : Efficient End-Use and New Generation Technologies, and Their Planning Implications* (Lund, Sweden : Lund University Press, 1989) ; Eric D. Larson et al., "Biomass Gasifier Steam-Injected Gas Turbine Cogeneration for the Cane Sugar Industry", presented at Energy from Biomass and Wastes XIV, Lake Buena Vista, Fla., January 29-February 2, 1990 ; United Nations, *1988 Energy Statistics Yearbook*.

40. United Nations, *1988 Energy Statistics Yearbook* ; Satyajit K. Singh, "Evaluating Large Dams in India", *Economic and Political Weekly*, March 17, 1990.

41. Donald Finn, Geothermal Energy Institute, New York, private communication and printout, March 16, 1990 ; United Nations, *1988 Energy Statistics Yearbook* ; Phillip Michael Wright, "Developments in Geothermal Resources, 1983-1988", *The American Association of Petroleum Geologist Bulletin*, October 1989.

42. INEL, *The Potential of Renewable Energy* ; "Solar Showers in Massachusetts", *Science*, September 7, 1990 ; J. Edward Sunderland and Dwayne S. Breger, "The Development of a Central Solar Heating Plants with Seasonal Storage at the University of Massachusetts/ Amherst", University of Massachusetts, Amherst, undated.

43. Christopher Hocker, "The Miniboom in Pumped Storage", *Independant Energy*, March 1990 ; Greg Paula, "Load Management through Energy Storage", *Electrical World*, August 1990 ; David Bautacoff, "Emerging Strategies for Energy Storage", *EPRI Journal*, July/August 1989 ; Zweibel, *Harnessing Solar Power*.

44. Bautacoff, "Emerging Strategies for Energy Storage" ; DOE, EIA, *Annual Energy Review 1989* ; Electric Power Research Institute (EPRI), "Electric Van and Gasoline Van Emissions : A Comparison", Technical Brief, Palo Alto, Calif., 1989.

45. Mark A. DeLuchi et al., "Electric Vehicles : Performance, Life-Cycle Costs, Emissions, and Recharging Requirements", *Transportation Research*, Vol. 22A, N° 5, 1989 ; Zweibel, *Harnessing Solar Power*.

46. German Aerospace Research Establishment and King Abdulaziz City for Science and Technology, "Hysolar : Solar Hydrogen Energy", Stuttgart, Germany, 1989.

47. Mark A. DeLuchi, "Hydrogen Vehicles", in Daniel Sperling, ed., *Alternative Transportation Fuels : An Environmental and Energy Solution* (Westport, Conn. : Quorum Books, 1989) ; Joan Ogden and Robert Williams, *Solar Hydrogen* (Washington, D.C. : World Resources Institute, 1989).

48. DeLuchi, "Hydrogen Vehicles".

49. DOE, *Fuel Cell Systems Program Plan, Fiscal Year 1989* (Washington, D.C. : 1989) ; John Schmitt, Director of Marketing, "The Future of Fuel Cells", ONSI Corporation, South Windsor, Conn., May 29, 1990 ;

Paul J. Werbos, *Oil Dependency and the Potential for Fuel Cell Vehicles*, Technical Paper Series (Warrendale, Pa. : Society of Automotive Engineers, 1987).

50. IEA, *Energy Policies and Programmes, 1989* ; "World Status Report ; Fusion Power", *Energy Economist*, June 1988.

51. Les statistiques internationales font figurer les activités productrices d'énergie au même chapitre que d'autres activités minières non productrices d'énergie, de ce fait les chiffres de l'emploi dans ces branches d'activités sont globalement élevés. Source : International Labour Organization (ILO), *Yearbook of Labour Statistics 1988* (Genève, 1988).

52. *Ibid.* ; Bureau of the Census, *Statistical Abstract of the United States : 1990* ; DOE, EIA, *Monthly Energy Review February 1990* (Washington, D.C. : May 1990) ; Edison Electric Institute, *Statistical Yearbook of the Electric Utility Industry/1988* (Washington, D.C. : 1989).

53. Robert L. Mansell, "Economic Development, Growth and Land Use Planning in Oil and Gas Producing Regions", in J. Barry Cullingworth, ed., *Energy, Land and Public Policy* (New Brunswick, NJ. : Transaction Publishers, 1990) ; Robert L. Mansell, University of Calgary, Alberta, Canada, private communication, September 21, 1990 ; all amounts are in U.S. dollars.

54. Michael Philips, "Energy Conservation Activities in Latin America and the Caribbean", International Institute for Energy Conservation, Washington, D.C., undated ; Howard Geller, "Electricity Conservation in Brazil : Status Report and Analysis", American Council for an Energy-Efficient Economy, Washington, D.C., August 1990 ; William Chandler, Pacific Northwest Laboratories, Washington, D.C., private communication, August 14, 1990 ; Chandler et al., "Energy for the Soviet Union" ; S. Sitnicki et al., "Poland : Opportunities For Carbon Emissions Control", prepared for the U.S. Environmental Protection Agency (EPA), Pacific Northwest Laboratories, Richland, Wash., May 1990.

55. ILO, *Yearbook of Labour Statistics 1988* ; "Germany to End Coal Subsidy ?" *Business Europe*, London, April 6, 1990 ; William Chandler, Pacific Northwest Laboratories, Washington, D.C., private communication, July 26, 1990 ; "Reduced Use of Brown Coal and Its Products Called Top East German Environmental Goals", *International Environment Reporter*, March 1990 ; World Bank, *China : Socialist Economic Development, Vol. II* (Washington, D.C. : 1983) ; World Bank, *China : The Energy Sector* (Washington, D.C. : 1985).

56. Steven Buchsbaum and James W. Benson, *Jobs and Energy : The Employment and Economic Impacts of Nuclear Power, Conservation, and Other Energy Options* (New York : Council on Economic Priorities, 1979).

57. Olav Hohmeyer et al., *Employment Effects of Energy Conservation Investments in EC Countries* (Luxembourg : Office for Official Publications of the European Communities, 1985) ; Steve Colt, University of Alaska-Anchorage, "Income and Employment Impacts of Alaska's Low Income Weatherization Program", ISER Working Paper 89.2, prepared for Second Annual Rural Energy Conference, Anchorage, Ak., October 12, 1989 ; Meridian Corporation, *Iowa Weatherization Assistance Program Evalua-*

tion (Alexandria, Va. : 1988) ; State of Connecticut, Office of Policy and Management, Energy Division, *An Initial Analysis of Low Income Wea-therization Issues in Connecticut* (Hartford, Conn. : Office of Policy and Management, Energy Division, 1988).

58. Michelle Yesney, "Sustainable City Project Annual Report and Recommendation", City of San Jose, Calif., Memorandum, February 22, 1990 ; Skip Laitner, "Fiscal and Economic Analysis of the Proposed 1990 Energy Management Program for San Jose", prepared for the city of San Jose, Calif., Economic Research Associates, Eugene, Oreg., January 30, 1990.

59. Worldwatch Institute, based on DOE, EIA, *Electric Plant Cost and Power Production Expenses 1988* (Washington, D.C. : 1990) ; DOE, EIA, *Coal Production Statistics 1988* (Washington, D.C. : 1989) ; Mark Sisinyak, Vice President, California Energy Company, Coso Junction, Calif., private communication, June 19, 1990 ; Kathleen Flanagan, Director of Government Relations and Public Affairs, Luz International Limited, Los Angeles, Calif., private communication, June 18, 1990 ; Paul Gipe, Gipe & Assoc., Tehachapi, Calif., private communication, April 12, 1990 ; "Solarex Posts Multi-Junction PV Record, Moving to Automated Line", *International Solar Energy Intelligence Report*, June 1, 1990.

60. Neill and Gunter Limited, "A Study of the Socio-Economic Impact of Wood Energy 1988-2008 in New Brunswick", prepared for the New Brunswick Department of Natural Resources and Energy, Fredericton, N.B., October 1989 ; Robert Chamberlin and Colin High, "Economic Impacts of Wood Energy in the Northeast 1985", Northeast Regional Biomass Program, Policy Research Center, Coalition of Northeastern Governors, Washington, D.C., May 1986 ; Employment Research Associates, "Biomass Resources : Generating Jobs and Energy", Great Lakes Regional Biomass Energy Program, Council of Great Lakes Governors, Madison, Wisc., November 1985.

61. Amory B. Lovins, "Energy Strategy : The Road Not Taken ?" *Foreign Affairs*, October 1976.

62. *Ibid.* ; Energy Policy Project of the Ford Foundation, *A Time to Choose : America's Energy Future* (Cambridge, Mass : Ballinger, 1974) ; DOE, EIA, *Annual Energy Review 1989* ; U.S. energy consumption for 1990 is a Worldwatch Institute estimate based on DOE, EIA, *Monthly Energy Review May 1990*.

63. Lovins, "Energy Strategy" ; DOE, EIA, *Annual Energy Review 1989* ; INEL et al., *The Potential for Renewable Energy*.

64. Lovins, "Energy Strategy" ; INEL et al., *The Potential of Renewable Energy* ; Carl J. Weinberg and Robert H. Williams, "Energy from the Sun", *Scientific American*, September 1990.

65. Ogden and Williams, *Solar Hydrogen*.

66. Meridian Corporation, "Energy System Emissions and Materiel Requirements", prepared for DOE, Alexandria, Va., February 1989 ; Kevin DeGroat, Meridian Corporation, private communication, October 15, 1990 ; Paul Savoldelli, Luz International Limited, Los Angeles, Calif., private communication and printout, July 11, 1989 ; Paula Blaydes, California

Energy Company, San Francisco, Calif., private communication, June 19, 1990 ; Gipe, "Wind Energy Comes of Age".

67. Gipe, "Wind Energy Comes of Age".

68. Les panneaux photovoltaïques actuels ne couvriraient pas plus de 15 % de la superficie du terrain. Sources : John Schaefer et Edgar DeMeo, Electric Power Research Institute, "An Update on U.S. Experiences with Photovoltaic Power Generation", Proceedings of the American Power Conference, April 23, 1990 ; Timothy Egan, "Land-Buying Drive by Pentagon Runs into Stiff Resistance in West", New York Times, July 5, 1990 ; Randall Swisher, Executive Director, American Wind Energy Association, Washington, D.C., press release, September 25, 1990, based on D.L. Elliott et al., Pacific Northwest Laboratories, Richland, Wash., "U.S. Areal Wind Resource Estimates Considering Environmental and Land-Use Exclusions", presented at the American Wind Energy Association Windpower '90 Conference, Washington, D.C., September 28, 1990.

69. J. Davidson, "Bioenergy Tree Plantations in the Tropics : Ecological Implications and Impacts", Commission on Ecology Paper N° 12, International Union for Conservation of Nature and Natural Resources, Gland, Switzerland, 1987 ; Zweibel, Harnessing Solar Power ; la comparaison entre véhicules mus par l'éthanol et par l'électricité est une estimation du Worldwatch Institute tirée de Jim MacKenzie, "Powering Transportation in the Future : Methanol from Trees or Electricity from Solar Cells ?" World Resources Institute, Washington, D.C., March 26, 1987, on EPA, Office of Mobile Source, Analysis of the Economic and Environmental Effects of Ethanol as an Automotive Fuel (Ann Arbor, Mich. : April, 1990), and on Savoldelli, private communication and printout ; William Babbitt, Associated Appraisers, Cheyenne, Wyo., private communication, October 11, 1990 ; U.S. Department of Agriculture, Economic Research Service, Agricultural Resources : Agricultural Land Values and Markets Situation and Outlook Report, Washington, D.C., June 1990.

70. Lena Gustafsson, "Plant Conservation Aspects of Energy Forestry – A New Type of Land Use in Sweden", Forest Ecology and Management, N° 21, 1987 ; Lawrence S. Hamilton, East-West Center, "Some Soil and Water Concerns Associated with Commercial Biofuels Operation", presented at Third Pacific Basin Biofuels Workshop, Honolulu, Hi., March 27-28, 1989 ; Timothy Egan, "Energy Project Imperils a Rain Forest", New York Times, January 26, 1990 ; Susan Meeker Lowry, "Shattering the Geothermal Myth", Catalyst, Vol. 8, N°s. 1&2 ; California Energy Commission, "Avian Mortality at Large Wind Energy Facilities in California : Identification of a Problem", Sacramento, Calif., August 1989 ; Jos van Beek, "Developers Strike Deal with Bird Societies", Windpower Monthly, December 1989.

71. Susan E. Owens, "Land Use Planning for Energy Efficiency", in Cullingworth, Energy, Land, and Public Policy.

72. Peter Newman and Jeffrey Kenworthy, Cities and Automobile Dependence : An International Sourcebook (Aldershot, U.K. : Gower, 1989).

73. Owens, "Land Use Planning for Energy Efficiency" ; Michael B. Brough, "Density and Dimensional Regulations, Article XII", A Unified

Development Ordinance (Washington, D.C. : American Planning Association, Planners Press, 1985).

74. Owens, "Land Use Planning for Energy Efficiency" ; "Country Profiles : Denmark".

75. Owens, "Land Use Planning for Energy Efficiency".

76. José Goldemberg and Amulya Reddy, "Energy for Development", *Scientific American*, September 1990 ; United Nations, *Global Estimates and Projections of Population*.

Chapitre 3. Diminuer les déchets, économiser les matériaux

1. Amory B. Lovins, *Soft Energy Paths : Toward A Durable Peace* (Cambridge, Mass. : Ballinger Publishing Company, 1977).

2. Materials use trends from C.K. Leith, "Exploitation and World Progress", *Foreign Affairs*, October 1927 ; Marc H. Ross and Robert H. Williams, *Our Energy : Regaining Control* (New York : McGraw-Hill, 1981) ; Eric D. Larson et al., "Materials, Affluence, and Industrial Energy Use", *Annual Review of Energy, Vol. 12* (Palo Alto, Calif. : 1987) ; Eric D. Larson, Center for Energy and Environmental Studies, Princeton University, Princeton, NJ., unpublished data, 1990.

3. Larson, unpublished data ; Larson et al., "Materials, Affluence, and Industrial Energy Use" ; for a discussion of the second point, see Peter F. Drucker, "The Changed World Economy", *Foreign Affairs,* Spring 1986.

4. Larson et al., "Materials, Affluence, and Industrial Energy Use" ; Drucker, "The Changed World Economy".

5. Steel consumption from U.S. Bureau of the Census, *Statistical Abstract of the United States : 1990* (Washington, D.C. : U.S. Government Printing Office, 1990) ; zinc and copper consumption from U.N. Environment Programme (UNEP), *Environmental Data Report 1989-90* (Oxford : Basil Blackwell, 1990).

6. Steel consumption from Bureau of the Census, *Statistical Abstract* ; aluminum consumption from Aluminum Association, *Aluminum Statistical Review for 1988* (Washington, D.C. : 1989) ; paper consumption from Greenpeace, *The Greenpeace Guide to Paper* (Vancouver, Canada : 1990) ; nickel consumption from UNEP, *Environmental Data Report*.

7. Larson, unpublished data ; Ralph C. Kirby and Andrew S. Prokopovitsh, "Technological Insurance Against Shortages in Minerals and Metals", *Science*, February 20, 1976.

8. U.N. Food and Agriculture Organization, *Forest Products Yearbook 1988* (Rome : 1990).

9. U.S. mined area from Philip M. Hocker, President, Mineral Policy Center, Washington, D.C., private communication, September 21, 1990 ; U.S. paved area based on Richard Register, "What is an Ecocity", *Earth Island Journal*, Fall 1987.

10. U.S. Department of State, Council on Environmental Quality, *The Global 2000 Report to the President : Entering the Twenty-First Century* (New York : Penguin Books, 1982).

11. John A. Wolfe, *Mineral Resources : A World Review* (New York : Chapman and Hall, 1984) ; U.S. Environmental Protection Agency (EPA), Office of Solid Waste and Emergency Response (OSWER), *Report to Congress Wastes from the Extraction and Beneficiation of Metallic Ores, Phosphate Rock, Asbestos, Overburden from Uranium Mining, and Oil Shale* (Washington, D.C. : U.S. Government Printing Office, 1985) ; municipal solid waste from EPA, OSWER, *Characterization of Municipal Solid Waste in the United States : 1990 Update* (Washington, D.C. : 1990).

12. EPA, OSWER, *Report to Congress*. En 1988 aux Etats-Unis pour chaque tonne de minerai extraite, l'exploitation minière à ciel ouvert produisait 11 fois plus de déblais que la mine souterraine. Source : U.S. Department of the Interior, Bureau of Mines, *1988 Minerals Yearbook* (Washington, D.C. : U.S. Government Printing Office, 1989).

13. EPA, OSWER, *Report to Congress* ; Estimation des dommages causés aux cours d'eau : communication privée de Hocker.

14. EPA and Montana Department of Health and Environmental Sciences, *Clark Fork Superfund Master Plan* (Helena, Mont. : 1988) ; Timothy Egan, "Some Say Mining Company's Move Could Thwart U.S. Plan for Cleanup", *New York Times*, October 2, 1990.

15. Marc H. Ross, "Improving the Efficiency of Electricity Use in Manufacturing", *Science*, April 21, 1989 ; see also U.S. Congress, Office of Technology Assessment (OTA), *Background Paper : Energy Use and the U.S. Economy* (Washington, D.C. : U.S. Government Printing Office, 1990).

16. Vance Packard, *The Waste Makers* (New York : David McKay, 1960).

17. For trends in materials intensity, see Ross and Williams, *Our Energy* ; Larson et al., "Materials, Affluence, and Industrial Energy Use" ; and Robert Herman et al., "Dematerialization", in Jesse H. Ausubel and Hedy E. Sladovich, eds., *Technology and Environment* (Washington, D.C. : National Academy Press, 1989).

18. EPA, OSWER, *The Solid Waste Dilemma : An Agenda for Action* (Washington, D.C. : 1989) ; EPA, OSWER, *Characterization of Municipal Solid Waste*.

19. Waste generation in Tokyo grew by 12 percent between 1987 and 1989 ; see Yorimoto Katsumi, "Tokyo's Serious Waste Problem", *Japan Quarterly*, July/September 1990, and "Japan's Trash Monster", *Asiaweek*, July 27, 1990 ; Bernd Franke, Institute for Energy and Environmental Research, Heidelberg, Germany, private communication, October 19, 1990.

20. D.J. Peterson, "The State of the Environment : Solid Wastes", *Report on the USSR*, Radio Liberty, May 11, 1990 ; East German waste output from Franke, private communication, and from Marlise Simons, "In Leninallee, Cans, Bottles and Papers : It's the West's Waste !" *New York Times*, July 5, 1990.

21. Organisation for Economic Co-operation and Development (OECD), *OECD Environmental Data Compendium 1989* (Paris : 1989) ; EPA, OSWER, *Characterization of Municipal Solid Waste*.

22. OECD, *OECD Environmental Data 1989* ; EPA, OSWER, *The Solid Waste Dilemma : Agenda for Action* ; EPA, OSWER, *Characterization of Municipal Solid Waste*. L'absence de compatibilité des méthodes de recueil des données et les divergences sur ce qui est à considérer comme déchets rendent extrêmement difficile la comparaison des taux de création des déchets et de leur recyclage d'une nation à l'autre : ainsi le Japon et plusieurs nations européennes ne considèrent pas les matières recyclées ou réutilisées comme des déchets solides. Pour rationnel que soit ce distinguo, il n'en complique pas moins les comparaisons statistiques. Pour plus ample information voir U.S. Congress, OTA, *Facing America's Trash : What Next for Municipal Solid Waste ?* (Washington, D.C. : U.S. Government Printing Office, 1989).

23. Cynthia Pollock, *Mining Urban Wastes : The Potential for Recycling*, Worldwatch Paper 76 (Washington, D.C. : Worldwatch Institute, April 1987).

24. Municipal landfills on Superfund National Priority List from Richard A. Denison and John Ruston, eds., *Recycling and Incineration : Evaluating the Choices* (Washington, D.C. : Island Press, 1990) ; chemicals in leachate and methane emissions from OTA, *Facing America's Trash*.

25. Japanese incineration figure is a Worldwatch Institute estimate derived from recycling estimate in OTA, *Facing America's Trash*, and from incineration figure for 1985 in Government of Japan, Environment Agency, *Quality of the Environment in Japan 1988* (Tokyo : undated) ; Japanese recycling estimate from OTA, *Facing America's Trash* ; West German incineration figure is for 1987, from Franke, private communication ; West German plans to increase incineration from Adrian Peracchio, "West Germany Combines Recycling and Burning", in Newsday, *Rush to Burn : Solving America's Garbage Crisis ?* (Washington, D.C. : Island Press, 1989) ; West German recycling from UNEP, *Environmental Data Report* ; landfilling in Western Europe estimated from post-recycling data in OTA, *Facing America's Trash*.

26. U.S. landfilling from EPA, OSWER, *Characterization of Municipal Solid Waste* ; U.K. landfilling from Julie Johnson, "Waste That No One Wants", *New Scientist*, September 8, 1990.

27. Noel J. Brown, "Waste : Resource of the Future – Developing the Municipal Agenda", speech to the World Congress of Local Governments for a Sustainable Future, New York, September 5, 1990 ; for other endorsements, see, for example, National Governors'Association, Task Force on Solid Waste Management, *Curbing Waste in a Throwaway World* (Washington, D.C. : 1990).

28. Survey cited in Alvin E. Bessent and William Bunch, "The Promise of Recycling", in Newsday, *Rush to Burn* ; Stephen J. LeBlanc, *Up in Smoke : Will Massachusetts Gamble on Incineration and Forfeit a Recycling/Composting Future ?* (Boston : Massachusetts Public Interest Research Group, 1988) ; Denison and Ruston, *Recycling and Incineration*.

29. Denison and Ruston, *Recycling and Incineration*.

30. Comparaison entre recyclage du papier et récupération d'énergie par incinération, source : Jeff Morris, Sound Resource Management Group,

Seattle, Wash., private communication, October 5, 1990 ; économies d'énergie obtenues par recyclage des polyéthylènes à haute densité, source : Gary Chamberlain, "Recycled Plastics : Building Blocks of Tomorrow", *Design News*, May 4, 1987.

31. Denison and Ruston, *Recycling and Incineration*.

32. Incinerator subsidies from Janine L. Migden, "State Policies on Waste-to-Energy Facilities", *Public Utilities Fortnightly*, September 13, 1990. Pour une présentation plus complète des coûts relatifs du recyclage et de l'incinération, voir l'ouvrage de Denison et Ruston, *Recycling and Incineration* ; estimation comparative des capacités de traitement des déchets, pour un investissement donné, par incinération ou par recyclage/ compostage, étude du Worldwatch Institute basée sur Institute for Local Self-Reliance (ILSR), "Estimated Solid Waste Management Costs", mimeographed table, September 12, 1990, from Scott Chaplin, ILSR, Washington, D.C., private communication, September 24, 1990, and from current recycling and incineration rates and waste generation projections in EPA, OSWER, *Characterization of Municipal Solid Waste*.

33. Barry Commoner, *Making Peace With the Planet* (New York : Pantheon Books, 1990).

34. *Ibid.* ; Robert Hanley, "Lacking Garbage, a New Jersey Incinerator Is Losing Money", *New York Times*, January 25, 1989 ; "New Jersey : Blount Gets $1.8 Million from Warren County Incinerator Authority for Lost Revenues Due to Garbage Shortfall", *Waste Not* (Work on Waste USA, Canton, N.Y.), January 17, 1989.

35. Packard, *The Waste Makers*.

36. Selon l'Office of Technology Assessment, aux Etats-Unis la réparation de la plupart des choses coûte plus cher que leur remplacement. Voir OTA, *Facing America's Trash*.

37. La part de l'emballage dans les déchets aux Etats-Unis, source : EPA, OSWER, *Characterization of Municipal Solid Waste* ; chiffres des Pays-Bas (non directement comparables avec ceux des Etats-Unis car ils ne concernent que les ordures ménagères), source : J.M. Joosten et al., *Informative Document : Packaging Waste* (Bilthoven, The Netherlands : National Institute of Public Health and Environmental Protection, 1989) ; West German packaging waste from "Environment Minister Proposes Ordinance on Re-Use, Recycling of Packaging Materials", *International Environment Reporter*, September 1990.

38. Refillable bottles from Sue Robson, "Harmony in Abundance", *New Internationalist*, January 1990 ; OECD, *Economic Instruments for Environmental Protection* (Paris : 1989) ; Hans-Juergen Oels, Federal Environment Agency, Federal Republic of Germany, lecture, Bath, U.K., March 1990 ; Jennifer S. Gitlitz, "The Decline of Returnables", *Resource Recycling*, July 1990 ; Louis Blumberg and Robert Gottlieb, *War on Waste* (Washington, D.C. : Island Press, 1989) ; OECD, *Beverage Containers : Reuse or Recycling* (Paris : 1978).

39. L.L. Gaines, *Energy and Materials Use in the Production and Recycling of Consumer-Goods Packaging* (Argonne, Ill. : Argonne National Laboratory, 1981) ; Veronica R. Sellers and Jere D. Sellers, *Comparative*

Energy and Environmental Impacts for Soft Drink Delivery Systems (Prairie Village, Kans. : Franklin Associates, 1989) ; pour d'autres comparaisons en matière de consommation d'énergie selon différents modèles de conteneurs de boissons, voir OCDE, *Beverage Containers : Reuse or Recycling* ; Bruce M. Hannon, "Bottles, Cans, Energy", *Environment*, March 1972.

40. "Germany Steps Up Antiwaste Campaign", *Business Europe*, June 1, 1990 ; "Environment Minister Proposes Ordinance", *International Environment Reporter* ; "German Business Responds on Packaging", *Business Europe*, August 31, 1990.

41. Tellus Institute, *CSG/Tellus Packaging Study : Literature and Public Policy Review* (Boston : 1990) ; Government of the Netherlands, Ministry of Housing, Physical Planning, and Environment, *Memorandum on the Prevention and Recycling of Waste* (The Hague : 1988) ; William G. Mahoney, "Swiss Slap Tight New Restrictions on Packaging Materials for Drinks", *Multinational Environmental Outlook*, October 2, 1990.

42. Tracey Totten, Coalition of Northeastern Governors, Source Reduction Council, Washington, D.C., private communication, October 23, 1990 ; Denison and Ruston, *Recycling and Incineration* ; Allen Hershkowitz and Eugene Salerni, *Garbage Management in Japan : Leading the Way* (New York : INFORM, 1987).

43. Il y avait en 1989 aux Etats-Unis environ 500 nouveaux programmes de recyclage d'ordures ménagères, en augmentation de plus de 25 % sur l'année précédente. Source : Jim Glenn, "Curbside Recycling Reaches 40 Million", *BioCycle*, July 1990.

44. Pollock, *Mining Urban Wastes : The Potential for Recycling* ; les économies d'énergie grâce au recyclage des métaux. Source : Marc H. Ross, University of Michigan, Ann Arbor, Mich., private communication, September 11, 1990.

45. Barry Commoner et al., *Development and Pilot Test of an Intensive Municipal Solid Waste Recycling System for the Town of East Hampton* (Flushing, N.Y. : Center for the Biology of Natural Systems, Queens College, 1987) ; see also Commoner, *Making Peace With the Planet*.

46. Commoner et al., *Intensive Municipal Solid Waste Recycling System for East Hampton*.

47. *Ibid.* ; see also Jerry Powell, "Intensive Recycling : What It Is All About...", *Resource Recycling*, September 1990 ; Theresa Allen et al., *Beyond 25 Percent : Materials Recovery Comes of Age* (Washington, D.C. : ILSR, 1988).

48. City of Seattle, *On the Road to Recovery : Seattle's Integrated Solid Waste Plan* (Seattle, Wash. : 1989) ; Diana Gale, Director, Seattle Solid Waste Utility, Seattle, Wash., private communication, July 8, 1990 ; see also Randolph B. Smith, "Cleaning Up : Aided by Volunteers, Seattle Shows How Recycling Can Work", *Wall Street Journal*, July 19,1990 ; Jerome Richard, "Better Homes and Garbage", *Amicus Journal*, Summer 1990.

49. Brenda Platt et al., *Beyond 40 Percent : Record-Setting Recycling and Composting Programs* (Washington, D.C. : ILSR, 1990).

50. Communication privée de Franke : le chiffre de la population de Heidelberg est donné en 1983 dans le *Chambers World Gazetteer : An A-Z of Geographical Information* (Cambridge : Cambridge University Press, 1988).

51. EPA, OSWER, *Characterization of Municipal Solid Waste* ; Carl Woestendiek, Seattle Solid Waste Utility, Seattle, Wash., private communication, July 8, 1990 ; Platt et al., *Beyond 40 Percent*.

52. Jonathan Yardley, "Awakening to an Environmental Alarm", *Washington Post*, January 22, 1990.

53. Wendell Berry, *Home Economics* (San Francisco : North Point Press, 1987).

54. Les subventions pour épuisement des gisements naturels concernant divers mineraux figurent dans le *Mineral Commodity Summaries 1990* publié par le Bureau des Mines du ministère de l'Intérieur des Etats-Unis (Washington, D.C. : U.S. Government Printing Office, 1990).

55. For General Mining Act, see "Mining Reform Alternatives Compared : Point-by-Point", *Clementine* (Mineral Policy Center, washington, D.C.), Spring/Summer 1990, and U.S. General Accounting Office (GAO), *Federal Land Management : The Mining Law of 1872 Needs Revision* (Washington, D.C. : 1989) ; lack of revenue and value of mineral production on federal land from James Duffus III, Director, Natural Resources Management Issues, GAO, testimony before the Subcommittee on Mining and Natural Resources, Committee on Interior and Insular Affairs, U.S. House of Representatives, Washington, D.C., September 6, 1990.

56. "House RCRA Bill Hearings to Begin", *Environmental and Energy Study Institute Weekly Bulletin*, January 22, 1990 ; John Holusha, "Old Newspapers Hit a Logjam", *New York Times*, September 10, 1989.

57. Walden Bello, *Brave New Third World ? Strategies for Survival in the Global Economy* (San Francisco : Institute for Food and Development Policy, 1989).

58. Letter from Michael M. Wolfe, Director, Industry and Consumer Affairs, Anheuser-Busch Companies, St. Louis, Mo., to Scott Chaplin, ILSR, Washington, D.C., August 27, 1990 ; Rainier Brewing Company, Seattle, Wash., press release, April 24, 1990.

59. Knapp quoted in Paul Connett, "Waste Management : As If the Future Mattered", Frank P. Piskor Faculty Lecture, St. Lawrence University, Canton, N.Y., May 5, 1988 ; tires from Keith Schneider, "Worst Tire Inferno Has Put Focus on Disposal Problem", *New York Times*, March 2, 1990.

60. Loi sur les approvisionnements du gouvernement américain en matériaux secondaires d'après Rich Braddock, OSWER, EPA, Washington, D.C., communication privée du 23 octobre 1990.

61. Lisa A. Skumatz and Cabell Breckinridge, *Variable Rates in Solid Waste : Handbook for Solid Waste Officials* (Seattle, Wash. : EPA, 1990).

62. King County Solid Waste Division, *King County Home Waste Guide* (Seattle, Wash. : 1990).

63. Petra Lösch, "Green Consumerism and Eco-Labels", *Earth Island Journal*, Spring 1990 ; Environmental Data Services Ltd., *Eco-Labels : Product Management in a Greener Europe* (London : 1989) ; "Cross Fire", *The Green Consumer Letter* (Tilden Press, Washington, D.C.), October 1990.

64. Environmental Data Services, *Eco-Labels* ; "Cross Fire".

65. E.F. Schumacher, *Small Is Beautiful* (New York : Harper & Row, 1973).

Chapitre 4. Repenser les transports urbains

1. Technology remark from Jacques Ellul, *The Technological Society* (New York : Knopf, 1964), as mentioned in Peter Newman, "Building Cities for People Not Cars", paper presented at the Consumers'Association of Penang Seminar on Economics, Development and the Consumer, Penang, Malaysia, November 17-22, 1980 ; "Floating Parking Lot Launched in Yokohama", *Public Innovation Abroad*, December 1989.

2. Motor Vehicle Manufacturers Association (MVMA), *Facts and Figures* (Detroit, Mich. : éditions diverses). Pour une discussion approfondie sur le rôle de l'automobile et ses conséquences, voir Michael Renner, *Rethinking the Role of the Automobile*, Worldwatch Paper 84 (Washington, D.C. : Worldwatch Institute, Juin 1988).

3. Asian Development Bank, *Review of the Scope For Bank Assistance to Urban Transport* (Manila : October 1989) ; Ricardo Neves, "Changing Car-Oriented Paradigms of Urban Transportation Planning", *Alternative Transportation Network*, March/April 1990 ; Chris Cragg and Debra Johnson, "No Particular Place to Go", *Energy Economist*, August 1989 ; Alan Cowell, "Constant Din is Getting Cairo Residents Down", *New York Times*, March 25, 1990 ; U.S. General Accounting Office, *Traffic Congestion : Trends, Measures, and Effects* (Washington, D.C. : 1989).

4. Michael P. Walsh, "The Global Importance of Motor Vehicles in the Climate Modification Problem", *International Environmental Reporter*, May 1989 ; Melinda Warren and Kenneth Chilton, "Clearing the Air of Ozone", *Society*, March/April 1989 ; United Nations, *1988 Energy Statistics Yearbook* (New York : 1990) ; Gregg Marland, "Carbon Dioxide Emission Rates for Conventional and Synthetic Fuels", *Energy*, Vol. 8, N° 12, 1983 ; Christopher Flavin, *Slowing Global Warming : A Worldwide Strategy*, Worldwatch Paper 91 (Washington, D.C. : Worldwatch Institute, October 1989).

5. Department of Energy (DOE), Energy Information Administration (EIA), *Monthly Energy Review, May 1990* (Washington, D.C. : August 1990) ; Matthew L. Wald, "U.S. Imports Record 49.9 Percent of Oil", *New York Times*, July 19, 1990 ; British Petroleum, *BP Statistical Review of World Energy* (London : June 1990).

6. MVMA, *Facts and Figures 90* (Detroit, Mich. : 1990) ; U.S. Environmental Protection Agency, *Environmental News*, August 16, 1990.

7. National Safety Council, *Accident Facts 1989 Edition* (Chicago : 1989) ; International Road Federation, *World Road Statistics 1984-1988*

(Geneva : 1989) ; World Bank, *Urban Transport : A World Bank Policy Study* (Washington, D.C. : 1986).

8. Xu Yuan Chao, "Auto Sales Slow in Domestic Market", *China Daily*, January 26, 1990.

9. United Nations, *Urban Transport Development with Particular Reference to Developing Countries* (New York : 1989).

10. Peter Newman and Jeffrey Kenworthy, *Cities and Automobile Dependence : An International Sourcebook* (Aldershot, U.K. : Gower, 1989).

11. Vukan R. Vuchic, *Urban Public Transportation Systems and Technology* (Englewood Cliffs, NJ. : Prentice-Hall, 1981) ; Mary C. Holcomb et al., *Transportation Energy Data Book : Edition 9* (Oak Ridge, Tenn. : Oak Ridge National Laboratory, 1987).

12. Michael Walsh, international technical consultant on vehicular emissions, private communication, Arlington, Va., August 22, 1990 ; "Butterfly Buses", *Transport Retort*, April 1990.

13. Chiffres concernant le métro, les tramways rapides, les trolleys et les autobus d'après Alan Armstrong-Wright, *Urban Transit Systems : Guidelines for Examining Options* (Washington, D.C. : World Bank, 1986) ; chiffres concernant l'automobile d'après Transportation Research Board, "Highway Capacity Manual", Special Report N° 209, National Research Council, Washington, D.C., 1985.

14. Coûts pondérés calculés pour des voitures de taille moyenne, modèles 85 à 90, dans MVMA, *Facts and Figures 90* ; prix moyen des transports publics calculés d'après les chiffres fournis par American Public Transit Association (APTA), *1989 Transit Fact Book* (Washington, D.C. : 1989).

15. J. Michael Thomson, *Great Cities and Their Traffic* (London : Victor Gollancz Ltd, 1977) ; Chris Bushell and Peter Stonham, ed., *Jane's Urban Transport Systems : Fourth Edition* (London : Jane's Publishing, 1985) ; Newman and Kenworthy, *Cities and Automobile Dependence*.

16. John Pucher, "Capitalism, Socialism, and Urban Transportation : Policies and Travel Behavior in the East and West", *APA Journal*, Summer 1990 ; Bushell and Stonham, *Jane's Urban Transport Systems*.

17. Newman and Kenworthy, *Cities and Automobile Dependence* ; Organisation for Economic Co-operation and Development (OECD), *Cities and Transport* (Paris : 1988).

18. Michael A. Replogle, *Bicycles and Public Transportation : New Links to Suburban Transit Markets*, 2nd ed. (Washington, D.C. : The Bicycle Federation, 1988) ; OECD, *Cities and Transport* ; World Bank, *Urban Transport : A World Bank Policy Study*.

19. United Nations, *Urban Transport Development with Particular Reference to Developing Countries*.

20. World Bank, *Urban Transport : A World Bank Policy Study* ; Asian Development Bank, *Review of the Scope For Bank Assistance to Urban Transport*.

21. Development Bank Associates, "Urban Transport Plans in Developing Countries 1986-2000", survey prepared for the International Mass Transit Association, Washington, D.C., 1987 ; J.M. Thomson et al., "Rail Mass Transit in Developing Cities : The Transport and Road Research Laboratory Study", in *Rail Mass Transit* (London : Thomas Telford, 1989).

22. APTA, *1989 Transit Fact Book* ; George M. Smerk, *The Federal Role in Urban Mass Transportation* (pre-publication manuscript) (Bloomington, Ind. : Indiana University Press, 1991).

23. Smerk, *The Federal Role in Urban Mass Transportation* ; Jay Mathews, "Los Angeles Hails Rebirth of Rail Mass Transit", *Washington Post*, July 14, 1990.

24. Armstrong-Wright, *Urban Transit Systems : Guidelines for Examining Options.*

25. *Ibid.* ; Bushell and Stonham, *Jane's Urban Transport Systems.*

26. Transport and Environmental Studies of London (TEST), *Quality Streets : How Traditional Urban Centres Benefit from Traffic-calming* (London : 1988) ; Friends of the Earth, *An Illustrated Guide to Traffic Calming : The Future Way of Managing Traffic* (London : 1990).

27. Friends of the Earth, *An Illustrated Guide to Traffic Calming* ; TEST, *Quality Streets.*

28. TEST, *Quality Streets.*

29. "Sidewalks in the Sky", *The Futurist*, January/February 1989 ; John Whitelegg, "Traffic Calming : A Green Smokescreen ?" paper presented at London Borough of Ealing conference "Traffic Calming : Ways Forward, "January 24, 1990 ; Dirk H. ten Grotenhuis, "The Delft Cycle Plan : Characteristics of the Concept", in *Velo City 87 International Congress : Planning for the Urban Cyclist,* proceedings of the Third International Velo City Congress, Groningen, the Netherlands, September 22-26, 1987.

30. Tom Godefrooij, "The Importance of the Bicycle in an Environmental Transport Policy", paper prepared for the Dutch Cyclists' Union, January 1989 ; "Population Control Comes in the 'Kingdom of Bikes'", *China Daily*, January 9, 1989 ; "Gridlock Weary, Some Turn to Pedal Power," *The Urban Edge : Issues and Innovations,* World Bank newsletter, March 1990.

31. John Roberts, *User-friendly Cities : What Britain Can Learn from Mainland Europe,* Rees Jeffreys Discussion Paper (London : TEST, 1989).

32. TEST, *Quality Streets.*

33. Jens Rorbech, "Eliminating Cars from City Centers", *Alternative Transportation Network*, March/April 1990 ; "Zimbabwe is Bicycle Friendly", *International Bicycle Fund News*, Winter 1990 ; Replogle, *Bicycles and Public Transportation.*

34. John Pucher, "Urban Travel Behavior as the Outcome of Public Policy : The Example of Modal-split in Western Europe and North America", *APA Journal*, Autumn 1988 ; World Bank, *Urban Transport : A World Bank Policy Study.*

35. Replogle, *Bicycles and Public Transportation.*

36. *Ibid.*

37. Asian Development Bank, *Review of the Scope For Bank Assistance to Urban Transport.*

38. "Gridlock Weary, Some Turn to Pedal Power" ; Wang Zhi Hao, "Bicycles in Large Cities in China", *Transport Reviews*, Vol. 9, N° 2, 1989 ; "Zimbabwe is Bicycle Friendly".

39. Renner, *Rethinking the Role of the Automobile.*

40. Newman and Kenworthy, *Cities and Automobile Dependence* ; Pucher, "Urban Travel Behavior as the Outcome of Public Policy".

41. Newman and Kenworthy, *Cities and Automobile Dependence.*

42. Kenneth T. Jackson, *Crabgrass Frontier : The Suburbanization of the United States* (New York : Oxford University Press, 1985) ; Pucher, "Urban Travel Behavior as the Outcome of Public Policy".

43. Newman and Kenworthy, *Cities and Automobile Dependence* ; study cited is Real Estate Research Corporation, "The Costs of Sprawl : Environmental and Economic Cost of Alternative Residential Patterns at the Fringe", prepared for the U.S. Environmental Protection Agency, Washington, D.C., 1974

44. Robert Cervero, *Transportation and Urban Development : Perspectives for the Nineties*, Working Paper 470 (University of California, Berkeley : 1987).

45. *Ibid.* ; Wilfred Owen, "Moving in the Metropolis : The Demand Side", paper prepared for the Center for Advanced Research in Transportation, Arizona State University, Tempe, September 1988.

46. Cervero, *Transportation and Urban Development : Perspectives for the Nineties.*

47. Southern California Association of Governments, "Regional Mobility Plan", Los Angeles, February 1989.

48. Michael A. Goldberg and John Mercer, *The Myth of the North American City : Continentalism Challenged* (Vancouver : University of British Columbia Press, 1986) ; Juri Pill, "Land Development : The Latest Panacea for Transit", paper prepared for the International Public Works Congress and Equipment Show, Toronto, September 1988 ; Juri Pill, "Land Use and Transit : Recent Metro Toronto Experience", presented at the APTA Rapid Transit Conference, Washington, D.C., June 1990. Malheureusement, les crédits consacrés au réseau ferré rapide de Toronto sont tombés à environ le quart de ce qu'ils étaient au cours des années 60 et 70, menaçant ainsi de compromettre les progrès unanimement reconnus de la ville en matière de transports urbains.

49. Pill, "Land Development : The Latest Panacea for Transit" ; Juri Pill, "Metro's Future : Vienna Surrounded by Phoenix ?" *Toronto Star*, February 5, 1990 ; Cervero, *Transportation and Urban Development : Perspectives for the Nineties* ; Peter Hall and Carmen Hass-Klau, *Can Rail Save the City ? The Impacts of Rail Rapid Transit and Pedestrianization on British and German Cities* (Aldershot, U.K. : Gower, 1985) ; Vuchic, *Urban Public Transportation Systems and Technology.*

50. Newman and Kenworthy, *Cities and Automobile Dependence.*

51. Opinion poll in Robert Fishman, "America's New City : Megalopolis Unbound", *Wilson Quarterly*, Winter 1990 ; Michael Replogle, "Sustainability : A Vital Concept for Transportation Planning and Development", paper presented at the Conference on the Development and Planning of Urban Transport in Developing Countries, São Paulo, Brazil, September 1990.

52. Pucher, "Urban Travel Behavior as the Outcome of Public Policy".

53. World Bank, *Urban Transport : A World Bank Policy Study ;* Wilfred Owen, *Transportation and World Development* (Baltimore : Johns Hopkins University Press, 1987).

54. Owen, *Transportation and World Development.*

55. Stanley Hart, "Huge City Subsidies for Autos, Trucks", *California Transit*, July/September 1986.

56. U.S. Department of Transportation, Urban Mass Transportation Administration, "Transit and Parking Public Policy", Washington, D.C., March 1989 ; Pucher, "Capitalism, Socialism, and Urban Transportation : Policies and Travel Behavior in the East and West".

57. Malcolm Fergusson, "Subsidized Pollution : Company Cars and the Greenhouse Effect", report prepared for Greenpeace U.K., London, January 1990 ; David Waller, "The Attraction of a Free Ride", *The Times* (London), February 21, 1990 ; "No Major Advance", *Transport Retort,* April 1990.

58. Department of Transportation, "Transit and Parking Public Policy".

59. DOE, EIA, *International Energy Annual 1988* (Washington, D.C. : 1989).

60. "West Germany Plans Exhaust Gas Tax", *European Energy Report,* March 23, 1990.

61. "Potential for Improving End-use Efficiency in Developing Countries", *Energy Policy,* January/February 1990.

62. Urban Land Institute, "Myths and Facts about Transportation and Growth", pamphlet, Washington, D.C., 1989.

63. Pill, "Land Development : The Latest Panacea for Transit" ; Bushell and Stonham, *Jane's Urban Transport Systems.*

64. Cervero, *Transportation and Urban Development : Perspectives for the Nineties.*

65. Dans *Transportation and World Development*, Owen propose une taxe mondiale destinée à financer un tel fonds, bien qu'il n'y ait pas de précédent pour une taxe véritablement internationale. Des impôts propres à chaque nation semblent plus réalisables.

66. OECD, *Cities and Transport ;* Jeffry J. Erickson et al., "An Analysis of Transportation Energy Conservation Projects in Developing Countries", *Transportation*, Vol. 1, N° 5, 1988.

67. Des amendes pourraient être instituées dans le cadre de la législa-tion en vigueur, mais il n'existe pas actuellement de mécanisme d'appli-

cation. Le groupement se propose de mettre sur pied un tel mécanisme lorsque les fonds seront disponibles selon Fernando Del Rio, principal of public communications of the Southern California Association of Governments, private communication, September 19, 1990.

68. Newman and Kenworthy, *Cities and Automobile Dependence*.

69. Fishman, "America's New City : Megalopolis Unbound".

70. Newman and Kenworthy, *Cities and Automobile Dependence*.

Chapitre 5. Réformer l'exploitation forestière

1. Recul historique de la forêt d'après Sandra Postel and Lori Heise, *Reforesting the Earth*, Worldwatch Paper 83 (Washington, D.C. : Worldwatch Institute, April 1988) ; 17 millions d'hectares selon la FAO qui prépare une nouvelle évaluation évoquée dans "New Deforestation Rate Figures Announced", *Tropical Forest Programme* (IUCN Newsletter), August 1990. In World Resources Institute (WRI), *World Resources 1990-91* (New York : Oxford University Press, 1990), le délaissement de la forêt tropicale est estimé à plus de 20,4 millions d'hectares par an, ce qui est probablement un chiffre fort puisqu'il inclut la pointe de déforestation enregistrée au Brésil en 1987 avec 8 millions d'hectares. Les changements intervenus dans la politique gouvernementale ainsi que les pluies enregistrées pendant la saison normalement sèche ont fait passer la déforestation de 4,8 millions d'hectares en 1988 à 3 millions d'hectares en 1989 ; "Brazil : Latest Deforestation Figures", *Nature*, June 28, 1990.

2. Tropical estimate from Norman Myers, *Deforestation Rates in Tropical Forests and Their Climatic Implications* (London : Friends of the Earth, 1989). Data in Table 5-1 based on the following : present forest cover from FAO, *Production Yearbook 1988* (Rome : 1990), from Myers, *Deforestation Rates*, from Forestry Canada, *Canada's Forest Inventory 1986* (Ottawa : 1988), from Karen L. Waddell et al., *Forest Statistics of the United States 1987* (Portland, Oreg. : U.S. Department of Agriculture (USDA) Forest Service (USFS), Pacific Northwest Research Station, 1989), and from K.F. Wells et al., *Loss of Forests and Woodlands in Australia : A Summary by State Based on Rural and Local Government Areas* (Canberra : Commonwealth Scientific and Industrial Research Organisation, 1984) ; Soviet primary forest estimate from J. Michael McCloskey and Heather Spalding, "A Reconnaissance-Level Inventory of the Amount of Wilderness Remaining in the World", *Ambio*, Vol. 18, N° 4, 1989 ; Canadian primary forest estimate derived from Christie McLaren, "Heartwood", *Equinox*, September/October 1990, from Keith Moore, "Where Is It and How Much Is Left ? The State of the Temperate Rainforest in British Columbia", *Forest Planning Canada*, July-August 1990, and from Joe Lowe, Forestry Canada, Chalk River, Ontario, private communication, August 15, 1990 ; original extent of Canadian forest from Harry Hirvonen, Environment Canada, Ottawa, private communication, October 10, 1990 ; U.S. figures for Alaska from Willem W. S. van Hees, USFS Forest Sciences Laboratory, Anchorage, Alaska, private communication, September 27, 1990 ; figure for lower 48 states from Reed Noss, Corvallis, Oreg., private communication,

September 27, 1990 ; U.S. preagricultural forest area from Postel and Heise, *Reforesting the Earth* ; Bill Hare, Australian Conservation Foundation (ACF), Fitzroy, Australia, private communications, October 22 and 24, 1990 ; Rolf Löfgren, "Importance and Value of A Network of Large Protected Woodlands", National Swedish Environment Protection Board, Solna, Sweden, 1986 ; China figures from Yin Runsheng, University of Georgia, Athens, Ga., private communication, September 10, 1990 ; Peter S. Grant, Maruia Society, Nelson, New Zealand, private communication, September 17, 1990 ; "other" category includes 157 million hectares of tropical moist forest from Myers, *Deforestation Rates*, 172 million hectares of tropical dry forest and woodlands from McCloskey and Spalding, "A Reconnaissance-Level Inventory", and 2.4 million hectares of Chilean forest from A. Jèlvez et al., *A Profile of the Chilean Forestry Sector* (Seattle : University of Washington Center for International Trade in Forest Products (CINTRAFOR), 1988) ; total preagricultural forest and woodland area from Elaine Matthews, "Global Vegetation and Land Use : New High-Resolution Data Bases for Climate Studies", *Journal of Climate and Applied Meteorology*, March 1983.

3. Richard Plochmann, "The Forests of Central Europe : A Changing View", 1989 Starker Lecture, Oregon State University, Corvallis, October 12, 1989.

4. Catherine Caufield, "The Ancient Forest", *The New Yorker*, May 14, 1990.

5. R. Goodland et al., "Tropical Moist Forest Management : The Urgent Transition to Sustainability", *Environmental Conservation*, forthcoming ; Jeffrey T. Olson, *Pacific Northwest Lumber and Wood Products : An Industry in Transition*, Vol. 4 of *National Forests : Policies for the Future* (Washington, D.C. : The Wilderness Society and National Wildlife Federation, 1988).

6. FAO, *Forest Products Yearbook 1988* (Rome : 1990) ; see Postel and Heise, *Reforesting the Earth*, for discussion of fuelwood issues.

7. Tropical logging figure from Goodland et al., "Tropical Moist Forest Management".

8. Clark Binkley et al., International Institute of Applied Systems Analysis, *The Global Forest Sector : An Analytical Perspective* (New York : John Wiley & Sons, 1987) ; Roger A. Sedjo and Kenneth S. Lyon, *The Long-Term Adequacy of World Timber Supply* (Washington, D.C. : Resources for the Future, 1990).

9. "Forests Plundered Despite NPC Laws", *Beijing Review*, September 11-17, 1989 ; "Tree Shortage Still A Problem", *China Daily*, December 25, 1989 ; Gao Anming, "Demand for Timber Outpacing Growth", *China Daily*, April 3, 1990 ; Yin Runsheng, in "An Overview of China's Forests", USDA, Economic Research Service (ERS), *China : Agriculture & Trade Report*, Washington, D.C., July 1990, reports prediction that all mature and over-mature production forests will be gone within decade ; both "China's Slowdown Expected To Cut Into Its Wood Imports", *Journal of Commerce*, July 16, 1990, and DBC Associates, Inc., "China Timber Market Prospects", Portland, Oreg., 1990, discuss imports.

10. Indian deforestation rate from WRI, *World Resources 1990-91* ; U.S. consumption from Alice H. Ulrich, *U.S. Timber Production, Trade, Consumption, and Price Statistics 1950-87* (Washington, D.C. : USFS, 1989) ; other figures from "India : Forestry Situation", in USDA, Foreign Agricultural Service, *World Agricultural Production*, Washington, D.C., July 1990.

11. New plantation supplies and growth rates from Sedjo and Lyon, *Long-Term Adequacy*. For discussion of greater risks associated with plantations, see David A. Perry and Jumanne Maghembe, "Ecosystem Concepts and Current Trends in Forest Management : Time for Reappraisal", *Forest Ecology and Management*, Vol. 26, 1989 ; John I. Cameron and Ian W. Penna, *The Wood and the Trees : A Preliminary Economic Analysis of a Conservation-Oriented Forest Industry Strategy* (Hawthorn, Australia : ACF, 1988) ; Julian Evans, *Plantation Forestry in the Tropics* (New York : Oxford University Press, 1984) ; and William M. Ciesla, "Pine Bark Beetles : A New Pest Management Challenge for Chilean Foresters", *Journal of Forestry*, December 1988.

12. Latin America figures from Sedjo and Lyon, *Long-Term Adequacy* ; Arnaldo Jèlvez et al., "Chile's Evolving Forest Products Industry", *Forest Products Journal*, October 1989 ; Jèlvez et al., *A Profile of the Chilean Forestry Sector* ; native forest destruction described in Antonio Lara, Comite Nacional Pro Defensa de la Fauna y Flora, "Notes on the Proposals About Forest Conservation in Chile", unpublished, 1988 ; export values from FAO, *Forest Products Yearbook 1988*.

13. Laura E. Cottle and Gerard F. Schreuder, *Brazil : A Country Profile of the Forests and Forest Industries* (Seattle, Wash. : CINTRAFOR, 1990).

14. Forest area and growing stock from Brenton M. Barr, "Perspectives on Deforestation in the U.S.S.R.", in John F. Richards and Richard P. Tucker, eds., *World Deforestation in the Twentieth Century* (Durham, N.C. : Duke University Press, 1988) ; Economic Commission for Europe (ECE) and FAO, *Outlook for the Forest and Forest Products Sector of the USSR* (New York : United Nations, 1989) ; Peter A. Cardellichio et al., *Potential Expansion of Soviet Far East Log Exports to the Pacific Rim* (Seattle, Wash. : CINTRAFOR, 1989).

15. Francois Nectoux and Yoichi Kuroda, *Timber from the South Seas : An Analysis of Japan's Tropical Timber Trade and Its Environmental Impact* (Gland, Switzerland : World Wide Fund for Nature International, 1989).

16. Estimations variables pour l'exploitation soutenue, fonction des hypothèses de production des forêts coupées ainsi que de la superficie ouverte à la coupe. En Malaysie, la production dépasse le niveau d'exploitation soutenue dans des proportions comprises entre 71 et 228 %, selon Nectoux et Kuroda, *Timber from the South Seas*. Export figure from "The Industry Strikes Back", *Asiaweek*, May 6, 1990 ; "Timber Traders Fail to Quell Fears Over Rainforests", *New Scientist*, June 9, 1990 ; Robert Repetto, "Deforestation in the Tropics", *Scientific American*, April 1990. Net importer prediction from Sahabat Alam Malaysia, *Solving Sarawak's Forest and Native Problem* (Penang : 1990).

17. FAO, *Forest Products Yearbook 1988*.

18. Simon Rietbergen, "Africa", in Duncan Poore, *No Timber Without Trees : Sustainability in the Tropical Forest* (London : Earthscan Publications, 1989) ; FAO, *Forest Products Yearbook 1988.*

19. Old-growth logging from Sharon Chow, Sierra Club of Western Canada, Victoria, B.C., private communication, September 27, 1990 ; sustained yield figure from British Columbia Ministry of Forests, *Annual Report 1988-89* (Victoria, B.C. : Queen's Printer, 1990) ; Moore, "The State of the Temperate Rainforest in British Columbia".

20. Olson, *Pacific Northwest Lumber and Wood Products.*

21. U.S. General Accounting Office (GAO), *Forest Service Timber Harvesting, Planting, Assistance Programs and Tax Provisions* (Washington, D.C. : 1990).

22. U.S. depletion in Olson, *Pacific Northwest Lumber and Wood Products* ; John Davies, "Another US Firm Eyes Siberian Log Prospects", *Journal oJ Commerce,* July 25, 1990 ; Brenton M. Barr, "Regional Alternatives in Soviet Timber Management", in Fred Singleton, ed., *Environmental Problems in the Soviet Union & Eastern Europe* (Boulder, Colo. : Lynne Rienner Publishers, 1986) ; Thai role in regional deforestation discussed in Philip Smucker, "Southeast Asia Devours Its Rain Forests", *San Francisco Examiner,* July 15, 1990 ; Hamish McDonald, "Partners in Plunder", *Far Eastern Economic Review,* February 22, 1990 ; and James Pringle, "Thais Lending a Big Hand in the Rape of Teak Forests", *Bangkok Post,* May 19, 1990.

23. Poore, *No Timber Without Trees* ; Chris Maser, *The Redesigned Forest* (San Pedro, Calif. : R. & E. Miles, 1988).

24. Southeast Asia figure based on Nectoux and Kuroda, *Timber from the South Seas* ; Gregor Hodgson and John A. Dixon, *Logging Versus Fisheries and Tourism in Palawan : An Environmental and Economic Analysis* (Honolulu : East-West Environment and Policy Institute, 1988) ; U.S. road length from Richard E. Rice, *The Uncounted Costs of Logging* (Washington, D.C. : The Wilderness Society, 1989) ; area figure based on 10 acres per mile of road estimate in Elliott A. Norse, *Ancient Forests of the Pacific Northwest* (Washington, D.C. : Island Press, 1990).

25. Norse, *Ancient Forests* ; D.A. Perry, "Landscape Pattern and Forest Pests", *Northwest Environmental Journal,* Vol. 4, N° 2, 1988 ; Rice, *The Uncounted Costs of Logging* ; Hodgson and Dixon, *Logging Versus Fisheries and Tourism.*

26. Robert J. Buschbacher, "Ecological Analysis of Natural Forest Management in the Humid Tropics", in Robert Goodland, ed., *Race to Save the Tropics : Ecology & Economics for a Sustainable Future* (Washington, D.C. : Island Press, 1990) ; Norman Myers, "Finding Ways to Stem the Tide of Deforestation", *People* (International Planned Parenthood Federation), Vol. 17, N° 1, 1990.

27. James Brooke, "Saving Scraps of the Rain Forest May Be Pointless, Naturalists Say", *New York Times,* November 14, 1989 ; Norse, *Ancient Forests* ; Löfgren, "Importance and Value of a Network of Large Protected Woodlands" ; Peter H. Morrison, *Old Growth in the Pacific Northwest : A Status Report* (Washington, D.C. : The Wilderness Society, 1988).

28. Perry and Maghembe, "Ecosystem Concepts" ; D. A. Perry et al., "Bootstrapping in Ecosystems", *BioScience*, April 1989 ; S. S. Zyabchenko et al., "Dynamics of Ecological Processes on Extensive Clear Fellings in Northern Karelia", *Lesovedenie* [Soviet Forest Sciences], N° 3, 1988 ; L. B. Kholopova, "Soil Cover After Clear Cutting of a Hardwood Stand in the Southern Moscow Region", *Lesovedenie* [Soviet Forest Sciences], N° 6, 1988.

29. Christopher Uhl et al., "Disturbance and Regeneration in Amazonia : Lessons for Sustainable Land-Use", *The Ecologist*, November/December 1989 ; Christopher Uhl, "Amazon Forest Fires : Strategies for Forest Conservation", Proposal to World Wildlife Fund, Washington, D.C., 1989 ; Hira P. Jhamtani, "An Overview of Forestry Policies and Commercialization in Indonesia", presented to the Rainforest Alliance Workshop on the U.S. Tropical Timber Trade : Conservation Options and Impacts, New York, April 14-15, 1989.

30. See Richard Houghton, "Emissions of Greenhouse Gases", in Myers, *Deforestation Rates in Tropical Forests*. Dans "Effects on Carbon Storage of Conversion of Old-Growth Forests to Young Forests", *Science*, Mark E. Harmon et al., considèrent que moins de la moitié du carbone des forêts est transformé en bois durable après la coupe. La décomposition du bois laissé dans la forêt, l'écorce, la sciure et le papier renvoient le carbone dans l'atmosphère. Les auteurs concluent que les mêmes résultats se produisent en toute probabilité dans la plupart des forêts où les arbres sont coupés avant leur maturité. P.B. Alaback, "Logging of Temperate Rainforests and the Greenhouse Effect : Ecological Factors to Consider", in E. Alexander, ed., *Stewardship of Soil, Air and Water Resources*, Proceedings of Watershed '89 (Juneau, Alaska : USFS, 1989), mêmes conclusions pour les forêts d'Alaska et du Chili.

31. Martin C.D. Speight, "Life in Dead Trees : A Neglected Part of Europe's Wildlife Heritage", *Environmental Conservation*, Winter 1989 ; Dans "North American Tree Species in Europe", *Journal of Forestry*, Richard K. Hermann constate que le spruce de Norvège, le pin d'Ecosse et le hêtre couvrent 97 % de la surface boisée allemande. If du Pacifique en Norvège. *Ancient Forests*.

32. Charles M. Peters et al., "Valuation of an Amazonian Rainforest", *Nature*, June 29, 1989 ; en Colombie britannique, la pêche exagérée a également joué un rôle en réduisant les prises. Toutefois, la coupe du bois est de toute évidence le facteur principal en réduisant de plus de 50 % l'habitat côtier des saumons, selon Chow, communication privée ; on British Columbia pulp mill pollution, see West Coast Environmental Law Research Foundation, "Newsletter, Special Pulp Pollution Edition", Vancouver, B.C., Spring 1990.

33. Rice, *Uncounted Costs of Logging* ; Hodgson and Dixon, *Logging Versus Fisheries and Tourism* ; *Virola* from Buschbacher, "Ecological Analysis of Natural Forest Management" ; Masson pine from S. D. Richardson, *Forests and Forestry in China : Changing Patterns of Resource Development* (Washington, D.C. : Island Press, 1990) ; Sara Oldfield, *Rare Tropical Timbers* (Gland, Switzerland : International Union for Conservation of Nature and Natural Resources (IUCN), 1988).

34. "Research Begins on Tree Pests", *China Daily*, March 20, 1990 ; les "fléaux" de diverses origines, y compris le feu, attaquent chaque année entre 6 et 10 millions d'hectares de bois, selon "Demand for Timber Outpacing Growth", *China Daily*, April 3, 1990 ; Maser, *Redesigned Forest* ; Jerry F. Franklin et al., "Importance of Ecological Diversity in Maintaining Long Term Site Productivity", in D. A. Perry et al., eds., *Maintaining the Long-Term Productivity of Pacifc Northwest Forest Ecosystems* (Portland, Oreg. : Timber Press, 1989) ; T.D. Schowalter, "Pest Response to Simplification of For est Landscapes", *Northwest Environmental Journal*, Fall/Winter 1988 ; Perry and Maghembe, "Ecosystem Concepts".

35. Franklin et al., "Importance of Ecological Diversity" ; Plochmann, "The Forests of Central Europe" ; Perry, "Landscape Pattern and Forest Pests" ; Stefan Godzik and Jadwiga Sienkiewicz, "Air Pollution and Forest Health in Central Europe : Poland, Czechoslovakia, and the German Democratic Republic", in Wladyslaw Grodzinski et al., eds., *Ecological Risks : Perspectives from Poland and the United States* (Washington, D.C. : National Academy Press, 1990).

36. Même des forêts pluviales moins intactes existent encore à l'intérieur de la Colombie britannique, Moore, "Where Is It and How Much Is Left ? " ; ninety percent figure from Vicky Husband, Conservation Chair, Sierra Club of Western Canada, private communication, Vancouver, March 6, 1990 ; Shirley Christian, "Ecologists Act to Save Ancient Forest in Chile From Industry", *New York Times*, April 3, 1990.

37. Timothy D. Schowalter, "Forest Pest Management : A Synopsis", *Northwest Environmental Journal*, Fall/Winter 1988 ; Perry, "Landscape Pattern and Forest Pests" ; Franklin et al., "Importance of Ecological Diversity".

38. Seri G. Rudolph, "Ancient Forests as Genetic Reserves for Forestry", in Norse, *Ancient Forests* ; Jerry Franklin, "Toward a New Forestry", *American Forests*, November/December 1989 ; Franklin et al., "Importance of Ecological Diversity".

39. Carl Goldstein, "The Planters Are Back", *Far Eastern Economic Review*, April 13, 1989 ; Maser, *The Redesigned Forest* ; 90 percent figure from Perry et al., "Bootstrapping" ; D.A. Perry et al., "Mycorrhizae, Mycorrhizospheres, and Reforestation : Current Knowledge and Research Needs", *Canadian Journal of Forest Research*, Vol. 17, N° 8, 1987 ; Franklin et al., "Importance of Ecological Diversity" ; M.P. Amaranthus et al., "Decaying Logs as Moisture Reservoirs After Drought and Wildfire", in Alexander, ed., *Stewardship of Soil, Air and Water Resources*.

40. Bien qu'un grand nombre des techniques employées ne soient pas nouvelles, leur application d'une manière intégrée est récente, basée sur les dernières découvertes écologiques dans les forêts du nord-ouest, selon Franklin, "Toward A New Forestry" ; Anna Maria Gillis, "The New Forestry : An Ecosystem Approach to Land Management", *BioScience*, September 1990 ; Paul Roberts, "A 'Kinder, Gentler Forestry'", *Seattle Weekly*, September 12, 1990.

41. John C. Ryan, "Oregon's Ancient Laboratory", *World Watch*, November/December 1990 ; USFS, *Draft Environmental Impact*

Statement, Shasta Costa Timber Sales and Integrated Resource Projects, Siskiyou National Forest (Gold Beach, Oreg. : 1990).

42. Buschbacher, "Ecological Analysis" ; Gary S. Hartshorn, "Application of Gap Theory to Tropical Forest Management : Natural Regeneration on Strip Clear-Cuts in the Peruvian Amazon", *Ecology*, Vol. 70, N° 3, 1989 ; Gary S. Hartshorn et al., "Sustained Yield Management of Tropical Forests : A Synopsis of the Palcazu Development Project in the Central Selva of the Peruvian Amazon", in J.C. Figueroa C. et al., eds., *Management of the Forests of Tropical America : Prospects and Technologies* (Rio Piedras, P.R. : Institute of Tropical Forestry, 1987) ; Mario Pariona and Roberto Simeone, "Management of Natural Forests in the Palcazu Valley", no location, 1990.

43. For debate on possibility of sustainable tropical logging, see Poore, *No Timber Without Trees* ; FAO, *Review of Forest Management Systems of Tropical Asia : Case-studies of Natural Forest Management for Timber Production in India, Malaysia and the Philippines*, Forestry Paper 89 (Rome : 1989) ; Alex S. Moad, "Sustainable Forestry in the Tropics : The Elusive Goal", presented to Rainforest Alliance Workshop on the U.S. Tropical Timber Trade, New York, April 14-15, 1989 ; Marcus Colchester, "Guilty Until Proven Innocent", *The Ecologist*, May/June 1990 ; Patrick Anderson, "The Myth of Sustainable Logging : The Case for a Ban on Tropical Timber Imports", *The Ecologist*, September 1989. For role of disturbance in natural systems, see Norse, *Ancient Forests* ; Perry, "Landscape Pattern and Forest Pests" ; William K. Stevens, "Research in 'Virgin'Amazon Uncovers Complex Farming", *The New York Times*, April 3, 1990 ; Uhl et al., "Disturbance and Regeneration in Amazonia".

44. Wadsworth cited in Roger A. Sedjo, "Can Tropical Forest Management Systems Be Economic ?" *Journal of Business Administration*, forthcoming.

45. Postel and Heise, *Reforesting the Earth* ; China example from Runsheng, "An Overview of China's Forests". Goodland et al., "Tropical Moist Forest Management", note that natural forest logging is so profitable partly because it is not sustainable ; the lower yields (and therefore higher relative costs) afforded by sustainable logging would make plantation establishment more attractive economically.

46. Robert J. Seidl, "Plantation Grown Douglas Fir : A Perspective", *Pilchuck Tree Farm Notes*, Vol. 6, 1987 (CINTRAFOR Reprint Series N° 8) ; Mark Wigg and Anae Boulton, "Quality Wood, Sustainable Forests : A New Agenda For Managed Forests in the Northwest", *Forest Watch*, January/February 1989 ; Maser, *Redesigned Forest* ; Alan Grainger, "Future Supplies of High-Grade Tropical Hardwoods From Intensive Plantations", *Journal of World Forest Resource Management*, Vol. 3, 1988.

47. Jerry F. Franklin et al., "Modifying Douglas-Fir Management Regimes for Nontimber Objectives", in C.D. Oliver et al., eds., *Douglas-fir : Stand Management for the Future* (Seattle : College of Forest Resources, University of Washington, 1986).

48. R.R.B. Leakey, "Clonal Forestry in the Tropics – A Review of Developments, Strategies and Opportunities", *Commonwealth Forestry*

Review, Vol. 66, N° 1, 1987 ; Julian Evans, *Plantation Forestry in the Tropics* (Oxford : Oxford University Press, 1982).

49. S.N. Trivedi and Colin Price, "The Incidence of Illicit Felling in Afforestation Project Appraisal : Some Models Illustrated for Eucalyptus Plantations in India", *Journal of World Forest Resource Management*, Vol. 3, 1988.

50. Le reste de la récolte de bois industriel est transformé en produits divers tels que poteaux, piquets de clôture, etc. FAO, *Forest Product Yearbook 1988* ; Richard W. Haynes, *An Analysis of the Timber Situation in the United States : 1989-2040, Part 1 : The Current Resource and Use Situation, A Technical Document Supporting the 1989 RPA Assessment* (draft) (Washington, D.C. : USFS, 1988) ; ECE and FAO, *European Timber Trends and Prospects to the Year 2000 and Beyond* (New York : United Nations, 1986). Au Japon et en Union Soviétique, le bâtiment est le principal utilisateur de bois d'œuvre, mais on ne sait pas exactement quelle est la part réservée à l'habitation par rapport aux autres types de construction.

51. Nectoux and Kuroda, *Timber from the South Seas* ; FAO, *Forest Products Yearbook 1988* ; ECE and FAO, *European Timber Trends and Prospects* ; Temagami Wilderness Society, "Wilderness Report", Toronto, Ontario, Summer 1990 ; Canadian per capita paper consumption from Greenpeace, *The Greenpeace Guide to Paper* (Vancouver : 1990), assuming a family of four.

52. Richard W. Haynes, *An Analysis of the Timber Situation in the United States : 1989-2040, Part II: The Future Resource Situation, A Technical Document Supporting the 1989 RPA Assessment* (draft) (Washington, D.C. : USFS, 1988). L'USFS estime une économie possible de 10 à 15 % sur les bois de construction dimensionnés, par exemple sur les "two-by-fours" qui constituent la grande majorité des madriers d'utilisation courante aux Etats-Unis.

53. Daiken, important fabricant japonais, déclare avoir obtenu un rendement de 80 % dans la conversion du bois. Nectoux and Kuroda, *Timberfrom the South Seas* ; Robert Repetto and Malcolm Gillis, eds., *Public Policies and the Misuse of Forest Resources* (Cambridge : Cambridge University Press, 1988) ; Japanese mill laborintensity from David Brooks, U.S. Forest Service, Corvallis, Oreg., private communication, August 20, 1990.

54. Haynes, *Analysis, Part II* ; Clark Row and Robert B. Phelps, "Carbon Cycle Impacts of Improving Forest Products Utilization and Recycling", presented to North American Conference on Forestry Responses to Climate Change, Climate Institute, Washington, D.C., May 15-17, 1990.

55. A. V. Yablokov, "State of Nature in the USSR", presented to the East European Environmental Challenge seminar at the Ecology 89 International Congress, Gothenburg, Sweden, August 28-31, 1989.

56. Hideo Ono, "Battle Rages Over Throw-away Chopsticks", *The Japan Economic Journal*, July 14, 1990.

57. Haynes, *Analysis, Part 1* ; ECE and FAO, *European Timber Trends and Prospects* ; Jonathan Friedland, "Paper Money : Indonesia's Pulp Industry Joins Top League", *Far Eastern Economic Review*, June 28, 1990.

58. John Lancaster, "Logging the Last Rain Forest : Exploitation of Unique Woods Divides Alaskans", *Washington Post*, September 5, 1989 ; Joe Rinkevich, "Destruction of an Internationally Important Wetland in Irian Jaya, Indonesia for Woodchipping Exports to Japan", *Japan Environment Monitor*, June 30, 1990 ; Lisa Tweten, "Guatemalan Pulp Plant Threatens Forest", *EPOCA Update*, Summer 1990 ; FAO, *Forest Products Yearbook 1988*. For example of destructive Canadian pulpwood logging, see The Valhalla Society, "Position Paper on Pulpwood Agreement N° 9 and Other Pulpwood Agreements in the Province", New Denver, British Columbia, July 1990.

59. Haynes, *Analysis, Part II* ; ECE and FAO, *European Timber Trends and Prospects*.

60. Greenpeace, *The Greenpeace Guide to Paper* ; FAO, *Forest Products Yearbook 1988*.

61. Temagami Wilderness Society, *Wilderness Report*.

62. Table 5-4 estimates based on FAO, *Forest Products Yearbook 1988* ; manufacturing efficiency from Haynes, *An Analysis, Part I* ; efficiency increases from Row and Phelps, "Carbon Cycle Impacts" ; construction waste from Haynes, *An Analysis, Part II*, and from ECE and FAO, *European Timber Trends and Prospects* ; Norwegian consumption from Greenpeace, *The Greenpeace Guide to Paper* ; wood savings from recycling derived from A. Clark Wiseman, "U.S. Wastepaper Recycling Policies : Issues and Effects", Resources for the Future, Energy and Natural Resources Division, discussion paper, Washington, D.C., August 1990 ; U.S. industrial roundwood consumption in 1988 from Alice H. Ulrich, USFS, Forest Inventory, Economics, and Recreation Research Staff, Washington, D.C., private communication, October 15, 1990.

63. Energy and Environmental Study Institute (EESI), "Many Proposals for Ancient Forests", *Weekly Bulletin*, July 23, 1990 ; timber harvest reduction from "Forest Service Estimates Effects of Spotted Owl Strategy", *Forest Planning Canada*, July/August 1990 ; "Pact Limits Timber Cutting in Alaska Forest", *New York Times*, October 21, 1990 ; EESI, "Tongass, Howls Over Owls Dominate Second Session", Special Report, August 7, 1990.

64. Sierra Club of Western Canada, "Canada's Vanishing Temperate Rainforest : Are We Foreclosing On Our Future ?" Victoria, B.C., 1989 ; Timothy Egan, "Struggles Over the Ancient Trees Shift to British Columbia", *New York Times*, April 15, 1990 ; British Columbia Ministry of Forests, Integrated Resources Branch, "Towards An Old Growth Strategy", Victoria, B.C., Spring 1990.

65. 200 million figure from Mark Poffenberger, ed., *Keepers of the Forest : Land Management Alternatives in Southeast Asia* (West Hartford, Conn. : Kumarian Press, 1990) ; Peter Bunyard, "Guardians of the Amazon", *New Scientist*, December 16, 1989 ; James Brooke, "Tribes Get Right to 50% of Colombian Amazon", *New York Times*, February 4, 1990.

66. The Nature Conservancy, "Officially Sanctioned Debt-for-Nature Swaps to Date", Washington, D.C., August 1990 ; Robert Repetto and Frederik van Bolhuis, *Natural Endowments : Financing Resource Conservation for Development* (Washington, D.C. : WRI, 1989).

67. Fred Pearce, "Bolivian Indians March to Save their Homeland", *New Scientist*, August 25, 1990 ; James Painter, "Bolivian Indians Protest Wrecking of Rain Forest", *Christian Science Monitor*, September 18, 1990 ; Edward C. Wolf, Conservation International, Washington, D.C., private communications, October 12 and 23, 1990.

68. 15 percent figure from Jeff DeBonis, "Timber Industry's Claims", *Journal of Forestry*, July 1989, qui note que la coupe de bois dans les terres fédérales de l'Oregon s'est décrue de 18,5 % au cours des années 80. Même avec une augmentation prévue de 55 % dans la récolte de bois d'œuvre américain vers 2040, l'emploi dans une activité de plus en plus mécanisée devrait se réduire de quelque 27 % ; GAO, *Forest Service Timber Harvesting*.

69. Jobs bypassing local communities from FAO, *Review of Forest Management Systems of Tropical Asia* ; community-oriented management discussed in Poffenberger, *Keepers of the Forest* ; John 0. Browder, "Development Alternatives for Tropical Rain Forests", in H. Jeffrey Leonard et al., *Environment and the Poor : Development Strategies for a Common Agenda* (New Brunswick, NJ. : Transaction Books, 1989) ; Jenne H. De Beer and Melanie J. McDermott, *The Economic Value of Non-Timber Forest Products in Southeast Asia* (Amsterdam : Netherlands Committee for IUCN, 1989) ; Larry Lohmann, "Commercial Tree Plantations in Thailand : Deforestation by Any Other Name", *The Ecologist,* January/February 1990.

70. Richard Rice, "Budgetary Savings From Phasing Out Subsidized Logging", unpublished paper, The Wilderness Society, Washington, D.C., June 5, 1990 ; Tongass figures are averages for 1982-89 from Susan Warner, Southeast Alaska Conservation Council, Washington, D.C., private communication, September 25, 1990.

71. Repetto and Gillis, *Public Policies and the Misuse of Forest Resources.*

72. Repetto, "Deforestation in the Tropics".

73. Marcus Colchester and Larry Lohmann, *The Tropical Forestry Action Plan : What Progress ?* (Penang, Malaysia : World Rainforest Movement and *The Ecologist,* 1990).

74. Robert Winterbottom, *Taking Stock : The Tropical Forestry Action Plan After Five Years* (Washington, D.C. : WRI, 1990).

75. Terence Hpay, *The International Tropical Timber Agreement : Its Prospects for Tropical Timber Trade, Development and Forest Management* (London : IUCN/International Institute for Environment and Development, 1986) ; action at Bali meeting from Marcus Colchester, "The International Tropical Timber Organization : Kill or Cure for the Rainforests ?" *The Ecologist*, September/October 1990.

76. GAO, *Forest Service Timber Harvesting* ; selon Warner (communication privée), les dépenses de Tongass pour le bois d'œuvre ont atteint environ $40 millions en 1989.

77. "China's Slowdown Expected to Cut into its Wood Imports", *Journal of Commerce*, July 16, 1990 ; "India : Forestry Situation" ; past efforts described in Postel and Heise, *Reforesting the Earth*.

78. Office of the Press Secretary, The White House, "Proposed Global Forests Convention", fact sheet, Houston, Tex., July 11, 1990.

Chapitre 6. Réhabiliter l'environnement en Europe de l'Est et en Union Soviétique

1. Mark Schapiro, "The New Danube", *Mother Jones*, May 1990.

2. For a discussion of the role the environment played in the political changes in the region, see János Vargha, "Green Revolutions in East Europe", *Panoscope*, May 1990, and Larry Tye, "Rallies Against Pollution Paced Other Protests", *Boston Globe*. La région évoquée dans ce chapitre comprend l'ancienne Allemagne de l'Est, la Bulgarie, la Hongrie, la Pologne, la Roumanie, la Tchécoslovaquie et l'Union Soviétique. Du fait qu'elles n'ont jamais fait partie du Pacte de Varsovie et que les informations à leur sujet sont rares, l'Albanie et la Yougoslavie ne sont pas comprises.

3. Andrzej Kassenberg, "Environmental Situation in Poland", unpublished background paper, 1989 ; Josef Vavroušek et al., *The Environment in Czechoslovakia* (Prague : Department of the Environment, State Commission for Science, Technology, and Investments, 1990) ; Murray Feshbach and Ann Rubin, "Why Ivan Can't Breathe", *Washington Post*, January 28, 1990.

4. Carbon dioxide emissions data from Gregg Marland et al., Oak Ridge National Laboratory, *Estimates of CO_2 Emissions from Fossil Fuel Burning and Cement Manufacturing, Based on the United Nations Energy Statistics and the U. S. Bureau of Mines Cement Manufacturing Data* (Oak Ridge, Tenn. : Oak Ridge National Laboratory, 1989) ; on the cost-effectiveness of emissions-reduction investments in Eastern Europe, see, for example, "Pooled Aid Proposed", *Acid News*, July 1989, and Joseph Alcamo et al., "A Simulation Model for Evaluating Control Strategies", *Ambio*, Vol. 16 N° 5, 1987.

5. United Nations, *Energy Statistics Yearbook, 1988* (New York : 1990).

6. For statistics on the use of open-hearth technology, see William U. Chandler, *The Changing Role of the Market in National Economies*, Worldwatch Paper 72 (Washington, D.C. : Worldwatch Institute, September 1986). Le PIB mesure la production économique intérieure d'une nation ; pour l'Europe de l'Est et l'URSS, il est pratiquement équivalent au PNB. Les données disponibles fiables les plus récentes montrées sur la figure 6.1 concernent l'année 1985. Pas de données fiables pour la Bulgarie. Les fourchettes de la figure reflètent les différentes estimations du produit économique, corrigé du pouvoir d'achat et des variations de change.

7. Dr. Volker Beer, East German environmentalist, unpublished data, February 1990.

8. U.N. Economic Commission for Europe (ECE), *The State of Transboundary Air Pollution : 1989 Update* (Geneva : 1990) ; Christer Agren, "Tracking Air Pollutants", *Acid News*, January 1, 1990 ; unofficial translation of Statistical Supplement to USSR State Committee for the

Protection of Nature, *Report on the State of the Environment in USSR* (Moscow : 1989) ; population data from Population Reference Bureau, *1988 World Population Data Sheet* (Washington, D.C. : 1988) ; GNP extrapolated from adjusted 1980 levels in Paul Marer, *Dollar GNP's of the USSR and Eastern Europe* (Baltimore : Johns Hopkins University Press, 1985), using growth rates from U.S. Central Intelligence Agency, *Handbook of Economic Statistics* (Washington, D.C. : 1989).

9. Michael P. Walsh, "Motor Vehicle Pollution in Hungary : A Strategy for Progress", prepared for the World Bank, Arlington, Va., June 1990 ; Michael P. Walsh, Arlington, Va., private communication, October 19, 1990.

10. György Vukovich, "Trends in Economic and Urban Development and Their Environmental Implications", in Don Hinrichsen and György Enyedi, eds., *State of the Hungarian Environment* (Budapest : Hungarian Academy of Sciences, 1990) ; industrial base figures from World Bank, *World Development Report 1982* (New York : Oxford University Press, 1982). A similar breakdown has not been provided in subsequent reports.

11. Vera Gavrilov, "Environmental Damage Creates Serious Problem for Government", *Report on Eastern Europe*, Radio Free Europe, May 25, 1990.

12. Import and export are 1988 numbers from *Acid News*, January 1, 1990, based on ECE data ; Ruse information from Ecoglasnost, "The Rise of the Independent Movements for the Ecological Protection of the Environment in Bulgaria", Sofia, Bulgaria, undated ; "Lukanov Meets with Ruse Delegation", *Sofia BTA*, June 29, 1990, and "Diplomatic Protest to Romania Issued", *Sofia BTA*, June 29, 1990, translated in Foreign Broadcast Information Service (FBIS) Daily Report/East Europe, Rosslyn, Va., July 2,1990 ; "Environmental Protection Talks with Bulgaria", *Bucharest Rompres*, July 27, 1990, translated in FBIS Daily Report/East Europe, Rosslyn, Va., July 30, 1990.

13. Beer, unpublished data.

14. Vavroušek et al., *The Environment in Czechoslovakia* ; Béla Hock and László Somlyódy, "Freshwater Resources and Water Quality", in Hinrichsen and Enyedi, *The State of the Hungarian Environment* ; Poland figure from World Bank report cited in Larry Tye, "Poland is Left Choking on its Wastes", *Boston Globe*, December 18, 1989 ; D.J. Peterson, "The State of the Environment : The Water", *Report on the USSR*, Radio Liberty, March 16, 1990.

15. Hungarian data from Hock and Somlyödy, "Freshwater Resources" ; Vavroušek et al., *Environment in Czechoslovakia* ; Nada Johanisová, Information Center, Czech Union of Nature Protectors, private communication, June 23, 1990 ; Poland figure based on newly released government statistics cited in Tye, "Poland is Left Choking" ; Peterson, "State of the Environment : The Water".

16. DJ. Peterson, "Baikal : A Status Report", *Report on the USSR*, Radio Liberty, January 12, 1990 ; John Massey Stewart, "The Great Lake is in Great Peril", *New Scientist*, June 30, 1990.

17. Tisza information from U.K. Foreign and Commonwealth Office, "Environmental Pollution in the USSR and Eastern Europe", October 1989 ; "Czechoslovakia/Poland", *Multinational Environmental Outlook*, April 28, 1988 ; Marlise Simons, "Befouled to Its Romantic Depths, Danube Reaches a Turning Point", *New York Times*, May 7, 1990.

18. On the Elbe, see U. Adler, "Umweltschutz in der DDR : Ökologische Modernisierung und Entsorgung unerlässlich", *Ifo schnell-dienst*, June 18, 1990 ; Caspian and Black Seas data from Peterson, "The State of the Environment : Water" ; Baltic information from Bertil Hagerhall, "Saving the Baltic : A Race Against Mankind", *Our Planet*, Vol. 2, N° 2, 1990, and from Arthur H. Westing, *Comprehensive Security for the Baltic : An Environmental Approach* (London : Sage Publishing, 1989).

19. Peterson, "The State of the Environment : The Water" ; Alexei Yablokov, Deputy Chairman of the Ecological Committee, the USSR Supreme Soviet, "State of Nature in the USSR", presented to The East European Environmental Challenge seminar at the Ecology '89 International Congress, Gothenburg, Sweden, August 28-31, 1989 ; "Pollution Forces Closing of Dagestan Beaches", *Izvestiya*, June 23, 1990, translated in FBIS Daily Report/Soviet Union, Rosslyn, Va., June 29,1990 ; "Black Sea Resorts Face Overcrowding, Pollution", *Izvestiya*, June 22, 1990, translated in FBIS Daily Report/Soviet Union, Rosslyn, Va., July 6, 1990 ; Environmental Protection Club of Latvia, USA Chapter, "Latvia : Environmental Crisis/Environmental Activism", Vienna, Va., 1990.

20. Marlise Simons, "West Germans Get Ready to Scrub the East's Tarnished Environment", *New York Times*, June 27, 1990 ; Prague number from Richard A. Liroff, "Eastern Europe : Restoring a Damaged Environment", *EPA Journal*, July/August 1990 ; Jiri Pehe, "A Record of Catastrophic Environmental Damage", *Report on Eastern Europe*, Radio Free Europe, March 23, 1990, based upon Radio Czechoslovakia report, February 22, 1990.

21. DJ. Peterson, "The State of the Environment : Solid Wastes", *Report on the USSR*, Radio Liberty, May 11, 1990.

22. "Burial money" from Ruth E. Gruber, "Word is Out : East Europe is a Disaster Area", *Christian Science Monitor*, April 18, 1990.

23. Nicholas Eberstadt, "Health and Mortality in Eastern Europe, 1965 to 1985", in *Pressures for Reform in the East European Economies, Vol 1*, submitted to the Joint Economic Committee, U.S. Congress, October 20, 1989 ; Alina Potrykowska, "Recent Trends and Spatial Patterns of Mortality in Poland", presented to the International Geographical Union Commission on Population Geography symposium on the Geographical Inequalities of Mortality, Lille, France, April 24-28, 1990 ; Dagmar Dzúrova et al., "Environment and Health in Czechoslovakia", presented to the Woodrow Wilson International Center for Scholars conference on Public Health and the Environmental Crisis in Eastern Europe, Washington, D.C., April 30-May 2, 1990.

24. USSR State Committee for the Protection of Nature, *Report on the State of the Environment*, translated for the U.S. Environmental Protection Agency ; Yablokov, "State of Nature".

25. Marnie Stetson, "Chernobyl's Deadly Legacy Revealed", *World Watch*, November/December 1990 ; "Wider Chernobyl Evacuation Ordered", *Washington Post*, April 24, 1990 ; Felicity Barringer, "Four Years Later, Kremlin Speaks Candidly of Chernobyl's Horrors", *New York Times*, April 28, 1990 ; David Marples, "A Retrospective of a Nuclear Accident", *Report on the USSR*, Radio Liberty, April 20, 1990 ; Robert Peter Gale, "Chernobyl : Answers Slipping Away", *Bulletin of the Atomic Scientists*, September 1990.

26. Vavroŭsek et al., *The Environment in Czechoslovakia* ; Poland data from Eugeniusz Pudlis, "Who Will Pay for the Clean-Up ?" *Panoscope*, May 1990, and from Marlise Simons, "Rising Iron Curtain Exposes Haunting Veil of Polluted Air", *New York Times*, April 8, 1990 ; Jeffrey Gedmin, "Polluted East Germany", *Christian Science Monitor*, March 16, 1990 ; Bedřich Moldan et al., *Environment of the Czech Republic : Development and Situation up to the End of 1989* (Prague : Ministry of Environment of the Czech Republic, 1990), translated by Nada Johanisová.

27. Josh Friedman, "Bulgaria's Deadly Secret" and "Silent Killers in Kuklen", *Newsday*, April 22, 1990.

28. Moldan et al., *Environment of the Czech Republic* ; see also Bohumil Tichácek and Miroslav Cikrt, Institute of Hygiene and Epidemiology, Prague, "Czechoslovak Health System and its Capacity of Coping with Environmental Crises", presented to the Woodrow Wilson International Center for Scholars conference on Public Health and the Environmental Crisis in Eastern Europe, Washington, D.C., April 30-May 2, 1990.

29. Vukovich, "Trends in Economic and Urban Development" ; National Institute of Public Health study cited in Don Hinrichsen, "Blue Danube", *Amicus Journal*, Winter 1989.

30. Report cited in Stanley J. Kabala, Center for Hazardous Materials Research, University of Pittsburgh, "Environmental Deterioration in Poland and the Impact on Public Health : Difficulties in Assessment", presented to the Woodrow Wilson International Center for Scholars conference on Public Health and the Environmental Crisis in Eastern Europe, Washington, D.C., April 30-May 2, 1990 ; Potrykowska, "Recent Trends".

31. Soil erosion data and doubling of salinized land figure from D.J. Peterson (citing Goskompriroda), "The State of the Environment : The Land", *Report on the USSR*, Radio Liberty, June 1, 1990 ; lost fertility from Yuri Markish, "Soviet Environmental Problems Mount", *Centrally Planned Economies Agriculture Report*, Economic Research Service, May-June 1989 ; economic costs from Herman Cesar, "Environmental Issues in the Soviet Union : Description and Annotated Bibliography", World Bank, Washington, D.C., unpublished, September 1990 ; irrigated land salinization from Philip P. Micklin, Western Michigan University, Kalamazoo, cited in Sandra Postel, *Water for Irrigation : Facing the Limits*, Worldwatch Paper 93 (Washington, D.C. : Worldwatch Institute, December 1989).

32. William S. Ellis, "A Soviet Sea Lies Dying", *National Geographic*, February 1990 ; Philip P. Micklin, "Desiccation of the Aral Sea : A Water Management Disaster in the Soviet Union", *Science*, September 2, 1988 ;

Martin Walker, "Sea Turning into Desert", *Manchester Guardian Weekly*, April 24, 1988 ; Philip P. Micklin, "The Water Management Crisis in Soviet Central Asia", final report to the National Council for Soviet and East European Research, Washington, D.C., February 1989.

33. World Conservation Monitoring Centre, "The Environment in Eastern Europe, 1990 : A Summary" (draft), Cambridge, U.K., 1990 ; Vavroušek et al., *The Environment in Czechoslovakia* ; Hungarian data from Vukovich, "Trends in Economic and Urban Development" ; Romanian information from Peter Jenkins, "New Romania : A Preliminary Assessment of High Priority Problems in Environmental Policy and Natural Resources Management and a Proposal to Prepare an Action Plan" (draft), Yale School of Forestry and Environmental Studies, New Haven, Conn., March 28, 1990.

34. Peterson, "The State of the Environment : The Land" ; Yablokov, "State of Nature".

35. USSR State Committee for the Protection of Nature, *Report on the State of the Environment* ; Dr. Jan Cerovsky, "Environmental Status Report 1988/89 : Czechoslovakia", in International Union for Conservation and Natural Resources (IUCN), *Environmental Status Reports : 1988/1989, Vol. 1 : Czechoslovakia, Hungary, Poland* (Thatcham, U.K. : Thatcham Printers, 1990).

36. ECE, "Air Pollution and Forest Damage in Europe : Still Critical but Some Improvements", press release, Geneva, August 29, 1990.

37. USSR State Committee for the Protection of Nature, *Report on the State of the Environment.*

38. Yablokov, "State of Nature" ; Zoltan Szilassy, "Environmental Status Reports 1988/89 : Hungary", in IUCN, *Environmental Status Reports* ; Bulgaria data from Friedman, "Bulgaria's Deadly Secret" ; on nature reserves, see IUCN, *Environmental Status Reports*, and Douglas R. Weiner, *Models of Nature : Ecology, Conservation, and Cultural Revolution in Soviet Russia* (Bloomington : Indiana University Press, 1988).

39. Data in Table 6-2 based on the following : Duncan Fisher, "Report on Visit to Bulgaria", February 18-24, 1990, "Report on Visit to Czechoslovakia", December 5-9, 1989, and "Report on Two Visits to Romania", March 10-12 and March 28-April 8, 1990, all from The Ecological Studies Institute, London ; Jiri Pehe, "The Green Movements in Eastern Europe", *Report on Eastern Europe*, Radio Free Europe, March 16, 1990 ; World Conservation Monitoring Centre, "The Environment in Eastern Europe, 1990 : A Summary" ; Eric Green, *Ecology and Perestroika : Environmental Protection in the Soviet Union* (Washington, D.C. : American Committee on U.S.-Soviet Relations, 1990) ; and private communications.

40. A.L Yanshin, "Reviving Vernadsky's Legacy", *Environment*, December 1988 ; *On The Road to the Noosphere* (Moscow : Novosti Press Agency, 1989) ; Igor Altshuler and Ruben Mnatsakanyan, "Excerpts from a Roundtable at Moscow State University", *Environment*, December 1988 ; Weiner, *Models of Nature*.

41. "The State of Soviet Ecology : An Interview with Maria V. Cherkasova", *Multinational Monitor*, March 1990 ; "The Changing Face of

Environmentalism in the Soviet Union", interview with Igor Altshuler and Ruben Mnatsakanyan, *Environment*, March 1990 ; Altshuler, private communications, March 1990 ; Robert G. Darst, Jr., "Environmentalism in the USSR : The Opposition to the River Diversion Projects", *Soviet Economy*, Vol. 4, N° 3, 1988.

42. Darst, "Environmentalism" ; Yourina quoted in Elizabeth Darby Junkin, "Green Cries from Red Square", *Buzzworm*, March/April 1990 ; Ann Sheehy and Sergei Voronitsyn, "Ecological Protest in the USSR, 1986-88", Radio Liberty Research Report, May 11, 1988 ; Green, *Ecology and Perestroika*.

43. Staff of U.S. Commission on Security and Cooperation in Europe, U.S. Congress, *Renewal and Challenge : The Baltic States 1988-1989* (Washington, D.C. : U.S. Government Printing Office, 1990) ; private communications with members of the Estonian Green Party, March 1990 ; David Marples, "The Ecological Situation in the Ukraine", *Report on the USSR*, Radio Liberty, January 19, 1990 ; Green, *Ecology and Perestroika*.

44. "The Social Ecological Union", brochure, 1990 ; Eliza Klose, Institute of Soviet-American Relations, Washington, D.C., private communication, October 24, 1990 ; Green, *Ecology and Perestroika*.

45. Eva Kruzikova, Czech Ministry of Environment, Prague, private communication, June 22, 1990 ; Johanisová, private communication, October 2, 1990. For a description of Charter 77's environmental activities, see Catherine Fitzpatrick and Janet Fleischman, *From Below : Independent Peace and Environmental Movements in Eastern Europe and the Soviet Union* (New York : Helsinki Watch Committee, 1987).

46. Zygmunt Fura, "The Polish Ecological Club", *Environment*, November 1985 ; Pehe, "The Green Movements in Eastern Europe".

47. Green, *Ecology and Perestroika* ; number of Green members of parliament from "The Green Party of Sweden", informational brochure, March 11, 1990.

48. Duncan Fisher, The Ecological Studies Institute, London, private communication, October 2, 1990 ; Johanisová, private communication, October 2, 1990.

49. Eric S. Johnson with Murray Feshbach, "The Greenhouse Effect : Energy and the Environment in the Soviet Union and Eastern Bloc", prepared for the Office of Technology Assessment, U.S. Congress, Washington, D.C., unpublished, May 1, 1989.

50. Green, *Ecology and Perestroika*.

51. *Ibid.* ; "Vorontsov Defends Goskompriroda Progress", interview with Nikolai Vorontsov, November 9-15, 1989, *Moscow Poisk*, translated by FBIS, unpublished ; Dinah Bear and Jonathan Elkind, "Soviet-U.S. Cooperation", *Environment*, April 1990.

52. Eric S. Johnson, "The Politics of Local Environmental Movements in the USSR", unpublished, May 3, 1990 ; "The Changing Face of Environmentalism in the Soviet Union" ; for a listing of members of the Supreme Soviet Ecology Committee, see Green, *Ecology and Perestroika*.

53. "Vorontsov Defends Goskompriroda Progress" ; Bear and Elkind, "Soviet-U.S. Cooperation" ; Green, *Ecology and Perestroika* ; "USSR Supreme Soviet Resolution on Urgent Measures to Promote the Country's Ecological Recovery", *Pravda*, December 3, 1989, translated by FBIS, unpublished.

54. Plant closing information from World Conservation Monitoring Centre, "The Environment in Eastern Europe" ; D.J. Peterson, "Medicines, Newspapers, and Protecting the Environment", *Report on the USSR*, Radio Liberty, March 23, 1990.

55. Marlise Simons, "Eastern Bloc's Nuclear Plants Stir West's Safety Concerns", *New York Times*, June 7, 1990 ; Marnie Stetson, "Auf Wiedersehen to East German Nukes ?" *World Watch*, September/October 1990 ; Fritz Pesata, "Secret Report on Nuclear Commission Detailed", Vienna Domestic Service, July 20, 1990, translated in FBIS Daily Report/East Europe, Rosslyn, Va., July 20, 1990 ; David Marples, "Growing Influence of Antinuclear Movement in Ukraine", *Report on the USSR*, Radio Liberty, June 22, 1990 ; "Nuclear Notes", *WISE News Communique*, February 9, 1990 ; Steve Dickman, "Campaign to Shut Plant", *Nature*, March 22, 1990 ; "Bulgaria Suspends Nuclear Unit Building", *WISE News Communique*, March 9, 1990 ; "Hungary Cancels Nuclear Expansion", *European Energy Report*, December 1, 1989 ; "Czechs Halt Construction at Temelin", *European Energy Report*, January 26, 1990 ; Gerhardt Schmidt, OKO Institute, Bonn, West Germany, private communication, May 7, 1990 ; Jeffrey Michel, consulting engineer, Schuttertal/Dörlinbach, West Germany, private communication, May 5, 1990 ; "Poland Cancels Nuclear Energy Program", Reuters, September 4, 1990.

56. Simons, "West Germans Get Ready to Scrub the East's Tarnished Environment" ; "East, West German Environment Ministers Call for Unification of Laws, Practices", *International Environment Reporter*, May 1990.

57. Dr. Bronislaw Kaminski, "Poland's Environmental Problems and Priorities", presented to International Environment Forum meeting, World Environment Center, New York, March 13, 1990.

58. Vaclav Havel, "Our Freedom", *Washington Post*, January 3, 1990. Bedřich Moldan était à la tête du ministère tchèque, Vladimir Ondrus présidait la Commission slovaque de l'environnement et Josef Vavroušek un ministère féderal. Moldan et Vavroušek furent tous deux actifs à la section écologique de l'académie des sciences tchèque avant la révolution. Ondrus est un scientifique respecté qui fit partie du panel d'experts qui a revu le rapport Aloud de Bratislava, lui assurant ainsi son caractère légitime.

59. Cynthia Whitehead, "Czechoslovakia Launches a Great Clean Up", *New Scientist*, July 28, 1990 ; Johanisová, private communication, October 3, 1990.

60. János Vargha, ISTER (East European Environmental Research), Budapest, Hungary, private communication, September 27, 1990 ; Blaine Harden, "Key Bulgarian Industry is Poisoning Children", *Washington Post*, August 13, 1990 ; Gavrilov, "Environmental Damage Creates Serious

Problem for Government" ; Dan Ionescu, "Ecology and Politics after the Revolution", *Report on Eastern Europe*, Radio Free Europe, May 11, 1990.

61. Ulrich Petschow et al., Instituts für Ökologische Wirtschafts-forschung, *Umweltreport DDR* (Frankfurt am Main : Fischer Verlag, 1990) ; Kaminski, "Poland's Environmental Problems" ; "Prague to Spend \$23.7 Billion To Clean Up Devastated Economy", *International Environment Reporter*, July 1990 ; Zhores Medvedev, "The Environmental Destruction of the Soviet Union", *The Ecologist*, January/February 1990 ; David Goodhart, "Two Germanys Tackle One Environment", *Financial Times*, February 21, 1990.

62. The American Council for an Energy Efficient Economy estime que, les émissions de dioxyde de soufre produites par les centrales électriques du Middle West pourraient être réduites de moitié avec un bénéfice net compris entre 4 et 8 milliards de dollars si le contrôle de la pollution et l'efficacité énergétique étaient recherchés simultanément. "Statement of Howard S. Geller", in Subcommittee on Health and the Environment, Committee on Energy and Commerce, U.S. House of Representatives, *Acid Rain Control Proposals*, Hearings, Washington, D.C., April 6, 1989 ; Howard S. Geller et al., *Acid Rain and Electricity Conservation* (Washington, D.C. : American Council for an Energy-Efficient Economy/Energy Conservation Coalition, 1987).

63. William U. Chandler et al., "Energy for the Soviet Union, Eastern Europe and China", *Scientific American*, September 1990 ; Alexei A. Makarov, Institute of Energy Research, USSR Academy of Sciences, and Igor A. Bashmakov, State Committee for Science and Technology, "The Soviet Union : A Strategy of Energy Development with Minimum Emission of Greenhouse Gases", and S. Sitnicki et al., "Poland : Opportunities for Carbon Emissions Control", both in William Chandler, ed., *Carbon Emissions Control Strategies : Case Studies in International Cooperation* (Washington, D.C. : World Wildlife Fund and Conservation Foundation, forthcoming).

64. Michael Totten, Legislative Assistant, Office of Representative Claudine Schneider, "Efficient Lighting Facts", unpublished data, Washington, D.C., 1990. Selon les estimations, on considère que la construction d'une unité de production de compacts fluo coûte \$7,5 millions et qu'une telle unité produit 1,8 million de lampes par an, d'après une analyse de Ashok Gadgil and Arthur Rosenfeld, "Conserving Energy with Compact Fluorescent Lamps", Lawrence Berkeley Laboratories, Berkeley, Calif., May 1, 1990.

65. See, for example, Erik Hagerman, "California's Drive to Mass Transit", *World Watch*, September/October 1990.

66. Peterson, "State of the Environment : Solid Wastes" ; on waste reduction, see U.S. Congress, Office of Technology Assessment, *From Pollution to Prevention : A Progress Report on Waste Reduction* (Washington, D.C. : U.S. Government Printing Office, 1987), and Sandra Postel, *Defusing the Toxics Threat : Controlling Pesticides and Industrial Waste*, Worldwatch Paper 79 (Washington, D.C. : Worldwatch Institute, September 1987).

67. Vaclav Havel et al., *The Power of the Powerless : Citizens Against the State in Central Eastern Europe* (London : Hutchinson, 1985), quoted in Andrew Nagorski, "The Intellectual Roots of Eastern Europe's Upheavals", *SAIS Review*, Summer/Fall 1990.

68. "Various Environmental Taxes May be Introduced by End of 1990", *International Environment Reporter*, June 1990 ; Howard Gleckman and Vicky Cahan, "Will 'Eco-Tax'Fervor Sweep Congress Off Its Feet ?" *Business Week*, April 30, 1990.

69. *Balto-Scandian Bulletin*, N° 1, 1989 ; Hanns Langer, "Ecological Bricks for our Common House Europe", Global Challenges Network, Munich, West Germany, May 15, 1990.

70. "Hungary, Poland Said at Top of List for U.S. Aid to Stem Environmental Damage", *International Environment Reporter*, June 1990 ; Steve Lintner, World Bank, address at the Conservation Foundation, Washington, D.C., May 30, 1990 ; information about Nordic Investment Bank from "First Environmental Investments in Eastern Europe May Be Approved By Fall", *International Environment Reporter*, July 1990 ; John Hontelez and Alex Hittle, "Letter to the Drafters of the By-laws of the European Bank for Reconstruction and Development", Friends of the Earth International, Brussels and Washington, D.C., May 29, 1990 ; David Reed, *The European Bank for Reconstruction and Development : An Environmental Opportunity* (Washington, D.C. : World Wild Fund for Nature-International, 1990) ; "WWF Offers Environmental Strategy for New European Reconstruction Bank", *International Environment Reporter*, September 1990.

71. Philippe Bourel de la Roucière, Commission of the European Communities, Brussels, private communication, September 26, 1990 ; David Thomas, "East and West to Cooperate on Environment", *Financial Times*, June 18, 1990 ; "Environment Ministers Agree on Plan to Set Up European Environment Agency", *International Environment Reporter*, December 1989 ; "Eastern, Central Europe to Get Help from New Center on Environmental Clean Up", *International Environment Reporter*, September 1990.

72. "Eastern Europe : New Initiatives", *Weekly Bulletin*, Energy and Environment Study Institute, U.S. Congress, July 16, 1990 ; "SEED II Moves in Foreign Relations", *Weekly Bulletin*, Energy and Environment Study Institute, U.S. Congress, March 19, 1990 ; German aid figures from Alex Hittle, Friends of the Earth, Washington, D.C., private communication, August 16, 1990 ; Hagerhall, "Saving the Baltic".

73. Craig Whitney, "Europeans to Consider Proposal on Economic Help for the Soviet Union", *New York Times*, June 20, 1990 ; USSR State Committee for the Protection of Nature, *Report on the State of the Environment* ; "EC to Assist USSR Industry", *European Energy Report*, July 27, 1990 ; "Soviet Union Gives Finnish Metal Company Go-Ahead to Modernize Two Nickel Smelters", *International Environment Reporter*, October 10, 1990.

74. William Freeman, "Environmental Opposition to Foreign Investment in the USSR", U.S. Information Agency, research memorandum,

Washington, D.C., November 22, 1989 ; Thomas, "East and West to Coopérate" ; Liroff, "Eastern Europe".

75. ECE, "Acid Rain : Protocol on Emissions Enters into Force", press release, Geneva, August 25, 1987 ; "25 ECE Members Sign Protocol to Limit Emissions of Nitrogen Oxides", *International Environment Reporter*, November 1988 ; "Probability Seen as Highly Desirable for Volatile Organic Compound Protocol", *International Environment Reporter*, August 1989 ; "Proposal Submitted by the Delegations of Austria, Finland, Sweden, and Switzerland", meeting on the protection of the environment, Commission on Security and Cooperation in Europe, Sofia, Bulgaria, October 16-November 3, 1989 ; Håkan Alm, "Emissions are Falling... but is it Enough", *Acid News*, September 1989.

76. World Bank, *World Debt Tables : 1989-90* (Washington, D.C., 1989) ; Czechoslovakia and Bulgaria debt material from Ulrich Hewer and John Wilton, World Bank, private communications, September 20, 1990 ; Hittle, private communication ; "Poland Debt-for-Nature Swap Term Sheet", World Wildlife Fund, Washington, D.C., undated ; "The Vistula Program—An International Attempt to Rescue Polish Water Resources from Total Collapse", Vistula Auxiliary Services AB, Stockholm, Sweden, October 16, 1989.

Chapitre 7. Faire face au problème de l'avortement

1. Henry David, Director, Transnational Family Research Institute, Bethesda, Md., private communication, February 28, 1990.

2. Depuis janvier 1990, plusieurs autres pays ont libéralisé leurs lois sur l'avortement, notamment la Belgique et la Bulgarie (qui a rendu l'avortement possible sur demande au cours du premier trimestre de grossesse), ainsi que la Malaysia ; Stanley K. Henshaw, Deputy Director of Research, Alan Guttmacher Institute, New York, private communication, June 7, 1990.

3. Stanley K. Henshaw, "Induced Abortion : A World Review, 1990", *Family Planning Perspectives*, March/April 1990.

4. Abortion-related mortality rates in the United States from W. Cates et al., "Legalized Abortion : Effect on National Trends of Maternal and Abortion-Related Mortality", *American Journal of Obstetricians and Gynecologists*, Vol. 132, 1978 ; Marek Okolski, "Abortion and Contraception in Poland", *Studies in Family Planning*, November 1983.

5. Henshaw, private communication.

6. A comprehensive discussion of abortion laws and trends worldwide can be found in Henshaw, "Induced Abortion", and in Rebecca J. Cook, "Abortion Laws and Policies : Challenges and Opportunities", *International Journal of Gynecology and Obstetrics*, Supplement 3, 1989 ; see also Rebecca J. Cook and Bernard M. Dickens, "International Developments in Abortion Laws : 1977-88", *American Journal of Public Health*, October 1988.

7. Ruth Dixon-Mueller, "Abortion Policy and Women's Health in Developing Countries", *International Journal of Health Services*, Vol. 20, N° 2, 1990.

8. Cook, "Abortion Laws and Policies".

9. *Ibid.* ; Henshaw, "Induced Abortion".

10. Cook, "Abortion Laws and Policies" ; Henshaw, "Induced Abortion".

11. Cook, "Abortion Laws and Policies" ; Henshaw, "Induced Abortion" ; India's population from Population Reference Bureau, *1990 World Population Data Sheet* (Washington, D.C. : 1990).

12. Henshaw, "Induced Abortion".

13. *Ibid.*

14. Cook, "Abortion Laws and Policies" ; National Abortion Rights Action League, "Post-*Webster* Anti-Choice Legislative Activity", Washington, D.C., memorandums, March 29 and July 31, 1990.

15. D.K. Piragoff, Canadian Department of Justice, Ottawa, Canada, private communication, June 7, 1990.

16. Dixon-Mueller, "Abortion Policy and Women's Health in Developing Countries" ; "Deaths from Abortion", in Erica Royston and Sue Armstrong, eds., *Preventing Maternal Deaths* (Geneva : World Health Organization (WHO), 1989).

17. "Deaths from Abortion", in Royston and Armstrong, *Preventing Maternal Deaths*.

18. Katie McLaurin, "Issues of Access to Abortion : Policy, Law and Reality", presentation at the American Public Health Association Annual Meeting, Chicago, October 22-26,1989.

19. *Ibid.* ; Renee Holt, "Abortion : Law, Practice, and Project Possibilities in Zambia", prepared for Columbia University Center for Population and Family Health, New York, September 25, 1989.

20. Holt, "Abortion in Zambia".

21. Julie DeClerque, "Unsafe Abortion Practices in Subsaharan Africa and Latin America : A Call to Policymakers", presentation at Panel on Culture, Public Policy, and Reproductive Health, Association for Women in Development Conference, Washington, D.C., November 17-19, 1989 ; Holt, "Abortion in Zambia".

22. Tomas Frejka, Senior Representative, Population Council Latin America Region, private communication, March 12, 1990 ; Dixon-Mueller, "Abortion Policy and Women's Health in Developing Countries" ; DeClerque, "Unsafe Abortion Practices".

23. Royston and Armstrong, *Preventing Maternal Deaths*.

24. Mary O'Keefe, "Abortion : Law, Practice, and Project Possibilities in Mexico", prepared for Columbia University Center for Population and Family Health, New York, September 25, 1989.

25. Cook, "Abortion Laws and Policies" ; Henshaw, private communication.

26. Al Kamen, "5-4 Ruling Stops Short of Overturning Roe", *Washington Post*, July 4, 1989 ; for in-depth analyses of the Webster decision, see "The Fight Over *Roe v. Wade* : The *Webster* Briefs", *Family*

Planning Perspectives, May/June 1989, and Jeannie I. Rosoff, "The *Webster* Decision : A Giant Step Backwards", *Family Planning Perspectives*, July/August 1989.

27. Howard LaFranchi, "Wind From the West : Europe Gears for Abortion Battle", *Christian Science Monitor*, August 17, 1989.

28. For a discussion of these trends, see Tomas Frejka, "Induced Abortion and Fertility", *International Family Planning Perspectives*, December 1985.

29. Henshaw, "Induced Abortion" ; Frejka, "Induced Abortion and Fertility".

30. Henshaw, "Induced Abortion".

31. John Paxman, "Abortion in Latin America" (draft), prepared for Population Council meeting in Bogotá, Colombia, October 1988.

32. Adrienne Germain, *Reproductive Health and Dignity : Choices By Third World Women* (New York : International Women's Health Coalition, 1987).

33. Henshaw, "Induced Abortion" ; Frejka, "Induced Abortion and Fertility".

34. Tomas Frejka, *Induced Abortion and Fertility : A Quarter Century of Experience in Eastern Europe*, Center for Policy Studies, Working Paper N° 99 (New York : Population Council, 1983) ; Henry P. David, *Abortion Research Notes* (Transnational Family Research Institute, Bethesda, Md.), various issues.

35. Frejka, *Induced Abortion and Fertility : Eastern Europe* ; Henshaw, "Induced Abortion".

36. "Poland's Hard Life Finds More Women Choosing Abortion", *New York Times*, May 23, 1983 ; John Tagliabue, "Abortion Issue in Poland Splits the Opposition", *New York Times*, May 29, 1989.

37. Frejka, *Induced Abortion and Fertility : Eastern Europe* ; Popov as quoted in Michael Dobbs, "90°, of 1st Pregnancies Said Aborted in USSR", *Washington Post*, January 20, 1989.

38. Henshaw, "Induced Abortion" ; Frejka, *Induced Abortion and Fertility : Eastern Europe*.

39. Frejka, *Induced Abortion and Fertility : Eastern Europe* ; Statisticheskiy Spornik, *Naseleniye SSR*, Moscow, 1987 ; Feshbach quoted in Dobbs, "90, % of 1st Pregnancies Said Aborted in USSR".

40. Frejka, *Induced Abortion and Fertility : Eastern Europe* ; David, private communication.

41. Tomas Frejka and Lucille Atkin, "The Role of Induced Abortion in the Fertility Transition of Latin America", prepared for IUSSP/CELADE/CENEP Seminar on the Fertility Transition, Buenos Aires, Argentina, April 3, 1990.

42. IPPF cited in Tomas Frejka et al., *Program Document : Research Program for the Prevention of Unsafe Induced Abortion and Its Adverse*

Consequences in Latin America and the Caribbean, Center for Policy Studies, Working Paper N° 23 (Mexico City : Population Council, 1989).

43. Frejka and Atkin, "The Role of Induced Abortion in the Fertility Transition of Latin America".

44. Paxman, "Abortion in Latin America" ; Mary O'Keefe, "Abortion : Law, Practice, and Project Possibilities in Brazil", prepared for Columbia University Center for Population and Family Health, September 25, 1989.

45. Frejka et al., *Program Document : Research Program for the Prevention of Unsafe Induced Abortion* ; O'Keefe, "Abortion in Brazil".

46. Frejka and Atkin, "The Role of Induced Abortion in the Fertility Transition of Latin America".

47. Khama Rogo, "Induced Abortion in Africa" (unpublished draft), prepared for Population Association of America Annual Meeting, Toronto, Canada, May 2-3, 1990.

48. N.N. Mashalaba, "Commentary on the Causes and Consequences of Unwanted Pregnancy from an African Perspective", *International Journal of Gynecology and Obstetrics*, Supplement 3, 1989.

49. *Ibid.*

50. Ninuk Widyantoro et al., "Induced Abortion : The Indonesian Experience", prepared for the Population Association of America Annual Meeting, Toronto, Canada, May 3, 1990.

51. *Ibid.* ; Renee Holt, "Abortion : Law, Practice, and Project Possibilities in Indonesia", paper prepared for Columbia University Center for Population and Family Health, September 25, 1989.

52. Widyantoro et al., "Induced Abortion : The Indonesian Experience" ; Holt, "Abortion in Indonesia".

53. Henry P. David et al., "United States and Denmark : Different Approaches to Health Care and Family Planning", *Studies in Family Planning*, January/February 1990.

54. *Ibid.*

55. *Ibid.*

56. *Ibid.*

57. *Ibid.*

58. Germain, *Reproductive Health and Dignity*.

59. "Deaths from Abortion", in Royston and Armstrong, *Preventing Maternal Deaths* ; Holt, "Abortion in Indonesia".

60. Rogo, "Induced Abortion in Africa".

61. *Ibid.* ; Francine M. Coeytaux, "Induced Abortion in sub-Saharan Africa : What We Do and Do Not Know", *Studies in Family Planning*, May/June 1988.

62. Rogo, "Induced Abortion in Africa".

63. DeClerque, "Unsafe Abortion Practices" ; Royston and Armstrong, *Preventing Maternal Deaths* ; Henshaw, "Induced Abortion" ; données

concernant le nombre de femmes dont la santé est compromise par suite d'avortements illégaux d'après DeClerque, "Unsafe Abortion Practices".

64. DeClerque, "Unsafe Abortion Practices".

65. Fred T. Sai and Janet Nassim, "The Need for a Reproductive Health Approach", *International Journal of Gynecology and Obstetrics*, Supplement 3, 1989 ; Royston and Armstrong, *Preventing Maternal Deaths* ; Frejka and Atkin, "The Role of Induced Abortion in the Fertility Transition of Latin America".

66. Rogo, "Induced Abortion in Africa".

67. *Ibid.*

68. Irene Figa-Talamanca et al., "Illegal Abortion : An Attempt to Assess its Cost to the Health Services and Its Incidence in the Community", *International Journal of Health Services*, Vol. 16, N° 3, 1986 ; Rogo, "Induced Abortion in Africa" ; Royston and Armstrong, *Preventing Maternal Deaths*.

69. Ann Leonard and Francine Coeytaux, "Abortion Complications in Subsaharan Africa" (internal document), International Projects Assistance Services, Chapel Hill, N.C., undated.

70. "Determinants and Consequences of Pregnancy Wastage in Zaire : A Study of Patients with Complications Requiring Hospital Treatment in Kinshasa, Matadi and Bukavu" (draft), prepared by Family Health International, Research Triangle Park, N.C., and Comité National des Naissances Desirables, Kinshasa, Zaire, undated.

71. Jacqueline Darroch Forrest and Susheela Singh, "Public Sector Savings Resulting from Expenditures for Contraceptive Services", *Family Planning Perspectives*, January/February 1990.

72. Stephen D. Mumford and Elton Kessel, "Is Wide Availability of Abortion Essential to National Population Growth Control Programs ? Experiences of 116 Countries", *American Journal of Obstetrics and Gynecology*, July 15, 1984.

73. Cook, "Abortion Laws and Policies".

74. *Ibid.*

Chapitre 8. Les militaires et l'environnement

1. Quoted in "Defending the Environment ? The Record of the U.S. Military", *The Defense Monitor*, Vol. 18, N° 6, 1989.

2. Philip Shabecoff, "Senator Urges Military Resources Be Turned to Environmental Battle", *New York Times*, June 29, 1990.

3. Ralph Ostermann, "Umwelt als Waffe—Das Zerstörungspotential ökologischer Kriegsführung", in Arnim Bechmann, ed., *Umwelt Braucht Frieden* (Fischer Verlag : Frankfurt, 1983).

4. Third World share of global military spending from U.S. Arms Control and Disarmament Agency (ACDA), *World Military Expenditures and Arms Transfers* (Washington, D.C. : U.S. Government Printing Office, various editions).

5. Center for Disarmament, *The Relationship Between Disarmament and Development*, Disarmament Study Series N° 5 (New York : United Nations, 1982).

6. Battalion and fighter plane examples from Molly Moore, "Land Squeeze Hampers U.S. Military", *Washington Post*, December 31, 1988.

7. Industrial nations from Nicolai N. Smirnov, "The Impact of conventional War on Natural Areas of the USSR", *Environmental Conservation*, Winter 1989 ; global estimate from Wolfgang Schwegler-Rohmeis, "Rüstungskonversion als Sicherheitspolitik", in Marcus Breitschwerdt, ed., *Rüstungskonversion. Facetten einer Strukturfrage* (Stuttgart : Wissenschaftsedition SPD Baden-Württemberg, 1988), and from Samuel S. Kim, *The Quest for a Just World Order* (Boulder, Colo. : Westview Press, 1984).

8. Paul J.M. Vertegaal, "Environmental Impact of Dutch Military Activities", *Environmental Conservation*, Spring 1989.

9. Total land area controlled by Pentagon from U.S. Department of Defense (DOD), *Our Nation's Defense and the Environment. A Department of Defense Initiative* (Washington, D.C. : 1990) ; additional land acquisition from Michael Satchell, "Operation Land-Grab", *U.S. News and World Report*, May 14, 1990 ; Timothy Egan, "Pentagon, Facing Opposition, Suspends Land-Buying Plans", *New York Times*, September 18, 1990.

10. Edward McGlinn, "The Military Land Grab", *The Riverwatch* (Anglers of the Au Sable River, Grayling, Mich.), Winter 1990 ; total U.S. military land holdings abroad from DOD, *Our Nation's Defense and the Environment* ; Department of Energy holdings from Thomas B. Cochran et al., *Nuclear Weapons Databook, Vol. II : U.S. Nuclear Warhead Production* (Cambridge, Mass. : Ballinger, 1987) ; Philippines from Joseph Collins, "Cory's Broken Promise", *The Nation*, November 14, 1987.

11. Paul Quinn-Judge, "Soviet Writers Blast Nuclear Testing", *Christian Science Monitor*, March 14, 1989 ; size of test site from Thomas B. Cochran et al., *Nuclear Weapons Databook, Vol. IV : Soviet Nuclear Weapons* (New York : Harper & Row, Ballinger Division, 1989).

12. Vertegaal, "Environmental Impact of Dutch Military Activities".

13. Olaf Achilles, "Der Preis der Freiheit", in Olaf Achilles, ed., *Natur Ohne Frieden* (Munich : Knaur, 1988) ; maneuver space from Schwegler-Rohmeis, "Rüstungskonversion als Sicherheitspolitik" ; East Germany from "Alles Zerwühlt und Kaputt", *Der Spiegel*, October 1, 1990, and from Frank Marczinek, "Conversion of the Armed Forces in the GDR", paper presented at U.N. conference on "Economic Adjustments in an Era of Arms Reduction", Moscow, August 13-17, 1990.

14. Bruno Jerlitschka, "Umweltzerstörung durch Truppenstandorte und Manöver", in Bechmann, *Umwelt Braucht Frieden* ; Olaf Achilles, "Bodenbelastung und Flächenverbrauch durch Militär", *Forum Wissenschaft*, N° 1, 1989 ; Peter Grier, "Defense Contractors Go for 'Green' Look", *Christian Science Monitor*, May 22, 1990.

15. Timothy Egan, "Land-Buying Drive by Pentagon Runs into Stiff Resistance in West", *New York Times*, July 5, 1990 ; J.L. Cloudsley-

Thompson, "The Destructive Effects of Warfare on the Desert Environ-ment", *Environmental Awareness* (India), Vol. 13, N° 2, 1990.

16. Nevada example from Bert Lindler, "Foes Unite to Fight Military Proposal", *High Country News*, February 12, 1990 ; Satchell, "Operation Land-Grab" ; Robert Stone from Andrew Melnykovich, "Torn Between Cows and Jets", *High Country News*, February 12, 1990.

17. Olaf Achilles and Jochen Lange, *Tiefflieger. Vom Täglichen Angriff auf die Bürger* (Reinbek bei Hamburg : Rowohlt Verlag, 1989).

18. Mojave from Robert Reinhold, "Military and Conservationists Clash over Mojave's Future", *New York Times*, June 25, 1988 ; Grace Bukowski, "The Militarization of Nevada", *Earth Island Journal*, Spring 1990 ; range of military use of total U.S. airspace from Stephen Stuebner, "Homing in on the Range", *Earth Island Journal*, Spring 1990 ; Grace Bukowski, Citizen Alert, Reno, Nev., private communication, September 18, 1990.

19. Bill Robinson, "Games Air Forces Play", *Ploughshares Monitor*, December 1989 ; Canada National Defence, *Goose Bay EIS : An Environ-mental Impact Statement on Military Flying Activities in Labrador and Quebec* (Ottawa : 1989).

20. Achilles and Lange, *Tiefflieger* ; Petra Lösch, "When the Sun Shines, We Have War in the Skies", *Earth Island Journal*, Summer 1989 ; Grace Bukowski and Fielding M. McGehee III, "The Military Invasion of America's Skies", Skyguard, Reno, Nev., June 1989.

21. Achilles and Lange, *Tiefflieger* ; U.S. situation from Bukowski and McGehee, "The Military Invasion of America's Skies".

22. Average F-16 fuel consumption from "Defending the Environ-ment ? The Record of the U.S. Military" ; afterburner from Tom Cutler, "Myths of Military Oil Supply Vulnerability", *Armed Forces Journal Inter-national*, July 1989.

23. Share of petroleum products from Gunar Seitz, "Ressourcenvergeu-dung durch Rüstung", in Bechmann, *Umwelt Braucht Frieden* ; global share of military jet fuel use from Olaf Achilles, "Militär, Rüstung und Klima", MÖP Studie VII, Arbeits- und Forschungsstelle Militär, Ökologie und Planung, Bonn, West Germany, June 1990 ; U.S. and Soviet shares from Cutler, "Myths of Military Oil Supply Vulnerability" ; West German figure from Schwegler-Rohmeis, "Rüstungskonversion als Sicherheits-politik".

24. DOD share of total U.S. oil and energy consumption calculated from Department of Energy (DOE), Energy Information Administration (EIA), *Annual Energy Review 1988* (Washington, D.C. : U.S. Government Prin-ting Office, 1989) ; comparison with urban mass transit is a Worldwatch Institute calculation based on American Public Transit Association, *1989 Transit Fact Book* (Washington, D.C. : 1989) ; status as largest domestic consumer from Seitz, "Ressourcenvergeudung durch Rüstung" ; DOD, *Our Nation's Defense and the Environment* ; wartime estimates from Cutler, "Myths of Military Oil Supply Vulnerability".

25. West German government data are reprinted in Achilles, *Natur Ohne Frieden* ; other estimate is by AG Energiebilanzen, in Achilles, "Militär, Rüstung und Klima" ; Dutch data from Vertegaal, "Environmental Impact of Dutch Military Activities" ; U.K. Central Statistical Office, *Input-Output Tables for the United Kingdom* (London : Her Majesty's Stationery Office, 1985).

26. 1971 figure from Helge Hveem, "Militarization of Nature : Conflict and Control over Strategic Resources and Some Implications for Peace Policies", *Journal of Peace Research*, Vol. 16, N° 1, 1979 ; 1989 figure is a Worldwatch Institute estimate, based on data in Stockholm International Peace Research Institute (SIPRI), *SIPRI Yearbook 1990 : World Armaments and Disarmament* (Oxford : Oxford University Press, 1990), and in Paul Quigley, "Arms Exports : The Stop-Gap Alternative to Pentagon Contracts ?" *Bulletin of Peace Proposals*, Vol. 19, N° 1, 1988.

27. Estimates for armed forces'energy use from Center for Disarmament, *The Relationship Between Disarmament and Development* ; Achilles, "Militär, Rüstung und Klima" ; comparison with Japanese oil consumption from British Petroleum (BP), *BP Statistical Review of World Energy* (London : 1990).

28. Global air pollution estimate from Seitz, "Ressourcenvergeudung durch Rüstung" ; Starnberg Institute estimate from Achilles, "Militär, Rüstung und Klima" ; West German estimate from Achilles, "Der Preis der Freiheit" ; West German jets'pollution is a Worldwatch Institute estimate based on data provided in Achilles, "Militär, Rüstung und Klima".

29. U.S. military carbon emission is a Worldwatch Institute estimate, based on DOE, EIA, *Annual Energy Review 1988*.

30. Carbon emissions from military jet fuel use from Achilles, "Militär, Rüstung und Klima" ; global military carbon emission is a Worldwatch Institute estimate based on Gregg Marland et al., *Estimates of CO_2 Emissions from Fossil Fuel Burning and Cement Manufacturing, Based on the United Nations Energy Statistics and the U.S. Bureau of Mines Cement Manufacturing Data* (Oak Ridge, Tenn. : Oak Ridge National Laboratory, 1989), and on BP, *BP Statistical Review*.

31. Casey Bukro, "Military Faces Difficult Task in Ending 'War' on Environment", *Journal of Commerce*, March 22, 1989 ; depletion potential of CFC- 113 and Halon 1211 from Cynthia Pollock Shea, *Protecting Life on Earth : Steps to Save the Ozone Layer*, Worldwatch Paper 87 (Washington, D.C. : Worldwatch Institute, December 1988).

32. B-2 fuel additive from Ulrich Blumenschein, "Tarnsystem des B-2-Bombers Baut Ozon ab", *Die Welt*, January 5, 1989 ; Lenny Siegel, "No Free Launch", *Mother Jones*, September/October 1990.

33. Iron consumption from Seitz, "Ressourcenvergeudung durch Rüstung" ; missile materials consumption from Center for Disarmament, *The Relationship Between Disarmament and Development* ; number of missiles in superpower arsenals from "Nuclear Notebook", *Bulletin of the Atomic Scientists*, May 1988.

34. Titanium from "Resource Wars : The Myth of American Mineral Vulnerability", *The Defense Monitor*, Vol. 14, N° 9, 1985, and from Center for Disarmament, *The Relationship Between Disarmament and Development* ; components of F-16 engine from Ewan W. Anderson, "Strategic Materials", *Journal of Defense and Diplomacy*, November/December 1985 ; M-1 tank engine from "The U.S. Strategic Minerals Position—The 1980's and Beyond", Strategic Studies Institute, U.S. Army War College, Carlisle Barracks, Pa., November 15, 1981.

35. Center for Disarmament, *The Relationship Between Disarmament and Development*.

36. Seitz, "Ressourcenvergeudung durch Rüstung" ; Vertegaal, "Environmental Impact of Dutch Military Activities" ; "Resource Wars : The Myth of American Mineral Vulnerability".

37. Hufstutler quoted in Lenny Siegel, "Communities Organize Against Military Toxics", *Nuclear Times*, Autumn 1990. Data in Table 8-6 based on the following : Seth Shulman, "The US Military's Environmental Record Under Fire from Congress", *Nature*, June 16, 1988 ; Philip Shabecoff, "Military Is Accused of Ignoring Rules on Hazardous Waste", *New York Times*, June 14, 1988 ; Anthony Kimery, "Base Maneuvers : The Air Force Serves Up Toxic Soup", *The Progressive*, December 1986 ; Thane Grauel, "Dishonorable Discharges", *E Magazine*, July/August 1990 ; *Uncle Sam 's Hidden Poisons*, reprint from a *Sacramento Bee* series published September 30-October 5, 1984 ; D'Vera Cohn, "Some Federal Facilities Flout Environmental Laws", *Washington Post*, May 22, 1989 ; "Defending the Environment ? The Record of the U.S. Military" ; Seth Shulman, "Toxic Travels : Inside the Military's Environmental Nightmare", Nuclear Times, Autumn 1990 ; DOD, *Defense Environmental Restoration Program. Annual Report to Congress for Fiscal Year 1989* (Washington, D.C. : 1990).

38. Parmi les métaux lourds, il faut citer, entre autres : le béryllium, le cadmium, le chrome, le mercure, le plomb, le cuivre, le zinc, le fer. Ces métaux attaquent et appauvrissent le tissu cellulaire de la plupart des êtres vivants Parmi les solvants, il faut citer le trichloréthylène et le dichloréthylène, l'éthane et ses homologues, le tetrachlorure de carbone, le chlorure de méthyle et le trichlorofluorométhane (fréon). Tom Harris and Jim Morris, "Military's Awash in Toxic Waste", in *Uncle Sam's Hidden Poisons*.

39. *Ibid.* ; Jim Morris, "How Serious is the Peril to Public Health ?" and Tom Harris, "Air Force Bases Leave Toxic Trail", both in *Uncle Sam's Hidden Poisons* ; Utah study from "Cancer Deaths High Among Aircraft Workers", *Federal Times*, November 23, 1987.

40. Waste generation data for recent years from Lenny Siegel, "The Growing Nightmare of Military Toxics", *Nuclear Times*, Spring 1990 ; "Turning the Wastes of War into a War on Waste", *Toxic Times*, Summer 1990 ; Will Collette, *Dealing with Military Toxics* (Arlington, Va. : Citizen's Clearinghouse for Hazardous Wastes, Inc., 1987) ; emissions of top five chemical firms in 1988 from John Holusha, "Ed Woolard Walks Du Pont's Tightrope", *New York Times*, October 14, 1990.

41. Number of sites and bases and Superfund listing from DOD, *Defense Environmental Restoration Program* ; former military sites and

slow cleanup pace from Shulman, "Toxic Travels : Inside the Military's Environmental Nightmare" ; Davidson statement from Shabecoff, "Military is Accused of Ignoring Rules on Hazardous Waste".

42. GAO studies in John M. Broder, "U.S. Military Leaves Toxic Trail Overseas", *Los Angeles Times*, June 18, 1990 ; Presidential order from Travis Brown, "Program Ignores Bases Abroad", in *Uncle Sam's Hidden Poisons*.

43. Exemption from host-country laws from Brown, "Program Ignores Bases Abroad".

44. West German sites from Broder, "U.S. Military Leaves Toxic Trail Overseas" ; Army plan from John G. Roos, "US Army Plans to Turn Over Facilities in Germany in 'As Is'Condition", *Armed Forces Journal International*, September 1990 ; Atsugi base from "Japanese Group Plans to Sue U.S. Navy for Violating NEPA", *Multinational Environmental Outlook*, October 31, 1989.

45. Broder, "U.S. Military Leaves Toxic Trail Overseas" ; Jorge Emmanuel, "Environmental Destruction Caused by U.S. Military Bases and the Serious Implications for the Philippines", paper presented at Crossroad 1991 : Towards a Nuclear Free, Bases Free Philippines, Manila, May 14-16,1990 ; Guam from "U.S. Defense Department Lax in Environmental Protection at Overseas Bases, Official Charges", *World Environment Report*, July 23, 1987.

46. Achilles, "Der Preis der Freiheit".

47. Henry Kamm, "Americans Help Czechs Clean Up After the Soviets", *New York Times*, July 24,1990 ; Peter S. Green, "Cleaning up After the Soviet Army", *U.S. News and World Report*, May 28, 1990 ; Vera Rich, "Departing Red Army Leaves its Rubbish Behind", *New Scientist*, June 2, 1990.

48. Rich, "Departing Red Army Leaves its Rubbish Behind" ; Celestine Bohlen, "As Soviets Leave Hungary, Dispute Arises Over the Bill", *New York Times*, July 4, 1990 ; East Germany from "Alles Zerwühlt und Kaputt", and from "Die Fliegen als Erste Raus", *Der Spiegel*, July 16, 1990 ; Polish developments from "Environmental Inspectors to Visit Soviet Bases", Foreign Broadcast Information Service (FBIS) Daily Report/Soviet Union, Rosslyn, Va., August 30, 1990 ; "Pollution Problems in Soviet Army Units Viewed", FBIS Daily Report/Soviet Union, Rosslyn, Va., September 5, 1990.

49. Vertegaal, "Environmental Impact of Dutch Military Activities".

50. "Secrecy Hides the Hazards of Working in the Aerospace Industry", *New Scientist*, April 8, 1989 ; Kenneth B. Noble, "Health Troubles at Military Plant Add Mystery to Top-Secret Project", *New York Times*, September 18, 1988 ; "Defending the Environment ? The Record of the U.S. Military".

51. Military share of electronics components industry from Ann Markusen, "The Military Remapping of the United States", in Michael J. Breheny, ed., *Defence Expenditure and Regional Development* (London :

Mansell Publishing, 1988) ; K. Geiser, "Health Hazards in the Micro-Electronics Industry", *International Journal of Health Services*, Vol. 16, N° 1, 1986.

52. Murray quote from Howard Ball, "Downwind from the Bomb", *New York Times Magazine*, February 9, 1986 ; Keith Schneider, "Atom Tests' Legacy of Grief : Workers See Betrayal on Peril", *New York Times*, December 14, 1989.

53. Schneider, "Atom Tests' Legacy of Grief' ; Keith Schneider, "U.S. Admits Peril of 40's Emissions at A-Bomb Plant", *New York Times*, July 12, 1990 ; Soviet situation from Francis X. Clines, "Soviets Now Admit '57 Nuclear Blast", *New York Times*, June 18, 1989 ; "Defending the Environment ? The Record of the U.S. Military".

54. U.S. trust funds from Keith Schneider, "U.S. Fund Set Up to Pay Civilians Injured by Atomic Arms Program", *New York Times*, October 16, 1990 ; DOE, Office of Inspector General, "Report on Indemnification of the Department of Energy's Management and Operating Contractors", Washington, D.C., September 1989.

55. U.S. plants from "Status of Major Nuclear Weapons Production Facilities : 1990", *PSR Monitor*, September 1990 ; Matthew L. Wald, "U.S. Decides Not to Reopen Plant that Makes Plutonium for Bombs", *New York Times*, October 17, 1990 ; Soviet plants from R. Jeffrey Smith, "Soviets Vow to Close 5 Reactors", *Washington Post*, June 9, 1989 ; Du Pont study quoted by Robert Alvarez and Arjun Makhijani, "The Hidden Legacy of the Arms Race", *Technology Review*, August/September 1988.

56. Cochran et al., *Nuclear Weapons Databook, Vol. II* ; Cochran et al., *Nuclear Weapons Databook, Vol IV* ; "Status of Major Nuclear Weapons Production Facilities : 1990".

57. Waste products of 1 kilogram of plutonium from Karen Dorn Steele, "Hanford : America's Nuclear Graveyard", *Bulletin of the Atomic Scientists*, October 1989 ; military portion by volume from "Defending the Environment ? The Record of the U.S. Military" ; military portion by curies from Scott Saleska et al., *Nuclear Legacy : An Overview of the Places, Problems and Politics of Radioactive Waste in the United States* (Washington, D.C. : Public Citizen Critical Mass Energy Project, 1989) ; U.S. high-level inventory from Radioactive Waste Campaign, *Deadly Defense* (New York : 1988).

58. Number of contaminated sites from Committee to Provide Interim Oversight of the DOE Nuclear Weapons Complex, Commission on Physical Sciences, Mathematics, and Resources, National Research Council, *The Nuclear Weapons Complex : Management for Health, Safety, and the Environment* (Washington, D.C. : National Academy Press, 1989) ; locations from Keith Schneider, "In the Trail of the Nuclear Arms Industry", *New York Times*, August 26, 1990 ; Nagasaki bomb comparison from Michael Satchell, "Uncle Sam's Toxic Folly", *U.S. News and World Report*, March, 27, 1989 ; plutonium in Rocky Flats ventilation ducts from Matthew L. Wald, "Doubt on Safety at Weapon Plant", *New York Times*, June 21,1990 ; 1969 fire from Fox Butterfield, "Dispute on Wastes Poses Threat to Weapons Plant", *New York Times*, October 21, 1988.

59. Matthew L. Wald, "Hanford's Atom Waste Tanks Could Explode, Panel Warns", *New York Times*, July 31, 1990 ; Alvarez and Makhijani, "Hidden Legacy of the Arms Race".

60. Larry Thompson, "Scientists Reassess the Long-Term Impact of Radiation", *Washington Post*, August 15, 1990 ; "ICRP to Recommend More Stringent Human Radiation Exposure Limits", *Multinational Environmental Outlook*, October 16, 1990.

61. Total number of workers from Martin Tolchin, "U.S. to Release Health Data on Nuclear Plant Workers", *New York Times*, May 24, 1989 ; Rocky Flats from Carl Johnson, "Cancer Incidence Patterns in the Denver Metropolitan Area in Relation to the Rocky Flats Plant", *American Journal of Epidemiology*, Vol. 126, N° 1 ; Hanford from Matthew L. Wald, "Risks to A-Plant Workers Were Ignored, Study Says", *New York Times*, December 19, 1989 ; Keith Schneider, "U.S. Releases Radiation Records of 44,000 Nuclear Workers", *New York Times*, July 18, 1990.

62. "New Agreement Could Continue Department of Energy's Monopoly Over Radiation Health Research", *News Alert*, Physicians for Social Responsibility (PSR), Washington, D.C., October 26, 1990 ; Daryl Kimball, PSR, Washington, D.C., private communication, November 2, 1990.

63. Schneider, "U.S. Admits Peril of 40's Emissions at A-Bomb Plant" ; Keith Schneider, "Radiation Peril at Hanford is Detailed", *New York Times*, July 13, 1990 ; Alvarez and Makhijani, "Hidden Legacy of the Arms Race" ; Leslie Fraser, "Victims of National Security", *Nuclear Times*, Autumn 1990.

64. Matthew L. Wald, "High Radiation Doses Seen for Soviet Arms Workers", *New York Times*, August 16, 1990 ; Bill Keller, "Soviet City, Home of the A-Bomb, is Haunted by its Past and Future", *New York Times*, July 10, 1989.

65. Zhores A. Medvedev, "The Environmental Destruction of the Soviet Union", *The Ecologist*, January/February 1990.

66. *Ibid.* ; Clines, "Soviets Now Admit '57 Nuclear Blast" ; Vera Rich, "Thirty-Year Secret Revealed", *Nature*, June 22, 1989 ; David Dickson, "Kyshtym 'Almost as Bad as Chernobyl'", *New Scientist*, December 23/30, 1989 ; Arjun Makhijani, Institute for Energy and Environmental Research, Takoma Park, Md., private communication, October 23, 1990.

67. Numbers of tests from SIPRI, *SIPRI Yearbook 1990 : World Armaments and Disarmament* ; Bernard Neitschmann and William Le Bon, "Nuclear Weapons States and Fourth World Nations", *Earth Island Journal*, Winter 1988.

68. Les Etats-Unis, l'Union Soviétique et le Royaume-Uni ont stoppé leurs essais nucléaires atmosphériques en 1963, mais la France et la Chine ont poursuivi leurs propres essais jusqu'en 1974 et 1980, respectivement ; SIPRI, *SIPRI Yearbook 1990 : World Armaments and Disarmament*. Birth defects from Barry Commoner, "Do Nuclear Plants Make Deadly Neighbors ?" *Congressional Record*, March 23, 1972. U.N. estimate from Bernd W. Kubbig, "Atomtests : Gefährdung für Mensch und Umwelt", in Bechmann, *Umwelt Braucht Frieden*. La plus grande "fuite" américaine

s'est produite en décembre 1970 lorsque 6,7 millions de curies de matière radioactive sont partis dans l'atmosphère ; John Hanrahan, "Testing Ground", *Common Cause Magazine*, January/February 1989. Soviet venting from "A Nuclear Unthreat", *Economist*, March 29, 1986.

69. Soldiers from Kubbig, "Atomtests : Gefährdung für Mensch und Umwelt" ; Kim, *The Quest for a Just World Order*, reports a number of 250,000 soldiers ; workers from Schneider, "U.S. Fund Set Up to Pay Civilians Injured by Atomic Arms Program" ; downwinders and their health effects from Ball, "Downwind from the Bomb" ; Richard L. Miller, "Let's Not Forget Radiation in the U.S." (op ed), *New York Times*, June 27, 1986 ; Americans' exposure from Keith Schneider, "Senate Panel Describes Data on Nuclear Risks", *New York Times*, August 3, 1989.

70. Ian Anderson, "Potassium Could Cover Up Bikini's Radioactivity", *New Scientist*, December 10, 1988 ; Eliot Marshall, "Fallout from Pacific Tests Reaches Congress", *Science*, July 14, 1989 ; Bengt Danielsson, "Poisoned Pacific : The Legacy of French Nuclear Testing", *Bulletin of the Atomic Scientists*, March 1990.

71. Quinn-Judge, "Soviet Writers Blast Nuclear Testing" ; Olzhas Suleymenov, "We Cannot Be Silent", *Earth Island Journal*, Summer 1989 ; Judith Perera, "Soviet Environmentalists Cite Health Problems Around Nuclear Testing Ground", *Multinational Environmental Outlook*, September 5, 1989 ; Vladimir Lysenkov, "Campaign to Close Semipalatinsk", *Nature*, September 7, 1989 ; R. Jeffrey Smith, "Soviets to Close Major Site of Underground Atomic Tests", *Washington Post*, March 11, 1990.

72. GAO from "Defending the Environment ? The Record of the U.S. Military" ; more recent estimate from "Problems Persist at Weapons Plants", *PSR Monitor*, September 1990 ; 1983 toxics estimate from Tom Harris, "Sky's the Limit on Cleanup Cost", in *Uncle Sam's Hidden Poisons* ; $20-40 billion estimate from Siegel, "The Growing Nightmare of Military Toxics" ; European cost estimate from Achilles, "Der Preis der Freiheit".

73. Czechoslovak per-base costs from Kamm, "Americans Help Czechs Clean Up After the Soviets" ; Hungary from Rich, "Departing Red Army Leaves its Rubbish Behind" ; U.S. rehabilitation cost from Edward McGlinn, Anglers of the Au Sable River, Grayling, Mich., private communication, February 18, 1990.

74. Defense Environmental Restoration Program spending from "Turning the Wastes of War into a War on Waste" ; DOD, *Defense Environmental Restoration Program* ; Robert Gough, Arms Control Research Center, San Francisco, Calif., private communication, October 16, 1990 ; DOE budget from Keith Schneider, "New Mission at Energy Department : Bomb Makers Turn to Cleanup", *New York Times*, August 17, 1990 ; "Problems Persist at Weapons Plants".

75. Carter Executive Order from Grauel, "Dishonorable Discharges" ; Reagan policy from John Johnson, "Congress Slow to Awaken to Peril", in *Uncle Sam's Hidden Poisons* ; Dingell quoted in Shabecoff, "Military is Accused of Ignoring Rules on Hazardous Waste".

76. Justice Department policy from Cohn, "Some Federal Facilities Flout Environmental Laws"; voluntary agreements from "Defending the Environment? The Record of the U.S. Military"; proposed legislation from Bill Turque and John McCormick, "The Military's Toxic Legacy", *Newsweek*, August 6, 1990.

77. Iciar Oquinena, "Das Militär Hat das Recht—die Umwelt Hat den Schaden", in Bechmann, *Umwelt Braucht Frieden.*

78. Siegel, "The Growing Nightmare of Military Toxics"; Lenny Siegel, "Coping With Toxic Cleanup", *Plowshare Press*, Spring 1990; "Turning the Wastes of War into a War on Waste"; Military Production Network from David Lewis, PSR, Washington, D.C., private communication, October 19, 1990.

79. West Germany from Achilles and Lange, *Tiefflieger*; Kazakhstan from James Lerager, "Kazakhs Stop Soviet Testing", *Nuclear Times*, Autumn 1990.

80. In the United States, Congress enacted the "Emergency Planning and Community Right-to-Know Act" in 1986; see U.S. Environmental Protection Agency, *The Toxics-Release Inventory. A National Perspective* (Washington, D.C.: U.S. Government Printing Office, 1989).

81. Base commander quoted by Shulman, "Toxic Travels".

Chapitre 9. Le juste milieu

1. Victor Lebow in *Journal of Retailing*, quoted in Vance Packard, *The Waste Makers* (New York: David McKay, 1960).

2. Sepp Linhart, "From Industrial to Postindustrial Society: Changes in Japanese Leisure-Related Values and Behavior", *Journal of Japanese Studies*, Summer 1988; Richard A. Easterlin and Eileen M. Crimmins, "Recent Social Trends: Changes in Personal Aspirations of American Youth", *Sociology and Social Research*, July 1988; Taiwan from "Asian Century", *Newsweek*, February 22, 1988.

3. Per capita income from Angus Maddison, *The World Economy in the 20th Century* (Paris: Organisation for Economic Co-operation and Development, 1989); income of American children, defined as 4- to 12-yearolds, from James McNeal, "Children as Customers", *American Demographics*, September 1990; poorest 500 million people based on Alan B. Durning, *Poverty and the Environment: Reversing the Downward Spiral*, Worldwatch Paper 92 (Washington, D.C.: Worldwatch Institute, November 1989), and on World Bank, *World Development Report 1990* (New York: Oxford University Press, 1990).

4. Paul Wachtel, *The Poverty of Affluence* (Philadelphia: New Society Publishers, 1989); Amy Saltzman, "The New Meaning of Success", *U.S. News & World Report*, September 17, 1990; Joseph T. Plummer, "Changing Values", *The Futurist*, January/February 1989; Ronald Henkoff, "Is Greed Dead?" *Fortune*, August 14, 1989.

5. Worldwatch Institute estimates, based on the following: copper and aluminum from United Nations (UN), *Statistical Yearbook, 1953* (New York: 1954), and from UN, *Statistical Yearbook, 1985/86* (New York: 1988);

energy from UN, *World Energy Supplies 1950-1974* (New York : 1976), and from UN, *1987 Energy Statistics Yearboook* (New York : 1989) ; meat from UN, *Statistical Yearbook, 1953,* and from Linda M. Bailey, agricultural economist, U.S. Department of Agriculture (USDA), Washington, D.C., private communication, September 11, 1990 ; steel, wood, cement, and air travel from UN, *Statistical Yearbook, 1953,* and from U.S. Bureau of the Census, *Statistical Abstract of the United States : 1990* (Washington, D.C. : U.S. Government Printing Office, 1990) ; car ownership from UN, *Statistical Yearbook, 1953,* and from Motor Vehicle Manufacturers Association (MVMA), *Facts and Figures '90* (Detroit, Mich. : 1990) ; plastic from UN, *Statistical Yearbook 1970* (New York : 1971), and from UN, *Statistical Yearbook, 1983/84* (New York : 1985). Throughout this chapter, population data used to calculate per capita consumption are from UN, *Statistical Yearbook, 1975* (New York : 1975), from UN, *Statistical Yearbook, 1983/84* (New York : 1985), and from UN, *Statistical Yearbook, 1985/86,* with two exceptions : most recent years from Population Reference Bureau, *1988 Population Data Sheet* and *1990 Population Data Sheet* (Washington, D.C. : 1988 and 1990), and data for United States from U.S. Bureau of the Census, *Statistical Abstract of the United States : 1979* (Washington, D.C. : U.S. Government Printing Office, 1979), and from Bureau of the Census, *Statistical Abstract oJ the United States : 1990.*

6.   Cars from MVMA, *Facts and Figures '90,* and from MVMA, Detroit, Mich., private communication, July 10, 1990 ; car-miles from U.S. Department of Energy (DOE), Energy Information Administration (EIA), *Annual Energy Review 1988* (Washington, D.C. : 1989), and from Paul Svercl, Federal Highway Administration, Washington, D.C., private communication, August 21, 1990 ; plastics from Sara Spivey, Society for the Plastics Industry, Washington D.C., private communication, August 23, 1990 ; air travel from Mary C. Holcomb et al., *Transportation Energy Data Book : Edition 9* (Oak Ridge, Tenn. : Oak Ridge National Laboratory, 1987), and from Federal Aviation Administration, Washington, D.C., private communication, August 17, 1990 ; air conditioning, color TVs, and microwaves from Bureau of the Census, *Statistical Abstract of the United States : 1979,* and from DOE, EIA, *Annual Energy Review 1988* ; VCRs from Bureau of the Census, *Statistical Abstract of the United States : 1990.*

7.   Jaguars and fur coats from Myron Magnet, "The Money Society", *Fortune,* July 6, 1987 ; millionaires in 1980 and 1990 from Kevin P. Phillips, "Reagan's America : A Capital Offense", *New York Times Magazine,* June 18, 1990 ; billionaires from Andrew Erdman, "The Billionaires", *Fortune,* September 10, 1990.

8.   Japanese travel in 1972 from Linhart, "From Industrial to Postindustrial Society" ; 1990 travel from "Rich Girls with Wanderlust", *Japan Economic Journal,* March 3, 1990 ; consumer spending surge from "Japan's Baby Boomers Spending Lavishly in Singleminded Pursuit of the Good Life", *Japan Economic Journal,* April 11, 1990 ; "Retail Sales Up 7 Percent ; Capital Outlays Raised", *Japan Economic Journal,* July 14, 1990 ; BMW sales from *Japan Economic Journal,* September 8, 1990 ; Range Rovers from T.R. Reid, "U.S. Automakers Grind Gears in Japan", *Washington Post,* September 23, 1990 ; "With Permit Rules Relaxed, Log Cabin Sales Are Soaring", *Japan Economic Journal,* August 4, 1990.

9. Yorimoto Katsumi, "Tokyo's Serious Waste Problem", *Japan Quarterly*, July/September 1990 ; spending and student quote from Fred Hiatt and Margaret Shapiro, "Sudden Riches Creating Conflict and Self-Doubt", *Washington Post*, February 11, 1990.

10. Steel, cement, aluminum, and paper from Eric Larsen, Center for Energy and Environmental Studies, Princeton University, Princeton, NJ., unpublished data, 1990 ; frozen meals from Euromonitor Publications Ltd., *Consumer Europe 1985* (London : 1985).

11. Budapest from Timothy Harper, "In Budapest, the Lines are at McDonald's", *Shopping Centers Today*, May 1989 ; Ramm quote, auto demand, and used car sales from Marc Fisher, "East Germany and the Wheels of Fortune", *Washington Post*, June 3, 1990 ; auto plant projection from "Motor Industry Banks on Eastern Promise", *Business Europe* (London), May 18, 1990.

12. State Statistical Bureau, cited in "TV Now in 50% of Homes", *China Daily*, February 15, 1988.

13. Prakash Chandra, "India : Middle-Class Spending", *Third World Week* (Institute for Current World Affairs, Hanover, N.H.), March 2, 1990 ; Anthony Spaeth, "A Thriving Middle-Class Is Changing the Face of India", *Wall Street Journal*, May 19, 1988.

14. Coca-Cola from Matthew Cooper et al., "Global Goliath : Coke Conquers the World", *U.S. News and World Report*, August 13, 1990.

15. Netherlands study from the University of Amsterdam cited in Anil Agarwal, "The North-South Perspective : Alienation or Interdependence ?" *Ambio*, April 1990 ; minerals consumption based on World Resources Institute (WRI), *World Resources 1990-91* (New York : Oxford University Press, 1990).

16. Nuclear warheads from Swedish International Peace Research Institute, *SIPRI Yearbook 1990 : World Armaments and Disarmament* (Oxford : Oxford University Press, 1990) ; global warming, acid rain, hazardous chemicals, and chlorofluorocarbons are Worldwatch Institute estimates based on WRI, *World Resources 1990-91*.

17. Michael Worley, National Opinion Research Center, University of Chicago, Chicago, Ill., private communication, September 19, 1990 ; personal consumption expenditures from U.S. Bureau of the Census, *Statistical Abstract of the United States : 1989* (Washington, D.C : U.S. Government Printing Office, 1989).

18. International comparison from R.A. Easterlin, "Does Economic Growth Improve the Human Lot ? Some Empirical Evidence", cited in Michael Argyle, *The Psychology of Happiness* (London : Methuen, 1987) ; similar arguments are found in Angus Campbell, *The Sense of Well-being in America : Recent Patterns and Trends* (New York : McGraw-Hill, 1981), in Wachtel, *Poverty of Affluence*, and in F.E. Trainer, *Abandon Affluence* (Atlantic Highlands, NJ. : Zed Books, 1985).

19. Worldwatch Institute estimate of consumption since 1950 based on gross world product data from Maddison, *World Economy in the 20th Century*.

20. Japan and Soviet Union from Christopher Flavin and Alan B. Durning, *Building on Success : The Age of Energy Efficiency,* Worldwatch Paper 82 (Washington, D.C. : Worldwatch Institute, March 1988) ; Norway and Sweden paper use from Greenpeace, *The Greenpeace Guide to Paper* (Vancouver : 1990) ; literacy and income from World Bank, *World Development Report 1990.*

21. José Goldemberg et al., *Energy for a Sustainable World* (Washington, D.C. : WRI, 1987).

22. Marcia D. Lowe, *Alternatives to the Automobile : Transport for Livable Cities,* Worldwatch Paper 98 (Washington, D.C. : Worldwatch Institute, October 1990) ; Marcia D. Lowe, *The Bicycle : Vehicle for A Small Planet,* Worldwatch Paper 90 (Washington, D.C. : Worldwatch Institute, September 1989).

23. Auto fleet from MVMA, *Facts and Figures '90* ; carbon emissions and traffic fatalities from Lowe, *Alternatives to the Automobile.*

24. Car ownership from Stacy C. Davis et al., *Transportation Energy Data Booh : Edition 10* (Oak Ridge, Tenn. : Oak Ridge National Laboratory, 1989) ; two-car garages from "Motor Motels", *American Demographics,* April 1989 ; driving hours from John P. Robinson, "Americans on the Road", *American Demographics,* September 1989 ; air-conditioned cars from MVMA, Detroit, Mich., private communication, September 10, 1990 ; impact of CFCs on climate change from Mark A. DeLuchi, "Emissions of Greenhouse Gases from the Use of Gasoline, Methanol, and Other Alternative Transportation Fuels" (draft), Transportation Research Group, University of California, Davis, Calif., 1990.

25. Quoted in Wachtel, *Poverty of Affluence.*

26. One billion air travellers from "High Hopes and Expectations", Europe, September 1990 ; 4 million and 41 percent from Air Transport Association, Washington, D.C., communication privée du 12 septembre 1990. La plus grande distance parcourue et la consommation d'énergie de la jet-set sont des estimations Worldwatch à partir des moyennes de durée et de consommation des voyages aériens selon Davis et al., *Transportation Energy Data Book, Edition 10.*

27. World Bank, *World Development Report 1990 ;* dietary fat is Worldwatch Institute estimate based on World Commission on Environment and Development (WCED), *Our Common Future* (Oxford : Oxford University Press, 1987).

28. Gina Kolata, "Report Urges Low-Fat Diet for Everyone", *New York Times,* February 28, 1990 ; WCED, *Our Common Future.*

29. Kolata, "Report Urges Low-Fat Diet for Everyone" ; China from Jane E. Brody, "Huge Study of Diet Indicts Fat and Meat", *New York Times,* May 8, 1990.

30. Share of world grain from Peter Riley, grains analyst, Economic Research Service, USDA, Washington, D.C., private communication, September 13, 1990 ; grain input per beef produced is Worldwatch Institute estimate based on Economic Research Service, USDA, Washington, D.C., various private communications ; energy based on David Pimentel et al.,

"The Potential for Grass-Fed Livestock : Resource Constraints", *Science*, February 22, 1980, and on David Pimentel, Professor, Cornell University, Ithaca, N.Y., private communication, August 29, 1990 ; other environmental effects from Molly O'Neill, "An Icon of the Good Life Ends Up On a Crowded Planet's Hit Lists", *New York Times*, May 6, 1990.

31. Chile grapes from Bradley Graham, "South American Grapes : Tale of Two Countries", *Washington Post*, February 2, 1988 ; travel of average mouthful of food from U.S. Department of Defense, *U.S. Agriculture : Potential Vulnerabilities*, cited in Cornucopia Project, *Empty Breadbasket ?* (Emmaus, Pa. : Rodale Press, 1981) ; farm policies favor large producers from Marty Strange, *Family Farming : A New Economic Vision* (Lincoln, Neb. : University of Nebraska Press, 1989) ; health standards from Wendell Berry, "Sanitation and the Small Farm", in *The Gift of Good Land* (San Francisco : North Point Press, 1981) ; irrigation subsidies from E. Phillip LeVeen and Laura B. King, *Turning off the Tap on Federal Water Subsidies, Vol. I* (San Francisco : Natural Resources Defense Council and California Rural Legal Assistance Foundation, 1985) ; truck subsidies from Harriet Parcells, "Big Trucks Getting a Free Ride", National Association of Railroad Passengers, Washington, D.C., April 1990.

32. David Pimentel, "Energy Flow in the Food System", in David Pimentel and Carl W. Hall, eds., *Food and Energy Resources* (Orlando, Fla. : Academic Press, 1984).

33. Population without safe water from U.N. Development Program, *Human Development Report 1990* (New York : Oxford University Press, 1990) ; drinking classes from Frederick Clairmonte and John Cavanagh, *Merchants of Drink* (Penang, Malaysia : Third World Network, 1988).

34. Global mean soft drink consumption from Clairmonte and Cavanagh, *Merchants of Drink* ; 1989 soft drinks and water consumption from *Beverage Industry*, Cleveland, Ohio, private communication, September 14, 1990.

35. Durning, *Poverty and the Environment*.

36. Worldwatch Institute estimates based on steel figures from Bureau of the Census, *Statistical Abstract of the United States : 1990*, and on energy consumption (excludes subsistence use of fuelwood) from WRI, *World Resources 1990-91*.

37. Comparisons of industrial and developing countries from WCED, *Our Common Future* ; U.S. per capita consumption of materials is Worldwatch Institute estimate based on petroleum and coal from DOE, EIA, *Annual Energy Review 1988*, on other minerals and agricultural products from Bureau of the Census, *Statistical Abstract of the United States : 1990*, and on forest products from Alice Ulrich, *U.S. Timber Production, Trade, Consumption, and Price Statistics 1950-87* (Washington, D.C. : USDA Forest Service, 1989).

38. Expenditures for packaging from U.S. Congress, Office of Technology Assessment, *Facing America's Trash : What Next for Municipal Solid Waste ?* (Washington, D.C. : U.S. Government Printing Office, 1989) ; Steve Usdin, "Snap Happy : Throwaway Cameras Are an Instant Hit", *Intersect*, June 1990 ; diapers from Karen Christensen,

independent researcher, Boulder, Colo., private communication, October 18, 1990 ; razors from Cheryl Russell, "Guilty as Charged", *American Demographics*, February 1989 ; plates, cups, and cans are Worldwatch Institute estimates based on Environmental Protection Agency, Office of Solid Waste and Emergency Response, "Characterization of Municipal Solid Waste in the United States : 1990 Update", Washington, D.C., June 1990 ; aluminum in DC-10 from Elaine Bendell, McDonnell Douglas, Long Beach, Calif., private communication, September 20, 1990.

39. Spencer S. Hsu, "The Sneaker Steps Out", *Washington Post*, July 22, 1990.

40. Aristotle, *Politics*, quoted in Goldian VandenBroeck, ed., *Less Is More : The Art of Voluntary Poverty* (New York : Harper & Row, 1978).

41. Lucretius, *On the Nature of the Universe*, and Tolstoy, *My Religion*, both quoted in VandenBroeck, *Less is More*.

42. Brooke Kroeger, "Feeling Poor on $600,000 a Year", *New York Times*, April 26, 1987.

43. Argyle, *Psychology of Happiness*.

44. Determinants of happiness from *ibid.* ; Freedman quoted in Wachtel, *Poverty of Affluence*.

45. Veblen quoted in Lewis H. Lapham, *Money and Class in America* (New York : Weidenfeld & Nicolson, 1988).

46. Ads in the morning from Andrew Sullivan, "Buying and Nothingness", *The New Republic*, May 8, 1989 ; teenagers, defined as Aged 12 to 17, from John Schwartz, "Stalking the Youth Market", *Newsweek Special Issue*, June 1990 ; childhood total is Worldwatch Institute estimate based on Action for Children's Television, Boston, Mass., private communication, October 17, 1990.

47. TV and radio stations from Bureau of the Census, *Statistical Abstract of the United States : 1990* ; chair lifts, bus stops, and subway stations from Paula Span, "Ads : They're Everywhere !" *Washington Post*, April 28, 1990 ; Paula J. Silbey, "Merchants Star on Mall's Video Wall", *Shopping Centers Today*, August 1989.

48. Classrooms and doctors' offices from Randall Rothenberg, "Two Views on Whittle's TV Reports", *New York Times*, June 1, 1990 ; feature films from Randall Rothenberg, "Messages From Sponsors Become Harder to Detect", *New York Times*, November 19, 1989 ; Randall Rothenberg, "$30,000 Lands Product on Game Board", *New York Times*, February 6, 1989 ; bathrooms from Robert Geiger and Larry Teitelbaum, "Restaurants, Airlines Privy to New Medium", *Advertising Age*, October 24, 1988 ; phones from "Commercials Invade Ma Bell", *Family Circle*, April 24, 1990 ; hot dogs from Span, "Ads : They're Everywhere ! " ; eggs from "Which Came First ? Adman or Egg ?" *Fortune*, April 9, 1990.

49. Monetary figures are adjusted for inflation and expressed in 1989 dollars. U.S. per capita from U.S. Department of Commerce, *Historical Statistics of the United States, Colonial Times to 1970, Bicentennial Edition, Part 2* (Washington, D.C. : 1975), and from Bureau of the Census, *Statistical Abstract of the United States : 1990* ; world per capita from Robert

J. Coen, *International Herald Tribune*, October 10, 1984, and from Tracy Poltie, International Advertising Association, New York, private communication, August 29, 1990 ; advertising growth faster than economic output based on Maddison, *World Economy in the 20th Century* ; India from Chandra, "India : Middle-Class Spending" ; Korea from "Asia's Network Boom", *Asiaweek*, July 6, 1990.

50. Roberta Brandes Gratz, "Malling the Northeast", *New York Times Magazine*, April 1, 1990 ; mall walkers from Mark J. Schoifet, "To AVIA, Mall Walking Is No Joke", *Shopping Centers Today*, January 1989 ; Bill Mintiens, Product Marketing Director for Walking, Avia, Portland, Oreg., private communication, July 3, 1990.

51. Time spent shopping from John P. Robinson, "When the Going Gets Tough", *American Demographics*, February 1989 ; shopping and church from Robert Fishman, "Megalopolis Unbound", *Wilson Quarterly*, Winter 1990 ; teenage girls from Magnet, "Money Society" ; number of malls from Bureau of the Census, *Statistical Abstract of the United States : 1990* ; high schools from Herbert I. Schiller, *Culture, Inc.* (New York : Oxford University Press, 1989) ; retail space growth (figures exclude automotive outlets) from International Council of Shopping Centers, "The Scope of the Shopping Center Industry in the U.S.", New York, 1989 ; U.S. sales from Donald L. Pendley, Director of Public Relations, International Council of Shopping Centers, New York, in "Malls Still Dominant" (letter), *American Demographics*, September 1990 ; France and Spain from Paula J. Silbey, "Spain Leads European Growth", *Shopping Centers Today*, March 1989.

52. Silbey, "Spain Leads European Growth" ; Britain from Carl Gardner and Julie Sheppard, *Consuming Passion : The Rise of Retail Culture* (London : Unwin Hyman, 1990) ; PaulaJ. Silbey, "Italian Centers Expected To Triple in Number Soon", *Shopping Centers Today*, May 1989.

53. Malcolm Fergusson, "Subsidized Pollution : Company Cars and the Greenhouse Effect", report prepared for Greenpeace U.K., London, January 1990 ; subsidized beef from Keith Schneider, "Come What May, Congress Stays True to the Critters", *New York Times*, May 6, 1990, and from George Ledec, "New Directions for Livestock Policy in Latin America", Department of Forestry and Resource Management, University of California, Berkeley, October 1988 ; taxes on homes from Peter Dreier and John Atlas, "Deductio Ad Absurdam", *Washington Monthly*, February 1990, and from Peter Dreier, Director of Housing, Boston Redevelopment Authority, Boston, Mass., private communication, October 12, 1990 ; multiple home owners from American Housing Survey, U.S. Bureau of the Census, Suitland, Md., private communication, October 16, 1990 ; homelessness estimate from "Examining Homelessness", *Science*, March 23, 1990.

54. *Fortune* quoted in David E. Shi, *Simple Life : Plain Living and High Thinking in American Culture* (New York : Oxford University Press, 1985) ; urban-to-suburban migrations from Stuart Ewen, *Captains of Consciousness* (New York : McGraw-Hill, 1976), and from Delores Hayden, *Redesigning the American Dream : The Future of Housing, Work, and Family Life* (New York : W.W. Norton & Co., 1984).

55. Scott Burns, *Home, Inc.* (Garden City, N.Y. : Doubleday, 1975).

56. Katsumi, "Tokyo's Serious Waste Problem" ; "France : Aging but Dynamic", *Market : Europe* (Ithaca, N.Y.), September 1990.

57. History from Susan Strasser, *Satisfaction Guaranteed : The Making of the American Mass Market* (New York : Pantheon Books, 1989) ; American neighborhoods from Robert Reich, "A Question of Geography", *New Republic*, May 9, 1988.

58. Basic value of sustainable society from WCED, *Our Common Future.*

59. Aristotle, *Nicomachean Ethics* 1109b23.

60. Toynbee quoted in Wachtel, *Poverty of Affluence.*

61. Duane Elgin, *Voluntary Simplicity* (New York : William Morrow and Company, 1981) ; India from Mark Shepard, *Gandhi Today : A Report on Mahatma Gandhi's Successors* (Arcata, Calif. : Simple Productions, 1987) ; Netherlands and Norway from Elgin, *Voluntary Simplicity* ; United Kingdom and West Germany from Pierre Pradervand, independent researcher, Geneva, Switzerland, private communication, July 14, 1990, and from Groupe de Beaulieu, *Construire L'Esperance* (Lausanne : Editions de l'Aire, 1990).

62. Quoted in VandenBroeck, *Less Is More.*

63. Vicki Robin, "How Much Is Enough ?" *In Context* (Bainbridge Island, Wash.), Summer 1990 ; Camus quoted in E.F. Schumacher, *Good Work* (New York : Harper & Row, 1979).

64. Berry, *The Gift of Good Land* ; "What Is Enough ?" *In Context* (Bainbridge Island, Wash.), Summer 1990 ; Katy Butler, "Paté Poverty : Downwardly Mobile Baby Boomers Lust After Luxury", *Utne Reader,* September/ October 1989.

65. Shi, *Simple Life.*

66. Children's television restriction from Howard Kurtz, "Bush May Let Children's TV Measure Become Law", *Washington Post,* October 3, 1990, and from Action for Children's Television, private communication ; Jeannine Johnson, "In Search of... the European T.V. Show", *Europe,* November 1989.

67. "American Excess", *Adbusters* (Vancouver), Summer 1990.

68. Robert Bellah, *The Broken Covenant* (New York : Seabury Press, 1975).

69. Timothy Harper, "British Sunday Law Intact—for Now", *Shopping Centers Today,* May 1989 ; green belts from Timothy Harper, "Rulings Slow U.K. Mall Development", *Shopping Centers Today,* May 1989 ; Japan from Arthur Getz, "Small Town Economics, West and East", letter to Peter Martin, Institute of Current World Affairs, Hanover, N.H., December 26, 1989.

70. Dutch household packaging waste is Worldwatch Institute estimate based on J.M. Joosten et al., *Informative Document : Packaging Waste* (Bilthoven, Netherlands : National Institute of Public Health and Environmental Protection, 1989) ; land developed from Jim Riggle, Director of Operations, American Farmland Trust, Washington, D.C., private communication, October 17, 1990.

71. Mail from Blayne Cutler, "Meet Jane Doe", *American Demographics*, June 1989 ; Japanese bottles figure is Worldwatch Institute estimate based on Hidefumi Kurasaka, Chief of Planning Section, Environmental Agency, Government of Japan, private communication, August 7, 1990 ; newspaper advertising from Sullivan, "Buying and Nothingness" ; car travel is 1988 vehicle-kilometers per capita based on International Roads Federation, *World Road Statistics 1984-88* (Washington, D.C. : 1989).

72. Henry David Thoreau, *Walden* (1854 ; reprint, Boston : Houghton Mifflin, 1957).

Chapitre 10. Remodeler l'économie mondiale

1. Tout au long de ce chapitre, les 20 billions de dollars de l'économie mondiale constituent une estimation Worldwatch basée sur l'évaluation du produit mondial brut de 1988 par la Central Intelligence Agency (CIA), *Handbook of Economic Statistics, 1989* (Washington, D.C. : 1989), avec les PNB de l'URSS et de l'Europe de l'Est extrapolés d'après Paul Marer, *Dollar GNP's of the USSR and Eastern Europe* (Baltimore : Johns Hopkins University Press, 1985), avec des ajustements pour 1990 basés sur les taux de croissance selon le Fonds Monétaire International (FMI), *World Economic Outlook* (Washington, D.C. : October 1990), and CIA, *Handbook of Economic Statistics*, et avec la composante de déflation retenue par l'Office of Management and Budget, *Historical Tables, Budget of the United States Government, Fiscal Year 1990* (Washington, D.C. : U.S. Government Printing Office, 1989)

2. Fivefold global expansion from Angus Maddison, *The World Economy in the 20th Century* (Paris : Organisation of Economic Co-operation and Development (OECD), 1989), and from IMF, *World Economic Outlook* ; carbon emissions from "Mauna Loa, 30 Years of Continuous CO_2 Measurements", *CDIAC Communications*, Carbon Dioxide Information Analysis Center, Oak Ridge National Laboratory, Oak Ridge, Tenn., Summer 1988 ; Charles D. Keeling, "Measurements of the Concentration of Atmospheric Carbon Dioxide at Mauna Loa Observatory, Hawaii, 1958-1986", Final Report for the Carbon Dioxide Information and Analysis Center, Martin-Marietta Energy Systems Inc., Oak Ridge, Tenn., April 1987 ; Neftel et al., "Evidence from Polar Ice Cores for the Increase in Atmospheric CO_2 in the Last Two Centuries", *Nature*, May 2, 1985 ; Intergovernmental Panel on Climate Change, "Policymakers' Summary of the Scientific Assessment of Climate Change", Report from Working Group I, June 1990.

3. Population estimates from Population Reference Bureau (PRB), *1989* and *1990 World Population Data Sheet* (Washington, D.C. : 1989 and 1990) ; poverty figures from Alan B. Durning, *Poverty and the Environment : Reversing the Downward Spiral*, Worldwatch Paper 92 (Washington, D.C. : Worldwatch Institute, November 1989).

4. World Bank, *World Debt Tables 1989-1990 : External Debt of Developing Countries, Vols. I and II* (Washington, D.C. : 1989).

5. Office of Technology Assessment, *Assessing Contractor Use in Superfund* (Washington, D.C. : 1989) ; WISE (World Information Service on Energy), "State of the Soviet Nuclear Industry", Paris, May 18, 1990 ; Soviet GNP from CIA, *Handbook of Economic Statistics, 1989.*

6. OECD, *OECD In Figures* (Paris : 1990) ; Kit D. Farber and Gary L. Rutledge, "Pollution Abatement and Control Expenditures, 1984-87", *Survey of Current Business,* U.S. Department of Commerce, June 1989.

7. OECD, *Development Co-operation : Efforts and Policies of the Members of the Development Assistance Committee* (Paris : in press) ; OECD, *Development Co-operation in the 1990s : Efforts and Policies of the Members of the Development Assistance Committee* (Paris : 1989).

8. OECD, *Development Co-operation in the 1990s ;* OECD, *Development Co-operation* (in press).

9. OECD, *Development Co-operation* (in press).

10. OECD, *Development Co-operation in the 1990s ;* Agency for International Development, *Agency for International Development Fiscal Year 1991 Summary Tables* (Washington, D.C. : 1990) ; PRB, *1990 World Population Data Sheet.*

11. OECD, *Developing Co-operation* (in prees) ; Sigismund Niebel, Reporting System Division, OECD, Paris, private communication, November 18, 1990.

12. OECD, *Development Co-operation* (in press) ; World Bank, *The World Bank Annual Report 1990* (Washington, D.C. : 1990).

13. World Bank, *The World Bank Annual Report 1990 ;* Bruce Rich, Environmental Defense Fund, "The Environmental Performance of the Public International Financial Institutions and Other Related Issues", Testimony before the Committee on Appropriations, U.S. Senate, Washington, D.C., July 25, 1990 ; Stephan Schwartzman, *Bankrolling Disasters : International Development Banks and the Global Environment* (Washington, D.C. : Sierra Club, 1986).

14. Barber B. Conable, President, World Bank, "The World Bank and International Finance Corporation", presented to the World Resources Institute, Washington, D.C., May 5, 1987 ; World Bank, *The World Bank and the Environment : First Annual Report Fiscal 1990* (Washington, D.C. : 1990) ; Personnel Office, World Bank, Washington D.C., private communication, November 1, 1990.

15. World Bank, *The World Bank and the Environment ;* Bruce Rich, "The Emperor's New Clothes : The World Bank and Environmental Reform", *World Policy Journal,* Spring 1990.

16. Michael Irwin, "Why I've Had It with the World Bank", *Wall Street Journal,* March 30, 1990 ; World Bank staff, private communications, October 1990.

17. Howard Geller, "End-Use Electricity Conservation : Options for Developing Countries", Energy Department Paper N° 32, World Bank, Washington, D.C., 1986 ; World Bank, *The World Bank Annual Report 1990 ;* Rich, "The Environmental Performance of the Public International Financial Institutions and Other Related Issues".

18. Environmental assessment process detailed in World Bank, *The World Bank and the Environment*; Rich, "The Environmental Performance of the Public International Financial Institutions and Other Related Issues.

19. Location of the Environment Department in World Bank, *The World Bank and the Environment*.

20. World Bank staff, private communications.

21. Mahabub Hossain, *Credit for Alleviation of Rural Poverty : The Grameen Bank in Bangladesh*, Research Report 65 (Washington, D.C. : International Food Policy Research Institute, 1988).

22. NGO Working Group on the World Bank, "Position Paper of the NGO Working Group on the World Bank", Geneva, December 1989 ; Irwin, "Why I've Had It with the World Bank".

23. Overseas Development Council, "The Brady Plan : An Interim Assessment", Washington, D.C., 1990 ; *Securing Our Global Future : Canada's Stake in the Unfinished Business of Third World Debt*, Minutes of Proceedings and Evidence of the Standing Committee on External Affairs and International Affairs, Canadian House of Commons, June 7, 1990.

24. World Bank, *World Debt Tables*; Canadian House of Commons, *Securing Our Global Future*; Jane Perlez, "U.S. Forgives Loans to 12 African Countries", *New York Times*, January 10, 1990.

25. Robert Repetto and Frederik van Bolhuis, *Natural Endowments : Financing Resource Conservation for Development* (Washington, D.C. : World Resources Institute, 1989) ; David Bigman, "A Plan to End LDC Debt and Save the Environment Too", *Challenge*, July/ August 1990.

26. Thomas E. Lovejoy, "Aid Debtor Nations' Ecology", *New York Times*, October 4, 1984 ; Diana Page, "Debt-for-Nature Swaps : Experience Gained, Lessons Learned", *International Environmental Affairs*, January 1990.

27. The Nature Conservancy, "Officially Sanctioned Debt-for-Nature Swaps to Date", Washington, D.C., August 1990 ; Roque Sevilla Larrea and Alvaro Umaña, "Por qué Canjear Deuda por Naturaleza ?" World Wildlife Fund, World Resources Institute, and Nature Conservancy, Washington, D.C., 1989.

28. Allocution de Rajiv Gandhi, Premier Ministre de l'Inde à la 9e Conférence des chefs d'Etats ou de Gouvernements de pays non alignés, Belgrade, Yougoslavie, le 5 septembre 1989. L'aval de la France a été donné lors de la réunion annuelle de la Banque Mondiale, "French Proposal on the Environment", Press Communique from the Development Committee Meeting, September 25, 1989, Washington, D.C. ; "Tolba Advocates World Environment Fund", *Our Planet*, Vol. 1, N° 2/3, 1989 ; mécanisme de financement, pièce maîtresse de la Conférence du Brésil d'après Mostafa Tolba quoted in Linda Starke, *Signs of Hope : Working Towards Our Common Future* (Oxford : Oxford University Press, 1990).

29. World Bank, *The World Bank and the Environment*; World Bank, "Funding for the Global Environment", Discussion Paper, Washington, D.C., February 1990 ; Steven Mufson, "World Bank Wants Fund to Protect

Environment", *Washington Post*, May 3, 1990 ; Letter to Barber Conable, president, World Bank, from David A. Wirth et al., National Resources Defense Council (NRDC), on behalf of NRDC and six other national environmental groups, Washington, D.C., March 9, 1990.

30. World Bank, *The World Bank and the Environment* ; "Parties to Montreal Protocol Agree to Phase Out CFCs, Help Developing Nations", *International Environment Reporter*, July 11, 1990 ; Philip Shabecoff, "U.S. Backs World Bank Environment Unit", *New York Times*, November 30, 1990.

31. Robert Repetto, *Paying the Price : Pesticide Subsidies in Developing Countries* (Washington, D.C. : World Resources Institute, 1985) ; Egyptian gross domestic product from World Bank, *World Development Report 1990* (New York : Oxford University Press, 1990) ; Egyptian health spending based on various Egyptian ministry reports provided by the World Bank.

32. Sandra Postel, *Defusing the Toxics Threat : Controlling Pesticides and Industrial Waste*, Worldwatch Paper 79 (Washington, D.C. : Worldwatch Institute, September 1987).

33. See Robert Repetto, *The Forest for the Trees ? Government Policies and the Misuse of Forest Resources* (Washington, D.C. : World Resources Institute, 1988) ; Robert Repetto, "Deforestation in the Tropics", *Scientific American*, April 1990.

34. Estimate of $500 million to $1 billion from Repetto and van Bolhuis, *Natural Endowments* ; Philip M. Fearnside et al., *Deforestation Rate in Brazilian Amazonia* (São Paulo, Brazil : Instituto de Pesquisas Espaciais and Instituto Nacional de Pesquisas da Amazônia, 1990).

35. "Brazil : Latest Deforestation Figures", *Nature*, June 28, 1990 ; Vera Machado, Head of the Environment Sector, Embassy of Brazil, Washington, D.C., private communication, October 30, 1990.

36. Repetto, *Paying the Price* ; Robert Repetto, *Skimming the Water : Rent-Seeking and the Performance of Public Irrigation Systems* (Washington, D.C. : World Resources Institute, 1986) ; Repetto, *The Forest for the Trees ?*

37. U.S. Department of Agriculture (USDA), Economic Research Service, *Agricultural Resources : Cropland, Water and Conservation : Situation and Outlook Report*, Washington, D.C., September 1990.

38. David Moskovitz, *Profits & Progress Through Least-Cost Planning* (Washington, D.C. : National Association of Regulatory Utility Commissioners, 1989).

39. California Public Utilities Commission (CPUC), "CPUC, Major Utilities Promote Energy Efficiency and Conservation Programs", press release, San Francisco, Calif., August 29, 1990 ; Elizabeth Kolbert, "Utility's Rates Tied to Saving of Electricity", *New York Times*, September 1, 1990 ; "NEES to 'Mine'Customers 'kWh", *Electrical World*, October 1989 ; Oregon Public Utility Commission, "PUC Lauds PP&L's Conservation Program as an Oregon 'First'", press release, Salem, Oreg., July 19, 1990 ; Armond Cohen, Conservation Law Foundation, Boston, Mass., private communication, October 29, 1990.

40. Howard S. Geller, "Electricity Conservation in Brazil : Status Report and Analysis", American Council for an Energy-Efficient Economy, Washington, D.C., August, 1990 ; David A. Wirth, "Climate Chaos", *Foreign Policy*, Spring 1989.

41. Judith Jacobsen, *Promoting Population Stabilization : Incentives for Small Families*, Worldwatch Paper 54 (Washington, D.C. : Worldwatch Institute, June 1983).

42. D.L. Nortman et al., "A Cost Benefit Analysis of Family Planning Program of Mexican Social Security Administration", paper presented at the general conference of the International Union for the Scientific Study of Population, Florence, Italy, June 5-12, 1985, cited in Jodi L. Jacobson, *Planning the Global Family*, Worldwatch Paper 80 (Washington, D.C. : Worldwatch Institute, December 1987).

43. IMF, *International Financial Statistics* (Washington, D.C. : various years).

44. Information and Media Relations Division, "General Agreement on Tariffs and Trade (GATT) : What it is, What it Does", (Geneva : General Agreement on Tariffs and Trade, 1990) ; Third World lost income estimate from Paul Shaw, "Rapid Population Growth and Environmental Degradation : Ultimate versus Proximate Factors", *Environmental Conservation*, Autumn 1989 ; Steven Shrybman, "International Trade and the Environment : An Environmental Assessment of Present GATT Negotiations", *Alternatives*, Vol. 17, N° 2, 1990 ; Jeffrey J. Schott, "Uruguay Round : What Can Be Achieved", in Jeffrey J. Schott, ed., *Completing the Uruguay Round* (Washington, D.C. : Institute for International Economics, 1990) ; Dale E. Hathaway, "Agriculture", in *ibid*.

45. Ann Davison, "Developing Country Concerns", in *IOCU (International Organization of Consumers Unions) Newsletter*, N° 5, 1990 ; Herman E. Daly and John B. Cobb, *For the Common Good : Redirecting the Economy Toward Community, the Environment, and a Sustainable Future* (Boston : Beacon Press, 1989).

46. Stewart Hudson, "Trade, Environment, and the Negotiations on the General Agreement on Trade and Tariffs (GATT)", National Wildlife Federation, Washington, D.C., September 24, 1990.

47. Ebba Dohlman, "The Trade Effects of Environmental Regulation", *The OECD Observer*, February/March 1990 ; Court decision from Evy Jordan, Embassy of Denmark, Washington, D.C., private communication, October 29, 1990 ; Shrybman, "International Trade and the Environment".

48. Dutch Electricity Generating Board, "Dutch Plan for Reforestation in Latin America", press release, Arnhem, The Netherlands, March 30, 1990 ; Irene Carsouw, Dutch Electricity Generating Board, private communication, October 29, 1990.

49. David Pearce et al., *Blueprint for a Green Economy* (London : Earthscan Ltd., 1989).

50. Allen V. Kneese, *The United States in the 1980s* (Stanford : The Hoover Institution, 1980) ; Pearce et al., *Blueprint for a Green Economy*.

51. OECD, *Economic Instruments for Environmental Protection* (Paris : 1989).

52. U.K example from European Community Commission, "Report of the Working Group of Experts from the Member States on the Use of Economic and Fiscal Instruments in EC Environmental Policy", Brussels, May 1990; CFC figures from U.S. House of Representatives, "Omnibus Budget Reconciliation Act of 1989, Conference Report to Accompany H.R. 3299", Washington, D.C., November 21, 1989; Joint Committee on Taxation, "Estimated Revenue Effects of Conference Agreement on Revenue Provisions of H.R. 3299", Washington, D.C., November 21, 1989; Michael Weisskopf, "A Clever Solution for Pollution : Taxes", *Washington Post*, December 12, 1989.

53. Carbon dioxide emissions goals from "Ministerial Declaration of the Second World Climate Conference", Geneva, November 7, 1990, from "Germany and the Greenhouse : A Closer Look", *Global Environmental Change Report*, August 17, 1990, from "East Germany : Country Will Comply with CFC Ordinance of West Germany, Seeks Smaller CO_2 Cut", *International Environment Reporter*, July 1990, from "Japan to Stabilize Greenhouse Gas Emissions by 2000", *Global Environmental Change Report*, July 20, 1990, from "Switzerland to Announce Stabilization Goal at Second World Climate Conference", *Global Environmental Change Report*, July 20, 1990, from "The Netherlands Sets CO_2 Emissions Tax for 1990", *Global Environmental Change Report*, December 22, 1989, from "Country Profiles : Denmark", *European Energy Report*, May 1990, from The Ministry of Environment and Energy, *Action for a Common Future : Swedish National Report for Bergen Conference, May 1990* (Stockholm : 1989), from U.K. Department of the Environment, *This Common Inheritance : Britain's Environmental Strategy* (London : 1990), from Gunnrr Mathisen, Secretariate for Climate Affairs, Ministry of the Environment, Oslo, Norway, private communication, January 30, 1990, from "Austria to Reduce CO_2 Emissions 20% by 2005", *Global Environmental Change Report*, September 14, 1990, from Emmanuele D'Achon, First Secretary, Embassy of France, Washington, D.C., private communication, October 10, 1990, and from Ron Scherer, "Australia to Press for Worldwide Gas-Emissions Limits", *Christian Science Monitor*, October 18, 1990 : carbon taxes from Geraldine C. Kay, "Global Climate Change Timeline", *Global Environmental Change Report*, July 28, 1990, from "Nation Adopts Carbon Dioxide Tax ; Measure to be Higher on Coal than Gas", *International Environment Report*, March 1990, and from Anders Boeryd, Fuel Market Division, National Energy Administration, Sweden, private communication, August 10, 1990.

54. Debora MacKenzie, "... as Europe's Ministers Fail to Agree on Framework for Green Taxes", *New Scientist*, September 29, 1990.

55. Kennedy Maize, "Budget Summit Looking at Carbon Tax", *Energy Daily*, June 1, 1990 ; U.S. Congressional Budget Office (CBO), *Carbon Charges as a Response to Global Warming : the Effects of Taxing Fossil Fuels* (Washington, D.C. : August 1990) ; income tax receipts from U.S. Bureau of the Census, *Statistical Abstract of the United States : 1990* (Washington, D.C. : U.S. Government Printing Office, 1990).

56. CBO, *Carbon Charges as a Response to Global Warming*.

57. *Ibid.* ; Estimations du Bureau du Budget du Congrès des Etats-Unis (CBO) basées sur des prévisions de prix antérieures à l'invasion irakienne.

58. Dieter Teufel et al., "Kosteuern als marktwirtschaftliches Instrument im Umweltschutz : Vorschläge für eine ökologische Steuerreform", Umwelt und Prognose Institut, Heidelberg, April 1988.

59. Estimated tax revenues based on Gregg Marland et al., *Estimates of CO$_2$ Emissions from Fossil Fuel Burning and Cement Manufacturing, Based on the United Nations Energy Statistics and the U.S. Bureau of Mines Cement Manufacturing Data* (Oak Ridge, Tenn. : Oak Ridge National Laboratory, 1989), and on British Petroleum (BP), *BP Statistical Review of World Energy* (London : 1990) ; hazardous waste estimates are 1985 figures from World Resources Institute, *World Resources 1990-1991* (New York : Oxford University Press, 1990) ; virgin pulp estimate based on 1987 figures in Alice H. Ulrich, *U.S. Timber Production, Trade, Consumption, and Price Statistics 1950-87* (Washington, D.C. : USDA, December 1989) ; pesticide sales are 1988 figures in U.S. Environmental Protection Agency (EPA), *Pesticides Industry Sales and Usage* (Washington, D.C. : 1990) ; sulfur dioxide and nitrogen oxide emission estimates are for 1988 in EPA, *National Air Quality Emissions and Trends Report, 1988* (Research Triangle Park, N.C. : 1990) ; CFC tax and revenue estimates for 1994 from U.S. House of Representatives, "Omnibus Budget Reconciliation Act of 1989", and from Joint Committee on Taxation, "Estimated Revenue Effects" ; groundwater depletion estimates are for 1980 in U.S. Geological Survey, *National Water Summary 1983—Hydrologic Events and Issues* (Washington, D.C. : U.S. Government Printing Office, 1983).

60. Estimate for climate fund revenues based on Marland et al., *Estimates of CO$_2$ Emissons*, and on BP, *BP Statistical Review*.

61. Louis Harris & Associates et al., *The Rising Tide : Public Opinion, Policy & Politics* (Washington, D.C. : Americans for the Environment, 1989).

62. See Herman Daly, "Towards an Environmental Macroeconomics", presented at "The Ecological Economics of Sustainability : Making Local and Short-Term Goals Consistent with Global and Long-Term Goals", the International Society for Ecological Economics, Washington, D.C., May 1990 ; see also Paul R. Ehrlich, "The Limits to Substitution : Meta-Resource Depletion and a New Economic-Ecological Paradigm", *Ecological Economics*, N° 1, 1989.

63. 1900 global world output from Lester R. Brown and Sandra Postel, "Thresholds of Change", in Lester Brown et al., *State of the World 1987* (Washington, D.C. : W.W. Norton & Company, 1987).

64. Peter M. Vitousek et al., "Human Appropriation of the Products of Photosynthesis", *BioScience*, June 1986 ; PRB, *1990 World Population Data Sheet*.

65. U.S. Department of Energy (DOE), Energy Information Agency (EIA), *State Energy Data Report, Consumption Estimates, 1960-1988* (Washington, D.C. : 1990) ; DOE, EIA, *Annual Energy Review 1989* (Washington, D.C. : 1990) ; Bureau of the Census, *Statistical Abstract of the United States : 1990*.

66. Total vehicle kilometers for 1965-70 from U.S. Department of Commerce, *Historical Statistics of the United States, Colonial Times to*

1970, Bicentennial Edition (Washington, D.C., 1975) ; 1970-88 from DOE, EIA, *Annual Energy Review 1989.*

67. PRB, *1990 World Population Data Sheet.*

68. See Hazel Henderson, "Moving Beyond Economism : New Indicators for Culturally Specific, Sustainable Development", in The Caracas Report on Alternative Development Indicators, *Redefining Wealth and Progress : New Ways to Measure Economic, Social and Environmental Change* (New York : The Bootstrap Press, 1989) ; Daly and Cobb, *For the Common Good.*

69. Garrett Hardin, "Paramount Positions in Ecological Economics", presented at "The Ecological Economics of Sustainability".

70. Durning, *Poverty and the Environment.*

Table des matières

L'état de la Planète

Lester R. Brown

1989

UN MONDE EN DANGER

- réchauffement de la terre
- la couche d'ozone
- famine et alimentation
- l'environnement menacé
- sida
- l'avenir de l'automobile

S. POSTEL - L. HEISE - C. POLLOCK SHEA - L. STARKE

A. DURNING - C. FLAVIN - M. RENNER - J. JACOBSON

Préface de Renè Dumont

 ECONOMICA

Worldwatch Institute

L'état de la Planète

Lester R. Brown

1990

S.POSTEL - H.FRENCH - M.LOWE - J.YOUNG - L.STARKE

A.DURNING - C.FLAVIN - M.RENNER - J.JACOBSON

STOP

. à la croissance
démographique
. à la production
de déchets
. à la civilisation
du gaspillage
. à la pauvreté
. au règne de
l'automobile
. à l'élévation du
niveau de la mer
. à l'instabilité
climatique

POUR créer
un monde viable

Préface d'Alfred Sauvy

ECONOMICA

Worldwatch Institute

Composé par Economica, 49, rue Héricart, 75015 PARIS
Imprimé en France. — JOUVE, 18, rue Saint-Denis, 75001 PARIS
Nº 61375. — Dépôt légal : Avril 1991